여러분의 합격을 응원하는
해커스군무원 특별 혜택

KB084592

FREE 군무원 경영학 **특강**

해커스군무원(army.Hackers.com) 접속 후 로그인 ▶
상단의 [무료특강 → 군무원 무료특강] 또는 [무료특강 → 교재 무료특강] 클릭하여 이용

해커스군무원 온라인 단과강의 **20% 할인쿠폰**

ADA86984293776EP

해커스군무원(army.Hackers.com) 접속 후 로그인 ▶ 상단의 [나의 강의실] 클릭 ▶
[쿠폰/포인트] 클릭 ▶ 위 쿠폰번호 입력 후 이용

* 등록 후 7일간 사용 가능(ID당 1회에 한해 등록 가능)

 합격예측 **온라인 모의고사 응시권 + 해설강의 수강권**

E573D8EBCA83322D

해커스군무원(army.Hackers.com) 접속 후 로그인 ▶ 상단의 [나의 강의실] 클릭 ▶
[쿠폰/포인트] 클릭 ▶ 위 쿠폰번호 입력 후 합격예측 모의고사 페이지에서 이용

* ID당 1회에 한해 등록 가능

쿠폰 이용 관련 문의 **1588-4055**

단기 합격을 위한
해커스군무원 커리큘럼

입문

탄탄한 기본기와 핵심 개념 완성!

누구나 이해하기 쉬운 개념 설명과 풍부한 예시로 부담없이 쌩기초 다지기

TIP 베이스가 있다면 **기본 단계**부터!

▼

기본+심화

필수 개념 학습으로 이론 완성!

반드시 알아야 할 기본 개념과 문제풀이 전략을 학습하고
심화 개념 학습으로 고득점을 위한 응용력 다지기

▼

기출+예상 문제풀이

문제풀이로 집중 학습하고 실력 업그레이드!

기출문제의 유형과 출제 의도를 이해하고 최신 출제 경향을 반영한
예상문제를 풀어보며 본인의 취약영역을 파악 및 보완하기

▼

동형문제풀이

동형모의고사로 실전력 강화!

실제 시험과 같은 형태의 실전모의고사를 풀어보며 실전감각 극대화

▼

최종 마무리

시험 직전 실전 시뮬레이션!

각 과목별 시험에 출제되는 내용들을 최종 점검하며 실전 완성

PASS

**단계별 교재 확인 및
수강신청은 여기서!**

army.Hackers.com

* 커리큘럼 및 세부 일정은 상이할 수 있으며,
자세한 사항은 해커스군무원 사이트에서 확인하세요.

해커스군무원

이인호 경영학

해커스군무원

이인호

약력

연세대학교 일반대학원 경영학과 졸업(경영학 박사)
연세대학교 경영대학 경영학과 객원교수
한국경영학회 평생회원
이인호 경영연구소 대표
경영지도사/유통관리사(2급)/중등학교 정교사(1급) 자격 보유

현 | 해커스군무원 경영학 강의
현 | 해커스JOB 공기업 경영학 강의
현 | 해커스경영아카데미 경영학 강의
현 | 해커스금융 매경TEST/유통관리사 강의
현 | 프라임 법학원 공인노무사 경영학 강의

저서

해커스군무원 이인호 경영학 기본서
해커스군무원 이인호 경영학 FINAL 봉투모의고사
해커스공기업 경영학 기본서
해커스 유통관리사 2급
해커스 매경TEST
이인호 군무원 객관식 경영학 2500제, 도서출판 새흐름
이인호 공기업 경영학 실전모의고사, 도서출판 새흐름

군무원 및 공무원 시험 합격을 위한 필수 기본서!

2017년부터 군무원 군수직 필기시험의 과목이 품질관리론에서 경영학으로 변경되어 군무원 군수직 필기시험을 합격하기 위해서는 경영학이 중요한 위치를 차지하게 되었습니다. 또한, 국가직과 서울시 공무원 감사직 필기시험에서도 경영학은 매우 중요한 위치를 차지하고 있습니다. 그러나 이러한 상황임에도 불구하고 전문 경영학 교재는 거의 전무한 상태입니다. 따라서 수험생들이 군무원이나 공무원 필기시험에 최적화된 경영학 교재를 접하지 못해 시험범위에 대한 명확한 인식의 부재가 발생하고, 이로 인해 공부의 방향을 쉽게 잡지 못하여 노력한 만큼 좋은 결과를 얻지 못하는 안타까운 현실이 발생하고 있습니다.

이에 『해커스군무원 이인호 경영학 기본서』는 최근의 출제경향을 완벽하게 분석하여 수험생 여러분들이 '시험에 나오는' 경영학만을 효율적으로 학습할 수 있도록 다음과 같은 특징들을 가지고 있습니다.

첫째, 하나의 논리체계를 가지고 시스템 접근법에 기초하여 목차를 구성하였습니다.
경영학 전반에 대하여 백과사전식 흐름이 아니라 하나의 논리체계로 구성하여 단순암기 보다는 경영학에 대한 포괄적인 이해가 가능하도록 하였습니다. 본문 내용을 서술함에 있어서도 다루는 주제에 대한 개념적인 측면을 먼저 설명한 후에 항목별로 중요사항들을 서술하는 Top-Down 방식을 적용하여 실전에서 좀 더 유연하게 대응할 수 있습니다.

둘째, 방대한 경영학 이론 중에서 시험 합격에 필요한 내용만을 엄선하였습니다.
경영학 이론 중에서 꼭 필요한 내용만을 엄선하고 동일한 논리체계를 적용하였습니다. 따라서 수험생 여러분들이 이론적 체계를 쉽게 세울 수 있으며, 1회독만으로도 경영학 전반의 흐름과 핵심을 파악할 수 있습니다. 또한, 문장의 전달력과 이해력을 위하여 간결하지만 핵심을 파고드는 문장들로 수록하여 내용을 명확하게 파악할 수 있습니다.

셋째, 각 CHAPTER별로 엄선된 기출문제 및 예상문제를 수록하였습니다.
각 CHAPTER의 마지막에 군무원 및 공무원 기출문제와 경영학 과목을 채택한 시험들의 기출문제와 출제예상문제를 구분하여 수록하였습니다. 따라서 본문에서 정리한 내용을 적용하며 실전 감각을 키울 수 있고, 본문에는 없지만 문제를 통해 정리해야 하는 내용에 대해서는 상세한 해설을 수록하여 지엽적인 문제도 대비할 수 있습니다.

더불어, 군무원 시험 전문 사이트 해커스군무원(army.Hackers.com)에서 교재 학습 중 궁금한 점을 나누고 다양한 무료 학습 자료를 함께 이용하여 학습 효과를 극대화할 수 있습니다.

끝으로 시험이 끝난 후 여러분의 책장에 꽂힌 『해커스군무원 이인호 경영학 기본서』가 합격의 영광으로 인해 다시는 공부하는 책상 위에 펼쳐지지 않고 각자의 전설 속에 남겨지기를 간절히 기원합니다. 수험생 여러분들의 건투를 빕니다.

이인호

목차

1권

PART 01 경영학 입문

CHAPTER 01 경영학의 기초개념

CHAPTER 02 경영자와 기업

CHAPTER 03 경영관리

CHATPER 04 경영전략

PART 02 조직행동론

CHAPTER 01 조직행동론의 기초개념

CHAPTER 02 개인수준에서의 행동

목차

이 책의 구성

『해커스군무원 이인호 경영학 기본서』는 수험생 여러분들이 경영학 과목을 효율적으로 정확하게 학습할 수 있도록 상세한 내용과 다양한 학습장치를 수록·구성하였습니다. 아래 내용을 참고하여 본인의 학습 과정에 맞게 체계적으로 학습 전략을 세워 학습하기 바랍니다.

① 전체적인 흐름을 파악하고 학습방향 설정하기

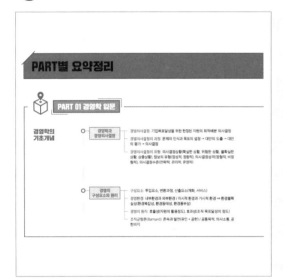

이론의 내용을 한눈에 파악할 수 있는 PART별 요약정리

이론 학습 전에 전체적인 흐름을 파악하고 체계적으로 학습방향을 설정할 수 있도록 이론의 도입부에 PART별 이론의 핵심 내용을 도식화한 'PART별 요약정리'를 수록하였습니다. 본격적인 학습 전에 이를 활용한다면 스스로 학습 목표와 진도를 설정하는 등 주도적인 학습이 가능하며, 주요 내용을 먼저 확인함으로써 학습의 우선순위를 설정할 수 있습니다.

② 이론의 세부적인 내용을 정확하게 파악하기

CHAPTER 01 경영학의 기초개념

제1절 경영학과 경영의사결정

1 경영학

1. 의의

경영학(business management)이란 경영현상을 이해하는 학문체계를 말한다. 여기서 경영현상이란 주어진 목표를 위해 한정된 자원을 가장 효율적으로 사용하는 기업조직의 행위를 의미하고, 기업조직의 행위는 의사결정을 의미한다. 따라서 경영학은 한정된 자원의 최적배분을 위한 의사결정이라고 정의할 수 있다.

2. 구성

경영학은 의사결정이라는 관점에서 재무관리, 인적자원관리, 생산운영관리, 마케팅 등으로 구분할 수 있다. 그 외에 이러한 의사결정을 도와주는 분야로써 회계학, 조직행동론, 경영과학, 경영정보시스템 등이 있다.

2 경영의사결정

1. 의의

경영학은 한정된 자원의 최적배분 의사결정이라고 정의할 수 있으며, 이는 경영의사결정이라고 이해할 수 있다. 여기서 경영의사결정(managerial decision making)이란 기업의 목표를 달성하기 위하여 하나 이상의 대안 중에서 최적의 대안을 선택하는 과정을 말한다. 경영의사결정은 의사결정자가 현실(as-is)과 바람직한 상태(to-be) 사이의 차이(gap)를 인식함과 동시에 시작되는데, 여기에는 현실에 대한 문제의식을 바탕으로 현실을 개선하려는 목적의식이 내포되어 있다. 그리고 경영학에서 '현실과 바람직한 상태 사이의 차이'를 문제(problem)라고 하는데, 이러한 이유 때문에 경영의사결정을 문제해결(problem solving)이라고도

최신 출제경향을 반영하여 선별한 이론

1. 철저한 기출분석으로 도출한 최신 출제경향을 바탕으로 출제가 예상되는 내용을 선별하여 이론에 반영·수록하였습니다. 이를 통해 출제 가능성이 있는 부분들을 빠짐없이 학습할 수 있습니다.

2. 경영학의 각 분야별 출제문항수와 수험생들의 공부여건을 반영하여 출제범위가 제한적인 재무관리, 회계학, 경영정보시스템(MIS)에 대해서는 꼭 필요한 내용들을 중심으로 본문을 구성하였습니다. 또한, 풍부한 기출문제와 이에 대한 상세한 해설을 추가하여 효율적으로 시험에 대비할 수 있습니다.

③ 다양한 학습장치를 활용하여 이론 완성하기

효과적 학습을 위한 다양한 학습장치

1. 복잡하고 방대한 경영학 이론의 이해를 도울 수 있도록 구성이나 구조, 유형 등 주요 내용을 알기 쉽게 도식화하여 수록하였습니다. 이를 통해 경영학 이론의 큰 흐름 속에서 이해가 어려웠던 부분을 효과적으로 학습할 수 있습니다.

2. 시험에 출제될 가능성이 높은 개념들과 정리해서 알아두면 좋을 내용들을 선별하여 한눈에 알아볼 수 있도록 요약·정리하여 수록하였습니다. 이를 통해 경영학 이론의 핵심 내용을 파악할 수 있으며, 출제 가능성이 있는 개념들을 빠짐없이 학습할 수 있습니다.

④ 여러 유형의 문제를 통하여 학습한 이론 적용하기

실력 향상을 위한 기출문제·예상문제 및 상세한 해설

1. 9·7급 군무원(군수직), 7급 국가직(감사직) 및 서울시 공무원 기출문제와 공인노무사, 경영지도사, 가맹거래사 등 기타 시험의 주요 경영학 기출문제 중 재출제될 가능성이 높은 우수한 퀄리티의 문제를 엄선하여 교재 내에 수록하였습니다. 또한, 최신 출제경향을 반영하여 주요 출제포인트에 해당하는 내용으로 구성한 예상문제를 함께 수록하였습니다. 이를 통해 문제에 접근하는 방법을 익히고 응용력을 키울 수 있으며, 학습한 이론을 다시 점검할 수 있습니다.

2. 교재에 수록된 모든 문제에 상세한 해설을 수록하였습니다. 출제자의 의도를 파악하고 수험생의 눈높이에 맞춘 해설을 통하여 문제 풀이 과정에서 실력을 한층 향상시킬 수 있습니다. 또한 정답뿐만 아니라 오답에 대한 분석까지 수록하여 복습을 하거나 회독을 할 때에도 모든 선지를 바르게 이해할 수 있습니다.

PART별 요약정리

PART 01 경영학 입문

경영학의 기초개념

경영학과 경영의사결정
- 기업목표달성을 위한 한정된 자원의 최적배분 의사결정
- 경영의사결정의 과정: 문제의 인식과 목표의 설정 → 대안의 도출 → 대안의 평가 → 의사결정(대안의 선택)
- 경영의사결정의 유형: 의사결정상황(확실한 상황, 위험한 상황, 불확실한 상황, 상충상황), 정보의 유형(정성적, 정량적), 의사결정성격(정형적, 비정형적), 의사결정수준(전략적, 관리적, 운영적)

경영의 구성요소와 원리
- 구성요소: 투입요소, 변환과정(기업활동 + 관리과정 = 기업경영), 산출요소(재화, 서비스)
- 경영환경: 내부환경과 외부환경(기업경계) / 미시적 환경과 거시적 환경(산업경계) ⇒ 환경불확실성(환경복잡성, 환경동태성, 환경풍부성)
- 경영의 원리: 효율성(자원의 활용정도), 효과성(조직 목표달성의 정도)
- 조직균형론(Barnard): 존속과 발전(유인 + 공헌) / 공통목적, 의사소통, 공헌의지

경영학의 발전과정
- 고전적 접근법: 과학적 관리법(Taylor, Gilbreth), Ford 시스템, 관리과정론(Fayol), 관료제(Weber)
- 인간관계접근법: 호손연구, XY이론(McGregor)
- 계량적 접근법: 경영과학, 경영정보시스템
- 시스템이론: 전체최적화 = Σ부문최적화 + 상호작용(Feedback)
- 상황적합이론: 기술과 조직구조(Woodward, Thompson, Perrow), 환경과 조직구조(Burns & Stalker, Lawrence & Lorsch)

경영자와 기업

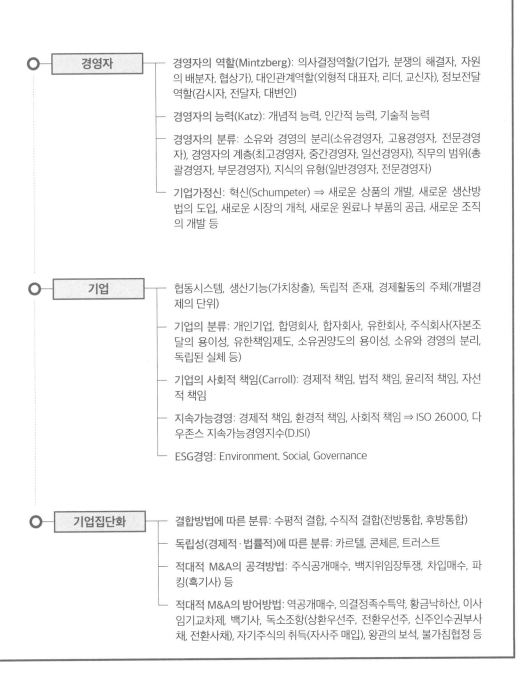

경영자

- 경영자의 역할(Mintzberg): 의사결정역할(기업가, 분쟁의 해결자, 자원의 배분자, 협상가), 대인관계역할(외형적 대표자, 리더, 교신자), 정보전달역할(감시자, 전달자, 대변인)
- 경영자의 능력(Katz): 개념적 능력, 인간적 능력, 기술적 능력
- 경영자의 분류: 소유와 경영의 분리(소유경영자, 고용경영자, 전문경영자), 경영자의 계층(최고경영자, 중간경영자, 일선경영자), 직무의 범위(총괄경영자, 부문경영자), 지식의 유형(일반경영자, 전문경영자)
- 기업가정신: 혁신(Schumpeter) ⇒ 새로운 상품의 개발, 새로운 생산방법의 도입, 새로운 시장의 개척, 새로운 원료나 부품의 공급, 새로운 조직의 개발 등

기업

- 협동시스템, 생산기능(가치창출), 독립적 존재, 경제활동의 주체(개별경제의 단위)
- 기업의 분류: 개인기업, 합명회사, 합자회사, 유한회사, 주식회사(자본조달의 용이성, 유한책임제도, 소유권양도의 용이성, 소유와 경영의 분리, 독립된 실체 등)
- 기업의 사회적 책임(Carroll): 경제적 책임, 법적 책임, 윤리적 책임, 자선적 책임
- 지속가능경영: 경제적 책임, 환경적 책임, 사회적 책임 ⇒ ISO 26000, 다우존스 지속가능경영지수(DJSI)
- ESG경영: Environment. Social, Governance

기업집단화

- 결합방법에 따른 분류: 수평적 결합, 수직적 결합(전방통합, 후방통합)
- 독립성(경제적·법률적)에 따른 분류: 카르텔, 콘체른, 트러스트
- 적대적 M&A의 공격방법: 주식공개매수, 백지위임장투쟁, 차입매수, 파킹(흑기사) 등
- 적대적 M&A의 방어방법: 역공개매수, 의결정족수특약, 황금낙하산, 이사임기교차제, 백기사, 독소조항(상환우선주, 전환우선주, 신주인수권부사채, 전환사채), 자기주식의 취득(자사주 매입), 왕관의 보석, 불가침협정 등

경영관리

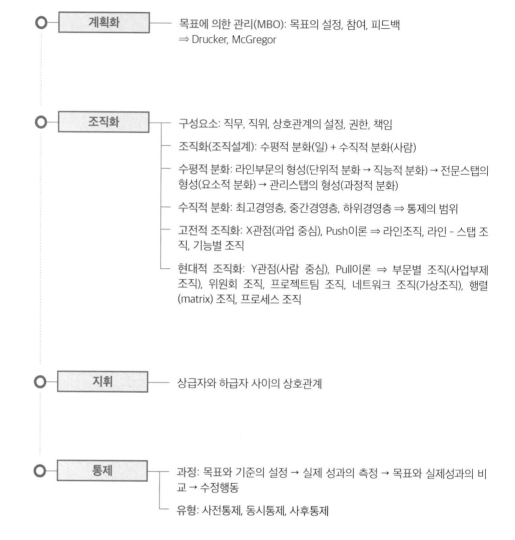

계획화 ──▶ 목표에 의한 관리(MBO): 목표의 설정, 참여, 피드백
⇒ Drucker, McGregor

조직화 ── 구성요소: 직무, 직위, 상호관계의 설정, 권한, 책임

── 조직화(조직설계): 수평적 분화(일) + 수직적 분화(사람)

── 수평적 분화: 라인부문의 형성(단위적 분화 → 직능적 분화) → 전문스탭의
형성(요소적 분화) → 관리스탭의 형성(과정적 분화)

── 수직적 분화: 최고경영층, 중간경영층, 하위경영층 ⇒ 통제의 범위

── 고전적 조직화: X관점(과업 중심), Push이론 ⇒ 라인조직, 라인 - 스탭 조
직, 기능별 조직

── 현대적 조직화: Y관점(사람 중심), Pull이론 ⇒ 부문별 조직(사업부제
조직), 위원회 조직, 프로젝트팀 조직, 네트워크 조직(가상조직), 행렬
(matrix) 조직, 프로세스 조직

지휘 ── 상급자와 하급자 사이의 상호관계

통제 ── 과정: 목표와 기준의 설정 → 실제 성과의 측정 → 목표와 실제성과의 비
교 → 수정행동

── 유형: 사전통제, 동시통제, 사후통제

경영전략

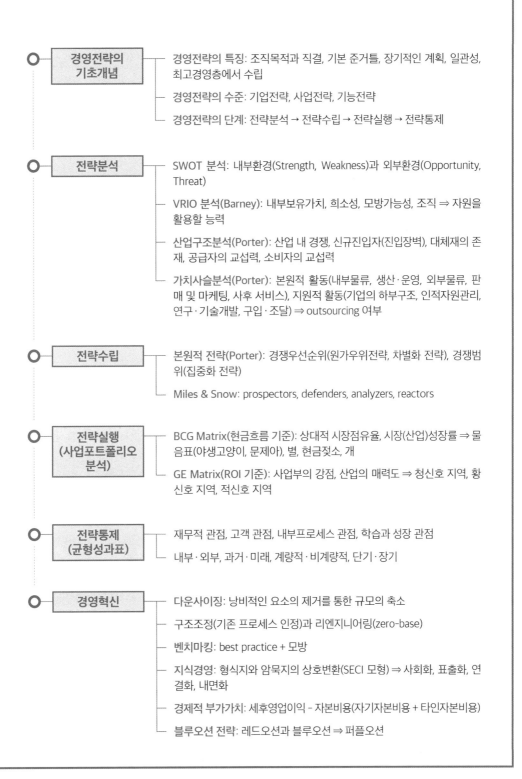

경영전략의 기초개념
- 경영전략의 특징: 조직목적과 직결, 기본 준거틀, 장기적인 계획, 일관성, 최고경영층에서 수립
- 경영전략의 수준: 기업전략, 사업전략, 기능전략
- 경영전략의 단계: 전략분석 → 전략수립 → 전략실행 → 전략통제

전략분석
- SWOT 분석: 내부환경(Strength, Weakness)과 외부환경(Opportunity, Threat)
- VRIO 분석(Barney): 내부보유가치, 희소성, 모방가능성, 조직 ⇒ 자원을 활용할 능력
- 산업구조분석(Porter): 산업 내 경쟁, 신규진입자(진입장벽), 대체재의 존재, 공급자의 교섭력, 소비자의 교섭력
- 가치사슬분석(Porter): 본원적 활동(내부물류, 생산·운영, 외부물류, 판매 및 마케팅, 사후 서비스), 지원적 활동(기업의 하부구조, 인적자원관리, 연구·기술개발, 구입·조달) ⇒ outsourcing 여부

전략수립
- 본원적 전략(Porter): 경쟁우선순위(원가우위전략, 차별화 전략), 경쟁범위(집중화 전략)
- Miles & Snow: prospectors, defenders, analyzers, reactors

전략실행 (사업포트폴리오 분석)
- BCG Matrix(현금흐름 기준): 상대적 시장점유율, 시장(산업)성장률 ⇒ 물음표(야생고양이, 문제아), 별, 현금젖소, 개
- GE Matrix(ROI 기준): 사업부의 강점, 산업의 매력도 ⇒ 청신호 지역, 황신호 지역, 적신호 지역

전략통제 (균형성과표)
- 재무적 관점, 고객 관점, 내부프로세스 관점, 학습과 성장 관점
- 내부·외부, 과거·미래, 계량적·비계량적, 단기·장기

경영혁신
- 다운사이징: 낭비적인 요소의 제거를 통한 규모의 축소
- 구조조정(기존 프로세스 인정)과 리엔지니어링(zero-base)
- 벤치마킹: best practice + 모방
- 지식경영: 형식지와 암묵지의 상호변환(SECI 모형) ⇒ 사회화, 표출화, 연결화, 내면화
- 경제적 부가가치: 세후영업이익 – 자본비용(자기자본비용 + 타인자본비용)
- 블루오션 전략: 레드오션과 블루오션 ⇒ 퍼플오션

PART 02 조직행동론

개인수준에서의 행동

○ **성격**
- 결정요인: 유전적 요인, 상황적 요인, 문화적 요인, 사회적 요인 등
- 성격특질: 자기효능감, 자기감시성향, 자존심
- 긍정심리자본: 자기효능감, 희망, 낙관주의, 복원력
- 유형이론: 외향성과 내향성, 독재성과 민주성, A형과 B형, 내재론자와 외재론자, 빅 파이브 모형(성실성, 우호성, 경험에 대한 개방성, 외향성, 신경증성향)

○ **가치관과 감정**
- 로키치(Rokeach)의 가치관: 최종적 가치와 수단적 가치
- 감정노동: 가식적 행동, 내면화 행동, 진실 행동
- 감정지능: 자기인식, 자기감정조절, 자기동기부여, 감정이입, 사회적 기술(대인관계)

○ **지각**
- 영향요인: 외부환경요인(강도, 대조, 반복, 동작, 신기함과 친숙성), 내부환경요인(욕구와 동기, 과거의 경험과 학습, 자아개념, 성격), 상황요인(시간, 장소, 직무환경, 주변인들의 상황, 물리적 상황)
- 지각정보처리모형(지각메커니즘): 선택 → 조직화(집단화, 폐쇄화, 단순화, 전경 - 배경의 원리) → 해석
- 지각오류: 후광효과와 뿔효과, 상동적 태도(고정관념), 지각적 방어, 투영효과(투사, 주관의 객관화), 자성적 예언(피그말리온 효과), 자존적 편견, 순위효과(최초효과와 최근효과), 근접오류, 대비오류(대조효과), 상관편견(논리적 오류), 관대화·중심화·가혹화 경향
- 인상형성이론: 일관성, 중심특질과 주변특질, 합산원리와 평균원리, 최초효과와 부정적 효과
- 귀인(귀속)이론: 합의성(성과와 동료구성원), 특이성(성과와 과업), 일관성(성과와 시간) ⇒ 내적귀인, 외적귀인

학습

- **구성요소:** 연습과 경험, 강화, 지속적인 행동변화
- **행동주의 학습이론:** 고전적 조건화(Pavlov), 시행착오설(Thorndike), 조작적 조건화(Skinner)
- **강화이론(Skinner):** 긍정적(적극적) 강화, 부정적 강화, 소거, 벌 / 연속적 강화와 단속적 강화(고정간격법, 변동간격법, 고정비율법, 변동비율법)
- **인지적 학습이론(Tolman):** 인지도 = 인지적 단서 + 기대
- **사회적 학습이론(Bandura):** 관찰학습(모방학습, 자아통제), 인지학습(상징적 인지과정)

태도

- **구성요소:** 인지적 요소, 정서적 요소, 행동적 요소
- **조직몰입(Meyer & Allen):** 정서적 몰입(조직동일시), 지속적 몰입, 규범적 몰입(도덕적 또는 윤리적 의무감)
- **조직시민행동:** 이타주의, 성실성·양심, 시민의식, 예의, 스포츠맨십
- **신뢰:** 심리적 계약 ⇒ 경제적·거래적 계약과 관계적 계약
- **장의 이론(Lewin):** 해빙 → 변화(순응, 동일화, 내면화) → 재동결
- **인지반응이론:** 전달자의 신뢰성, 메시지의 반복, 메시지의 난이도, 듣는 이의 몰입도
- **균형이론(Heider):** 균형상태와 불균형 상태
- **인지부조화이론(Festinger):** 접근 - 접근 갈등, 접근 - 회피 갈등, 회피 - 회피 갈등

동기부여

- 욕구단계설(Maslow): 생리적 욕구, 안전 욕구, 사회적(소속) 욕구, 존경(자존) 욕구, 자아실현 욕구
- ERG이론(Alderfer): 존재욕구, 관계욕구, 성장욕구
- 2요인이론(Herzberg): 위생요인(불만족 요인), 동기요인(만족 요인)
- 미성숙 - 성숙이론(Argyris): 미성숙상태, 성숙상태
- 성취동기이론(McClelland): 친교욕구, 권력욕구, 성취욕구
- 기대이론(Vroom): 동기부여의 강도 = 기대감 × 수단성 × 유의성
- 기대이론(Porter & Lawler): Vroom의 기대이론 + 능력과 기술, 역할지각, 외재적·내재적 보상, 보상에 대한 공정성 지각, 만족감 등
- 공정성이론(Adams): 인지부조화, 준거인물(비교대상)
- 목표설정이론(Locke): 효과적인 목표(구체적인 목표, 목표의 난이도) ⇒ 능력, 목표몰입, 피드백, 자신감, 과업전략
- 인지적 평가이론과 자기결정이론: 내재적 동기와 외재적 동기

집단수준에서의 행동

○ ─ 집단행동

- 집단: 공식집단과 비공식집단, 소속집단과 준거집단
- 집단구조: 역할(역할기대 → 역할전달 → 역할인식 → 역할행동), 규범(중심 규범, 주변 규범, 지시적 규범, 금지적 규범, 표출 규범), 지위
- 역할갈등: 역할모호성, 역할무능력, 다각적 역할기대, 역할마찰 등
- 집단발달단계(Tuckman): 형성기 → 격동기 → 규범기 → 성과수행기 → 해체기
- 팀워크: 팀 지향성, 팀 리더십, 의사소통, 모니터링, 피드백, 백업행동, 조정행위
- 집단응집성: 목표일치, 카리스마 리더, 가치관의 공유, 소규모 등
- 갈등관리(조하리의 창): 공공영역, 맹목영역, 사적영역, 미지영역
- 갈등관리전략(Thomas): 상대방에 대한 관심과 자신에 대한 관심 ⇒ 회피전략, 경쟁전략, 수용(배려)전략, 협력(통합)전략, 타협전략
- 협상: 분배적 협상(win-lose), 통합적 협상(win-win)
- 사회적 촉진과 사회적 태만(링겔만 효과)

○ ─ 의사소통과 집단의사결정

- 의사소통의 원칙: 명료성의 원칙, 주의집중의 원칙, 통합성의 원칙, 비공식조직의 전략적 활용원칙
- 공식적 의사소통: 원형, 수레바퀴형, 사슬형, Y형, 상호연결형
- 비공식적 의사소통: 그레이프바인(grapevine) ⇒ 단순형, 한담형, 확률형, 군집형
- 의사결정모형: 합리적 의사결정모형(최적해, 완전정보, 완전대안, 완전선호체계, 효과계산의 무제한), 관리인 의사결정모형(제한된 합리성 ⇒ 만족해), 쓰레기통 모형(문제, 대안, 의사결정자, 결정시점 또는 선택기회), 정치적 선택 모형, 직관적 의사결정모형(휴리스틱), 점진적 의사결정모형(확인단계 → 개발단계 → 선택단계)
- 집단의사결정기법: 브레인스토밍(질보다 양, 창의적인 아이디어, 비판금지, 자유연상법), 고든법(양보다 질), 델파이법(순환적 집단의사결정과정), 명목집단법(브레인스토밍 + 델파이법), 지명반론자법(집단사고 방지)
- 집단의사결정의 오류: 집단사고, 집단극화, 애쉬효과와 스놉효과, 결정의 지속성(몰입상승)

리더십

- **권력의 유형(French & Raven):** 강압적 권력, 보상적 권력, 합법적 권력(권한), 준거적 권력, 전문적 권력

- **권력수준의 결정요인:** 불확실성의 대처능력, 자원의 조달 및 통제능력, 중심성(핵심적 위치), 대체가능성(희소성)

- **Tannenbaum과 Schmidt의 연구:** 리더의 권한영역과 부하의 자유재량 영역 ⇒ 경영자중심(전제적) 리더와 종업원중심(민주적) 리더

- **오하이오 대학의 연구:** 구조주도와 배려 ⇒ HH, HL, LH, LL

- **관리격자이론(Blake & Mouton):** 생산에 대한 관심과 인간에 대한 관심 ⇒ (1, 1) ~ (9, 9)

- **PM이론(Misumi):** Performance와 Maintenance ⇒ PM, Pm, pM, pm

- **Fidler의 상황적합이론:** 과업지향적 리더, 관계지향적 리더(LPC 점수) / 상황의 호의성(리더 - 구성원 관계, 과업구조, 리더의 직위권력)

- **경로목표이론(House):** 지시적 리더, 후원적 리더, 성취지향적 리더, 참여적 리더 / 부하의 특성(부하의 능력, 통제위치, 욕구와 동기 등), 과업환경요소(과업의 난이도, 목표의 수준, 리더의 권한, 집단의 성격, 조직요소 등)

- **수명주기이론(Hersey & Blanchard):** 지시형, 설득형, 참여형, 위임형 / 부하의 성숙도

- **리더 - 부하 교환이론:** 내집단(in-group)과 외집단(out-group)

- **카리스마 리더십**

- **거래적 리더십:** 조건에 의한 보상, 예외에 의한 관리

- **변혁적 리더십(Bass):** 카리스마, 영감적 동기, 지적 자극, 개별적 배려

- **서번트 리더십:** 조력자

- **수퍼리더십:** 셀프 리더(self-leader)

- **윤리적 리더십(기업의 사회적 책임)과 진정성 리더십(긍정심리자본, 긍정적 조직맥락, 자아인식, 리더의 자기규제적 행동)**

- **리더십 귀속이론:** 부하의 지각에 따라 리더십 유형이 결정

조직수준에서의 행동

조직설계

- 기본변수: 복잡성, 공식화, 집권화와 분권화
- Mintzberg: 기술지원부문(기계적 관료제), 일반지원부문(애드호크라시), 전략경영부문(단순구조), 중간관리부문(사업부제 조직), 생산핵심부문(전문적 관료제)
- 조직수명주기이론(Quinn & Cameron): 창업단계 → 공동체단계 → 공식화단계 → 정교화단계

조직문화

- 조직문화의 구성요소(Schein): 가시적 수준(가공물과 창조물), 인식적 수준(가치), 잠재적 수준(기본전제)
- 7S 모형(Pascale & Peters): 공유가치, 전략, 구조, 시스템, 구성원, 기술, 스타일
- 유형: Deal & Kennedy(거친 남성문화, 일 잘하고 잘 노는 문화, 사운을 거는 문화, 과정문화), Harrison(관료조직문화, 권력조직문화, 행렬조직문화, 핵화조직문화), Quinn(집단문화, 발전문화, 위계문화, 합리문화)
- Z이론(Ouchi): 미국식 경영방식(A type) + 일본식 조직문화(J type) = Z조직
- 국가별 조직문화의 비교(Hofstede): 개인 - 집단 중심성, 권력 중심성, 불확실성 회피성, 남성-여성 중심성, 유교적 역동성(장기-단기 지향성)
- 홀(Hall)의 조직문화: 고맥락 문화와 저맥락 문화
- 시스템 4이론(Likert): 전제적 - 착취적 시스템(시스템 1형), 전제적 - 온정적 시스템(시스템 2형), 조언적 시스템(시스템 3형), 참여적 시스템(시스템 4형)

조직개발

- 개인행동개발기법: 감수성훈련, 상호교류분석, 경력개발 등
- 조직(집단)행동개발기법: 팀구축, 설문조사피드백, 과정자문, 그리드 조직개발 등
- 학습조직: 개인적 수련, 정신모형, 공유비전, 팀학습, 시스템 사고

PART 03 인적자원관리

**인적자원의
조달**

○─── 직무관리

— 직무분석: 직무에 대한 정보수집(경험법, 관찰법, 질문지법, 면접법, 작업
기록법, 중요사건기록법 등) ⇒ 직무기술서(과업요건), 직무명세서(자격
요건)

— 직무평가: 직무에 대한 상대적 가치 결정 ⇒ 서열법(단순서열법, 교대서열
법, 쌍대비교법, 위원회방법), 분류법(직무등급명세표), 점수법, 요소비교
법(기준직무 + 요소별 상호비교 + 임금)

— 직무설계: 한 인적자원(개인, 집단)이 수행할 직무 또는 과업의 수를 결정
⇒ 직무확대(job enlargement), 직무충실(job enrichment), 직무교차, 준
자율적 작업집단, 직무순환

— 직무특성이론(Hackman & Oldham): 기술다양성, 과업정체성, 과업중요
성 ⇒ 의미감 / 자율성 ⇒ 책임 / 결과의 피드백 ⇒ 지식

— 근무시간 설계: 압축근무시간제, 선택적 근로시간제, 부분시간근로제, 교
대근무제, 직무공유제, 재택근무

○─── 확보관리

— 인적자원계획: 환경분석 → 수요예측(정성적 방법, 정량적 방법) → 공급예
측(내부공급, 외부공급) → 인적자원의 조치(인력부족, 인력과잉)

— 모집(현실적 직무소개): 내부모집과 외부모집 ⇒ 산출비율, 선발비율, 수
용비율, 기초비율 또는 기초성공률

— 선발의 원칙: 효율성의 원칙, 형평성의 원칙, 적합성의 원칙(직무중심적
접근, 경력중심적 접근, 기업문화중심적 접근)

— 선발도구의 유형: 바이오데이터 분석, 프로파일링, 선발시험, 선발면접(구
조적 면접과 비구조적 면접, 집단면접과 위원회면접, 상황면접, 스트레스
면접), 평가센터법(합숙)

— 선발도구의 적용방법: 종합적 평가법(보완적 방식), 단계적 제거법(비보
완적 방식)

— 선발도구의 신뢰도 분석: 시험 - 재시험법, 대체형식법, 평가자 간 신뢰도
측정, 내적 일관성에 의한 신뢰도 측정

— 선발도구의 타당도 분석: 기준타당도(동시타당도, 예측타당도), 내용타당
도, 구성타당도

— 선발오류: 1종 오류(종합적 평가법), 2종 오류(선발비율)

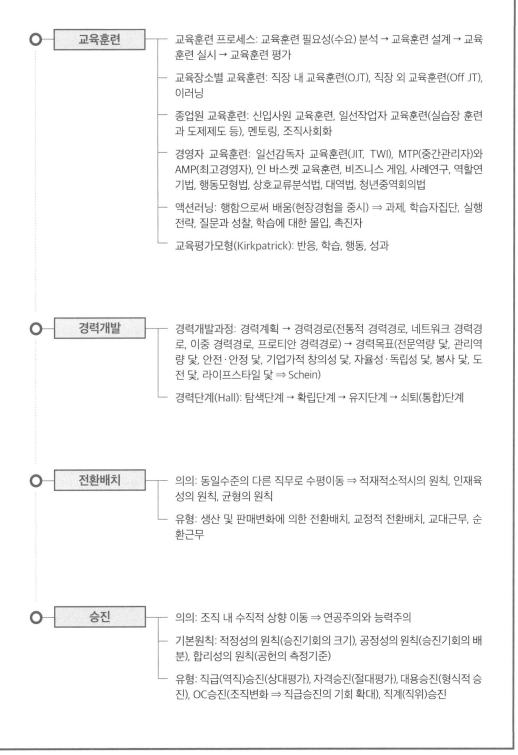

인적자원의 개발

교육훈련

- 교육훈련 프로세스: 교육훈련 필요성(수요) 분석 → 교육훈련 설계 → 교육훈련 실시 → 교육훈련 평가
- 교육장소별 교육훈련: 직장 내 교육훈련(OJT), 직장 외 교육훈련(Off JT), 이러닝
- 종업원 교육훈련: 신입사원 교육훈련, 일선작업자 교육훈련(실습장 훈련과 도제제도 등), 멘토링, 조직사회화
- 경영자 교육훈련: 일선감독자 교육훈련(JIT, TWI), MTP(중간관리자)와 AMP(최고경영자), 인 바스켓 교육훈련, 비즈니스 게임, 사례연구, 역할연기법, 행동모형법, 상호교류분석법, 대역법, 청년중역회의법
- 액션러닝: 행함으로써 배움(현장경험을 중시) ⇒ 과제, 학습자집단, 실행전략, 질문과 성찰, 학습에 대한 몰입, 촉진자
- 교육평가모형(Kirkpatrick): 반응, 학습, 행동, 성과

경력개발

- 경력개발과정: 경력계획 → 경력경로(전통적 경력경로, 네트워크 경력경로, 이중 경력경로, 프로티안 경력경로) → 경력목표(전문역량 닻, 관리역량 닻, 안전·안정 닻, 기업가적 창의성 닻, 자율성·독립성 닻, 봉사 닻, 도전 닻, 라이프스타일 닻 ⇒ Schein)
- 경력단계(Hall): 탐색단계 → 확립단계 → 유지단계 → 쇠퇴(통합)단계

전환배치

- 의의: 동일수준의 다른 직무로 수평이동 ⇒ 적재적소적시의 원칙, 인재육성의 원칙, 균형의 원칙
- 유형: 생산 및 판매변화에 의한 전환배치, 교정적 전환배치, 교대근무, 순환근무

승진

- 의의: 조직 내 수직적 상향 이동 ⇒ 연공주의와 능력주의
- 기본원칙: 적정성의 원칙(승진기회의 크기), 공정성의 원칙(승진기회의 배분), 합리성의 원칙(공헌의 측정기준)
- 유형: 직급(역직)승진(상대평가), 자격승진(절대평가), 대용승진(형식적 승진), OC승진(조직변화 ⇒ 직급승진의 기회 확대), 직계(직위)승진

인적자원의 평가와 보상

인사평가

- 인사평가의 목적: 보상결정, 성과피드백을 통한 성과향상, 적재적소배치를 통한 직무설계, 인적자원의 확보 및 방출을 위한 기준
- 인사평가요소: 능력 또는 역량 평가, 적성 및 태도 평가, 성과 평가
- 인사평가의 구성요건: 타당성, 신뢰성, 수용성, 실용성
- 인사평가의 방법: 서열법, 평정척도법, 대조표법, 강제할당법(정규분포 + 상대평가), 중요사건기록법, 행동기준평가법(평정척도법 + 중요사건기록법), 자율서술법(자기신고서), 평가센터법(합숙), 다면평가제도(360도 성과피드백), 목표관리법(MBO) 등
- 인사평가오류: 연공오류, 귀인(귀속)오류, 2차 평가자의 오류 등

보상관리

- 임금수준: 평균임금의 크기(기업의 지불능력, 종업원의 생계비, 최저임금제, 사회적 균형요인) ⇒ 승급, 베이스업
- 임금체계: 임금지급기준 ⇒ 직무급, 연공급, 직능급, 성과급(개인성과, 집단성과, 기업성과)
- 개인성과급: 생산량 기준(단순성과급, 테일러식 복률성과급, 메릭식 복률성과급, 리틀식 복률성과급, 맨체스터 플랜), 시간 기준(표준시간급, 간트식 할증급, 비도우식 할증급, 할시식 할증급, 로완식 할증급)
- 집단성과급: 카이저 플랜, 프렌치 시스템, 스캔론 플랜, 럭커 플랜, 임프로쉐어
- 복리후생: 경제적 목적, 사회적 목적, 정치적 목적, 윤리적 목적 ⇒ 법정 복리후생과 비법정 복리후생
- 선택적 복리후생제도(카페테리아 복리후생 프로그램): 선택항목추가형, 모듈형, 선택적 지출계좌형

인적자원의 유지 및 방출

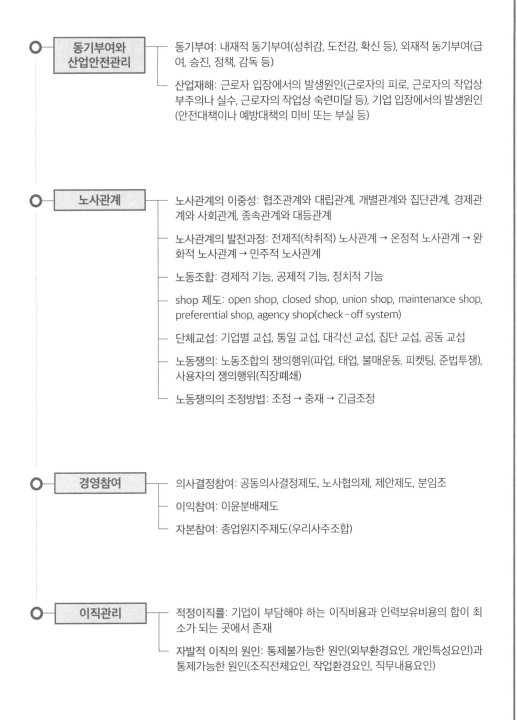

동기부여와 산업안전관리

- 동기부여: 내재적 동기부여(성취감, 도전감, 확신 등), 외재적 동기부여(급여, 승진, 정책, 감독 등)
- 산업재해: 근로자 입장에서의 발생원인(근로자의 피로, 근로자의 작업상 부주의나 실수, 근로자의 작업상 숙련미달 등), 기업 입장에서의 발생원인(안전대책이나 예방대책의 미비 또는 부실 등)

노사관계

- 노사관계의 이중성: 협조관계와 대립관계, 개별관계와 집단관계, 경제관계와 사회관계, 종속관계와 대등관계
- 노사관계의 발전과정: 전제적(착취적) 노사관계 → 온정적 노사관계 → 완화적 노사관계 → 민주적 노사관계
- 노동조합: 경제적 기능, 공제적 기능, 정치적 기능
- shop 제도: open shop, closed shop, union shop, maintenance shop, preferential shop, agency shop(check – off system)
- 단체교섭: 기업별 교섭, 통일 교섭, 대각선 교섭, 집단 교섭, 공동 교섭
- 노동쟁의: 노동조합의 쟁의행위(파업, 태업, 불매운동, 피켓팅, 준법투쟁), 사용자의 쟁의행위(직장폐쇄)
- 노동쟁의의 조정방법: 조정 → 중재 → 긴급조정

경영참여

- 의사결정참여: 공동의사결정제도, 노사협의제, 제안제도, 분임조
- 이익참여: 이윤분배제도
- 자본참여: 종업원지주제도(우리사주조합)

이직관리

- 적정이직률: 기업이 부담해야 하는 이직비용과 인력보유비용의 합이 최소가 되는 곳에서 존재
- 자발적 이직의 원인: 통제불가능한 원인(외부환경요인, 개인특성요인)과 통제가능한 원인(조직전체요인, 작업환경요인, 직무내용요인)

PART 01

경영학 입문

CHAPTER 01 경영학의 기초개념

제1절 경영학과 경영의사결정

1 경영학

1. 의의

경영학(business management)이란 경영현상을 이해하는 학문체계를 말한다. 여기서 경영현상이란 주어진 목표를 위해 한정된 자원을 가장 효율적으로 사용하려는 기업조직의 행위를 의미하고, 기업조직의 행위는 의사결정을 의미한다. 따라서 경영학은 한정된 자원의 최적배분을 위한 의사결정을 이해하는 학문이라고 정의할 수 있다.

2. 구성

경영학은 의사결정이라는 관점에서 재무관리, 인적자원관리, 생산운영관리, 마케팅 등으로 구분할 수 있다. 그 외에 이러한 의사결정을 도와주는 분야로서 회계학, 조직행동론, 경영과학, 경영정보시스템 등이 있다.

2 경영의사결정

1. 의의

경영학은 한정된 자원의 최적배분 의사결정이라고 정의할 수 있으며, 이는 경영의사결정이라고 이해할 수 있다. 여기서 경영의사결정(managerial decision making)이란 기업의 목표를 달성하기 위하여 하나 이상의 대안 중에서 최적의 대안을 선택하는 과정을 말한다. 경영의사결정은 의사결정자가 현실(as-is)과 바람직한 상태(to-be) 사이의 차이(gap)를 인식함과 동시에 시작되는데, 여기에는 현실에 대한 문제의식을 바탕으로 현실을 개선하려는 목표의식이 내포되어 있다. 그리고 경영학에서 '현실과 바람직한 상태 사이의 차이'를 문제(problem)라고 하는데, 이러한 이유 때문에 경영의사결정을 문제해결(problem solving)이라고도 한다. 경영의사결정과정은 어느 정도 정형화된 순서를 따르는데, 그 순서는 '문제의 인식과 목표의 설정 → 대안의 도출 → 대안의 평가 → 의사결정(대안의 선택)'이다.

2. 특징

(1) 경영의사결정과 관련된 문제는 매우 복잡하기 때문에 의사결정자가 문제를 정확하게 파악하는 것이 쉽지 않다.

(2) 경영의사결정과정에는 정보의 불확실성, 환경의 불확실성, 의사결정성과의 불확실성 등 다양한 불확실성이 존재한다.

(3) 경영의사결정에는 기업의 이익, 비용, 규모, 이미지, 위험 및 기술력 등 다양한 요소들이 동시에 고려되기 때문에 각 대안들을 비교할 때 하나의 기준을 적용하는 것이 아니라 다수의 기준을 적용한다.

(4) 경영의사결정에 참여하는 의사결정자들의 가치관이나 위험에 대한 선호정도가 다양하기 때문에 경영의사결정결과가 달라질 수 있다.

3. 유형

🗐 경영의사결정의 유형

기준	유형	특징
의사결정상황	확실한 상황	의사결정단위＝1, 완전정보 ⇒ 수학
	위험한 상황	의사결정단위＝1, 불완전정보(확률정보 포함) ⇒ 통계학
	불확실한 상황	의사결정단위＝1, 불완전정보(확률정보 제외) ⇒ 의사결정기준
	상충상황	의사결정단위≥2 ⇒ 게임이론
정보의 유형	정성적	정성정보를 이용한 의사결정
	정량적	정량정보를 이용한 의사결정
의사결정성격	정형적(구조적)	일상적, 반복적, 안정적, 과학적
	비정형적(비구조적)	비일상적, 간헐적, 불안정적, 창의적
의사결정수준	전략적	최고경영자	전략적 의사결정은 대부분 비정형적 의사결정으로 구성되어 있지만, 일부 정형적 의사결정을 포함
	관리적(전술적)	중간경영자	
	운영적(업무적)	일선(하위)경영자	

(1) 의사결정상황에 따른 분류

경영의사결정은 의사결정단위(decision making unit, DMU)의 수에 따라 의사결정단위가 1개인 경우와 의사결정단위가 2개 이상인 경우로 구분할 수 있다. 의사결정단위가 1개인 경우는 의사결정단위가 가진 정보의 양에 따라 확실한 상황하의 의사결정, 위험한 상황하의 의사결정, 불확실한 상황하의 의사결정으로 분류할 수 있으며, 의사결정단위가 2개 이상인 경우를 상충상황하의 의사결정이라고 한다.

① **확실한 상황하의 의사결정(decision making under certainty)**: 의사결정단위가 의사결정에 필요한 모든 정보를 가지고 의사결정을 수행하는 것을 말한다. 이러한 상황에서의 의사결정은 문제에 대한 결과를 정확하게 예측할 수 있기 때문에 일반적으로 수학적 방법을 통하여 해결한다.

② **위험한 상황하의 의사결정(decision making under risk)**: 의사결정단위에게 특정 의사결정의 결과와 그 결과가 발생할 확률이 알려져 있는 상태에서 수행되는 의사결정을 말한다. 이러한 상황에서의 의사결정은 대부분의 의사결정단위들이 현실적으로 직면하는 상황이고, 일반적으로 통계학적인 방법을 통하여 해결한다.

③ **불확실한 상황하의 의사결정(decision making under uncertainty)**: 의사결정단위에게 특정 의사결정의 결과는 알려져 있으나 그 결과가 발생할 확률이 알려져 있지 않은 상태에서 수행되는 의사결정을 말한다. 이러한 상황에서의 의사결정은 일반적으로 두 가지 방법을 통해 해결이 가능하다. 하나는 확률과 관련된 추가정보를 수집하여 불확실한 상황을 위험한 상황으로 바꾸어 해결하는 방법이고, 또 하나의 방법은 의사결정기준(decision criteria)을 사용하여 해결하는 방법이다.

🔍 **의사결정기준**

1. 맥시민기준(maximin criteria)

미래에 대해 지극히 조심스럽고 가장 불리하게 전개될 것이라는 가정에 근거한 의사결정기준으로 비관주의적인 성향에 의한 의사결정기준을 말한다. 이 기준은 각 의사결정대안들에 대해 최소성과를 가져올 것이라고 가정하고 각 최소성과들 중에서 가장 큰 성과를 대안으로 선택하며, Wald기준이라고도 하는데, 비용으로 표시되는 문제인 경우에는 미니맥스(minimax)기준이 된다.

2. 맥시맥스기준(maximax criteria)

미래에 대해 매우 낙관적인 가정에 근거한 의사결정기준으로 낙관주의적인 성향에 의한 의사결정기준을 말한다. 각 의사결정대안들에 대해 최대성과를 가져올 것이라고 가정하고 각 최대성과들 중에서 가장 큰 성과를 대안으로 선택하게 되는데, 비용으로 표시되는 문제인 경우에는 미니민(minimin)기준이 된다.

3. 라플라스기준(Laplace criteria)

동일확률기준(equal probability criteria)이라고 할 수 있는데, 미래의 상황에 대한 발생확률을 전혀 알 수 없기 때문에 각 상황에 대한 발생확률이 동일하다고 가정하는 의사결정기준을 말한다. 이러한 가정 때문에 라플라스기준에 의한 의사결정은 불확실한 상황을 위험한 상황으로 변화시켜 의사결정하게 된다. 즉 각 대안에 동일한 확률을 적용하여 구한 기대가치 중 그 값이 제일 큰 대안을 선택한다.

4. 후르비츠기준(Hurwicz criteria)

의사결정자가 현실적으로 극단적인 비관주의나 극단적인 낙관주의를 취하지 않고 중간 입장을 취한다고 가정하는 의사결정기준을 말한다. 따라서 의사결정자의 성향을 결정하기 위해 낙관계수라는 것을 사용하게 되는데, 각 대안별로 최대성과에 낙관계수를 곱하고 최소성과에 비관계수(1-낙관계수)를 곱한 값의 합을 비교하여 가장 큰 값을 가지는 대안을 선택한다. 여기서, 낙관계수(coefficient of optimism)는 의사결정자가 어느 정도 미래에 낙관적인 견해를 갖고 있는지의 정도를 나타내는 지수이다. 낙관계수는 0에서 1 사이의 값을 갖고 의사결정 시 확률과 비슷한 역할을 한다. 또한, 낙관계수가 1이면 맥시맥스기준과 낙관계수가 0이면 맥시민기준과 동일해지기 때문에 후르비츠기준은 두 기준을 절충한 형태라고 할 수 있다.

5. 새비지기준(Savage criteria, minimax regret criteria)

새비지(L.J. Savage)에 의해서 제시된 기준으로 최대기회손실을 최소화하는 것을 선택하는 의사결정기준을 말한다. 즉 각 대안별로 최대기회손실을 갖는 성과 중에서 최소의 기회손실을 가지는 대안을 선택한다.

🔍 의사결정기준을 활용한 의사결정

의사결정자는 주식, 부동산, 예금 등의 투자대상에 대한 투자를 고려하고 있다. 앞으로의 경제상황은 하락, 유지 및 상승의 상황이 발생한다는 사실은 알고 있으나, 그 상황에 대한 정확한 발생확률은 알려져 있지 않다. 각 투자대상과 경제상황에 대한 성과표는 아래의 표와 같다. 이 의사결정자의 투자의사결정은 어떻게 이루어져야 하는가?

투자대상	경제상황		
	하락	유지	상승
주식	-80,000	100,000	250,000
부동산	-40,000	120,000	220,000
예금	80,000	90,000	100,000

1. 맥시민기준
(1) 각 투자대상별 성과값의 계산
① 주식: -80,000
② 부동산: -40,000
③ 예금: 80,000

(2) 의사결정
성과값이 가장 큰 예금을 투자대상으로 결정한다.

2. 맥시맥스기준
(1) 각 투자대상별 성과값의 계산
① 주식: 250,000
② 부동산: 220,000
③ 예금: 100,000

(2) 의사결정

성과값이 가장 큰 주식을 투자대상으로 결정한다.

3. 라플라스기준

(1) 각 투자대상별 기대가치의 계산

① 주식: $-80{,}000 \times \frac{1}{3} + 100{,}000 \times \frac{1}{3} + 250{,}000 \times \frac{1}{3} = 90{,}000$

② 부동산: $-40{,}000 \times \frac{1}{3} + 120{,}000 \times \frac{1}{3} + 220{,}000 \times \frac{1}{3} = 100{,}000$

③ 예금: $80{,}000 \times \frac{1}{3} + 90{,}000 \times \frac{1}{3} + 100{,}000 \times \frac{1}{3} = 90{,}000$

(2) 의사결정

기대가치가 가장 큰 부동산을 투자대상으로 결정한다.

4. 후르비츠기준 – 낙관계수를 0.6이라고 가정

(1) 각 투자대상별 성과값의 계산

① 주식: $250{,}000 \times 0.6 - 80{,}000 \times 0.4 = 118{,}000$

② 부동산: $220{,}000 \times 0.6 - 40{,}000 \times 0.4 = 116{,}000$

③ 예금: $100{,}000 \times 0.6 + 80{,}000 \times 0.4 = 92{,}000$

(2) 의사결정

성과값이 가장 큰 주식을 투자대상으로 결정한다.

5. 새비지기준

(1) 기회손실표의 작성

투자대상	경제상황		
	하락	유지	상승
주식	160,000	20,000	0
부동산	120,000	0	30,000
예금	0	30,000	150,000

(2) 각 투자대상별 최대기회손실의 계산

① 주식: 160,000

② 부동산: 120,000

③ 예금: 150,000

(3) 의사결정

최대기회손실이 가장 작은 부동산을 투자대상으로 결정한다.

④ **상충상황하의 의사결정(decision making under conflict):** 다수의 의사결정단위가 경쟁적인 상태에 놓여 있을 때 발생하는 의사결정을 말한다. 여기서 상충상황 또는 경쟁상황이란 한 의사결정단위의 의사결정이 다른 의사결정단위의 의사결정성과에 영향을 미치는 상황을 말한다. 따라서 상충상황이 발생하기 위해서는 의사결정단위가 2개 이상이어야 하고, 이러한 상황에서의 의사결정목표는 최적의 대응방안을 찾는 것이 되며, 일반적으로 게임이론(game theory)을 통해 해결한다.

(2) 정보의 유형에 따른 분류

의사결정단위가 의사결정을 수행하기 위해 필수적으로 필요한 요소가 정보(information)[1]이다. 의사결정에 필요한 정보는 그 정보의 유형에 따라 정성정보와 정량정보로 구분할 수 있으므로, 경영의사결정은 의사결정에 사용되는 정보의 유형에 따라 다음과 같이 구분할 수 있다.

① **정성적 의사결정(qualitative decision making)**: 의사결정단위의 주관이나 판단 또는 여러 사람들의 의견에 입각하여 의사결정을 수행하는 것을 말한다. 따라서 의사결정에 사용되는 정보는 일반적으로 계량화가 불가능한 정보를 활용하게 된다.

② **정량적·계량적 의사결정(quantitative decision making)**: 의사결정단위가 계량적 정보에 입각하여 의사결정을 수행하는 것을 말한다. 따라서 의사결정에 사용되는 정보는 일반적으로 계량화가 가능한 정보를 활용하게 된다.

(3) 의사결정성격에 따른 분류

사이먼(Simon)은 경영의사결정을 의사결정성격에 따라 분류하였다. 여기서 의사결정성격에 따른 분류란 의사결정의 예외성이나 수식화 가능성에 따라 경영의사결정을 분류하는 것을 말한다. 일반적으로 의사결정의 예외성이 높아지면 수식화의 가능성은 낮아진다.

① **정형적 의사결정(programmed decision making)**: 일상적이고 반복적인 문제에 관한 의사결정을 말한다. 이러한 의사결정은 시장과 기술이 안정되고 일상적이며 구조화된 문제해결이 많은 조직에 적합하며, 그 해결안이 조직 정책이나 절차에 의해 상세하게 명시되어 있다.

② **비정형적 의사결정(non-programmed decision making)**: 비일상적이고 특수한 문제에 관한 의사결정을 말한다. 이러한 의사결정은 복잡하고 구조화되어 있지 않은 문제해결이 많은 조직에 적합하며, 그 해결안은 문제가 정의된 후에 창의적인 절차에 의해서 결정된다.

(4) 의사결정수준에 따른 분류

앤소프(Ansoff)는 경영의사결정을 의사결정수준에 따라 분류하였다. 여기서 의사결정수준이란 의사결정단위가 조직 내에서 차지하고 있는 지위(서열)를 의미한다.

① **전략적 의사결정(strategic decision making)**: 최고경영자가 수행하는 의사결정으로 기업과 외부환경과의 관계에 대한 의사결정을 말한다. 이러한 의사결정은 기업의 성격을 좌우하며 장기적·거시적·전체적인 성격을 가진다.

② **관리적 의사결정(administrative decision making)**: 전술적 의사결정(tactical decision making)이라고도 하는데, 중간경영자가 수행하는 의사결정으로 전략적 의사결정을 구체화시키기 위한 의사결정을 말한다.

③ **운영적 의사결정(operational decision making)**: 업무적 의사결정이라고도 하는데, 하위경영자가 수행하는 의사결정으로 일상적인 업무에 관한 의사결정을 말한다.

---

1) 정보가 정보이용자에게 유용하려면 어떠한 특성을 가져야 하는데, 이를 정보의 질적 특성이라고 한다. 정보의 유용성을 판단하는데 쓰이는 질적 특성은 매우 다양하지만, 일반적으로 이해성(understanding), 적시성(timeliness), 적절성(relevance), 신뢰성(reliability), 일관성(consistency) 등으로 요약할 수 있다. 그리고 이러한 질적 특성은 정보의 가치형성에 영향을 미치게 된다.
① 이해성: 정보이용자가 해당 정보의 내용이 가지는 의미를 정확하게 이해하는 것을 의미한다.
② 적시성: 정보이용자가 의사결정을 할 시점에 필요한 정보를 제공하는 것을 의미한다. 적시성이 없는 정보는 정보로서의 가치를 상실한 정보이며, 정보의 가치는 정보의 생산시점이 사용시점에서 멀어질수록 그 효용성이 감소하게 된다.
③ 적절성: 정보가 정보이용자에게 이용목적에 적합한 것을 의미한다. 즉 정보이용자가 어떠한 정보를 이용하여 장래의 불확실성을 감소시킬 수 있어야 한다는 것이다.
④ 신뢰성: 정보이용자가 정보를 신뢰할 수 있어야 한다는 것이다. 정보의 신뢰성을 확보하기 위해서는 정보를 정보이용자에게 정확하고 아무런 편견없이 제공해야 한다.
⑤ 일관성: 일정 기간을 두고 정보를 정기적으로 생산하는 경우에 정보이용자가 정보들을 서로 비교할 수 있어야 한다는 것이다.

🔍 **의사결정의 성격과 수준**

비정형적 의사결정

최고경영자
(전략적 의사결정)

중간경영자
(관리적 의사결정)

하위경영자
(운영적 의사결정)

정형적 의사결정

제2절
경영의 구성요소와 원리

1 경영의 구성요소

경영의 구성요소는 투입요소(input), 변환과정(transformation process), 산출요소(output) 등이 있으며, 투입요소와 산출요소는 형태의 유무에 따라 구분할 수 있다.

🔍 **경영의 구성요소**

투입	변환과정(경영활동)			산출
자원 재무자원 원자재 인적자원 상품	**기업활동** 재무활동 생산활동 인사활동 마케팅활동	**관리과정** 계획화 조직화 지휘 통제	**기업경영** 재무관리 생산운영관리 인적자원관리 마케팅(관리)	**제품** 재화 서비스

⇨ ➕ ＝ ⇨ **고객
만족** ⇨

1. 투입요소

(1) 유형자원(tangible resources, 유형의 투입)

유형자원은 눈에 보이고 형태를 가지는 자원을 말한다. 유형자원에는 기업이 제품을 생산하는 데 직접적으로 사용되는 자원 즉 토지, 건물, 기계와 같은 물리적 시설, 각종 원자재, 인적자원(human resources), 재무자원(financial resources) 등을 포함한다.

(2) 무형자원(intangible resources, 무형의 투입)

무형자원은 개념적 자원(conceptual resources)이라고도 하며, 전략(strategy), 기술(technology), 정보(information), 지식(knowledge) 등과 같이 눈에 보이지는 않지만 기업활동에 기여하는 자원을 말한다. 전략은 기업을 어떤 방향으로 그리고 어떤 방법으로 운영할지를 결정하는 것을 의미하며, 이러한 전략수립과 실행의 과정에서 기술, 정보 및 지식이 필요하게 된다.

2. 관리과정

(1) 계획화(planning)

달성할 목표를 설정하고, 그러한 성과를 달성하기 위해서 어떤 행동이 이루어져야 하는가를 결정하는 과정을 말한다. 계획화를 통해서 경영자는 목표를 확인하고 그 목표를 달성하는 방법을 인식하게 된다.

(2) 조직화(organizing)

설정된 목표를 달성하기 위해서 기업이 가지고 있는 자원을 배분하고, 계획을 실행하기 위해서 개인과 집단의 행동을 조정하고 조율하는 과정을 말한다. 조직화를 통해서 경영자는 직무를 규정하고 인적자원을 배치하며, 기술 및 자원의 지원을 통해 계획을 실행에 옮기게 된다.

(3) 지휘(leading)

사람들의 열정을 끌어내어 계획을 실행하기 위해 더 열심히 일하도록 사람들을 고취하고 목표를 달성하는 과정을 말한다. 지휘를 통해서 경영자는 인적자원의 행동을 목표에 맞추어 실행에 옮길 수 있도록 촉구하고 최선의 작업을 할 수 있게 영향력을 행사하게 된다.

(4) 통제(control)

목표와 성과를 비교하고 그 차이를 수정하는 과정을 말한다. 통제를 통해서 경영자는 작업을 하는 과정에서 사람들과 역동적인 관계를 유지하고 성과에 대한 정보를 수집하고 분석하여 보다 발전적인 행동을 설계하게 된다.

3. 산출요소

(1) 재화(goods, 유형의 산출)

창출될 수 있고 전달될 수 있는 유형적인 물적 대상을 말한다. 이는 재고의 형태를 가질 수 있기 때문에 추후에 창출 또는 사용이 가능하다. 따라서 생산시점과 소비시점이 일치할 필요가 없다.

(2) 서비스(service, 무형의 산출)

재고의 형태로 보유할 수 없으며, 일정시간이 지나면 소멸하므로 생산시점과 소비시점이 일치해야 한다. 그러나 서비스를 소비한 결과인 서비스 효과는 소멸성을 가지는 것이 아니라 지속성을 가진다.

📋 재화와 서비스

속성	재화	서비스
성격	유형의 제품	무형의 제품
재고 축적 여부	재고 축적 가능	재고 축적 불가능
고객접촉정도	낮은 고객접촉정도	높은 고객접촉정도
반응시간	긴 반응시간	짧은 반응시간
시장규모	넓은 시장	좁은 시장
설비의 규모	대규모 설비	소규모 설비
통제·관리의 형태	집권적	분권적
집약도의 성격	자본집약적	노동집약적
품질의 측정	품질측정 용이(객관적)	품질측정 곤란(주관적)

2 경영환경

1. 의의

경영환경(business environment)이란 경영성과에 영향을 미치는 기업 내외의 요인들을 말한다. 즉 기업조직에 영향을 미치는 모든 상황적 요소라고 할 수 있으며, 경영활동과 상호작용하는 모든 주변상황 및 영향요인을 포함한다.

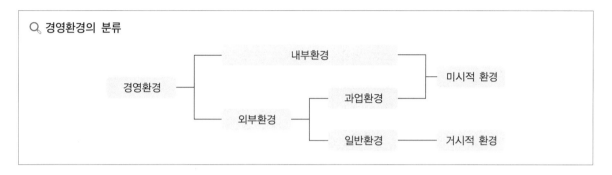

🔍 **경영환경의 분류**

2. 분류

(1) 내부환경(internal environment)

기업의 경계선 안에서 기업성과에 영향력을 행사하는 모든 요소들을 말한다. 기업 내에서 작업이 수행되고 목표가 달성되는 방식에 직접적으로 영향을 미치는 여러 요인을 의미하는데, 여기에는 근로자, 작업흐름, 공장배치, 경영스타일, 보상제도, 조직구조, 조직문화, 자원 등이 포함된다.

(2) 외부환경(external environment)

기업의 경계선 밖에서 기업성과에 영향력을 행사하는 모든 요소들을 말하는데, 과업환경과 일반환경으로 구분할 수 있다. 과업환경(task environment)은 기업과 매우 밀접한 관련을 가지고 있으면서 통제가 가능하고 기업의 목표달성에 직접적으로 영향을 미치는 환경요소를 의미하고, 일반환경(general environment)은 특정 대상이 파악되지 않기 때문에 기업의 영향권에서 벗어나 기업이 전혀 통제할 수 없으나 사회 전체의 모든 기업에 간접적으로 공통적인 영향을 미치는 환경요인을 의미한다.

(3) 미시적 환경(micro environment)

기업이 속한 산업의 주요 구성요소들을 의미하는데, 이에는 경쟁자, 소비자, 유통기관, 원재료 공급업자, 주주[2], 기업의 내부환경 등과 같이 기업의 목표달성에 직접적인 영향을 미치는 요인들이 포함된다.

(4) 거시적 환경(macro environment)

정치적, 법률적, 경제적, 인구변화 등과 같이 기업이 속한 산업 밖에서 발생하여 기업활동에 영향을 미치는 요인을 말한다. 일반적으로 장기적이고 기업의 외부에서 영향을 미치게 되고, 거시적 환경으로는 사회적(인구통계학적) 환경(인구변화, 가구수 및 가구당 가족수 등), 경제적 환경(경기변동, 물가상승, 소득수준, 경상수지 등), 기술적 환경 및 정치적(법률적) 환경 등이 포함된다.

---

2) 주주는 내부환경으로 볼 수도 있고, 외부환경으로 볼 수도 있다.

3. 환경불확실성

불확실성이란 의사결정자가 충분한 정보를 가지고 있지 못함으로써 외부 변화를 예측하지 못하는 상태를 의미한다. 따라서 환경불확실성이란 불확실성의 원천이 조직의 외부환경에서 발생한 불확실성을 의미한다. 조직은 지속적으로 환경에 직면하게 되는데, 환경이 복잡하고 불안정하게 됨에 따라 환경의 불확실성은 증가하게 된다. 이러한 환경의 불확실성이 발생하는 원천에는 환경복잡성, 환경동태성, 환경풍부성 등이 있다.

(1) 환경복잡성

조직이 관리해야 하는 특수하고 일반적인 영향력의 강도, 수, 상호결합성에 대한 함수이다. 조직에게 규칙적으로 영향을 미치는 외부요소가 많을수록, 조직의 활동영역에 다양한 조직이 포함되어 있을수록 복잡성의 수준은 높아진다. 따라서 조직의 환경이 더 복잡하면 복잡할수록 환경불확실성은 더욱 커지게 된다.

(2) 환경동태성

과업환경이나 일반 환경이 얼마나 변화하는가에 대한 함수이다. 환경의 변화가 심하고 조직이 이를 예측하지 못하면 환경은 그만큼 불안정하고 동태적이게 된다.

(3) 환경풍부성

조직영역을 지지할 수 있는 자원의 양에 대한 함수이다. 풍부한 환경에서는 조직들이 자원을 확보하기 위해서 경쟁하지 않기 때문에 환경의 불확실성은 낮다.

3 경영의 원리

1. 의의

(1) 수익성(profitability)

투입자본에 비해 이익이 크면 클수록 좋다는 원칙을 말한다. 이는 순수한 화폐가치상의 비율을 의미하고, 최대이윤을 얻는 것을 지향하는 원리이다. 수익성은 영리원칙이라고도 하며 비영리 경제주체에는 적용할 수 없다.

(2) 효율성(efficiency)

자원의 활용정도를 의미한다. 이는 조직 내부에서 평가하게 되며, 기업의 단기적인 생존과 관련이 있는 개념이다. 효율성은 능률이라고도 한다.

(3) 효과성(effectiveness)

고객만족 또는 조직목표의 달성정도를 의미한다. 이는 조직 외부에서 평가되며, 기업의 장기적인 생존과 관련이 있는 개념이다. 효과성은 유효성이라고도 한다.

🗐 효율성과 효과성

구분	효율성	효과성
의의	자원의 활용 정도 ⇨ 최소한의 자원투입으로 최대한의 산출	고객만족 또는 조직목표의 달성 정도 ⇨ 목표를 최대한 달성
수단과 목표	목표달성을 위한 수단(Do things right) ⇨ 효율성이 높으면 목표달성이 쉬움	목표를 달성하는 것(Do right things) ⇨ 효과성이 높아야 목표달성이 가능

▶ 성공적인 조직이라면 효율성이 높고, 효과성도 높다.

2. 조직균형론

버나드(C. Barnard)는 조직의 목적을 존속과 발전으로 정의하고 이러한 목적을 달성하기 위해 조직은 대내적 균형을 달성하여야 하며, 이를 통해 효율성과 효과성의 유지가 가능하다고 주장하였다. 조직균형 또는 대내적 균형이란 조직구성원이 조직에 공헌(또는 기여)하는 만큼의 유인(또는 만족)을 조직으로부터 얻는 상태를 의미하며, 조직의 균형을 유지하기 위해서는 유인(inducement)이 공헌(contribution)보다 크거나 같아야 한다. 여기서 유인이란 조직이 조직구성원의 동기를 만족시키기 위해 제공하는 효용으로 공헌에 대한 대가를 의미하고, 공헌이란 조직의 목적달성에 기여하는 조직구성원의 활동을 의미한다. 또한, 조직유지의 기본요소에는 공통목적(common purpose), 의사소통(communication), 공헌하고자 하는 의지(willingness to serve)가 있다.

제3절 경영학의 발전과정

경영학은 그 관점과 역사적 배경에 따라 이론적인 발전을 하는데, 그 흐름은 '고전적 접근법 → 인간관계접근법 → 계량적 접근법 → 현대 경영이론'의 순서를 따른다. 현대 경영이론은 다양한 경영학 이론들로 구성되는데, 그 중에 가장 중요한 의미를 가지는 연구가 시스템이론과 상황적합이론이다.

📄 경영학의 발전과정[3]

관점	이론	특징
고전적 접근법	테일러의 과학적 관리법	동작연구와 시간연구, 차별적 성과급제, 기획부제도, 직능별 직장제도(관리활동의 분업), 작업지도표제도 ⇨ 고임금 저노무비
	길브레스 부부의 과학적 관리법	기본동작(therblig)
	포드시스템	컨베이어 벨트 시스템(대량생산 목적, 동시관리) ⇨ 봉사주의(저가격 고임금)
	페이욜의 관리과정론	계획화, 조직화, 지휘, 조정, 통제
	베버의 관료제	명령, 복종, 합법적 권위(규범), 문서 ⇨ 규범의 명확화, 노동의 분화, 역량 및 전문성에 근거한 인사, 공과 사의 구분, 계층의 원칙, 문서화
인간관계접근법	호손연구 (E. Mayo & F. Roethlisberger)	조명실험 → 계전기 조립작업장실험 → 면접연구 → 배전기 전선작업장 실험 ⇨ 집단의 분위기, 참가자들에 대한 관심
계량적 접근법	계량경영학(경영과학)	수리적 모형
	경영정보시스템	경영의사결정지원
현대 경영이론	시스템이론	전체최적화 = Σ부분최적화 + 상호작용
	상황적합이론	기술과 조직구조, 환경과 조직구조

---

3) 맥그리거(D. McGregor)는 경영자들이 가지는 인간의 본성에 대한 관점을 X이론의 사고방식으로부터 Y이론의 사고방식으로 전환해야 한다고 주장하였다. 경영자들이 종업원에게 굳은 신뢰와 지속적인 지원을 보인다면 종업원들은 경영자들의 기대를 저버리지 않고 최선을 다할 것이라는 것이다. 여기서 X이론은 인간이 타율적 존재이기 때문에 외부통제가 필요하다고 보는 관점이며, Y이론은 인간이 자율적 존재이기 때문에 자아통제가 가능하다고 보는 관점이다.

1 고전적 접근법

1. 테일러의 과학적 관리법

(1) 의의

테일러(F. Taylor)는 각 과업을 수행하는 최선의 방법(best way)을 찾아 작업자의 생산성을 향상시키기 위해 과학적 관리법을 주장하였다. 일반적으로 과학적 관리법은 동작연구와 시간연구, 차별적 성과급제, 기획부제도, 직능별 직장제도(관리활동의 분업), 작업지도표제도 등을 그 주요내용으로 한다.

① **동작연구와 시간연구**: 작업자들이 수행하는 과업의 양은 단순히 과거의 경험에 의해서 결정하는 것이 아니라 과학적인 방법인 동작연구(motion study)와 시간연구(time study)를 통한 표준화에 의해 결정한다. 동작연구는 작업자가 실시하는 직무(job)를 과업(task)으로, 과업을 다시 요소동작(element)으로 구분하여 불필요하고 낭비적인 동작을 제거한 후에 과업을 수행하는 최선의 표준화된 작업방법을 도출하는 것이다. 이러한 동작연구와 함께 시간연구를 동시에 실시하는데, 시간연구는 과업을 수행하는데 소요되는 표준시간(standard time)을 측정하여 하나의 과업 또는 일련의 과업을 수행하는데 소요되는 시간을 분석하여 생산성을 평가하는 방법을 의미한다.

② **차별적 성과급제**: 동작연구와 시간연구를 통해 설정된 표준과업 또는 표준시간을 달성한 자에게는 높은 임금을 지급하고, 실패한 자에게는 낮은 임금을 지급하는 형태를 의미한다.

③ **기획부제도**: 과학적 관리법은 작업자를 금전적 수입의 극대화에만 관심을 갖는 경제인으로 가정하기 때문에 차별적 성과급제를 적용하게 되면 자연스럽게 작업자의 생산성은 향상하게 되고, 이로 인해 표준과업을 초과달성하여 고임금을 받게 되는 작업자들의 규모가 점점 더 커지게 된다. 따라서 기업의 입장에서는 주기적인 동작연구와 시간연구를 통해 표준과업 또는 표준시간을 조정할 필요가 있으며 이 역할을 담당하는 기획부가 생겨나게 된다. 즉 기획부에서는 작업의 변경과 조건을 표준화하고 시간연구에 의하여 과업을 설정하며 작업에 관한 모든 계획을 수립하게 된다.

④ **직능별 직장제도(관리활동의 분업)**: 작업을 전문화하고 각 전문분야마다 감독자인 직장(foreman)을 각각 두어 작업자를 전문적으로 지휘 및 감독하고자 하는 것을 말한다.

⑤ **작업지도표제도**: 작업을 분담하여 감독하는 직능별 직장들에게 작업지도표에 따라 작업을 지도하게 하는 제도를 말한다. 여기서 작업지도표란 표준작업방법과 이에 대한 표준시간이 동작의 순서에 따라 기입되어있는 표를 의미한다.

(2) 과학적 관리법의 4대 원칙

테일러(F. Taylor)는 동작연구와 시간연구라는 개념을 도입해 어떤 과업을 수행하는 데 필요한 동작을 하나하나 분석함으로써 그 과업을 가장 효율적으로 수행하는 방법을 찾고자 하였다. 이를 위해 다음과 같은 작업자와 경영자 모두에게 경제적으로 도움이 될 수 있는 4가지 원칙을 제시하였다.

① 낡은 주먹구구식 방법을 대체할 수 있는 작업의 과학화 실현
② 종업원의 과학적인 선발, 훈련, 교육 및 개발
③ 모든 작업이 과학의 원리와 일치할 수 있도록 경영자와 작업자 간의 긴밀한 협조관계 유지
④ 경영자와 작업자 간의 균등한 작업 및 책임 분배

(3) 과학적 관리법의 특징 및 한계

테일러의 과학적 관리법은 노동생산성 향상에 따라 작업자는 고임금을 받게 되는 동시에 경영자는 일정 금액에 대한 생산량 증가에 따른 저노무비의 혜택을 받게 된다는 고임금 저노무비(high wage, low labor cost)의 원칙에 근거하고 있으며, 테일러는 이를 통해 노사 간 공존공영이 실현될 수 있다고 생각하였다. 그러나 이러한 과학적 관리법은 인간적 측면을 경시하고 인간노동을 기계시하고 있으며, 공장 생산 노무관리에 지나지 않는 한계점을 보이고 있다. 또한, 과업의 설정과정이 시간연구자의 주관에 의하여 설정될 수 있으며, 금전적인 유인에 의한 능률의 논리만을 강조하였다.

2. 길브레스 부부의 과학적 관리법

길브레스 부부(Frank & Lillian Gilbreth)는 테일러의 과학적 관리법을 계승 발전시켜 사람의 동작 중에서 불필요한 동작을 찾아 이를 줄이고자 다양한 연구를 하였다. 길브레스 부부는 과업의 성과를 극대화할 수 있는 각종 도구와 장비 개발에도 관심을 기울였는데, 동작연구를 위해 마이크로미터(micrometer)라고 불리는 모션픽처(motion picture) 기계를 개발하여 활용하였다. 그들은 이 기계로 특정직무와 관련된 각 과업을 기본동작(therblig)으로 분해하는 과정에서 작업자의 동작을 기록한 다음, 하나하나 분석함으로써 육안으로는 발견할 수 없었던 불필요한 동작을 찾아내 제거하였다. 즉 불필요한 동작과 작업자의 동작에 내포되어있는 무리, 낭비 및 불합리를 제거함으로써 그 과업을 수행함에 있어 최소의 동작과 시간으로 가장 효율적인 작업방식을 찾으려 하였다.

🗐 서블릭의 17가지 기본동작

기호		명칭	기호설명	기호		명칭	기호설명
1	⌣	빈손이동	빈 접시 모양	10	 ⬯	찾는다	눈으로 물건을 찾는 모양
2	∩	잡다	물건을 잡는 모양	11	→	선택	선택할 물건을 찾아낸 모양
3	 ⌣̇	운반	접시에 물건을 담은 모양	12	 ♌	생각한다	머리에 손을 대고 생각하는 모양
4	🜚	위치설정	물건이 손가락 끝에 있는 모양	13	 8	전치	볼링핀 모양
5	#	조립	조립시킨 모양	14	 ⊓	유지	자석에 쇠조각이 붙어 있는 모양
6	U	사용	영어의 유스(use)의 머리글자 모양	15	 �&	휴식	사람이 의자에 앉아 있는 모양
7	╫	분해	조립된 것으로부터 하나를 뗀 모양	16	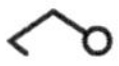 ⌒	피할 수 없는 지연	사람이 걸려 넘어진 모양
8	 ⌢̇	놓다	물건을 담은 접시를 거꾸로 한 모양	17	 ⟞	피할 수 있는 지연	사람이 누워 있는 모양
9	０	검사	렌즈 모양			–	

3. 포드시스템

포드(H. Ford)는 테일러시스템을 바탕으로 자동적인 기계의 움직임을 종합적으로 연구함으로써 컨베이어벨트시스템(conveyor-belt system)에 의한 대량생산방식을 개발하였다. 이는 동시관리(management by synchronization)를 기본원리로 하여 자동차 생산공장에 적용하기 위한 수단으로 추진한 관리기법이다.

(1) 봉사주의

컨베이어벨트시스템은 대량생산을 목적으로 설계된 시스템이다. 포드는 표준화(standardization), 단순화(simplification), 전문화(specialization)의 3S 개념을 이용하여 컨베이어벨트시스템으로 인해 발생하는 문제를 최소화하기 위해 노력하였으며, 이를 통해 생산량을 증가시키게 된다. 이러한 생산량 증가는 규모의 경제(economies of scale)를 통해 생산원가를 낮추게 되고 낮은 가격으로 제품을 고객에게 전달하는 것을 가능하게 하였다. 이러한 과정을 통해 기업은 이윤이 목적이 아니라 사회에 봉사하기 위한 기관이라는 경영이념을 포드는 주장하게 되는데, 이를 봉사주의(고임금 저가격)라고 한다.

(2) 포드시스템의 한계

포드시스템은 인간노동을 여전히 기계시하고 있으며, 컨베이어벨트시스템을 기본으로 하고 있기 때문에 한 공정의 정지가 다른 공정에 미치는 영향이 크다. 또한, 설비투자비용 과다발생과 조업도 하락 시 제조원가의 부담이 크고, 시장 수요변동에 대처하기 위한 제품을 추가하거나 생산설비의 변경이 쉽지 않아 유연성이 떨어진다는 한계점을 보인다.

4. 페이욜의 관리과정론

페이욜(H. Fayol)은 경영자를 위한 지침과 방향으로써 경영자가 수행해야 할 5개 기능과 경영의 14원칙을 개발하였으며, 집중화가 모든 상황에서 바람직한 것이 아니고 자유재량(latitude)과 분권화(decentralization)는 개별 조직에 의해서 결정되어야 할 균형의 문제라고 제안하였다.

(1) 경영활동

기술활동(생산, 가공 등), 상업활동(구매, 판매, 교환 등), 재무활동(자본의 조달, 운용 등), 보호활동(인적자원의 보호), 회계활동(재무제표, 원가통제 등), 관리활동

(2) 관리활동

계획화, 조직화, 지휘, 조정, 통제

(3) 경영의 14원칙

업무의 분화, 권한과 책임, 규율, 명령체계의 단일화(명령일원화), 지휘방향의 단일화, 전체이익에 대한 개인의 복종, 종업원에 대한 보상, 집중화, 계층연쇄, 질서, 공정성, 재직의 안정성, 주도권, 집단정신

5. 베버의 관료제

베버(M. Weber)가 주장한 관료제(bureaucracy)란 명령, 복종, 합법적 권위(규범), 문서에 기반을 둔 이상적인 조직의 형태를 말한다. 베버는 사회조직이 전통적·세습적 또는 카리스마적 권력자에 의해 지배되어 왔기 때문에 아주 비효율적으로 운영될 수밖에 없었다고 보고, 미리 정해진 규칙과 제도에 따라 조직을 운영하는 것이 가장 합법적[4]이라고 주장하였다. 이러한 베버의 관료제 조직은 규범의 명확화, 노동의 분화, 역량 및 전문성에 근거한 인사, 공과 사의 구분(소유권의 분리), 계층의 원칙, 문서화 등의 특성을 가진다.

---

[4] 베버는 합법성을 획득하는 방법으로 3가지의 권한을 제시하였는데, 이는 전통이나 관습에 의해서 부여되는 전통적 권한, 개인적 능력이나 매력을 통해 부하로부터 자발적으로 순응을 받는 카리스마적 권한, 전문성과 법적으로 정의된 자격요건으로 인해 부여되는 관료적(합리적) 권한이다.

이러한 관료제는 전문화를 통해 효율을 올릴 수 있으며, 직위에 대한 책임과 권한이 명시되어 있기 때문에 명령계통이 체계적으로 이루어져 있고, 예측가능성과 안정성을 제공해 주는 장점이 있으나, 개인적인 성장을 막고 계층구조로 이루어져 있기 때문에 쌍방향의 의사소통을 어렵게 만드는 단점이 있다.

2 인간관계접근법 - 호손연구

1. 의의

호손연구(Hawthorne studies)란 미국 일리노이주(Illinois)의 웨스턴 전기회사(Western Electric Company Works)라는 전화기 제조회사의 호손공장에서 메이요(E. Mayo)와 뢰슬리버거(F. Roethlisberger)를 중심으로 행한 일련의 연구들을 말한다. 당시 호손공장에서는 테일러의 과학적 관리법에 입각한 성과급 제도를 도입하고 있었으나 생산성 측면에서 만족스럽지 못했다. 따라서 호손공장에서는 작업환경의 물리적 변화나 작업시간, 임률의 변화 등이 종업원의 작업능률에 어떠한 변화를 미치는가를 연구하기 위해 1924년부터 1932년까지 4차에 걸쳐 연구가 진행되었다.

(1) 조명실험(1924~1927)

미국 국립과학아카데미 연구팀(National Academy of Sciences)과 웨스턴 전기회사 내의 자체 엔지니어 합동팀에 의해 수행되었으며, 작업자들을 실험집단(experiment group)과 통제집단(control group)으로 나눈 후 통제집단에 대해서 조명의 밝기를 항상 일정하게 하고, 실험집단에는 조명의 밝기를 다양하게 하면서 두 집단의 생산성을 비교하였다. 이 연구는 과학적 관리법의 관점에서 제조단계에서 조명의 밝기가 생산성에 영향을 미칠 것이라는 기대하에서 실시되었으나, 그 결과는 실험집단의 생산성이 조명이 밝을 때나 어두울 때 모두 높아진 것으로 나타나 조명의 밝기와 생산성 간에는 아무런 관련성이 없는 것으로 나타났다. 따라서 연구자들은 보이지 않는 '심리적 요인'이 더 중요한 영향을 미칠 것이라는 결론을 도출하였고, 이로 인해 작업현장에서 인간의 상호작용에 대한 관심을 불러일으키게 되었다.

(2) 계전기 조립작업장 실험(1927~1929)

여성근로자 6명을 대상으로 생산성과 관련될 것으로 간주되는 휴식시간 제공, 간식의 제공, 작업시간 단축 등 물리적인 작업조건들을 변화시키며 생산성의 변화를 살펴보았으나, 이 작업장의 생산성은 물질적 작업조건과 관계없이 서서히 향상되었다. 연구자들은 생산성이 향상된 이유를 작업장 내 우호적인 분위기, 관리자의 칭찬과 실험집단에 대한 기대감 표시, 작업자들이 연구에 참여하게 된 점에 대한 자부심, 작업장에 감독자가 있지 않아 스스로 작업에 대한 책임감을 느꼈기 때문이라고 판단하였다.

(3) 면접연구(1928~1930)

계전기 조립작업장 실험에서 발견한 작업자들 간의 생산성에 미치는 심리적 요인을 다시 확인하기 위해 공장의 전체 근로자들을 대상으로 면접연구를 실시하였다. 이 연구를 통하여 작업자의 감정이 미치는 역할을 확인할 수 있었으며, 작업자의 작업의욕은 개인적인 감정에 의해서도 영향을 받지만 그가 속한 집단의 사회적 조건에 따라서 더 크게 좌우된다는 것이 밝혀졌다.

(4) 배전기 전선작업장 실험(1931~1932)

작업자를 둘러싸고 있는 사회적 조건이 작업능률에 미치는 영향을 파악하기 위해 관찰연구를 실시한 실험이다. 이 실험을 통해 해당 작업장에서는 공장의 공식집단과는 별도로 자생적으로 형성된 비공식집단이 존재한다는 것을 발견하였다. 이 작업집단에는 비공식적인 작업규범이 존재하였고 이 규범이 작업집단의 공동이익을 추구하는 특징을 가지고 있었다.

2. 결과 및 시사점

(1) 결과

호손연구의 결과는 크게 두 가지 관점에서 요약할 수 있다. 그 하나는 '집단적인 분위기'이다. 종업원은 다른 사람들과의 사회적 관계를 통해서 즐거움을 공유하고 일을 잘 수행하기를 원한다는 것이다. 개인적으로는 생산량의 증가를 통하여 임금을 더 받는 것도 좋지만, 누군가의 해고로 인해 집단 전체가 피해를 입을 수 있다는 두려움이 생산량에 더 큰 작용을 미칠 수 있고 그 결과 스스로 생산량을 조절할 수도 있다는 것이다. 이는 집단적인 분위기가 개인별 생산성에 긍정적 또는 부정적인 영향을 동시에 미칠 수 있다는 것을 보여주었다. 또 하나의 관점은 '참가자들에 대한 관심'이다. 실험실의 종업원들은 연구과정에서 스스로가 존중받는다는 느낌을 가지게 되고, 이러한 느낌이 생산성에 많은 영향을 미칠 수 있다는 것을 보여주었다.

(2) 시사점

호손연구는 계획이나 방법이 매우 조악한 수준이었고 실험의 결론을 뒷받침할 만한 실증적인 증거도 부족했기 때문에 연구자들이 몇 가지 사실만을 통해서 성급하게 일반화하게 되는 오류를 범할 수 있다. 그러나 호손연구는 생산성 향상에 대한 고전적 접근법의 관점에서 벗어나 인간적인 측면에 초점을 맞추는 계기가 되어 경영적 사고가 변환하는 전환점이 되었다는 것에 의미가 있다. 이 연구는 1950년대와 60년대에 경영적 사고에 중요한 영향을 미친 인간관계운동(human relations movement)의 등장에 기여하였으며, 인간관계운동의 통찰력은 조직 내에서 개인과 집단에 대해 연구하는 분야인 조직행동론(organizational behavior)의 영역으로 발전하였다.

3 계량적 접근법

1. 계량경영학(경영과학)

계량경영학(operations research, OR)은 듀퐁(Du Pont)와 같은 기업들이 군대와 군장비를 이동하고 잠수함을 배치하기 위해 세계대전 중에 개발되었던 기법들을 기업의 문제에 응용하는 것에서 시작되었다. 이는 다양한 수리적 모형(확정적 모형, 확률적 모형 등)을 이용하여 문제에 대한 해결책을 제시하고 의사결정과정에서 여러 개의 선택방안 중 최선의 것을 선택하는 것을 그 목적으로 하고 있다. 최근에는 계량경영학을 경영과학(management science)이라고도 한다.

2. 경영정보시스템

경영정보시스템(management information system, MIS)은 경영자에게 경영의사결정에 필요한 정보를 제공하여 경영의사결정을 지원할 수 있도록 설계된 정보기술체계를 의미한다. 따라서 경영자가 의사결정을 수행하는 데 필요한 정보를 제공하는 것을 목적으로 하며, 이를 통해 조직의 내부 및 외부환경에 대한 자료를 보유하고 각 경영계층(최고경영자, 중간경영자, 하위/일선경영자)과 경영활동(재무, 생산, 인사, 마케팅 등)에 필요한 정보를 제공해준다.

4 시스템이론

1. 의의

시스템이론(system theory)이란 대상을 구성하는 다수의 하위시스템을 분리해서 취급하려는 것이 아니고 하나의 전체로 보려는 관점으로, 조직의 어떤 분야의 활동이 다른 모든 분야의 활동에 영향을 미친다는 이론이다. 여기서 시스템이란 특정목표를 달성하기 위하여 하나의 전체로써 기능하는 상호관련성을 가지는 구성요소들의 집합을 말하며, 독립된 구성요소들은 또 하나의 개별 시스템을 형성하게 되는데 이러한 시스템을 하위시스템(sub-system)이라고 한다. 즉, 하나의 시스템은 다수의 하위 시스템으로 구성되어 있다. 대표적인 시스템이론가에는 버나드(Barnard)와 사이먼(Simon)이 있다.

2. 시스템의 구성요소 및 속성

일반적으로 시스템은 투입물(input), 변환과정(transformation process), 산출물(output), 피드백(feedback) 등으로 구성되어 있다. 시스템은 피드백을 통해 시스템의 동태적 균형을 이루게 되는데, 여기서 피드백이란 시스템이 안정상태를 유지하고 있는가의 여부 또는 파괴의 위험상태에 있는가의 여부를 말해주는 정보적 투입(상호작용)을 말한다. 시스템은 결과지향성(goal seeking), 구조성(structure), 기능성(function), 전체성(holism), 이인동과성(equifinality)[5]의 속성을 가진다.

3. 관련개념

(1) 개방시스템과 폐쇄시스템

시스템은 환경과의 상호작용 여부에 따라 개방시스템(open system)과 폐쇄시스템(closed system)으로 구분할 수 있다. 개방시스템은 환경과 상호작용이 이루어지고 있는 시스템을 의미하는데, 일반적으로 조직은 환경과의 상호작용 정도에 차이가 있지만 대부분 개방시스템에 해당한다. 이에 반해 폐쇄시스템은 환경과 상호작용이 이루어지고 있지 않은 시스템을 의미한다.

(2) 시스템 경계

시스템 경계(system boundary)란 시스템과 그 환경을 분리시키는 경계를 말한다. 일반적으로 폐쇄시스템의 경계는 경직되고 통과하기 어렵지만 개방시스템의 경계는 좀 더 유연하여 통과하기 쉽다.

(3) 시너지와 엔트로피

시너지(synergy)란 전체가 부분의 합보다 크다는 것을 의미하는 것이다. 그러나 모든 시스템에서 시너지가 발생하는 것은 아니며, 피드백 또는 상호작용이 원활하지 않은 경우에 시스템은 잠식효과(erosion effect)가 발생하고 엔트로피가 증가하여 결국 소멸하게 된다. 여기서 엔트로피(entropy)란 시스템이 쇠퇴하고 소멸되어 가는 과정을 말한다.

---

5) 이인동과성은 시스템 목표를 달성하는 데에는 다양한 수단과 방법이 사용될 수 있다는 것으로, 똑같은 결과를 보이더라도 여기에 작용하는 원인요소는 각기 다를 수 있다는 것이다.

5 상황적합이론

1. 의의

모든 환경이나 상황에 적용할 수 있는 유일최선의 관리방식(one best way)은 존재할 수 없다. 따라서 환경이나 상황이 바뀌게 되면 유효한 관리방식이 달라져야 하며, 환경이나 조건이 다르면 유효한 조직도 달라져야 한다. 이러한 입장을 취하고 있는 이론을 총칭하여 상황적합이론(contingency theory)이라고 한다. 즉 기업이 처한 상황이 각각 다르기 때문에 그 결과가 다르고, 어떤 상황에서 가장 효과적인 방법이 다른 상황에서는 전혀 다른 결과를 가져올 수 있다는 것이다. 따라서 조직은 상황에 따라 다른 원칙을 적용해야 한다는 것이다. 이러한 상황적합이론은 상황변수, 조직특성변수, 조직유효성변수로 구성되어 있다. 대표적인 상황변수에는 조직규모, 환경, 기술, 조직전략[6] 등이 있고, 조직특성변수에는 조직구조가 대표적이다. 또한, 조직유효성변수에는 직무만족, 직무성과, 조직몰입, 조직시민행동 등이 있다.

2. 기술과 조직구조와의 상황적합이론

(1) 우드워드의 연구

우드워드(Woodward)는 기술을 복잡성[7]의 정도가 높아짐에 따라 고객의 요구에 따라 맞춤생산하는 단위소량생산(small-batch & unit production), 조립라인에 따라 표준품을 생산하는 대량생산(large-batch & mass production), 정유공장과 같이 계속흐름을 통해 생산되는 연속공정생산(continuous process production)의 세 범주로 구분하여 기술유형과 조직구조 간의 관계를 살펴보았다. 그 결과, 대량생산의 경우에는 기계적 조직구조가 적합하고 단위소량생산과 연속공정생산의 경우에는 유기적 조직구조가 적합하다는 사실을 발견하였다.

(2) 톰슨의 연구

톰슨(Thompson)은 과업의 상호의존성을 집합적(pooled) 상호의존성, 순차적(sequential) 상호의존성, 교호적(reciprocal) 상호의존성으로 분류하고, 이에 따라 기술을 중개형(mediating) 기술, 장치형(long-linked) 기술, 집약형(intensive) 기술로 분류하고 있다. 이 기술유형에 따라 관리과정이 다르게 나타나며, 결국에는 중개형 기술과 장치형 기술에 있어서는 기계적 조직구조가 적합하고 집약형 기술의 경우에는 유기적 조직구조가 적합하다고 주장하였다.

① **집합적 상호의존성**: 각 구성요소가 각각 독립적으로 달성한 성과의 합이 조직 전체의 성과가 되는 상호의존성을 의미하며, 중개형(매개형) 기술을 사용한다.

② **순차적 상호의존성**: 한 구성요소의 산출이 다른 구성요소의 투입이 되는 상호의존성을 의미하며, 장치형(연속형) 기술을 사용한다.

③ **교호적(호환적) 상호의존성**: 순차적 상호의존성에 피드백 또는 상호작용이 추가된 상호의존성으로 상호의존성의 정도가 가장 크고, 집약형 기술을 사용한다.

---

6) 챈들러(Chandler)는 조직전략과 조직구조에 관한 연구를 통해 "구조는 전략에 따른다(structure follows strategy)"라는 명제를 발표하였다. 즉 새로운 전략이 성공적으로 수행되기 위해서는 새로운 조직전략의 수행에 적합한 새로운 조직구조나 조직구조의 재편성이 필요하다는 것이다.

7) 기술복잡성은 제조과정이 기계화(mechanization)된 정도와 예측가능성을 의미한다. 즉 기술복잡성이 높다는 것은 대부분의 작업이 기계에 의해 이루어지고 예측이 용이하다는 것을 의미하고, 기술복잡성이 낮다는 것은 사람들이 생산과정에서 더 큰 역할을 수행하고 예측이 어려움을 의미한다. 기술의 복잡성이 높아짐에 따라 관리계층의 수가 많아지고 전체 구성원 중에서 관리자가 차지하는 비율은 높아지게 된다. 즉 복잡한 기술일수록 보다 많은 관리자가 필요하게 된다.

📋 **상호의존성의 유형**

집합적 상호의존성	순차적 상호의존성	교호적(호환적) 상호의존성
A, B, C의 세 부서가 각각 독립적으로 업무를 수행하여 합한 값이 조직 전체의 성과가 되는 관계	A부서의 일이 끝나면 그 다음 단계에서 B부서가 일을 받아 수행하고, 마지막으로 C부서가 일의 마무리를 짓고 완성하는 관계	A, B, C부서가 모두 협력을 통해 많은 정보를 주고받으며 업무를 수행해야 하므로 의존관계도 높고 그만큼 갈등이 발생할 소지가 가장 큰 관계
	A → B → C	A ↔ B ↔ C

📋 **톰슨의 기술유형**

기술	상호의존성	조직구조	유연성	의사소통	예시
중개형(매개형)	집합적	기계적	중간	낮음	은행
장치형(연속형)	순차적	기계적	낮음	중간	자동차 공장
집약형	교호적(호환적)	유기적	높음	높음	병원

(3) 페로우의 연구

페로우(C. Perrow)는 기술을 과업다양성[8]과 분석가능성[9]에 따라 공학적(engineering) 기술, 일상적(routine) 기술, 비일상적(non-routine) 기술, 장인(craft) 기술로 유형화하였다.

📋 **페로우의 기술유형**

분석가능성 \ 과업다양성	고	저
고	공학적 기술 (예 조선업, 건축, 회계사 등)	일상적 기술 (예 석유정제, 철강, 자동차 조립라인 등)
고	집권적이고 공식화가 낮은 조직	집권적이고 공식화가 높은 조직
저	비일상적 기술 (예 기초과학, 우주항공산업 등)	장인 기술 (예 공예산업, 제화업, 가구수선 등)
저	분권적이고 공식화가 낮은 조직	분권적이고 공식화가 높은 조직

---

8) 과업다양성(variety)은 변환과정에서 나타나는 예상하지 못한 새로운 일들의 빈도를 의미한다. 즉 사람들이 조직의 투입물을 산출물로 변환시킬 때 작업절차가 매번 같은 방식으로 수행되는지 아니면 다른 방식으로 수행되는지를 의미한다. 개인들이 예상하지 못한 상황에서 여러 가지 다양한 문제에 직면할 경우에는 다양성이 매우 높고, 문제가 거의 없어 직무가 반복적일 경우에는 다양성이 매우 낮다.

9) 문제의 분석가능성(analyzability)은 작업이 기계적 단계로 나누어질 수 있고, 문제를 해결하는 절차가 얼마나 객관적이고 계산이 가능한지를 의미한다. 즉 문제를 해결하는 데 필요한 탐색행동의 정도이다. 분석가능성이 낮은 경우에는 정확한 해결책을 찾기가 어려우며, 문제의 원인이나 해결책이 분명하지 않기 때문에 다양한 사람들의 경험이나 직관, 판단에 의존해야 하고 많은 시행착오를 해야 하는 경우가 있다.

3. 환경과 조직구조와의 상황적합이론

(1) 번즈와 스탈커의 연구

번즈(Burns)와 스탈커(Stalker)는 상황변수를 환경의 동태성으로 규정하여 환경을 정태적인 환경과 동태적인 환경으로 구분하고, 정태적인 환경에서는 기계적인 조직구조가 적합하고 동태적인 환경에서는 유기적인 조직구조가 적합하다고 주장하였다. 물론, 번즈와 스탈커의 연구가 기계적 조직구조와 유기적 조직구조 중 어느 한 쪽이 더 좋다는 것을 의미하는 것은 아니다. 가장 효과적인 조직구조란 조직이 직면한 환경의 특성에 적합한 구조라는 것이다.

▤ 번즈와 스탈커의 연구

구분	정태적인 환경	동태적인 환경
조직구조	기계적 조직구조	유기적 조직구조
업무처리	문서화된 규칙이나 절차에 의존	문서화된 규칙이나 절차 거의 없음
의사결정권	집권적	분권적
갈등해결방법	상급자의 의사결정	토론이나 상호작용
정보의 흐름	제한적, 하향적	상하 자유로움
공식화	높음	낮음(유연한 대응 가능)

(2) 로렌스와 로쉬의 연구

로렌스(Lawrence)와 로쉬(Lorsch)는 환경의 불확실성을 조직구조의 상황변수로 보고 환경의 불확실성이 높을수록 조직은 분화를 보다 많이 해야 하고, 분화를 많이 할수록 통합하기 위해서는 별도의 통합부서가 필요하다고 주장하였다. 즉 환경의 불확실성이 낮거나 중간 정도인 산업에서는 규율, 규칙, 절차, 방침만으로도 통합이 가능하나 그렇지 않은 경우에는 전문통합부서나 전문통합스탭이 추가로 필요함을 주장하였다. 로렌스와 로쉬의 연구에서 분화와 함께 중요한 개념이 통합인데 일반적으로 조직 전체의 목적을 달성하기 위해서는 부서 간의 분화를 조정해 줄 통합이 필요하다는 것이다.

01 □□□ 2022년 군무원 5급

다음 보상표(payoff table)의 자료를 바탕으로 (가) 맥시민(maximin) 기준과 (나) 맥시맥스(maximax) 기준을 적용하여 가장 옳은 것은?

대안＼미래상황	E_1	E_2	E_3
D_1	20	20	20
D_2	−20	40	50
D_3	−60	60	120

① (가) D_1, (나) D_2

② (가) D_1, (나) D_3

③ (가) D_2, (나) D_1

④ (가) D_3, (나) D_1

해설

맥시민(maximin) 기준은 미래에 대해 지극히 조심스럽고 가장 불리하게 전개될 것이라는 가정에 근거한 의사결정기준으로 비관주의적인 성향에 의한 의사결정기준이고, 맥시맥스(maximax) 기준은 미래에 대해 매우 낙관적인 가정에 근거한 의사결정기준으로 낙관주의적인 성향에 의한 의사결정기준을 말한다. 따라서 맥시민(maximin) 기준에 의하면 Max(20, −20, −60)으로 구하기 때문에 D_1이 최종 대안으로 선택되고, 맥시맥스(maximax) 기준에 의하면 Max(20, 50, 120)으로 구하기 때문에 D_3이 최종 대안으로 선택된다.

정답 ②

02 □□□ 2023년 서울시

한 제조기업은 정부 발주 사업을 수주하기 위해 세 가지 장비 구매 대안을 고려하고 있다. 수주 여부에 따른 발생 확률과 각 대안별로 사업 수주 여부에 따른 기업의 성과(순이익)는 <보기 1>과 같다. <보기 2>의 기준을 적용하여 의사결정을 할 때, A1이 최적 대안이 되는 경우를 모두 고른 것은?

구매 대안 \ 수주 여부	수주 성공	수주 실패
<보기 1>		
A1	400	−10
A2	200	40
A3	120	100
발생 확률	0.4	0.6

<보기 2>

ㄱ. 최대 최대(maximax) ㄴ. 최대 최소(maximin)
ㄷ. 최소 최대기회(minimax regret) ㄹ. 기대가치(expected value) 최대화

① ㄱ, ㄴ
② ㄱ, ㄷ, ㄹ
③ ㄴ, ㄷ, ㄹ
④ ㄱ, ㄴ, ㄷ, ㄹ

해설

<보기 2>에서 주어진 기준을 적용하여 각 대안들을 평가하면 다음과 같다.
ㄱ. 최대 최대(maximax)
　⊙ 미래에 대해 매우 낙관적인 가정에 근거한 의사결정기준으로 낙관주의적인 성향에 의한 의사결정기준을 말한다.
　© Max(400, 200, 120) = 400
　© 따라서 A1이 최적 대안이 된다.
ㄴ. 최대 최소(maximin)
　⊙ 미래에 대해 지극히 조심스럽고 가장 불리하게 전개될 것이라는 가정에 근거한 의사결정기준으로 비관주의적인 성향에 의한 의사결정기준을 말한다.
　© Min(−10, 40, 100) = 100
　© 따라서 A3이 최적 대안이 된다.
ㄷ. 최소 최대기회(minimax regret)
　⊙ 최대기회손실을 최소화하는 것을 선택하는 의사결정기준을 말한다.
　© <보기 1>의 성과표를 기회손실표로 바꾸면 다음과 같다.

구매 대안 \ 수주 여부	수수 성공	수수 실패
A1	0	110
A2	200	60
A3	280	0

　© Min(110, 200, 280) = 110
　@ 따라서 A1이 최적 대안이 된다.
ㄹ. 기대가치(expected value) 최대화
　⊙ A1의 기대가치 : 400 × 0.4 − 10 × 0.6 = 154
　© A2의 기대가치 : 200 × 0.4 + 40 × 0.6 = 104
　© A3의 기대가치 : 120 × 0.4 + 100 × 0.6 = 108
　@ 따라서 기대가치가 가장 큰 A1이 최적 대안이 된다.

정답 ②

03 ☐☐☐ 2022년 국가직

이익 성과표가 다음과 같을 경우, 라플라스(Laplace) 준거에 의해 선택 가능한 55인치 패널 공장의 최적 규모는?

77인치 패널 개발 55인치 패널 공장	성공	실패
규모 1	−300	500
규모 2	−225	375
규모 3	−50	100
규모 4	−100	200

① 규모 1
② 규모 2
③ 규모 3
④ 규모 4

해설

라플라스(Laplace) 준거는 동일확률기준(equal probability criteria)이라고 할 수 있는데, 미래의 상황에 대한 발생확률을 전혀 알 수 없기 때문에 각 상황에 대한 발생확률이 동일하다고 가정하는 의사결정기준을 말한다. 따라서 각 규모별로 성공과 실패의 확률을 각각 50%로 가정하여 성과값을 구하면 규모 1은 100, 규모 2는 75, 규모 3은 25, 규모 4는 50이 되기 때문에 55인치 패널 공장의 최적 규모는 규모 1이 된다. **정답 ①**

04 ☐☐☐ 2023년 군무원 9급

여러 대안 중에서 자신의 선호도와 기준의 중요도에 따라 최선의 대안을 선택하는 경영과학 기법으로 가장 적절한 것은?

① 선형계획법(linear programming)
② 게임 이론(game theory)
③ 네트워크 모형(network)
④ 계층화 분석법(AHP)

해설

여러 대안 중에서 자신의 선호도와 기준의 중요도에 따라 최선의 대안을 선택하는 경영과학 기법은 계층화 분석법(AHP)이다. 즉 계층화 분석법은 의사결정자가 고려하는 기준에 각 대안이 얼마나 부합하는가에 입각하여 각 대안의 순위를 매기는 점수를 계산해 줌으로써 좋은 대안의 결정을 내릴 수 있도록 도와준다.

① 선형계획법(linear programming)은 여러 가지 사용가능한 자원의 제약 하에서 이익의 최대화라든지 비용의 최소화를 추구하려는 문제를 1차식으로 모델화하고 수학적 기법을 적용하여 이를 풀어나가는 과정이다.

② 게임 이론(game theory)은 상충상황에서 최적전략을 어떻게 수립하고 그의 결과는 무엇인가를 연구하는 이론이다.

③ 네트워크 모형(network)은 수송모델이나 할당모델과 같은 네트워크를 분석하고자 하는 모형이다. **정답 ④**

05 ☐☐☐ 2020년 서울시

제품과 차별되는 서비스의 특성에 대한 설명으로 가장 옳지 않은 것은?

① 서비스는 눈에 보이지 않는 무형적 특성이 있다.
② 품질의 표준화가 어렵다.
③ 대체로 생산과 소비의 분리가 이루어진다.
④ 재고로 저장하는 것이 어렵다.

해설

서비스는 생산시점과 소비시점이 일치하기 때문에 비분리성의 특징을 가진다.　　　　　정답 ③

06 ☐☐☐ 2022년 군무원 7급

서비스업은 제품 생산 및 제조업체와는 다른 특성을 가지고 있다. 다음 중 서비스 운영의 특징에 대한 설명으로 가장 옳지 않은 항목은?

① 서비스는 무형적인 특성이 있어서 구매 전에 관찰 및 시험이 어렵다.
② 서비스는 생산과 동시에 소비되므로 저장될 수 없다.
③ 서비스는 시간소멸적인 특성이 있어서 서비스 능력을 저장할 수 없다.
④ 서비스 전달 시스템에 고객이 참여하기 때문에 고객마다 동일한 서비스가 제공된다.

해설

서비스 전달 시스템에 고객이 참여하기 때문에 고객마다 이질적인 서비스가 제공된다.　　　정답 ④

07 ☐☐☐ 2021년 군무원 5급

경영에서 효과성(effectiveness)은 매우 중요하다. 효과성과 가장 관련성이 높은 것은?

① 소비자에게 가장 저렴한 가격으로 공급하는 능력
② 소비자가 원하는 것을 공급 대비 생산하는 능력
③ 기업의 가격 대비 비용을 최소화하는 능력
④ 기업의 투입 대비 산출 비율을 최소화하는 능력

해설

효과성은 고객만족 또는 조직목표의 달성정도를 의미한다. 이는 조직 외부에서 평가되며, 기업의 장기적인 생존과 관련이 있는 개념이다. 효과성은 유효성이라고도 한다. 따라서 효과성과 가장 관련성이 높은 것은 소비자가 원하는 것을 공급 대비 생산하는 능력이다.　정답 ②

08 ☐☐☐ 2016년 국가직

어떤 기업이 매출목표 달성을 위해 신기술을 도입하였다. 그 결과 전년 대비 생산량이 증가하고 생산원가는 감소하였으나 제품이 소비자의 관심을 끌지 못하여 매출목표를 달성하지 못하였다. 신기술 도입의 효과성과 효율성에 대한 설명으로 적절한 것은?

① 효과적이고 효율적이다.
② 효과적이지 않지만 효율적이다.
③ 효과적이지만 효율적이지 않다.
④ 효과적이지 않고 효율적이지도 않다.

해설

효율성은 자원의 활용정도를 의미하고 효과성은 조직목표의 달성정도를 의미한다. 문제에서 주어진 사례에서는 생산원가를 절감하였기 때문에 효율성을 달성하였다고 볼 수 있지만, 매출목표를 달성하지 못하였기 때문에 효과성을 달성하지는 못한 것이다. **정답 ②**

09 ☐☐☐ 2021년 군무원 9급

테일러(F. Taylor)의 과학적 관리법의 설명으로 가장 옳지 않은 것은?

① 내적 보상을 통한 동기부여
② 표준화를 통한 효율성 향상
③ 선발, 훈련, 평가의 합리화
④ 계획과 실행의 분리

해설

테일러(F. Taylor)의 과학적 관리법은 경제적 보상(금전적 수입)과 같은 외적 보상을 강조한다. **정답 ①**

10 ☐☐☐ 2013년 국가직

테일러(F. Taylor)의 과학적 관리법에 대한 설명으로 옳지 않은 것은?

① 시간 및 동작 연구에 따라 합리적 작업수행 방법을 제시하였다.
② 직무에 적합한 종업원의 선발과 훈련을 강조하였다.
③ 집단 성과급 제도를 도입하였다.
④ 기획부 제도를 도입하고, 기능별 감독 제도를 운영하였다.

해설

테일러(F. Taylor)의 과학적 관리법은 개인 성과급에 기초한 차별적 성과급제를 도입하였다. **정답 ③**

테일러(F. Taylor)가 제시한 과학적 관리법(scientific management)의 주요 특징으로 가장 옳지 않은 것은?

① 능률적 작업을 위해 작업방식을 면밀히 분석하여 가장 합리적인 방법을 찾는다(= 과학적 작업방식의 연구).
② 작업의 생산성을 향상시키기 위해서 근로자 선발에 있어서 동일한 체격과 성격을 소유한 사람을 선발한다(= 과학적인 근로자 선발).
③ 근로자들에게 시간제 임금보다는 생산량에 따라 임금을 차별화하여 지급한다(= 성과급제도).
④ 한 명의 관리자가 모든 근로자를 관리하는 것이 아니라 과업성격에 따라 기능별로 나누어 맡긴다(= 관리활동의 분업).

해설 ┄┄

"과학적인 근로자 선발"은 과업에 적합한 작업자를 선발해야 한다는 것이다.   정답 ②

테일러(F. Taylor)의 과학적 관리론에 대한 설명으로 가장 옳지 않은 것은?

① 미국의 남북전쟁 시기 이후 공업화 과정에서 대두된 표류관리(drifting management) 방식에 의한 문제를 극복하기 위한 직무관리 체계이다.
② 노동 과정에 이동조립법에 의한 유동작업방식을 도입함으로써 기업의 공익적 역할을 추구한다.
③ 작업의 비효율성을 해결하기 위해 시간연구와 동작연구에 의한 표준작업량을 도출하여 이를 생산성 향상 과정에 이용한다.
④ 작업 지시표(instruction card)를 도입함으로써 이후 간트 차트(Gantt chart) 개발의 기반이 되었다.

해설 ┄┄

이동조립법은 테일러(F. Taylor)의 과학적 관리론이 아니라 포드(H. Ford)의 컨베이어벨트에 해당한다.   정답 ②

13 □□□ 2024년 군무원 7급

다음 중 경영학과 관련된 주요 이론에 대한 설명으로 적절하지 않은 것은?

① 과학적 관리론은 다품종소량생산체제하에서 보다 많은 제품을 더욱 값싸게 생산할 수 있도록 작업방식을 개선할 수 있는 최선의 방법을 제시한 이론이다.
② 고전적 관리론이 현대 경영이론의 관점에서 주목을 받는 이유는 기업의 구성요소들 사이의 상호관련성에 대한 통찰력을 지니고 있기 때문이다.
③ 관료제론은 가장 효율적이고 이상적인 조직은 합리성의 기초를 두어야 한다는 전제에서 출발한다.
④ 인간관계론은 인간은 단순히 돈만을 위해서 일하는 경제인이 아니라 감정을 지니고 있고 남과 어울리고자 하는 사회인이며 동시에 작업장을 하나의 사회적 장으로 인식하였다.

해설

과학적 관리론은 다품종소량생산체제가 아니라 소품종대량생산체제하에서 보다 많은 제품을 더욱 값싸게 생산할 수 있도록 작업방식을 개선할 수 있는 최선의 방법을 제시한 이론이다. **정답 ①**

14 □□□ 2017년 군무원

포드 시스템(Ford system)에서 현대적 대량생산공정의 원리에 해당하는 것으로 가장 옳지 않은 것은?

① 기계의 전문화
② 제품의 단순화
③ 작업의 복잡화
④ 부품의 표준화

해설

포드(H. Ford)는 표준화(standardization), 단순화(simplification), 전문화(specialization)의 3S 개념을 이용하여 컨베이어벨트시스템으로 인해 발생하는 문제를 최소화하기 위해 노력하였으며, 이를 통해 생산량을 증가시키게 된다. **정답 ③**

15 □□□ 2021년 국가직

포드시스템에 대한 설명으로 옳지 않은 것은?

① 구성원의 단결과 조화를 유지하여 동기부여와 시너지 효과를 누리도록 하였다.
② 작업능률의 향상, 원가절감, 판매가격 인하를 도모하였다.
③ 시간연구, 동작연구에 의한 과학적 방법에 입각하였다.
④ 컨베이어 시스템은 인간성에 대한 배려가 적었고, 대량생산 방식을 도입하여 제품 차별화가 어려웠다.

해설

포드시스템은 고전적 접근법에 해당하는 이론이기 때문에 인간을 X관점에서 바라보고 있다. 따라서 구성원의 단결과 조화를 유지하여 동기부여와 시너지 효과를 누리도록 하는 것은 포드시스템에 대한 설명으로 옳지 않다. **정답 ①**

16 ☐☐☐ 2022년 군무원 9급

다음 중에서 일정 기간 내의 생산의 절대량이 증가할수록 제품(또는 제품을 생산하는 작업)의 단가가 저하되는 현상의 설명으로 가장 옳은 것은?

① 규모의 경제
② 범위의 경제
③ 경험효과
④ 시너지

해설

일정 기간 내의 생산의 절대량이 증가할수록 제품(또는 제품을 생산하는 작업)의 단가가 저하되는 현상은 규모의 경제이다.
② 범위의 경제는 한 기업이 2종 이상의 제품을 함께 생산할 경우에 각 제품을 각각 생산할 때보다 평균비용이 적게 드는 현상을 말한다.
③ 경험효과는 동일 작업을 반복수행함에 따라 단위당 원가가 절감되는 효과이다.
④ 시너지는 전체가 부분의 합보다 크다는 것이다.

정답 ①

17 ☐☐☐ 2020년 서울시

페이욜(H. Fayol)의 관리이론에 대한 설명으로 가장 옳지 않은 것은?

① 페이욜은 관리원칙이 일반 조직에 적용될 수 있다고 주장한다.
② 개인의 이익과 목표를 먼저 달성하여 조직의 최종적인 이익을 높일 수 있음을 주장한다.
③ 관리자가 피관리자에게 공정한 보상과 대우를 해야 한다고 주장한다.
④ 분업을 통한 전문화의 원칙을 주장한다.

해설

페이욜(H. Fayol)의 관리이론은 X관점에 근거한 고전적 접근법에 해당하기 때문에 개인의 이익과 목표를 달성하는 것을 크게 강조하고 있지 않다.

정답 ②

18 □□□ 2023년 서울시

<보기>는 인간관계론의 근간이 된 호손실험(Hawthorne research)에 대한 설명이다. <보기>에서 옳은 설명의 총 개수는?

<보기>
ㄱ. 호손은 실험을 주도한 사회학자의 이름에서 비롯되었다.
ㄴ. 실험의 목적은 과학적 관리법의 유효성을 검증하는 것이었다.
ㄷ. 공장 내의 조명도가 적절할 때 생산능률이 증대함을 확인하였다.
ㄹ. 종업원 상호 간의 비공식화된 조직이 작업성과에 영향을 미침을 확인하였다.

① 1개   ② 2개
③ 3개   ④ 4개

해설

호손연구는 전화기 제조회사의 호손공장에서 메이요(E. Mayo)와 뢰슬리버거(F. Roethlisberger)를 중심으로 행한 일련의 연구들을 말한다. 그리고 과학적 관리법의 관점에서 제조단계에서 조명의 밝기가 생산성에 영향을 미칠 것이라는 기대하에서 조명실험을 실시되었으나, 그 결과는 실험집단의 생산성이 조명이 밝을 때나 어두울 때 모두 높아진 것으로 나타나 조명의 밝기와 생산성 간에는 아무런 관련성이 없는 것으로 나타났다. 따라서 주어진 보기들 중에서 옳은 설명은 ㄴ과 ㄹ이다.   **정답 ②**

19 □□□ 2022년 군무원 9급

다음 중 인간관계론에 대한 설명으로 가장 옳은 것은?

① 과학적관리법이라고도 한다.
② 차별적성과급을 핵심 수단으로 삼고 있다.
③ 비공식집단의 중요성을 발견했다.
④ 조직을 관리하는 최선의 관리방식은 회사의 규모나 시장 상황 등에 따라 상이할 수 있음을 발견했다.

해설

①, ②는 테일러(Taylor)의 과학적 관리법에 대한 설명이고, ④는 상황이론에 대한 설명이다.   **정답 ③**

20 ☐☐☐ 2022년 군무원 5급

다음은 과학적 관리론(scientific management)과 인간관계론(human relation theory)을 몇 가지 측면에서 비교한 것이다. 이 중 가장 옳지 않은 것은?

	과학적 관리론	인간관계론
①	테일러(Taylor), 간트(Gantt)	메이요(Mayo), 매슬로우(Maslow)
②	경제적 인간관	사회적 인간관
③	호손 연구	서부 전기회사
④	과업관리	비공식 집단

해설

호손 연구는 미국의 웨스턴 전기회사(Western Electric Company Works)라는 전화기 제조회사의 호손공장에서 메이요(Mayo)와 뢰슬리버거(Roethlisberger)를 중심으로 행한 일련의 연구들을 말한다. 당시 호손공장에서는 테일러의 과학적 관리법에 입각한 성과급 제도를 도입하고 있었으나 생산성 측면에서 만족스럽지 못했다. 따라서 호손공장에서는 작업환경의 물리적 변화나 작업시간, 임률의 변화 등이 종업원의 작업능률에 어떠한 변화를 미치는가를 연구하기 위해 1924년부터 1932년까지 4차에 걸쳐 연구가 진행되었다. **정답 ③**

21 ☐☐☐ 2019년 군무원

단위생산과 대량생산에 알맞은 조직구조는?

① 기계적 조직 – 기계적 조직
② 기계적 조직 – 유기적 조직
③ 유기적 조직 – 기계적 조직
④ 유기적 조직 – 유기적 조직

해설

우드워드(Woodward)의 연구에 따르면, 대량생산의 경우에는 기계적 조직구조가 적합하고 단위소량생산과 연속공정생산의 경우에는 유기적 조직구조가 적합하다. **정답 ③**

22 ☐☐☐ 2019년 서울시

<보기>의 경영이론에 대한 설명을 옳은 것을 모두 고른 것은?

<보기>
ㄱ. 테일러(F. Taylor)의 과학적 관리이론에서 과업관리 목표는 '높은 임금과 높은 노무비의 원리'이다.
ㄴ. 포드 시스템(Ford system)은 생산의 표준화를 전제로 한다.
ㄷ. 페이욜(H. Fayol)의 관리이론 중 생산, 제작, 가공활동은 관리활동에 해당한다.
ㄹ. 메이요(E. Mayo)의 호손연구(Hawthorne Studies)에 의하면 화폐적 자극은 생산성에 영향을 미치지 않는다.

① ㄱ, ㄴ
② ㄱ, ㄹ
③ ㄴ, ㄷ
④ ㄴ, ㄹ

해설

ㄱ. 테일러(F. Taylor)의 과학적 관리이론에서 과업관리 목표는 '높은 임금과 낮은 노무비의 원리'이다.
ㄷ. 페이욜(H. Fayol)의 관리이론 중 생산, 제작, 가공활동은 기술활동에 해당한다.

정답 ④

23 ☐☐☐ 2021년 군무원 7급

경영학의 역사적 흐름에 따라 제시된 이론의 설명으로 가장 옳지 않은 것은?

① 테일러(F. Taylor)의 과학적 관리법에서 차별적 성과급제란 표준을 설정하고 표준을 달성한 작업자에게 높은 임금을 지급하는 것을 말한다.
② 베버(M. Weber)가 주장한 관료주의(bureaucracy)란 합리적이고 이상적이며 매우 효율적인 조직은 분업, 명쾌하게 정의된 조직의 위계, 공식적인 규칙과 절차, 인간적(개인적)인 면을 최대한 고려한 관계 등의 원칙에 근거한다는 것이다.
③ 페이욜(H. Fayol)의 관리과정론에서는 관리활동을 계획화, 조직화, 지휘, 조정, 통제의 5단계로 구분하였다.
④ 길브레스 부부는 모션픽쳐(motion picture)를 통해 과업을 기본동작으로 분해하였다.

해설

인간적(개인적)인 면을 최대한 고려한 관계는 베버(M. Weber)가 주장한 관료주의(bureaucracy)에 해당하지 않는다.

정답 ②

경영이론에 대한 설명으로 옳은 것은?

① 테일러(F. Taylor)의 과학적 관리론에서는 고정적 성과급제를 통한 조직관리를 강조하였다.
② 페이욜(H. Fayol)은 중요한 관리활동으로 계획수립, 조직화, 지휘, 조정, 통제 등을 제시하였다.
③ 버나드(C. Barnard)의 학습조직이론에서는 인간을 제한된 합리성을 갖는 의사결정자로 보았다.
④ 호손실험을 계기로 활발하게 전개된 인간관계론은 공식적 작업집단만이 작업자의 생산성에 큰 영향을 미친다고 주장하였다.

해설

① 테일러(F. Taylor)의 과학적 관리론에서는 차별적 성과급제를 통한 조직관리를 강조하였다.
③ 인간을 제한된 합리성을 갖는 의사결정자로 본 사람은 사이먼(H. Simon)이다.
④ 호손실험을 계기로 활발하게 전개된 인간관계론은 비공식적 작업집단도 작업자의 생산성에 영향을 미친다고 주장하였다. 　정답 ②

시스템(system)이론에 대한 내용으로 옳게 나열된 것은?

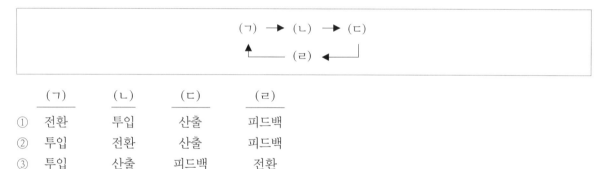

	(ㄱ)	(ㄴ)	(ㄷ)	(ㄹ)
①	전환	투입	산출	피드백
②	투입	전환	산출	피드백
③	투입	산출	피드백	전환
④	피드백	투입	전환	산출

해설

시스템은 투입물(input), 변환과정(transformation process), 산출물(output), 피드백(feedback) 등으로 구성되어 있다. 　정답 ②

26 □□□ 2020년 군무원

상황이론(contingency theory)에 대한 설명으로 옳지 않은 것은?

① 고유변수로 상황변수, 조직특성변수, 조직유효성변수가 있다.
② 상황변수에는 환경, 기술, 규모 등이 있다.
③ 조직특성변수로는 조직구조, 관리체계 등이 있다.
④ 조직유효성변수로는 대내적 균형, 대외적 균형 등이 있다.

해설

조직유효성변수에는 직무만족, 직무성과, 조직몰입, 조직시민행동 등이 있다.   정답 ④

27 □□□ 2020년 국가직

경영이론에 대한 설명으로 옳은 것만을 모두 고르면?

> ㄱ. 과학적 관리란 경영현상에 대한 체계적인 관찰, 실험 또는 판단에 의해 도출된 표준을 근거로 사업 또는 업무를 수행하는 관리방식이다.
> ㄴ. 과학적 관리법은 '조직 없는 인간' 이론이라는 비판을 받기도 하고, 인간관계론은 '인간 없는 조직' 이론이라는 비판을 받기도 한다.
> ㄷ. 경영과학(management science)은 수학적인 모델에 기초를 두고 과학적인 접근방법을 이용하여 조직 내 경영 관리상의 문제들을 해결하려는 것이다.
> ㄹ. 시스템이론에 따르면 전체는 상호 관련된 부분들의 집합(set)이고, 단순한 집합 이상의 의미를 갖지 않는다.

① ㄱ, ㄴ   ② ㄱ, ㄷ
③ ㄴ, ㄷ   ④ ㄷ, ㄹ

해설

ㄴ. 과학적 관리법은 '인간 없는 조직' 이론이라는 비판을 받기도 하고, 인간관계론은 '조직 없는 인간' 이론이라는 비판을 받기도 한다.
ㄹ. 시스템이론에 따르면 전체는 상호 관련된 부분들의 집합(set)과 상호작용(feedback)의 결합이다. 따라서 전체는 단순한 집합 이상의 의미를 가진다.   정답 ②

01 □□□

경영학의 분야 중 그 성격이 다른 하나는?

① 마케팅
② 인적자원관리
③ 재무관리
④ 조직행동론

해설

경영학은 의사결정이라는 관점에서 재무관리, 인적자원관리, 생산운영관리, 마케팅 등으로 구분할 수 있으며, 그 외에 이러한 의사결정을 도와주는 분야로써 회계학, 조직행동론, 경영과학, 경영정보시스템 등이 있다.

정답 ④

02 □□□

현실과 바람직한 상태 사이의 차이를 무엇이라고 하는가?

① 위험(risk)
② 문제(problem)
③ 변환(transformation)
④ 불확실성(uncertainty)

해설

현실과 바람직한 상태 사이의 차이를 문제(problem)라고 한다.

정답 ②

03 □□□

경영의사결정과정을 순서대로 배열한 것으로 가장 옳은 것은?

① 목표설정 → 문제인식 → 대안도출 → 대안평가 → 의사결정
② 문제인식 → 목표설정 → 대안평가 → 대안도줄 → 의사결정
③ 문제인식 → 대안도출 → 목표설정 → 대안평가 → 의사결정
④ 문제인식 → 목표설정 → 대안도출 → 대안평가 → 의사결정

해설

경영의사결정은 '문제인식 → 목표설정 → 대안도출 → 대안평가 → 의사결정'의 순서대로 이루어진다.

정답 ④

04 ☐☐☐ 2016년 경영지도사 수정

기업의 경영의사결정에 관한 설명으로 옳지 않은 것은?

① 경영의사결정은 미래의 상황을 예견하고 행동방안을 선택 또는 결정하는 행위이다.
② 전략적 의사결정은 기업의 내부자원을 조직화하기 위한 의사결정이다.
③ 업무적 의사결정의 특징은 의사결정 내용이 단순하고 반복적, 분권적이다.
④ 비정형적 의사결정은 경영자의 창의력이나 직관에 의존한다.

해설

전략적 의사결정(strategic decision making)은 최고경영자가 수행하는 의사결정으로 기업과 외부환경과의 관계에 대한 의사결정을 말한다. 이러한 의사결정은 기업의 성격을 좌우하며 장기적·거시적·전체적인 성격을 가진다.   **정답 ②**

05 ☐☐☐ 2024년 경영지도사 수정

앤소프(H. Ansoff)의 경영자 계층에 따른 의사결정이론에 관한 설명으로 옳지 않은 것은?

① 기업자원의 효율을 극대화하기 위한 일정계획, 감독, 통제활동 등은 전략적 의사결정이다.
② 제품생산계획, 조직편성, 자원의 조달방법, 인사와 훈련계획, 권한·책임의 문제, 판매·유통경로 분석 등은 관리적 의사결정이다.
③ 조직의 목표 달성 구체화를 위해 제 자원을 조직화하여 최적성과를 달성토록 하는 활동은 관리적 의사결정이다.
④ 특정업무의 효과적, 효율적 수행과 관련된 활동으로 현재 조직에서 일어나고 있는 시간개념의 활동은 업무적 의사결정이다.

해설

기업자원의 효율을 극대화하기 위한 일정계획, 감독, 통제활동 등은 업무적 의사결정이다.   **정답 ①**

06 ☐☐☐ 2023년 경영지도사 수정

경영의사결정에 관한 설명으로 옳은 것은?

① 버나드(C. Barnard)는 정형적·비정형적 의사결정으로 분류하였다.
② 기업목표 변경, 기업성장·다각화 계획 등은 관리적 의사결정에 해당한다.
③ 업무적 의사결정은 조직 내 여러 자원의 변환 과정에서 효율성을 극대화하는 것과 관련되며 주로 하위 경영층에 의해 이루어진다.
④ 각 대안에 대한 기대치를 계산하는 의사결정나무는 비정형적 의사결정에 속한다.

해설

① 경영의사결정을 정형적·비정형적 의사결정으로 분류한 사람은 사이먼(Simon)이다.
② 기업목표 변경, 기업성장·다각화 계획 등은 전략적 의사결정에 해당한다.
④ 각 대안에 대한 기대치를 계산하는 의사결정나무는 정형적 의사결정에 속한다.   **정답 ③**

07 ☐☐☐

경영의사결정의 특징에 대한 다음 설명 중 가장 옳지 않은 것은?

① 경영의사결정과 관련된 문제는 복잡하기 때문에 의사결정자가 문제를 정확하게 파악하는 것이 쉽지 않다.
② 경영의사결정과정에는 정보의 불확실성, 환경의 불확실성, 의사결정성과의 불확실성 등 다양한 불확실성이 존재한다.
③ 경영의사결정에는 기업의 이익, 비용, 규모, 이미지, 위험 및 기술력 등 다양한 요소들이 동시에 고려되기 때문에 각 대안들을 비교할 때 하나의 기준을 적용하는 것이 쉽지 않다.
④ 경영의사결정에 참여하는 의사결정자들의 가치관이나 위험에 대한 선호정도가 다양하지만 그 경영의사결정결과가 달라지지는 않는다.

해설

일반적으로 경영의사결정의 의사결정단위는 집단이다. 따라서 경영의사결정에 참여하는 의사결정자들의 가치관이나 위험에 대한 선호정도가 다양하기 때문에 경영의사결정결과가 달라질 수 있다.

정답 ④

08 ☐☐☐ 2024년 경영지도사 수정

정보가 의사결정에 유용하게 활용되기 위해 갖추어야할 특성에 관한 설명으로 옳지 않은 것은?

① 정확하고 신뢰할 수 있는 현실을 반영해야 한다.
② 필요한 시기에 이용될 수 있도록 제공되어야 한다.
③ 물리적으로 존재하여 보거나 만져볼 수 있어야 한다.
④ 의사결정과 직접적 관련성이 있어야 한다.

해설

정보는 무형적 특성을 가지기 때문에 물리적으로 존재하여 보거나 만져볼 수 없다.

정답 ③

09 ☐☐☐

경영의사결정에 대한 다음 설명 중 가장 옳지 않은 것은?

① 상충상황은 의사결정단위가 2개 이상인 경우이다.
② 경영의사결정은 문제(problem)를 인식함과 동시에 시작된다.
③ 의사결정기준 중 동일확률기준에 해당하는 것은 라플라스 기준(Laplace criteria)이다.
④ 전략적 의사결정은 대부분 정형적 의사결정으로 구성되어 있다.

해설

경영의사결정은 의사결정수준에 따라 최고경영자가 수행하는 전략적 의사결정, 중간경영자가 수행하는 관리적(전술적) 의사결정, 하위경영자가 수행하는 운영적 의사결정으로 구분할 수 있는데, 전략적 의사결정은 대부분 비정형적 의사결정으로 구성되어 있고 운영적 의사결정은 대부분 정형적 의사결정으로 구성되어 있다.

정답 ④

10 ☐☐☐

경영의사결정(managerial decision making)에 대한 다음 설명 중 가장 옳지 않은 것은?

① 상충상황이란 한 의사결정자의 의사결정이 다른 의사결정자의 의사결정성과에 영향을 미치는 상황이다.
② 확실한 상황이란 의사결정자가 의사결정에 필요한 모든 정보를 가지고 있는 상황이다.
③ 경영의사결정은 의사결정의 수준에 따라 정형적 의사결정과 비정형적 의사결정으로 구분할 수 있다.
④ 일반적으로 위험한 상황하의 의사결정은 통계학적인 방법을 이용하여 해결한다.

> **해설**
> 경영의사결정은 의사결정의 수준에 따라 전략적 의사결정, 관리적 의사결정, 운영적 의사결정으로 구분할 수 있다.
>
> 정답 ③

11 ☐☐☐

상충상황에 대한 다음 설명 중 가장 옳지 않은 것은?

① 의사결정단위의 의사결정은 순차적으로 발생한다.
② 한 의사결정단위의 의사결정은 다른 의사결정단위의 의사결정 성과에 영향을 미친다.
③ 게임이론을 통해서 해결한다.
④ 의사결정단위가 2개 이상이다.

> **해설**
> 의사결정단위의 의사결정은 동시에 발생한다.
>
> 정답 ①

12 ☐☐☐ 2015년 경영지도사 수정

의사결정에 관한 설명으로 옳지 않은 것은?

① 합리적 의사결정은 문제식별 → 대안개발 → 대안평가와 선정 → 실행의 단계를 거친다.
② 불확실성의 상황에서 의사결정을 할 때에도 미래 상황에서의 객관적 확률을 알 수 있다.
③ 사이먼(H. Simon)은 의사결정자의 제한된 합리성으로 인해 이상적인 대안보다는 만족할 만한 대안을 찾는 것이 바람직하다는 이론을 제시했다.
④ 의사결정은 프로그램적(programmed) 의사결정과 비프로그램적(nonprogrammed) 의사결정으로 구분할 수 있다.

> **해설**
> 불확실한 상황하의 의사결정은 의사결정자에게 특정 의사결정의 결과는 알려져 있으나 그 결과가 발생할 확률이 알려져 있지 않은 상태에서 수행되는 의사결정을 말한다.
>
> 정답 ②

13 □□□

정형적 의사결정(programmed decision making)의 특징으로 가장 옳지 않은 것은?

① 일상적　　　　　　　　　　　② 창의적
③ 반복적　　　　　　　　　　　④ 과학적

해설

정형적(구조적) 의사결정은 일상적, 반복적, 안정적, 과학적인 특징을 가지고, 비정형적(비구조적) 의사결정은 비일상적, 간헐적, 불안정적, 창의적인 특징을 가진다.　　　　　　　**정답 ②**

14 □□□

관리과정을 순서대로 배열한 것으로 가장 옳은 것은?

① 조직화 → 계획화 → 지휘 → 통제　　　② 계획화 → 조직화 → 지휘 → 통제
③ 계획화 → 지휘 → 조직화 → 통제　　　④ 계획화 → 조직화 → 통제 → 지휘

해설

관리과정은 '계획화 → 조직화 → 지휘 → 통제'의 순으로 이루어진다.　　　　　　**정답 ②**

15 □□□

경영의 구성요소 중 산출요소에 해당하는 재화(goods)와 서비스(service)에 대한 다음 설명 중 가장 옳지 않은 것은?

		재화	서비스
①	재고축적여부	재고축적가능	재고축적불가능
②	반응시간	긴 반응시간	짧은 반응시간
③	시장규모	넓은 시장	좁은 시장
④	통제의 형태	분권적	집권적

해설

일반적으로 재화는 집권적인 통제를 실시하고, 서비스는 분권적인 통제를 실시한다.　　　　　　**정답 ④**

16 ☐☐☐ 2021년 공인노무사 수정

서비스의 특성으로 옳지 않은 것은?

① 무형성　　　　　　　　　　　② 비분리성

③ 반응성　　　　　　　　　　　④ 소멸성

해설

서비스는 일반적으로 무형성, 비분리성, 소멸성, 변동성(이질성)의 특성을 가지며, 반응성은 서비스의 특성으로 옳지 않다.

정답 ③

17 ☐☐☐ 2021년 가맹거래사 수정

서비스의 특성에 해당되는 것을 모두 고른 것은?

> ㄱ. 무형성: 서비스는 보거나 만질 수 없다.
> ㄴ. 비분리성: 서비스는 생산과 소비가 동시에 발생한다.
> ㄷ. 소멸성: 서비스는 재고로 보관될 수 없다.
> ㄹ. 변동성: 서비스의 품질은 표준화가 어렵다.

① ㄱ, ㄴ, ㄷ　　　　　　　　　② ㄱ, ㄴ, ㄹ

③ ㄱ, ㄷ, ㄹ　　　　　　　　　④ ㄱ, ㄴ, ㄷ, ㄹ

해설

모두 서비스의 특성에 해당하는 설명이다.

정답 ④

18 ☐☐☐ 2018년 경영지도사 수정

기업환경에서 일반환경(간접환경)에 관한 내용으로 옳지 않은 것은?

① 경쟁기업 출현　　　　　　　　② 공정거래법 개정

③ 컴퓨팅 기술 발전　　　　　　　④ 저출산 시대 심화

해설

기업의 외부환경(external environment)은 기업의 경계선 밖에서 기업성과에 영향력을 행사하는 모든 요소들을 말하는데, 과업환경과 일반환경으로 구분할 수 있다. 과업환경(task environment)은 기업과 매우 밀접한 관련을 가지면서 통제가 가능하고 기업의 목표달성에 직접적으로 영향을 미치는 환경요소를 의미하고, 일반환경(general environment)은 특정 대상이 파악되지 않기 때문에 기업의 영향권에서 벗어나 기업이 전혀 통제할 수 없으나 사회 전체의 모든 기업에 간접적으로 공통적인 영향을 미치는 환경요인을 의미한다. 따라서 경쟁기업 출현은 과업환경에 해당한다.

정답 ①

19 □□□ 2023년 공인노무사 수정

경영환경을 일반환경과 과업환경으로 구분할 때, 기업에게 직접적인 영향을 주는 과업환경에 해당하는 것은?

① 정치적 환경　　　　　　　　　　② 경제적 환경
③ 기술적 환경　　　　　　　　　　④ 경쟁자

해설

과업환경은 기업과 매우 밀접한 관련을 가지면서 통제가 가능하고 기업의 목표달성에 직접적으로 영향을 미치는 환경요소를 의미하고, 일반환경은 특정 대상이 파악되지 않기 때문에 기업의 영향권에서 벗어나 기업이 전혀 통제할 수 없으나 사회 전체의 모든 기업에 간접적으로 공통적인 영향을 미치는 환경요인을 의미한다. 따라서 경쟁자는 과업환경에 해당하고, 나머지(정치적 환경, 경제적 환경, 기술적 환경, 사회문화적 환경 등)는 일반환경 또는 거시적 환경에 해당한다.　　　　**정답 ④**

20 □□□ 2024년 경영지도사 수정

기업환경은 기업에 미치는 영향의 정도인 밀접성에 따라 직접적 환경과 간접적 환경으로 구분한다. 간접적 환경 요인에 해당하지 않는 것은?

① 사회계층　　　　　　　　　　　② 경제체제
③ 기술수준　　　　　　　　　　　④ 소비자

해설

소비자는 직접적 환경에 해당한다.　　　　**정답 ④**

21 □□□ 2024년 공인노무사 수정

기업 외부의 개인이나 그룹과 접촉하여 외부환경에 관한 중요한 정보를 얻는 활동은?

① 경계연결(boundary spanning)　　　② 예측활동
③ 공중관계(PR)　　　　　　　　　④ 활동영역 변경

해설

기업 외부의 개인이나 그룹과 접촉하여 외부환경에 관한 중요한 정보를 얻는 활동은 경계연결(boundary spanning)이다.　　　　**정답 ①**

22 □□□ 2021년 경영지도사 수정

거시수준의 구조조정에 해당하는 것은?

① 산업구조조정
② 제품구조조정
③ 사업구조조정
④ 재무구조조정

해설

거시수준과 미시수준을 구분하는 기준은 해당 기업이 소속되어 있는 산업(시장)의 경계이다. 따라서 산업구조조정이 거시수준의 구조조정에 해당하고, 제품구조조정, 사업구조조정, 재무구조조정은 미시수준의 구조조정에 해당한다. **정답 ①**

23 □□□ 2020년 경영지도사 수정

기업의 외부환경을 일반환경과 과업환경으로 구분할 때 과업환경에 해당하는 것은?

① 경제적 환경
② 정치적 · 법적 환경
③ 인구통계적 환경
④ 경쟁자 환경

해설

과업환경은 기업과 매우 밀접한 관련을 가지면서 통제가 가능하고 기업의 목표달성에 직접적으로 영향을 미치는 환경요소를 의미한다. 따라서 경쟁자 환경이 과업환경에 해당하고, 나머지는 일반환경 또는 거시적 환경에 해당한다. **정답 ④**

24 □□□ 2021년 가맹거래사 수정

마케팅전략에 영향을 미치는 거시적 환경에 해당하지 않는 것은?

① 인구통계적 환경
② 기업내부 환경
③ 경제적 환경
④ 기술적 환경

해설

거시적 환경으로는 거시적 환경으로는 인구통계학적 환경(인구변화, 가구수 및 가구당 가족수 등), 경제적 환경(경기변동, 물가상승, 소득수준, 경상수지 등), 기술적 환경 및 법률적 환경, 사회적 · 문화적 환경 등이 포함된다. 따라서 기업내부 환경은 거시적 환경에 해당하지 않는다. **정답 ②**

25 □□□ 2014년 경영지도사 수정

기업을 둘러싼 환경에 관한 설명으로 옳지 않은 것은?

① 기업의 경쟁자나 부품공급자는 직접환경(과업환경) 요인이다.
② 기업의 환경을 내부환경과 외부환경으로 구분했을 때 주주는 외부환경에 속한다.
③ 기업의 간접환경(일반환경)에는 정치·법률적 환경, 경제적 환경, 기술적 환경, 사회·문화적 환경 등이 있다.
④ 기업에 노동력을 공급하는 종업원도 기업의 환경요인 중 하나이다.

해설

주주는 관점에 따라 내부환경으로 구분할 수도 있고, 외부환경으로 구분할 수도 있다. 그런데, 이 문제의 출제자는 주주환경을 내부환경으로 구분하고 있다. 객관식 문제의 정답은 하나이고, ②번 보기를 제외한 나머지 보기 중에 옳은 설명이 없기 때문에 해당 문제의 정답은 ②번이 되어야 한다.
정답 ②

26 □□□ 2018년 경영지도사 수정

경영의 효율성(efficiency)에 관한 설명으로 옳지 않은 것은?

① 투입량에 대한 산출량의 비율이다.
② 조직목표의 달성정도와 관련이 있는 개념이다.
③ 자원의 낭비 없이 일을 올바르게 수행하는 것(doing things right)을 의미한다.
④ 효율성이 높아도 목표를 달성하지 못하는 경우가 있다.

해설

조직목표의 달성정도와 관련이 있는 개념은 효과성(effectiveness)이다.
정답 ②

27 □□□ 2022년 경영지도사 수정

'과업을 올바르게 수행하는 것(doing things right)'을 의미하는 개념은?

① 유효성 　　　　　　　　　② 적합성
③ 효과성 　　　　　　　　　④ 효율성

해설

효율성 또는 능률은 자원의 활용정도를 의미하고, 조직 내부에서 평가하게 되며, 기업의 단기적인 생존과 관련이 있는 개념이다. 효과성 또는 유효성은 고객만족 또는 조직목표의 달성정도를 의미하고, 조직 외부에서 평가되며, 기업의 장기적인 생존과 관련이 있는 개념이다. 또한, 효율성은 목표달성을 위한 수단이기 때문에 '올바르게 하는 것(do things right)'이고, 효과성은 목표를 달성하는 것이기 때문에 '올바른 것을 하는 것(do right things)'이다.
정답 ④

28 ☐☐☐

버나드(C. Barnard)의 조직균형론에 대한 다음 설명 중 가장 옳지 않은 것은?

① 조직의 목적은 존속과 발전이다.
② 조직의 균형을 유지하기 위해서는 유인(inducement)이 공헌(contribution)보다 작거나 같아야 한다.
③ 조직유지의 기본요소에는 공통목적(common purpose), 의사소통(communication), 공헌하고자 하는 의지 (willingness to serve)가 있다.
④ 대내적 균형이란 조직구성원이 조직에 공헌(또는 기여)하는 만큼의 유인(또는 만족)을 조직으로부터 얻는 상태를 의미한다.

해설

조직은 대내적 균형을 통해 존속과 발전이라는 목적을 달성할 수 있다. 여기서 대내적 균형 또는 조직의 균형을 유지하기 위해서는 유인이 공헌보다 크거나 같아야 한다. **정답 ②**

29 ☐☐☐ 2020년 경영지도사 수정

버나드(C. Barnard)가 주장한 조직이론에 해당하는 설명이 아닌 것은?

① 조직은 여러 하부·상부시스템들과 연결된 복합시스템이다.
② 조직의 구성원은 경제적 보상을 최대화하기 위하여 생산을 극대화시킨다.
③ 조직은 외부환경(투자자, 협력업체, 소비자)과도 좋은 관계를 유지해야 한다.
④ 조직의 명령은 구성원이 수용할 때 공헌으로 이어진다.

해설

경제적 보상을 최대화하기 위하여 생산을 극대화시킨다는 것은 X관점에 해당하는 내용이다. 그러나 버나드(Barnard)는 인간에 대해 Y관점의 입장에서 조직이론을 주장하였다. **정답 ②**

30 ☐☐☐ 2018년 공인노무사 수정

맥그리거(D. McGregor)의 X-Y이론은 인간에 대한 기본 가정에 따라 동기부여방식이 달라진다는 것이다. Y이론에 해당하는 가정 또는 동기부여방식이 아닌 것은?

① 문제해결을 위한 창조적 능력 보유
② 직무수행에 대한 분명한 지시
③ 조직목표 달성을 위한 자기 통제
④ 성취감과 자아실현 추구

해설

맥그리거(McGregor)는 경영자들이 가지는 인간의 본성에 대한 관점을 X이론의 사고방식으로부터 Y이론의 사고방식으로 전환해야 한다고 주장하였다. 경영자들이 종업원에게 굳은 신뢰와 지속적인 지원을 보인다면 종업원들은 경영자들의 기대를 저버리지 않고 최선을 다할 것이라는 것이다. 여기서 X이론은 인간이 타율적 존재이기 때문에 외부통제가 필요하다고 보는 관점이며, Y이론은 인간이 자율적 존재이기 때문에 자아통제가 가능하다고 보는 관점이다. 따라서 '직무수행에 대한 분명한 지시'는 X관점에 해당하는 내용이다. **정답 ②**

31 □□□ 2022년 공인노무사 수정

맥그리거(D. McGregor)의 XY이론 중 Y이론에 관한 설명으로 옳은 것을 모두 고른 것은?

> ㄱ. 동기부여는 생리적 욕구나 안전욕구 단계에서만 가능하다.
> ㄴ. 작업조건이 잘 갖추어지면 일은 놀이와 같이 자연스러운 것이다.
> ㄷ. 대부분의 사람들은 엄격하게 통제되어야 하고 조직목표를 달성하기 위해서는 강제되어야 한다.
> ㄹ. 사람은 적절하게 동기부여가 되면 자율적이고 창의적으로 업무를 수행한다.

① ㄱ, ㄴ
② ㄱ, ㄷ
③ ㄴ, ㄷ
④ ㄴ, ㄹ

해설

ㄱ과 ㄷ은 X이론에 관한 설명이고, ㄴ과 ㄹ은 Y이론에 관한 설명이다. 정답 ④

32 □□□

맥그리거(D. McGregor)의 XY이론에 대한 다음 설명 중 그 성격이 다른 하나는?

① 인간은 근본적으로 일을 싫어한다.
② 인간은 이기적이고 조직체 목표에 무관심하다.
③ 인간은 안정과 경제적 만족을 추구한다.
④ 인간은 자아통제기능을 가진다.

해설

④는 Y 관점에 대한 내용이고, 나머지는 X 관점에 해당한다. 정답 ④

33 □□□ 2020년 경영지도사 수정

테일러(F. Taylor)의 과학적 관리법(Scientific Management)에 관한 설명으로 옳지 않은 것은?

① 작업방식의 과학적 연구
② 과학적인 근로자 선발 및 훈련
③ 관리활동의 통합
④ 차별적 성과급제

해설

관리활동의 통합이 아니라 관리활동의 분업이 테일러(F. Taylor)의 과학적 관리법에 관한 설명에 해당한다. 정답 ③

34 □□□ 2024년 공인노무사 수정

테일러(F. W. Taylor)의 과학적 관리법에 제시한 원칙으로 옳은 것을 모두 고른 것은?

ㄱ. 작업방식의 과학적 연구	ㄴ. 과학적 선발 및 훈련
ㄷ. 관리자와 작업자들 간의 협력	ㄹ. 관리활동의 분업

① ㄱ, ㄴ

② ㄷ, ㄹ

③ ㄱ, ㄴ, ㄷ

④ ㄱ, ㄴ, ㄷ, ㄹ

해설

테일러(Taylor)는 각 과업을 수행하는 최선의 방법(best way)을 찾아 작업자의 생산성을 향상시키기 위해 과학적 관리법을 주장하였다. 일반적으로 과학적 관리법은 동작연구와 시간연구, 차별적 성과급제, 기획부제도, 직능별 직장제도(관리활동의 분업), 작업지도표제도 등을 그 주요내용으로 한다. 이를 위해 다음과 같은 작업자와 경영자 모두에게 경제적으로 도움이 될 수 있는 4가지 원칙을 제시하였다.

㉠ 낡은 주먹구구식 방법을 대체할 수 있는 작업의 과학화 실현
㉡ 종업원의 과학적인 선발, 훈련, 교육 및 개발
㉢ 모든 작업이 과학의 원리와 일치할 수 있도록 경영자와 작업자 간의 긴밀한 협조관계 유지
㉣ 경영자와 작업자 간의 균등한 작업 및 책임 분배

따라서 주어진 모든 내용이 테일러(Taylor)의 과학적 관리법에 제시한 원칙으로 옳은 것이다.

정답 ④

35 □□□ 2021년 가맹거래사 수정

테일러(F. Taylor)의 과학적 관리를 설명하는 것을 모두 고른 것은?

ㄱ. 과업관리 활용	ㄴ. 시간 및 동작연구 이용
ㄷ. 차별적 성과급제 도입	ㄹ. 14가지 관리원칙 제시
ㅁ. 인간의 심리적 측면 강조	

① ㄱ, ㄴ, ㄷ

② ㄱ, ㄴ, ㄹ

③ ㄴ, ㄷ, ㄹ

④ ㄷ, ㄹ, ㅁ

해설

14가지 관리원칙을 제시한 것은 페이욜(H. Fayol)이고, 인간의 심리적 측면을 강조한 것은 호손실험(Hawthorne studies)이다.

정답 ①

36 □□□ 2019년 공인노무사 수정

테일러(F. Taylor)의 과학적 관리법에 관한 설명으로 옳지 않은 것은?

① 시간 및 동작연구
② 기능적 직장제도
③ 집단중심의 보상
④ 과업에 적합한 종업원 선발과 훈련 강조

해설

테일러(F. Taylor)의 과학적 관리법은 집단중심의 보상이 아니라 개인중심의 보상을 특징으로 한다.

정답 ③

37 □□□ 2016년 경영지도사 수정

테일러(F. Taylor)의 과학적 관리법의 내용으로 옳지 않은 것은?

① 차별적 성과급제 적용
② 시간 및 동작연구를 통해 과업 결정
③ 조명 및 계전기조립실험 실시
④ 근로자를 과학적으로 선발하여 교육

해설

조명 및 계전기조립실험 실시는 호손연구(Hawthorne studies)에 해당하는 내용이다.

정답 ③

38 □□□ 2015년 공인노무사 수정

테일러(F. Taylor)의 과학적 관리의 특징으로 옳지 않은 것은?

① 과업관리
② 작업지도표 제도
③ 차별적 성과급제
④ 컨베이어 시스템

해설

컨베이어 시스템은 포드(H. Ford)가 주장한 개념이다.

정답 ④

39 □□□ 2013년 경영지도사 수정

테일러(F. Taylor)의 과학적 관리법에 관한 설명으로 옳지 않은 것은?

① 시간연구와 동작연구
② 공정한 작업량 설정
③ 작업에 적합한 과학적인 근로자 선발
④ 시간제 임금지급을 통한 차별적 성과급제

해설

테일러(F. Taylor)의 과학적 관리법은 생산량 기준의 임금지급을 통한 차별적 성과급제를 그 특징으로 한다.

정답 ④

40 □□□

테일러(F. Taylor)의 과학적 관리법에 대한 다음 설명 중 가장 옳지 않은 것은?

① 생산성 향상이 목적이다.
② 차별적 성과급제를 통해 불필요하고 낭비적인 동작을 제거할 수 있다.
③ 작업자의 목적은 금전적 수입의 극대화이다.
④ 각 과업을 수행하는 최선의 방법(best way)을 찾고자 하였다.

해설

동작연구(motion study)를 통해 불필요하고 낭비적인 동작을 제거할 수 있다. 정답 ②

41 □□□ 2023년 경영지도사 수정

테일러(F. Taylor)가 제시한 과학적 관리법에 관한 특징으로 옳지 않은 것은?

① 기획부제
② 직능적(기능식) 직장제
③ 지시표제
④ 대량생산방식의 3S

해설

테일러(F. Taylor)가 제시한 과학적 관리법은 동작연구와 시간연구, 차별적 성과급제, 기획부제도, 직능적(기능식) 직장제도, 작업지도표제도(지시표제) 등의 특징을 가지고 있다. 대량생산방식의 3S는 포드 시스템(컨베이어벨트 시스템)의 특징에 해당한다. 정답 ④

42 □□□

테일러(F. Taylor)의 과학적 관리법에 대한 다음 설명 중 가장 옳지 않은 것은?

① 동작연구를 위해 마이크로미터(micrometer)라고 불리는 모션픽처(motion picture) 기계를 개발하여 활용하였다.
② 고임금 저노무비(high wage, low labor cost)의 원칙에 근거하고 있다.
③ 작업자를 금전적 수입의 극대화에만 관심을 갖는 경제인을 가정한다.
④ 각 과업을 수행하는 최선의 방법(best way)을 찾아 작업자의 생산성을 향상시키는 것이 목적이다.

해설

동작연구를 위해 마이크로미터(micrometer)라고 불리는 모션픽처(motion picture) 기계를 개발하여 활용한 연구자는 길브레스(Gilbreth) 부부이다. 테일러(F. Taylor)는 각 과업을 수행하는 최선의 방법(best way)을 찾아 작업자의 생산성을 향상시키기 위해 과학적 관리법을 주장하였다. 일반적으로 과학적 관리법은 고임금 저노무비(high wage, low labor cost)의 원칙에 근거하여 동작연구와 시간연구, 차별적 성과급제, 기획부제도, 직능별 직장제도(관리활동의 분업), 작업지도표제도 등을 그 주요내용으로 하고, 작업자를 금전적 수입의 극대화에만 관심을 갖는 경제인을 가정한다. 정답 ①

43 ☐☐☐ 2020년 경영지도사 수정

포드(H. Ford)는 기업의 목적을 사회 대중에 대한 봉사로 보고 포디즘(Fordism)을 주장하였는데 포디즘의 기본원리로 옳은 것은?

① 고가격 고임금　　　　　　　　　　② 저가격 고임금
③ 고가격 저임금　　　　　　　　　　④ 저가격 최저임금

해설

포디즘(Fordism)은 규모의 경제(economies of scale)를 통해 생산원가를 낮추게 되고 낮은 가격으로 제품을 고객에게 전달하는 것을 가능하게 한다는 것이다. 이를 저가격 고임금이라고 한다.　　**정답 ②**

44 ☐☐☐ 2020년 가맹거래사 수정

생산의 표준화와 이동조립법(conveyer belt)을 도입하여 생산성을 높이고 경영을 합리화하고자 하는 관리기법은?

① 테일러 시스템　　　　　　　　　　② 포드 시스템
③ 간트 차트의 통계적 품질관리　　　　④ 길브레스의 방법연구

해설

생산의 표준화와 이동조립법(conveyer belt)을 도입하여 생산성을 높이고 경영을 합리화하고자 하는 관리기법은 포드 시스템이다.　　**정답 ②**

45 ☐☐☐

다음은 포드시스템의 한계에 관한 설명이다. 가장 옳지 않은 것은?

① 표준화를 통해 제품이나 생산설비의 변경 및 개량이 용이하다.
② 시장 수요변동에 대처가 곤란하여 유연성이 떨어진다.
③ 한 공정의 정지가 다른 공정에 미치는 영향이 크다.
④ 많은 시설투자비용 발생과 조업도 하락시 많은 제조원가 부담이 있다.

해설

표준화는 대량생산을 목적으로 하기 때문에 제품이나 생산설비의 변경 및 개량이 곤란하다.　　**정답 ①**

46 □□□ 2018년 경영지도사 수정

페이욜(H. Fayol)이 제시한 경영조직의 일반원칙으로 옳지 않은 것은?

① 명령일원화의 원칙
② 분업의 원칙
③ 동작경제의 원칙
④ 권한과 책임의 원칙

해설

페이욜(H. Fayol)은 경영자를 위한 지침과 방향으로써 그가 수행해야 할 5개 기능과 경영의 14원칙을 개발하였으며, 집중화가 모든 상황에서 바람직한 것이 아니고 자유재량(latitude)과 분권화(decentralization)는 개별 조직에 의해서 결정되어야 할 균형의 문제라고 제안하였다. 경영의 14원칙에는 업무의 분화, 권한과 책임, 규율, 명령체계의 단일화, 지휘방향의 단일화, 전체이익에 대한 개인의 복종, 종업원에 대한 보상, 집중화, 계층연쇄, 질서, 공정성, 재직의 안정성, 주도권, 집단정신 등이 있다. **정답 ③**

47 □□□ 2024년 경영지도사 수정

페이욜(H. Fayol)이 제시한 경영원칙에 해당하지 않는 것은?

① 분업
② 규율
③ 비전
④ 보상

해설

페이욜(H. Fayol)이 제시한 경영원칙에는 업무의 분화, 권한과 책임, 규율, 명령체계의 단일화(명령일원화), 지휘방향의 단일화, 전체이익에 대한 개인의 복종, 종업원에 대한 보상, 집중화(집권화), 계층연쇄, 질서, 공정성, 재직의 안정성, 주도권, 집단정신 등의 14가지 원칙이 있다. 따라서 주어진 보기들 중에 '비전'은 페이욜(H. Fayol)이 제시한 경영원칙에 해당하지 않는다. **정답 ③**

48 □□□ 2023년 경영지도사 수정

페이욜(H. Fayol)이 제시한 관리원칙에 해당하지 않는 것은?

① 권한과 책임
② 개인목표 우선
③ 집권화
④ 분업화

해설

페이욜(H. Fayol)이 제시한 관리원칙에는 업무의 분화, 권한과 책임, 규율, 명령체계의 단일화(명령일원화), 지휘방향의 단일화, 전체이익에 대한 개인의 복종, 종업원에 대한 보상, 집중화(집권화), 계층연쇄, 질서, 공정성, 재직의 안정성, 주도권, 집단정신 등의 14가지 원칙이 있다. 따라서 주어진 보기들 중에 '개인목표 우선'은 페이욜(H. Fayol)이 제시한 관리원칙에 해당하지 않는다. **정답 ②**

49 □□□ 2021년 공인노무사 수정

페이욜(H. Fayol)의 일반적 관리원칙에 해당하지 않는 것은?

① 지휘의 통일성

② 직무의 분업화

③ 보상의 공정성

④ 조직의 분권화

해설

페이욜(H. Fayol)의 일반적 관리원칙에는 업무의 분화, 권한과 책임, 규율, 명령체계의 단일화(명령일원화), 지휘방향의 단일화, 전체이익에 대한 개인의 복종, 종업원에 대한 보상, 집중화, 계층연쇄, 질서, 공정성, 재직의 안정성, 주도권, 집단정신의 14가지 원칙이 있다. 따라서 조직의 분권화는 페이욜의 일반적 관리원칙에 해당하지 않는다.
정답 ④

50 □□□ 2020년 경영지도사 수정

페이욜(H. Fayol)이 관리이론에서 주장한 경영관리의 14개 기본원칙에 해당하지 않는 것은?

① 업무의 분화

② 명령의 일원화

③ 방향의 단일화

④ 기술적 훈련, 역량 그리고 전문성에 근거한 선발

해설

기술적 훈련, 역량 그리고 전문성에 근거한 선발은 베버(M. Weber)의 관료제가 가지는 특징에 해당한다.
정답 ④

51 □□□ 2014년 가맹거래사 수정

페이욜(H. Fayol)이 주장한 경영활동과 관련하여 연결이 옳은 것은?

① 기술활동 – 생산, 제조, 가공

② 상업활동 – 계획, 조직, 지휘, 조정, 통제

③ 회계활동 – 구매, 판매, 교환

④ 관리활동 – 재화 및 종업원 보호

해설

페이욜은 기업의 경영활동을 기술활동(생산, 가공 등), 상업활동(구매, 판매, 교환 등), 재무활동(자본의 조달, 운용 등), 보호활동(인적자원의 보호), 회계활동(재무제표, 원가통제 등), 관리활동(계획화, 조직화, 지휘, 조정, 통제)으로 구분하였다.
정답 ①

52 □□□ 2018년 경영지도사 수정

베버(M. Weber)의 이상적인 관료제의 특징으로 옳지 않은 것은?

① 분업화와 전문화
② 명확한 권한 체계
③ 문서화된 공식적 규칙과 절차
④ 개인별 특성을 고려한 관리

해설

베버(M. Weber)가 주장한 관료제(bureaucracy)란 명령, 복종, 합법적 권위(규범), 문서에 기반을 둔 이상적인 조직의 형태를 말한다. 베버는 사회조직이 전통적·세습적 또는 카리스마적 권력자에 의해 지배되어 왔기 때문에 아주 비효율적으로 운영될 수밖에 없었다고 보고, 미리 정해진 규칙과 제도에 따라 조직을 운영하는 것이 가장 합법적이라고 주장하였다. 이러한 관료제 조직은 규범의 명확화, 노동의 분화, 역량 및 전문성에 근거한 인사, 공과 사의 구분, 계층의 원칙, 문서화 등의 특성을 가진다. 이러한 관료제는 전문화를 통해 효율을 올릴 수 있으며, 직위에 대한 책임과 권한이 명시되어 있기 때문에 명령계통이 체계적으로 이루어져 있고, 예측가능성과 안정성을 제공해 주는 장점이 있으나, 개인적인 성장을 막고 계층구조로 이루어져 있기 때문에 쌍방향의 의사소통을 어렵게 만드는 단점이 있다. **정답 ④**

53 □□□ 2022년 경영지도사 수정

막스 베버(M. Weber)가 주장한 관료조직의 특징으로 옳은 것을 모두 고른 것은?

| ㄱ. 분업 | ㄴ. 창의성 |
| ㄷ. 명확한 위계질서 | ㄹ. 공식규정 및 규칙 |

① ㄱ, ㄴ
② ㄷ, ㄹ
③ ㄱ, ㄷ, ㄹ
④ ㄴ, ㄷ, ㄹ

해설

베버(M. Weber)가 주장한 관료제는 명령, 복종, 합법적 권위(규범), 문서에 기반을 둔 이상적인 조직의 형태를 말한다. 이러한 관료제 조직은 규범의 명확화, 노동의 분화, 역량 및 전문성에 근거한 인사, 공과 사의 구분(소유권의 분리), 계층의 원칙, 문서화 등의 특성을 가진다. 따라서 주어진 보기 중에서 관료조직의 특징에 해당하는 것은 분업, 명확한 위계질서, 공식규정 및 규칙이 된다. **정답 ③**

54 □□□ 2016년 공인노무사 수정

베버(M. Weber)가 제시한 관료제 이론의 주요 내용이 아닌 것은?

① 규정에 따른 직무배정과 직무수행
② 능력과 과업에 따른 선발과 승진
③ 상황적합적 관리
④ 계층에 의한 관리

해설

고전적 접근법 시대에서는 모든 환경이나 상황에 적용할 수 있는 유일최선의 관리방식(one best way)은 존재할 수 있다고 하였으나, 현대로 넘어오면서 상황적합적 관리에 의해 환경이나 상황이 바뀌게 되면 유효한 관리방식이 달라져야 하며, 환경이나 조건이 다르면 유효한 조직도 달라져야 한다는 입장을 취하게 된다. 즉, 기업이 처한 상황이 각각 다르기 때문에 그 결과가 다르고, 어떤 상황에서 가장 효과적인 방법이 다른 상황에서는 전혀 다른 결과를 가져올 수 있다는 것이다. 따라서 조직은 상황에 따라 다른 원칙을 적용해야 한다는 것이다. **정답 ③**

55 ☐☐☐

고전적 접근법에 대한 다음 설명 중 가장 옳지 않은 것은?

① 페이욜(F. Fayol)은 경영자를 위한 지침과 방향으로써 그가 수행해야 할 다섯 가지의 기능과 14가지의 원칙을 제시하였다.

② 포드(H. Ford)는 테일러시스템을 바탕으로 자동적인 기계의 움직임을 종합적으로 연구함으로써 컨베이어벨트시스템에 의한 대량생산방식을 개발하였다.

③ 길브레스(Gilbreth)는 작업의 흐름을 조정하는 그래프적 수단으로 작업공정이나 제품별로 계획된 작업의 실제 진행상황을 도표화함으로써 전체적인 기간관리를 가능하게 하는 도표를 개발하였다.

④ 관료제 조직은 규칙의 명확화, 노동의 분화, 계층의 원리, 문서화 등을 특성으로 한다.

해설

간트(Gantt)는 작업의 흐름을 조정하는 그래프적 수단으로 작업공정이나 제품별로 계획된 작업의 실제 진행상황을 도표화함으로써 전체적인 기간관리를 가능하게 하는 도표(Gantt chart)를 개발하였다. **정답 ③**

56 ☐☐☐ 2017년 공인노무사 수정

호손실험(Hawthorne experiment)의 순서가 바르게 나열된 것은?

ㄱ. 면접실험	ㄴ. 조명실험
ㄷ. 배전기 전선작업실 관찰	ㄹ. 계전기 조립실험

① ㄱ → ㄴ → ㄷ → ㄹ   ② ㄱ → ㄹ → ㄷ → ㄴ

③ ㄴ → ㄹ → ㄱ → ㄷ   ④ ㄴ → ㄹ → ㄷ → ㄱ

해설

호손실험(Hawthorne experiment)은 조명실험 → 계전기 조립실험 → 면접실험 → 배전기 전선작업실 관찰의 순서대로 이루어졌다. **정답 ③**

57 ☐☐☐ 2023년 가맹거래사 수정

메이요(E. Mayo)의 호손실험에 관한 설명으로 옳은 것은?

① 인간관계론과 관련이 없다.   ② 2차에 걸쳐서 진행된 프로젝트이다.

③ 비경제적 보상은 작업자의 만족과 관련이 없다.   ④ 구성원의 생각과 감정을 중시했다.

해설

① 호손실험의 결과로 인간관계론이 형성되었다.

② 호손실험은 4차에 걸쳐서 진행된 프로젝트이고, 조명실험, 계전기 조립작업장 실험, 면접연구, 배전기 전선작업장 실험의 순서로 진행되었다.

③ 비경제적 보상은 작업자의 만족과 관련이 있다. **정답 ④**

58 ☐☐☐ 2022년 공인노무사 수정

메이요(E. Mayo)의 호손실험 중 배전작업 실험에 관한 설명으로 옳지 않은 것은?

① 작업자를 둘러싸고 있는 사회적 요인들이 작업능률에 미치는 영향을 파악하였다.
② 경제적 욕구의 중요성을 재확인하였다.
③ 비공식조직이 작업능률에 영향을 미치는 것을 발견하였다.
④ 관찰연구를 통해 진행되었다.

해설

배전작업 실험(배전기 전선작업장 실험)은 작업자를 둘러싸고 있는 사회적 조건이 작업능률에 미치는 영향을 파악하기 위해 관찰연구를 실시한 실험이다. 이 실험을 통해 해당 작업장에서는 공장의 공식집단과는 별도로 자생적으로 형성된 비공식집단이 존재한다는 것을 발견하였다. 이 작업집단에는 비공식적인 작업규범이 존재하였고 이 규범이 작업집단의 공동이익을 추구하는 특징을 가지고 있었다. 따라서 경제적 욕구의 중요성을 재확인한 것은 배전작업 실험(배전기 전선작업장 실험)과 관련이 없다. **정답 ②**

59 ☐☐☐ 2020년 경영지도사 수정

호손(Hawthorne)연구의 내용으로 옳은 것은?

① 생산성과 표준화된 작업조건은 직접적인 관련이 있다.
② 공식조직의 업무체계 강화는 생산성의 향상으로 이어진다.
③ 임금, 노동시간 등 근로조건의 기술적, 경제적 측면에 초점을 두었다.
④ 비공식조직을 지배하는 감정의 논리가 생산성에 영향을 미친다.

해설

① 생산성과 표준화된 작업조건은 직접적인 관련이 없다.
② 공식집단과 별도로 자생적으로 형성된 비공식집단이 존재하며, 이 작업집단에는 비공식적인 작업규범이 존재하고 이 규범이 작업집단의 공동이익을 추구하는 특징을 가지고 있다.
③ 임금, 노동시간 등 근로조건의 기술적, 경제적 측면보다는 다른 사람들과의 사회적 관계나 인간적인 측면에 초점을 두었다. **정답 ④**

60 ☐☐☐ 2019년 경영지도사 수정

호손(Hawthorne) 연구에 관한 설명으로 옳지 않은 것은?

① 매슬로우(A. Maslow) 등이 주도한 인간관계운동의 출현을 가져왔다.
② 개인과 집단의 사회적·심리적 요소가 조직성과에 영향을 미친다는 사실을 인식하였다.
③ 비공식조직이 조직성과에 영향을 미치는 것을 확인하였다.
④ 작업의 과학화, 객관화, 분업화의 중요성을 강조하였다.

해설

호손연구(Hawthorne studies)는 생산성 향상에 대한 고전적 접근법의 관점에서 벗어나 인간적인 측면에 초점을 맞추는 계기가 되어 경영적 사고가 변환하는 전환점이 되었다는 것에 의미가 있다. 따라서 작업의 과학화, 객관화, 분업화의 중요성을 강조한 것은 고전적 접근법의 관점에 해당한다. **정답 ④**

61 ☐☐☐ 2018년 경영지도사 수정

호손(Hawthorne)실험과 관련한 설명으로 옳은 것은?

① 작업자는 임금 등 경제적 요인에 의해서 동기화된다.
② 작업자의 생산성은 작업환경 및 작업시간과 밀접한 연관이 있다.
③ 공식조직에 비해 비공식조직은 성과에 영향을 주지 않는다.
④ 작업자는 단지 관심을 기울여주기만 해도 성과가 개선된다.

해설

호손연구(Hawthorne studies)란 미국 일리노이주(Illinois)의 웨스턴 전기회사(Western Electric Company Works)라는 전화기 제조회사의 호손공장에서 행한 일련의 연구들을 말한다. 당시 호손공장에서는 테일러의 과학적 관리법에 입각한 성과급 제도를 도입하고 있었으나 생산성 측면에서 만족스럽지 못했다. 따라서 호손공장에서는 작업환경의 물리적 변화나 작업시간, 임률의 변화 등이 종업원의 작업능률에 어떠한 변화를 미치는가를 연구하기 위해 1924년부터 1932년까지 4차(조명실험 → 계전기 조립작업장 실험 → 면접연구 → 배전기 전선 작업장 실험)에 걸쳐 연구가 진행되었다. 호손연구의 결과는 크게 두 가지 관점에서 요약할 수 있다. 그 하나는 '집단적인 분위기'이다. 종업원은 다른 사람들과의 사회적 관계를 통해서 즐거움을 공유하고 일을 잘 수행하기를 원한다는 것이다. 개인적으로는 생산량의 증가를 통하여 임금을 더 받는 것도 좋지만, 누군가의 해고로 인하여 집단 전체가 피해를 입을 수 있다는 두려움이 생산량에 더 큰 작용을 미칠 수 있고 그 결과 스스로 생산량을 조절할 수도 있다는 것이다. 이는 집단적인 분위기가 개인별 생산성에 긍정적 또는 부정적인 영향을 동시에 미칠 수 있다는 것을 보여주었다. 또 하나의 관점은 '참가자들에 대한 관심'이다. 실험실의 종업원들은 연구과정에서 스스로가 존중받는다는 느낌을 가지게 되고, 이러한 느낌이 생산성에 많은 영향을 미칠 수 있다는 것을 보여주었다. **정답 ④**

62 ☐☐☐ 2016년 공인노무사 수정

인간관계론에 해당하는 내용은?

① 기획업무와 집행업무를 분리시킴으로써 계획과 통제의 개념 확립
② 시간 및 동작 연구를 통하여 표준 과업량 설정
③ 자연발생적으로 형성된 비공식조직의 존재 인식
④ 과업에 적합한 근로자 선발 및 교육훈련 방법 고안

해설

호손연구(Hawthorne study)에 의하여 이론적 틀이 마련된 인간관계론은 조직구성원들의 사회적·심리적 욕구와 조직 내 비공식집단 등을 중시하며, 조직의 목표와 조직구성원들의 목표 간의 균형 유지를 지향하는 민주적·참여적 관리 방식을 처방하는 조직이론을 말한다. **정답 ③**

63 ☐☐☐ 2022년 경영지도사 수정

행동주의 경영이론에 관한 설명 중 옳지 않은 것은?

① 호손(Hawthorne)실험의 주된 목적은 과학적 관리법의 유효성을 실제로 검증하는 것이다.
② 맥그리거(D. McGregor)는 X이론에서 감시와 통제를 통해 종업원을 관리해야 한다고 주장한다.
③ 매슬로우(A. Maslow)의 욕구단계설은 인간의 5가지 욕구가 계층화되어 있다고 주장한다.
④ 아지리스(C. Argyris)는 미성숙단계의 특성으로 수동성, 단기적 안목, 다양한 행동양식 등을 제시한다.

> **해설**
>
> 아지리스는 미성숙단계의 특성으로 수동적, 의존적, 단순한 행동, 변덕스럽고 얕은 관심, 단기적 전망, 종속적 지위, 자기자각의 결여 등과 같은 행동 방식을 제시하고, 성숙단계의 특성으로 능동적, 독립적, 다양한 방식의 행동, 깊고 강한 관심, 장기적 전망, 동등 또는 상위의 지위, 자기자각 및 자기 통제 등과 같은 행동방식을 제시하였다. 따라서 주어진 보기 중 다양한 행동양식은 미성숙단계의 특성이 아니라 성숙단계의 특성에 해당한다.
>
> 정답 ④

64 ☐☐☐ 2022년 경영지도사 수정

수학적 모델을 기초로 선형계획법과 같은 계량적 방법을 이용하여 조직 내 문제를 해결하고자 하는 경영이론은?

① 시스템이론
② 상황이론
③ XY이론
④ 경영과학이론

> **해설**
>
> 경영과학은 다양한 수리적 모형(확정적 모형, 확률적 모형 등)을 이용하여 문제에 대한 해결책을 제시하고 의사결정과정에서 여러 개의 선택방안 중 최선의 것을 선택하는 것을 그 목적으로 하고 있다. 따라서 수학적 모델을 기초로 선형계획법과 같은 계량적 방법을 이용하여 조직 내 문제를 해결하고자 하는 경영이론은 경영과학이론이다.
>
> 정답 ④

65 ☐☐☐

시스템이론에 대한 다음 설명 중 가장 옳지 않은 것은?

① 일반적으로 시스템은 개방성의 속성을 가진다.
② 시스템은 환경과 자신을 구분하는 경계를 가지는데, 개방적 시스템은 통과하기 어려운 경계를 가진다.
③ 시스템의 변환결과는 다시 시스템에 피드백(feedback)되어 동태적 균형을 유지하게 된다.
④ 시너지(synergy)란 전체는 부분의 합보다 크다는 것을 의미한다.

> **해설**
>
> 시스템은 환경과 자신을 구분하는 경계를 가지는데, 개방적 시스템은 통과하기 쉬운 경계를 가진다.
>
> 정답 ②

66 □□□

특정목표를 달성하기 위하여 하나의 전체로서 기능하는 상호관련성을 가지는 구성요소들의 집합인 시스템(system)의 속성으로 가장 옳지 않은 것은?

① 뚜렷한 목표를 가지고 있어야 한다.
② 시스템을 구성하는 구성요소는 목표를 달성하기 위해서 상호작용을 하여야 한다.
③ 구성요소가 질서 있게 유기적으로 연결되어 있어야 한다.
④ 시스템 목표를 달성하는 데에는 하나의 수단과 방법이 사용되어야 한다.

해설

시스템 목표를 달성하는 데에는 다양한 수단과 방법이 사용될 수 있으며, 똑같은 결과를 보이더라도 여기에 작용하는 원인요소는 각기 다를 수 있다.

정답 ④

67 □□□ 2021년 경영지도사 수정

경영학 이론 중 시스템적 접근방법의 속성이 아닌 것은?

① 목표지향성
② 환경적응성
③ 분화와 통합성
④ 비공식집단의 중요성

해설

시스템적 접근방법은 대상을 구성하는 다수의 하위시스템을 분리해서 취급하려는 것이 아니고 하나의 전체로 보려는 관점으로, 조직의 어떤 분야의 활동이 다른 모든 분야의 활동에 영향을 미친다는 접근방법이다. 여기서 시스템이란 특정목표를 달성하기 위하여 하나의 전체로써 기능하는 상호관련성을 가지는 구성요소들의 집합을 말하며, 하나의 시스템은 다수의 하위 시스템으로 구성되어 있다. 따라서 비공식집단의 중요성은 시스템적 접근방법의 속성으로 옳지 않다.

정답 ④

68 □□□

톰슨(Thompson)이 제시한 상호의존성을 의사소통이 요구되는 정도가 가장 높은 것부터 순서대로 나열한 것으로 가장 옳은 것은?

① 집합적 → 순차적 → 호환적
② 호환적 → 순차적 → 집합적
③ 순차적 → 집합적 → 호환적
④ 순차적 → 호환적 → 집합적

해설

톰슨(Thompson)은 기술에서의 상호의존성을 집합적(pooled) 상호의존성, 순차적(sequential) 상호의존성, 교호적(reciprocal) 상호의존성으로 분류하였다. 집합적 상호의존성은 각 구성요소가 각각 독립적으로 달성한 성과의 합이 조직전체의 성과가 되는 상호의존성을 의미하고, 순차적 상호의존성은 한 구성요소의 산출이 다른 구성요소의 투입이 되는 상호의존성을 의미하고, 교호적 상호의존성은 순차적 상호의존성에 피드백 또는 상호작용이 추가된 상호의존성으로 상호의존성의 정도가 가장 큰 상호의존성이다. 따라서 '교호적 → 순차적→ 집합적'의 순서로 의사소통을 요구하는 정도가 감소한다.

정답 ②

69 ☐☐☐ 2022년 가맹거래사 수정

톰슨(J. Thompson)의 기술과 조직구조 관계에 대한 분류기준에 해당하는 것은?

① 기술복잡성
② 과업다양성
③ 상호의존성
④ 분석가능성

해설

톰슨(Thompson)은 과업의 상호의존성을 집합적(pooled) 상호의존성, 순차적(sequential) 상호의존성, 교호적(reciprocal) 상호의존성으로 분류하고, 이에 따라 기술을 중개형(mediating) 기술, 장치형(long-linked) 기술, 집약형(intensive) 기술로 분류하고 있다. 이 기술유형에 따라 관리과정이 다르게 나타나며, 결국에는 중개형 기술과 장치형 기술에 있어서는 기계적 조직구조가 적합하고 집약형 기술의 경우에는 유기적 조직구조가 적합하다고 주장하였다. 정답 ③

70 ☐☐☐

기술을 과업다양성과 분석가능성에 따라 공학적(engineering) 기술, 일상적(routine) 기술, 비일상적 (non-routine) 기술, 장인(craft) 기술로 유형화한 학자는 누구인가?

① 우드워드(Woodward)
② 슘페터(Schumpeter)
③ 페로우(Perrow)
④ 톰슨(Thompson)

해설

기술을 과업다양성과 분석가능성에 따라 공학적(engineering) 기술, 일상적(routine) 기술, 비일상적(non-routine) 기술, 장인(craft) 기술로 유형화한 학자는 페로우(Perrow)이다. 정답 ③

71 ☐☐☐ 2020년 공인노무사 수정

페로우(C. Perrow)가 제시한 기술 분류 기준으로 옳은 것만을 모두 고르면?

ㄱ. 기술복잡성	ㄴ. 과업다양성
ㄷ. 상호의존성	ㄹ. 과업정체성
ㅁ. 문제분석 가능성	

① ㄱ, ㄴ
② ㄴ, ㄹ
③ ㄴ, ㅁ
④ ㄷ, ㅁ

해설

페로우(C. Perrow)는 기술을 과업다양성과 문제분석 가능성에 따라 공학적 기술, 일상적 기술, 비일상적 기술, 장인 기술로 분류하였다. 정답 ③

72 ☐☐☐ 2024년 공인노무사 수정

페로우(C. Perrow)의 기술분류 유형 중 과업다양성과 분석가능성이 모두 낮은 유형은?

① 일상적 기술
② 비일상적 기술
③ 장인기술
④ 공학기술

해설

페로우(C. Perrow)의 기술분류 유형 중 과업다양성과 분석가능성이 모두 낮은 유형은 장인기술이다.
① 일상적 기술은 과업다양성이 낮고 분석가능성이 높은 유형이다.
② 비일상적 기술 과업다양성이 높고 분석가능성이 낮은 유형이다.
④ 공학기술은 과업다양성과 분석가능성이 모두 높은 유형이다. **정답 ③**

73 ☐☐☐

상황적합이론에 대한 다음 설명 중 가장 옳지 않은 것은?

① 우드워드(Woodward)는 연속공정생산의 경우에는 유기적 조직구조가 적합하다고 하였다.
② 번즈(Burns)와 스탈커(Stalker)는 환경을 불확실성으로 규정하여 환경을 정태적인 환경과 동태적인 환경으로 구분하였다.
③ 톰슨(Thompson)이 주장한 집합적(pooled) 상호의존성은 각 구성요소가 각각 독립적으로 달성한 성과의 합이 조직 전체의 성과가 되는 상호의존성을 의미한다.
④ 페로우(Perrow)는 기술을 과업다양성과 분석가능성에 따라 공학적 기술, 일상적 기술, 비일상적 기술, 장인 기술로 유형화하였다.

해설

번즈(Burns)와 스탈커(Stalker)는 환경을 동태성으로 규정하여 환경을 정태적인 환경과 동태적인 환경으로 구분하고, 정태적인 환경에서는 기계적 조직구조가 적합하고 동태적인 환경에서는 유기적 조직구조가 적합하다고 주장하였다. **정답 ②**

74 □□□

상황이론에 대한 다음 설명 중 가장 옳지 않은 것은?

① 모든 환경이나 상황에 적용할 수 있는 유일최선의 관리방식은 존재하지 않는다.
② 상황에 따라 다른 원칙을 적용해야 하며, 조직 내 인간의 상호작용이 중요하지만, 조직이 직면하고 있는 환경은 안정적이다.
③ 각 조직은 유일하기 때문에 모든 조직에 일률적으로 보편적 이론을 적용할 수 없다.
④ 각 상황에서 조직에 영향을 미치는 요소들을 정의함에 있어 고려해야 할 중요한 요인들은 환경, 기업규모, 기업문화 등이다.

해설

상황이론은 조직이 직면하고 있는 환경이 항상 고정되어 있지 않고 끊임없이 변화하기 때문에 그 중요성을 가진다. **정답 ②**

75 □□□ 2022년 공인노무사 수정

조직설계의 상황변수에 해당하는 것을 모두 고른 것은?

ㄱ. 복잡성	ㄹ. 기술
ㄴ. 전략	ㅁ. 규모
ㄷ. 공식화	

① ㄱ, ㄴ, ㄷ
② ㄱ, ㄷ, ㅁ
③ ㄴ, ㄹ, ㅁ
④ ㄷ, ㄹ, ㅁ

해설

대표적인 조직설계의 상황변수에는 전략, 기술, 규모, 환경 등이 있고, 조직설계의 기본변수에는 복잡성, 공식화, 집권화/분권화가 있다. **정답 ③**

76 □□□ 2017년 공인노무사 수정

경영이론의 주창자와 그 내용이 옳지 않은 것은?

① 테일러(F. Taylor): 차별적 성과급제
② 메이요(Mayo): 비공식 조직의 중시
③ 페이욜(H. Fayol): 권한과 책임의 원칙
④ 포드(H. Ford): 고임금 고가격의 원칙

해설

포드(H. Ford)는 컨베이어벨트 시스템을 통해 대량생산을 달성하였으며, 생산량의 증가를 통해 고임금 저가격의 원칙을 달성할 수 있다고 주장하였다. **정답 ④**

경영이론에 관한 설명으로 옳지 않은 것은?

① 시스템이론은 인간행동의 영향 요소 간 복잡한 상호작용의 중요성을 강조한다.
② 상황적합이론은 경영에 유일 최선의 방법은 없고 모든 조직에 일률적으로 보편적 경영원칙을 적용할 수는 없다고 주장한다.
③ 욕구단계설에서 사람이 충족시키고자 하는 욕구는 낮은 수준에서 높은 수준으로 올라간다.
④ 관료적 조직론에 의하면 생산성은 작업자들의 사회적, 심리적 조건이나 감독방식에 의존한다.

해설

관료제 조직론은 X관점에 기반을 두고 있으므로 생산성이 작업자들의 사회적, 심리적 조건에 의존한다고 볼 수 없다.   **정답** ④

CHAPTER 02 경영자와 기업

제1절 경영자

1 의의

1. 역할

경영자(manager)란 기업의 목표를 효과적으로 달성하기 위해 기업을 이끌어 경영활동을 수행하고, 그 결과에 대해서 책임을 지는 사람을 말한다. 경영자는 기업의 목표를 달성하기 위해 다양한 역할을 수행하는데, 민쯔버그(H. Mintzberg)는 경영자의 역할을 의사결정역할, 대인관계역할, 정보전달역할로 구분하였다.

(1) 의사결정역할

경영자는 의사결정자로서의 역할을 수행하며, 이러한 의사결정역할은 세부적으로 기업가(entrepreneur), 분쟁의 해결자(disturbance handler), 자원의 배분자(resource allocation), 협상가(negotiator) 등이 있다.

(2) 대인관계역할

경영자가 수행하는 대인관계역할은 경영자가 기업을 지속적으로 원만히 운영해 나가는데 도움을 주는 역할로써 경영자가 다른 사람과의 관계를 개선시키고 좋게 유지하는 역할을 수행한다. 이러한 대인관계역할은 세부적으로 외형적 대표자(figurehead), 리더(leader), 교신자(liaison) 등이 있다.

(3) 정보전달역할

경영자는 정보를 교환하고 가공하는 역할을 수행한다. 이러한 정보전달역할은 세부적으로 감시자(monitor), 전달자(disseminator), 대변인(spokesman) 등이 있다.

2. 능력

경영자의 다양한 역할을 수행하기 위해서는 경영자는 능력을 갖추어야 하는데, 카츠(Katz)는 경영자가 수행해야 할 역할을 위한 능력을 개념적 능력, 인간적 능력, 기술적·전문적 능력의 세 가지로 분류하였다.

(1) 개념적 능력(conceptual skill)

기업의 경영을 조정 및 통합할 수 있는 분석적인 사고능력으로 통합적으로 기업의 문제를 해결할 수 있는 능력을 의미한다.

(2) 인간적 능력(human skill)

다른 사람과 잘 협조하는 인간관리 능력으로 신뢰, 열정, 대인관계에서의 순수함 등으로 나타난다.

(3) 기술적·전문적 능력(operational skill)

특정한 과업을 수행하기 위해서 특수한 기량과 전문성을 사용할 수 있는 능력으로 경험을 응용하고 특정업무의 능숙한 처리가 가능한 능력을 의미한다.

Q 경영자의 능력

최고경영자(전략적 의사결정)	개념적 능력	
중간경영자(관리적/전술적 의사결정)	인간적 능력	
하위경영자(운영적 의사결정)		기술적/전문적 능력

2 경영자의 분류

1. 소유와 경영의 분리에 따른 분류

(1) 소유경영자(owner manager)

소규모 개인기업을 운영하는 경우에 기업의 소유주가 곧 경영자인 경우를 말한다. 따라서 소유경영자는 소유와 경영이 분리되지 않은 상태에서 자본가가 경영자를 겸하는 경우를 의미한다.

(2) 고용경영자(employed manager)

소유경영자가 경영하는 기업의 규모가 점차 커지게 되면 그에 비례하여 다양한 업무가 늘어나 소유경영자 혼자 감당하기 어려워지게 되고, 소유와 경영이 완전히 분리되지 않은 상태에서 소유경영자가 기업 외부에서 경영자를 고용하여 경영의 일부를 분담시키는 경우가 발생하게 되는데, 이러한 경영자를 고용경영자라고 한다.

(3) 전문경영자(expert manager)

주식회사가 기업의 일반적인 형태가 되면서 소유와 경영이 완전히 분리되고, 이로 인해 주식을 보유하고 있는 주주는 주가상승이나 배당 등에 관심을 가지며 기업경영은 전문적인 경영능력을 가진 전문경영자에게 위임하게 된다. 즉 전문경영자는 소유와 경영이 완전히 분리된 상태에서 자본가는 출자자의 자격으로 경영일선에서 물러나고, 전문적인 경영능력과 지식을 갖춘 전문경영자에게 경영의 전부를 위탁하는 경우를 의미한다. 이러한 경영자들은 주주로부터 경영권을 위임받았기 때문에 수탁경영층이라고 부르기도 한다. 전문경영자의 출현은 필연적으로 대리인 문제를 발생시키게 되며, 이로 인해 발생하는 비용을 대리인비용(agent cost)[10]이라고 한다. 즉 주주는 대리인인 경영자가 주주의 부를 극대화하기 위해 노력할 것을 원하지만, 전문경영자는 자신의 이익을 위하여 행동할 수도 있기 때문에 주주는 경영자의 도덕적 해이(moral hazard)로 손해를 볼 수 있다.

---

10) 대리인비용은 기업의 소유주(주주, 채권자)와 대리인(경영자)과의 상충된 이해관계로 인하여 발생하는 비용으로 감시비용(monitoring cost), 확증비용(bonding cost), 잔여손실(residual cost)로 구분할 수 있다. 감시비용은 본인이 대리인의 이탈행위를 방지하고자 대리인을 감시하기 위해 발생하는 비용을 말하고, 확증비용은 대리인 스스로가 이탈행위를 하지 않고 있음을 확증하기 위해 발생하는 비용을 말한다. 잔여손실은 대리인 문제의 발생으로 인해 최적의 의사결정을 하지 않음에 따라 발생하는 부의 감소를 말한다.

2. 경영자의 계층에 따른 분류

(1) 최고경영자(top manager)

기업의 계층구조에서 최상위에 위치하여 기업전체를 책임지는 회장, 대표이사, 사장, 부회장, 부사장 등을 의미한다.

(2) 중간경영자(middle manager)

기업의 계층구조에서 중간에 위치하여 주요 영업단위 또는 부서를 책임지는 사업본부장, 지점장, 부장, 실장, 소장, 차장 등을 의미한다.

(3) 하위(일선)경영자(first-line manager)

작업자의 활동을 감독하고 조정하는 경영자로서 기업 내에서 최하위에 있는 경영자를 의미한다.

3. 직무의 범위에 따른 분류

(1) 총괄경영자(general manager)

기업전체의 범위에서 경영을 하는 사람을 의미하며, 이는 책임자인 동시에 기업목표를 설정하고 이를 달성하기 위한 전략을 담당한다.

(2) 부문경영자(divisional manager)

직능경영자라고도 하며, 생산, 마케팅, 재무 등 기업의 일정한 한 부문을 담당하여 그 활동에 책임을 지고 있는 경영자를 말한다.

4. 지식의 유형에 따른 분류

(1) 일반경영자

최고경영자, 공장관리자 등과 같이 여러 전문분야가 연계된 복합적 관리업무를 수행하는 경영자를 말하는데, 일반적으로 일반지식(general knowledge) 위주의 지식을 가지고 업무를 수행하게 된다.

(2) 전문경영자

기업경영의 특정분야에 국한된 업무를 수행하면서 그 분야에 전문성을 가진 경영자를 말하는데, 일반적으로 전문지식(specific knowledge) 위주의 지식을 가지고 업무를 수행하게 된다.

3 기업가

1. 의의

기업가(entrepreneur)는 사업을 구상하고 시작하는 사람으로서 그 사업에 대한 조직화, 방향설정, 지휘·감독의 책임을 가진 사람을 의미하는데, 앞에서 설명한 경영자와는 개념상의 차이를 가진다. 일반적으로 기업가는 기업을 시작하는 사람이고 경영자는 기업을 운영하는 사람이라고 구분할 수 있으며, 경영자가 좀 더 포괄적인 개념이라고 할 수 있다.

2. 기업가정신

기업가정신(entrepreneurship)이란 새로운 기업을 설립하고 사업을 개시하려는 의욕과 능력, 그리고 끊임 없이 혁신을 추구하려는 의지를 말한다. 기업가는 이러한 정신으로 사업기회를 창출하거나 선점하여 가치 있는 재화나 서비스를 제공하며 사회에 대한 봉사나 새로운 가치를 창조하는 혁신적 활동도 이에 포함된다. 슘페터(Schumpeter)는 기술혁신을 통해 창조적 파괴(creative destruction)에 앞장서는 혁신자를 기업가로 보았다. 슘페터가 주장하는 혁신(innovation)에는 새로운 상품의 개발, 새로운 생산방법의 도입, 새로운 시 장의 개척, 새로운 원료나 부품의 공급, 새로운 조직의 개발 등이 있다.

제2절 기업

1 의의

1. 개념

기업(corporation)이란 목표를 달성하기 위해 자원을 투입하여 재화와 서비스를 생산하고 판매함으로써 이익을 추구하고 고객들에게 만족을 주는 활동의 수행주체 또는 경제단위를 말한다. 따라서 기업은 다음과 같은 특징을 가진다.

(1) 기업은 협동성을 바탕으로 하는 하나의 협동시스템이다.

(2) 기업은 본질적으로 생산기능을 수행하며, 여기서 생산기능은 일반적으로 부가가치의 창출을 의미한다.

(3) 기업은 실체(entity)로써의 독립적 존재이다.

(4) 가계, 정부와 함께 기업은 개별경제의 단위로써, 경제활동의 직접적인 주체이다.

2. 목적

전통적인 관점에서 기업은 이익극대화를 목적으로 한다. 그러나 현대적 관점에서는 기업의 최종적인 목적을 그 존속과 발전에 두고 있으며, 이를 위하여 다차원적인 목적을 달성하는 것 또한 중요하게 되었다. 그리고 기업은 기업의 상황에 따라 추구하고자 하는 목적의 내용과 수를 달리 할 수 있다. 따라서 기업의 목적은 직면하고 있는 상황에 따라 하나의 목적을 추구하는 단일목적론과 다양한 목적을 동시에 추구하는 다수 목적론으로 구분할 수 있으며, 기업이 추구하는 목적에는 다음과 같은 것들이 있다.

(1) 이익극대화 목적론

기업의 실질적인 원리는 이익을 추구하는 데 있다는 견해로 기업은 자본주의적인 경영으로 이익을 극 대화하는 것을 목적으로 한다는 것이다.

(2) 생산성증진 목적론

생산기능을 수행하는 기업은 생산에 있어서 기술적인 효율성을 높여야 하고, 적은 투입으로 많은 산출을 하여 그 결과를 적절하게 배분해야 한다는 것이다.

(3) 봉사목적론

기업활동의 원리는 봉사동기에 있다는 것이다. 포드(H. Ford)는 종업원들에게는 높은 임금을 지불하고 소비자에게는 품질이 좋고 값싼 제품을 공급하는 것이 기업의 목적이고 이익은 그에 대한 봉사의 대가라고 주장하였다.

(4) 고객창조목적론

드러커(Drucker)에 의하면 기업은 사회로부터 부를 산출하도록 자원을 위탁받은 하나의 사회적 기관이므로 기업의 목적은 사회에 있어야 하며 이것은 고객의 창조라는 것이다.

3. 분류

(1) 개인기업

개인기업(sole proprietorship)은 개인이 출자하여 경영하는 기업으로 기업형태 중 가장 오래된 사기업이다. 개인기업은 소유와 경영이 분리되지 않은 기업으로 기업에 대한 책임은 무한하다.

(2) 합명회사

합명회사(partnership)란 회사의 채무에 관해 직접·무한·연대책임을 지는 사원(무한책임사원)들로만 구성되고, 각 사원이 회사를 대표하며 업무를 집행하는 기업으로 출자자 상호 간의 신뢰관계를 중심으로 설립된 기업을 말한다.

(3) 합자회사

합자회사(limited partnership)란 무한책임을 지는 출자자(무한책임사원)와 유한책임을 지는 출자자(유한책임사원)로 구성되는 기업을 말한다. 무한책임사원은 출자와 더불어 경영에도 참여하는 반면에 유한책임사원은 출자만 하고 경영에는 참여하지 않으며 출자액을 한도로 책임을 진다. 따라서 이러한 기업의 형태는 자본은 없으나 경영능력이 있는 사람과 자본은 있으나 경영능력이 없는 사람이 결합하기에 적합한 형태이다.

(4) 유한회사

유한회사(limited company)란 출자액을 한도로 하여 기업채무에 대하여 유한책임을 부담하는 출자자로 구성되는 소규모 기업을 말한다. 이 형태는 합명회사와 주식회사의 장점을 절충한 것으로 소규모 경영에 직접 참여하면서도 책임의 유한성이라는 이점을 살리려는 의도에서 발달한 기업형태이다. 또한, 소유지분의 일부 또는 전부의 양도는 사원총회의 결의에 의하여 허용되며 정관에 양도의 제한을 가하는 것이 가능하고 사원 상호 간의 양도도 정관으로 정하기 때문에 유한회사는 인적 요인에 의해 규제받는 자본적 공동기업이라는 특징을 가지고 있다.

(5) 주식회사

주식회사(corporation)란 자본과 경영의 분리를 통하여 일반 투자자로부터 거액의 자본을 조달하고 전문경영자가 기업을 경영하는 자본주의 경제체제에서 가장 대표적인 기업으로 유한책임사원(주주)으로 구성된 회사를 말한다. 주식회사는 자본조달의 용이성, 유한책임제도, 소유권양도의 용이성, 소유와 경영의 분리, 독립된 실체의 특성을 가진다[11].

---

11) 협동조합은 소비자나 비생산자가 이윤배제를 전제로 상부상조의 목적으로 공동사업을 영위하는 것으로 인적 결합체에 해당한다. 따라서 협동정신에 따라 경제적 복리를 향상시키기 위해 구매, 생산, 판매 등의 사업을 영위할 수 있으나, 원칙적으로 영리 그 자체가 목적이 되지는 않는다. 즉 협동조합의 운영원칙은 조합자체의 영리보다 조합원의 상부상조를 목적으로 하고, 조합원은 출자액의 다소에 관계없이 동등한 의결권(1인 1표)이 부여되며 조합의 잉여금 배분은 원칙적으로 조합원의 이용도에 비례한다. 따라서 주식회사는 자본결합체이기 때문에 1주(1원) 1표 주의가 원칙이고, 협동조합은 1인 1표 주의가 원칙이다.

(6) 공기업과 공사합동기업

공기업(public enterprise)은 공공 내지 행정적 목적을 가지고 국가나 지방공공단체가 출자자가 되어 경영상의 책임을 지는 기업을 의미한다. 따라서 영리경영 그 자체를 최종 목적으로 하지 않고 복리경영 또는 실비경영을 목적으로 한다. 공사합동기업(mixed undertaking)은 사기업과 공기업의 단점을 배제하고 장점만을 취하려는 목적으로 국가 또는 지방공공단체가 개인 또는 사적단체와 공동출자하여 경영하는 기업이다. 일반적으로 국가 또는 지방공공단체가 자본출자를 하지 않을지라도 개인과 함께 기업경영에 참여하는 경우는 공사합동기업이 되지만, 자본만 출자하고 경영에 참여하지 않는 경우는 공사합동기업이라 하지 않는다.

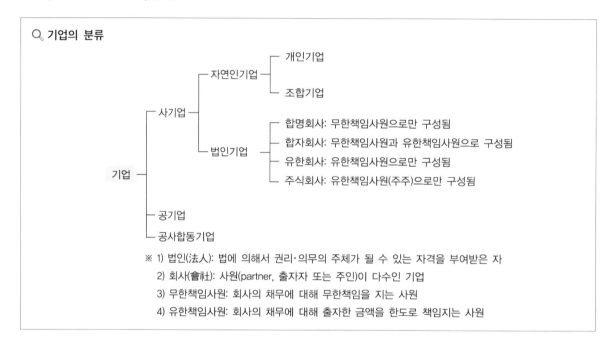

🔍 **기업의 분류**

```
                              ┌─ 개인기업
                  ┌─ 자연인기업 ┤
                  │           └─ 조합기업
           ┌─ 사기업 ┤
           │      │           ┌─ 합명회사: 무한책임사원으로만 구성됨
           │      │           ├─ 합자회사: 무한책임사원과 유한책임사원으로 구성됨
           │      └─ 법인기업 ┤
  기업 ─────┤                  ├─ 유한회사: 유한책임사원으로만 구성됨
           │                  └─ 주식회사: 유한책임사원(주주)으로만 구성됨
           ├─ 공기업
           └─ 공사합동기업
```

※ 1) 법인(法人): 법에 의해서 권리·의무의 주체가 될 수 있는 자격을 부여받은 자
　 2) 회사(會社): 사원(partner, 출자자 또는 주인)이 다수인 기업
　 3) 무한책임사원: 회사의 채무에 대해 무한책임을 지는 사원
　 4) 유한책임사원: 회사의 채무에 대해 출자한 금액을 한도로 책임지는 사원

2 역할

1. 윤리경영

윤리경영은 경영활동의 옳고 그름을 구분해주는 규범적 기준을 사회의 윤리적 가치체계에 두는 경영방식을 의미한다. 즉, 기업윤리에 입각한 경영방식을 말하는데, 기업윤리(business ethics)는 경영자의 행동이나 결정의 판단기준과 원칙을 의미하지만, 일반적으로 그 의미를 간단하게 설명하는 것이 그리 쉬운 것은 아니다. 기업윤리는 법률과 같이 정부가 제정할 성격이 아니어서 강제성이 없기 때문에 사회가 일반적으로 기대하는 기업행동에 관한 불문율에 불과하며, 암시적인 성격을 띠고 있다. 윤리경영은 기업이 시장으로부터 지속적인 신뢰를 얻는 데 기여할 수 있으며, 이를 통해 달성한 긍정적인 기업이미지를 무형자산화하여 기업경쟁력을 강화할 수 있다. 또한, 기업의 경영성과에도 긍정적인 영향을 미치게 된다.

2. 기업의 사회적 책임

기업의 사회적 책임(corporate social responsibility, CSR)이란 기업이 기업활동으로 인해 발생하는 사회적 또는 경제적인 문제를 해결하기 위하여 기업의 이해관계자와 사회 일반의 요구나 기대를 충족시키는 기업 행동의 규범적인 체계를 세우고 그에 따라 올바르게 행동하는 것을 의미한다. 따라서 사회적 책임을 가지는 기업은 이윤을 내기 위해 노력하는 동시에 법을 준수하고, 윤리적이고 성실한 기업시민의 역할을 수행한다고 할 수 있다. 기업의 사회적 책임은 시대와 기업환경의 변화에 따라서 동태적으로 변화하는 것이 일반적이다. 기업은 이러한 사회적 책임을 이행함으로써 기업의 매출액도 높아지게 되고, 자금조달도 더욱 원활하게 되어 성장과 발전에 더욱 유리하다[12]. 미국 조지아대의 캐롤(B. A. Carroll) 교수는 기업의 사회적 책임을 다음과 같이 네 가지의 책임으로 구분하였다.

(1) 경제적 책임

사회가 필요로 하는 재화와 서비스를 생산하여 공급하고 주주를 위하여 이익을 극대화할 책임을 가진다. 즉 기업은 사회를 구성하는 기본적인 경제단위로서 재화와 서비스를 생산할 책임을 지고 있다는 것이다.

(2) 법적 책임

기업이 국가가 제정한 각종 법률이나 규칙을 준수할 책임을 말하는 것으로 기업이 법적 요구사항의 구조 내에서 경제적 임무를 수행할 것을 요구한다는 것이다.

(3) 윤리적 책임

기업의 직접적인 경제적 이익과 관계를 가지지 않으며 법률에도 규정되어 있지 않은 기업의 윤리적 의사결정에 관한 책임을 의미한다.

(4) 자선적 책임

기업이 경제적·법률적·윤리적 책임과는 관계없이 순전히 자유재량으로 사회에 공헌할 의도로 수행하는 책임을 의미하며, 사회적 기부행위, 약물남용방지 프로그램, 보육시설 운영, 사회복지시설 운영 등이 이에 속한다.

---

12) 기업의 사회적 책임의 성장에 힘입어 공유가치창출(creating shared value, CSV)라는 용어도 등장하였다. 기업의 사회적 책임(CSR)은 기업의 몫을 일방적으로 사회에 떼어주는 것이라면, 공유가치창출(CSV)은 사회문제를 해결하고 이 과정에서 기업도 이익을 늘리는 윈윈(win-win)을 추구한다.

3. 지속가능경영

기업의 사회적 영향력이 커짐에 따라 전 세계적으로 기업의 사회적 책임에 대한 관심과 요구가 증가하였고, 경쟁이 점점 치열해지면서 기업이 지속적으로 경쟁력을 확보하기 위해서는 제품 가격 및 품질과 같은 기본적인 것 이외에 경영투명성과 윤리경영 등의 이행 여부가 중요한 요소가 되었다. 따라서 기업이 지속적으로 경쟁력을 확보하기 위한 전략적 목표와 사회문제에 대한 적극적 해결방안을 제시할 수 있는 수단으로 떠오른 개념이 지속가능경영(CSM; corporate sustainability management)이다. 지속가능경영이란 기업이 경영에 영향을 미치는 경제적·환경적·사회적 책임을 종합적으로 고려하면서 기업의 지속가능성을 추구하는 경영활동을 말한다. 즉 기업들이 전통적으로 중요하게 생각했던 매출과 이익 등 재무성과뿐만 아니라 윤리, 환경, 사회문제 등 비재무성과에 대해서도 함께 고려하는 경영을 통해 기업의 가치를 지속적으로 향상시키려는 경영기법이다. 지속가능경영은 수익증대라는 경영의 전통적인 가치 외에 경영투명성 및 윤리경영의 강조를 통해 전통적으로 기업의 경영범위를 벗어난다고 여겨졌던 사회발전과 환경보호에 대한 공익적 기여를 중시한다. 이는 기업이 경제적·사회적·환경적 책임을 다하고 다양한 이해관계자와의 협력과 합의를 통해 서로 공생하는 길을 모색해야만 기업의 생존과 성장도 가능하다는 문제의식에서 비롯된 것이다.[13]

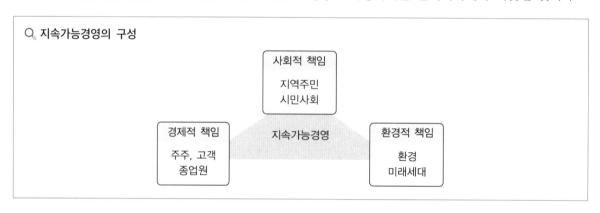

🔍 **지속가능경영의 구성**

사회적 책임
지역주민
시민사회

경제적 책임
주주, 고객
종업원

지속가능경영

환경적 책임
환경
미래세대

---

13) 지속가능경영이 발전된 개념으로 ESG 경영이 있다. ESG는 기업의 비재무적 요소인 환경(environment)·사회(social)·지배구조(governance)를 뜻하는 말이다.

제3절 기업집단화

1 의의

1. 개념

기술의 발전과 자본규모의 증가에 따라 기업의 규모가 대형화되면서 보다 많은 제품을 보다 저렴한 가격으로 시장에 공급하게 되었고, 이로 인해 어떤 제품은 시장수요를 초과하여 과잉생산이 되고 있으며 때로는 생산원가 이하로 판매하는 경우도 있다. 이러한 경우에 기업유지를 위해 기업들은 과도한 경쟁을 서로 제한하거나 배제하여 시장에 대한 지배 강화, 이윤 확보 및 경영의 합리화를 추구하게 되고 몇 개의 기업이 모여 보다 큰 경제단위로 결합하게 되는데, 이를 기업집단화라고 한다. 즉 기업집단화는 단독기업에서 벗어나 둘 이상의 단위기업이 보다 큰 경제단위로 결합하는 것이다.

2. 분류

(1) 결합방향에 따른 분류

기업집단화는 결합방향에 따라 수평적 결합(horizontal integration)과 수직적 결합(vertical integration)으로 분류할 수 있다. 여기서 수평적이라는 것은 동일 단계를 의미하고, 수직적이라는 것은 다른 단계를 의미한다.

① **수평적 결합**: 같은 산업에서 생산활동단계가 비슷한 기업 간에 이루어지는 통합으로, 서적이 고객에게 전달되는 경우 출판사와 경쟁 출판사와의 통합과 서점과 경쟁 서점과의 통합 등이 이에 해당한다.

② **수직적 결합**: 한 기업이 생산과정이나 판매경로상 이전 또는 이후의 단계에 있는 기업과의 통합을 의미하는데, 서적이 고객에게 전달되는 경우에 출판사와 종이공급업체와의 통합과 출판사와 서점과의 통합 등이 이러한 형태의 결합에 해당한다. 수직적 결합은 다시 전방통합과 후방통합으로 구분할 수 있는데, 전방통합은 통합주체의 입장에서 고객방향에 있는 기업을 통합하는 것을 의미하고, 후방통합은 통합주체의 입장에서 공급업체방향에 있는 기업을 통합하는 것을 의미한다.

(2) 독립성에 따른 분류

기업의 독립성은 크게 경제적 독립성과 법률적 독립성으로 구분할 수 있는데, 이러한 경제적 독립성과 법률적 독립성의 존재 유무에 따라 기업집단화는 카르텔(kartel, cartel), 콘체른(konzern, concern), 트러스트(trust)로 분류할 수 있다.

① **카르텔**: 다수의 동종 또는 유사기업이 경쟁을 제한하고 시장의 독점적 지배를 위해 경제적 독립성과 법률적 독립성을 유지하면서 기업 간 협정을 통해 결합하는 기업집단화의 형태로 기업연합이라고도 한다. 카르텔에 참여하는 기업들은 경제적 및 법률적으로 완전히 독립되어 있기 때문에 협정에 구속력이 없다. 여기서 카르텔(협정)에 참여하지 않는 기업을 아웃사이더(outsider)라고 한다.

② **콘체른**: 여러 개의 기업이 법률상으로는 형식적 독립성을 유지하면서 실질적으로는 출자관계 또는 금융관계를 통해 경제적 독립성을 상실한 기업집단화의 형태이다. 일반적으로 대기업이 여러 산업에 속하는 많은 기업을 지배할 목적으로 형성되며, 수평적으로는 물론 수직적 또는 다각적으로 결합되기도 한다.

③ **트러스트**: 시장의 경쟁을 제한하고 시장을 독점하기 위해 각각의 개별기업들이 경제적 독립성과 법률적 독립성을 완전히 상실하고 자본적으로 결합하는 기업집단화의 형태로 기업결합(corporate combination)이라고도 한다. 트러스트는 시장의 지배뿐만 아니라 생산공정의 합리화 및 생산비의 절약도 가능하며, 각 기업이 자발적으로 결합하거나 하나의 기업이 다른 기업의 주식을 매수함으로써 결합되는데, 이는 기업의 인수 및 합병(M&A)과 같다고 할 수 있다.

구분	카르텔	콘체른	트러스트
독립성	• 경제적 독립성 유지 • 법률적 독립성 유지	• 경제적 독립성 상실 • 법률적 독립성 유지	• 경제적 독립성 상실 • 법률적 독립성 상실
존속성	협정기간 동안	자본적 지배	완전한 통일체
구속력	제한적	경영활동의 구속	내부 간섭
결합방법	동일업종의 수평적 결합	수평적·수직적 결합	수평적·수직적 결합

2 기업의 인수 및 합병

1. 의의

기업의 성장전략은 크게 내부성장전략과 외부성장전략으로 구분된다. 내부성장(internal growth)이란 효율적인 자금조달과 조달된 자금을 이용한 최적투자를 통해서 성장하는 것을 의미하고, 외부성장(external growth)이란 다른 기업과의 인위적인 사업결합을 통해 성장하는 것을 말한다. 기업의 인수 및 합병(M&A)이란 별개의 기업들 또는 사업들을 하나의 기업으로 통합하는 것을 의미하는데, 이러한 기업의 인수 및 합병을 통한 외부성장은 다음과 같은 이점이 있다.

(1) 자사의 제품에 원료를 공급하는 기업과 결합하거나 또는 자사의 제품을 판매하는 기업과 결합함으로써 원가를 절감시킬 수 있다.

(2) 동일한 업종에 종사하는 기업과 결합함으로써 시장점유율의 확대를 통해 시장에서 지배적인 위치를 확보할 수 있다.

(3) 영업상 서로 관련이 없는 기업과의 결합을 통해 경영위험을 크게 분산시킬 수 있다.

2. 형태

(1) 합병

합병이란 둘 이상의 기업이나 사업이 경제적·법률적으로 하나의 기업으로 통합되는 결합을 의미한다. 이러한 합병에서는 흡수합병(merger)과 신설합병(consolidation)이 있다.

① **흡수합병**: 한 기업이 다른 기업 또는 사업의 순자산을 양도받고 다른 기업 또는 사업은 법률적으로 소멸하는 것을 의미하는데, 이를 진정한 합병이라고도 한다. 예컨대, 기업 A가 기업 B의 모든 자산·부채를 이전받고 기업 B를 법률적으로 소멸시키는 형태의 합병이 흡수합병인 것이다. 여기서 합병이 완료된 후 존속기업인 기업 A를 합병기업이라고 하며, 합병이 완료된 후에 소멸되는 기업인 기업 B를 피합병기업이라고 한다.

② **신설합병**: 둘 이상의 독립된 기업 또는 사업이 결합하여 하나의 새로운 기업을 신설하는 것을 의미하는데, 이를 대등합병이라고도 한다. 예컨대, 기업 A와 기업 B가 모든 자산·부채를 새로운 기업 C에 이전하고 기업 A와 기업 B는 법률적으로 소멸하는 형태의 합병이 신설합병인 것이다. 이때 기업 C는 합병기업이 되며, 기업 A와 기업 B는 피합병기업이 된다.

(2) 취득

취득(acquisition)이란 기업매수 또는 주식취득에 의한 사업결합이라고도 하는데, 한 기업이 법적으로 독립된 다른 기업의 의결권 있는 주식의 전부 또는 일부를 취득함으로써 그 기업을 자기의 지배하에 두는 경우의 사업결합을 말한다. 예컨대, 기업 A가 기업 B의 의결권 있는 주식의 과반수를 취득하여 경영권을 통제함으로써 지배·종속관계를 형성하는 경우의 사업결합을 말한다.

3. 동기

(1) 경영전략적·영업적 동기

① **조직성장의 지속화**: 기업 내부자원의 활용에 의한 성장은 한계가 있으므로 기업의 목적인 지속적인 성장을 위해 경영다각화나 사업 진출 등 외적 성장전략을 모색하고 경영진은 현재의 사업분야보다 수익성이 있는 사업으로 진출하여 지속적인 성장을 도모하게 된다.

② **경영효율의 극대화**: 전략적으로 비효율적인 사업부문은 매각하고 유망한 업종을 합병 및 인수하면 장기적인 관점에서 기업이익의 극대화가 달성 가능하다. 또한, 동종기업 간의 M&A는 규모와 범위의 경제적 효과를 획득할 수 있다.

③ **시장지배력의 확대**: 동종업종끼리 수평적 결합을 통해서 기존 기업이 보유한 전문경영인, 고객관계, 판매망을 동시에 획득하여 시장구조를 독점화하고 시장점유율과 시장지배력을 강화 및 확대함으로써 이익을 증대할 수 있다.

④ **첨단기술의 도입**: 현재의 기업경영환경은 기술개발의 속도가 빨라지고 제품의 수명주기가 짧아지기 때문에 기업이 독자적인 연구개발을 통해 시장에서 경쟁력을 유지하고 이익을 실현하기 위해서는 막대한 비용과 시간이 소모되지만, 우수기술을 보유한 기업이나 첨단기술을 갖고 있는 능력 있는 기업을 인수 및 합병하게 되면 기술도입에 효과적이다.

⑤ **시장참여시간의 단축**: 기술개발속도의 가속화 등에 따라서 신규 사업에 투자하는 것보다 M&A를 통해서 신속히 시장에 진출함으로써 제품의 생산수명과 시장선점의 시간을 단축하는 것이 가능하다.

⑥ **국제화의 추구**: 시장, 제품 및 기술의 전 세계적 무한경쟁 추세에 맞춘 사업다각화나 해외 유명 현지기업과의 M&A는 현지공장 건설, 인재 양성, 시장개척 등에 소요되는 시간과 비용을 절감하게 된다.

⑦ **저평가된 기업의 활용**: 외부 기업 중 경영자의 능력 부족, 조직의 비능률 및 비효율성 때문에 저평가된 기업이 있는 경우 이러한 기업을 인수하여 우수한 인력을 투입하고 조직을 활성화하여 기업을 성장시킨다면 자원의 효율적 배분 측면에서 매우 유익하며 기업성장과 발전에 획기적인 계기가 된다.

(2) 재무적 동기

① **위험분산효과**: 현금흐름의 상관도가 낮은 두 기업을 합병하면 현금흐름을 보다 원활히 할 수 있어 재무위험이 감소되는 등 M&A를 통한 위험분산효과를 얻을 수 있다.

② **자금조달능력의 확대**: 부채비율이 낮고, 기술가치가 큰 기업을 인수함으로써 규모와 양호한 재무구조를 활용하여 자금조달능력을 높일 수 있고 조달에 따른 비용도 절감하게 되어 경영이 호전될 수 있다.

③ **자본이득의 실현**: 상대적으로 저평가되고 자산이 적절히 이용되지 못하고 있는 기업을 적은 자본과 많은 부채를 동원하여 인수한 후 정상화 절차를 밟아 기업의 현금흐름을 증대시킬 수 있게 되면 재매각 등을 통해 큰 자본이득의 실현이 가능하다.

3 적대적 M&A

1. 의의

적대적 M&A란 인수기업(취득자, 합병기업, 지배기업)과 인수대상기업(피취득자, 피합병기업, 종속기업)의 경영자 간에 협상을 통해 M&A가 이루어지는 것이 아니라, 인수기업이 인수대상기업 경영자의 의사와는 무관하게 M&A를 하는 것을 말한다. 여기서는 인수기업이 수행하는 적대적 M&A의 공격방법과 인수대상기업이 수행하는 적대적 M&A의 방어방법에 대해서 살펴보기로 한다.

2. 공격방법

(1) 주식공개매수

주식공개매수(tender offer, take over bid, TOB)란 인수대상기업의 주주들에게 공개적으로 제안하여 주식을 매입함으로써 인수대상기업의 지배력을 획득하는 방법을 말한다. 즉 인수대상기업의 주주들을 대상으로 공개매수기간 동안 특정한 공개매수가격에 주식을 매입하겠다는 것을 공고 등의 방식을 통해 공개적으로 제안하여 주식을 매입하는 것을 말한다. 따라서 인수대상기업의 주주들은 공개매수를 통해 장내보다 비싼 가격에 주식을 매도할 수 있다.

(2) 백지위임장투쟁

백지위임장투쟁(proxy contest)이란 주주총회에서 현 경영진에 반대하는 주주들의 의결권을 위임받아 인수대상기업의 지배력을 획득하는 방법을 말한다. 이러한 위임장투쟁을 이용하면 합병이나 취득에 비해 훨씬 경제적으로 지배력을 획득할 수 있다.

(3) 차입매수

차입매수(leverage buy-out, LBO)란 인수대상기업의 자산이나 수익력을 담보로 자금을 차입하여 해당 기업의 지배력을 획득한 후에 인수대상기업의 현금흐름이나 자산매각을 통해 해당 채무를 상환해가는 지배력 획득방법을 말한다. 이러한 차입매수를 통해 상대적으로 적은 자기자본만으로 기업을 인수할 수 있다는 이점이 있지만, 부채비율이 높아져서 채무불이행위험과 재무위험이 증가하는 문제점이 있다.

(4) 파킹

파킹(parking)이란 법률상 제한을 회피할 목적으로 인수기업에게 우호적인 관계에 있는 제3자(흑기사)에게 대상기업의 주식을 매입해 일정기간 보유하도록 하는 것을 말한다. 이는 주식시장에서 목표주식을 비공개로 원하는 지분율까지 지속적으로 매수하는 방법이 된다.

3. 방어방법

(1) 역공개매수

역공개매수(counter tender offer)란 인수기업이 인수대상기업의 주식에 대해 공개매수를 하는 경우에, 이에 맞서 인수대상기업이 인수기업의 주식에 대한 공개매수를 하여 정면대결을 펼치는 전략을 말하는데, 이를 팩맨 방어(pac-man defense)라고도 한다. 이는 상호보유주식에 대하여 의결권이 제한되는 상법규정을 이용하는 방법이다.

(2) 의결정족수특약

의결정족수특약(super majority voting provision)이란 합병승인에 대한 주주총회의 결의요건을 강화하는 방법을 말한다. 즉 합병승인을 위한 주주총회에서 결의요건을 일반적인 주주총회에서의 결의요건보다 훨씬 많은 의결정족수를 요구하는 의결정족수특약을 미리 회사의 정관에 둔다면, 적대적 M&A를 시도하는 투자자는 의결정족수특약을 충족시키기 위해서 보다 많은 대가를 지불하여야 하므로 적대적 M&A를 어렵게 만들 수 있다.

(3) 황금낙하산

황금낙하산(golden parachute)이란 기존의 경영진이 적대적 M&A로 인하여 임기만료 이전에 타인에 의해 해임되는 경우 거액의 보상금을 지급하도록 하는 고용계약을 말한다. 사전에 이와 같은 고용계약을 체결해 두는 경우에는 기업의 인수비용이 과다하게 되므로 M&A의 유인이 감소될 수 있다.

(4) 이사임기교차제

이사임기교차제(staggered terms for directors)란 이사들의 임기만료시점이 분산되도록 하는 것을 말한다. 사전에 이와 같이 일시에 선출되는 이사의 수를 제한하는 규정을 두는 경우에는 이사들의 임기만료시기가 서로 다른 시점으로 분산되어 기업을 인수하더라도 기업 지배력의 조기 확보가 어렵게 된다.

(5) 백기사

백기사(white knight)란 적대적 M&A의 대상이 되는 기업의 기존 경영진에게 우호적인 제3자를 말한다. 기존의 경영진은 백기사와의 우호적인 협상을 통해 적대적 M&A 시도를 방어하면서 경영자의 지위를 계속 유지할 수 있다.

(6) 독소조항

독소조항(poison pill)이란 적대적 M&A가 성사되는 경우에 인수자가 매우 불리한 상황에 처할 수 있도록 하는 규정이나 계약을 말한다. 그 예로써 기존 주주들에게 적대적 M&A가 성사되는 경우에 새 기업 주식의 상당량을 할인된 가격에 매입할 수 있는 권리를 부여하는 규정을 두는 것이나 채권자에게 기업이 인수되는 경우 만기일 이전에 고액의 현금상환을 청구할 수 있는 채권을 발행하는 것 등을 들 수 있다. 대표적인 독소증권에는 상환우선주, 전환우선주, 신주인수권부사채, 전환사채 등이 있다.

(7) 자기주식의 취득(자사주 매입)

적대적 M&A의 대상이 되는 기업이 자기주식을 취득함으로써 적대적 M&A를 방어할 수 있다. 적대적 M&A를 시도하려는 기업으로 하여금 인수대상기업의 주식확보를 어렵게 하고 발행주식수도 감소되어 자연히 대주주의 지분을 상승시키는 효과를 얻을 수 있으며, 인수대상기업의 주식매수 수요가 증가됨으로써 주가를 상승시켜 매수비용을 증가시키기도 한다.

(8) 왕관의 보석

왕관의 보석(crown jewel)이란 적대적 M&A 시도가 있는 경우에 왕관의 보석과 같이 기업의 핵심적인 사업부문을 매각하여 인수시도를 저지하는 방법을 말한다. 그 예로써 인수대상기업이 새로운 기업을 설립하고 동 기업에 핵심자산을 매각하는 것을 들 수 있다.

(9) 불가침협정

불가침협정(standstill agreement)이란 인수기업이 매입한 자사 주식을 높은 가격에 재매입해주는 대신에 인수의도를 포기하도록 계약을 맺는 방법이다. 그리고 인수대상기업의 주식을 매집한 후에 적대적 M&A를 포기하는 대가로 프리미엄이 포함된 높은 가격에 주식을 재매입하도록 인수대상기업의 경영자 또는 대주주에게 제안하는 것을 녹색편지(green mail)라고 한다.

01 □□□ 2017년 군무원

민쯔버그(H. Mintzberg)가 주장한 경영자의 세 가지 역할에 해당하는 것으로 가장 옳지 않은 것은?

① 대인관계
② 정보전달자
③ 의사결정자
④ 상품전달자

해설

민쯔버그(Mintzberg)는 경영자의 역할을 의사결정역할, 대인관계역할, 정보전달역할로 구분하였다.   정답 ④

02 □□□ 2017년 서울시

카츠(R. L. Katz)가 제안한 경영자 또는 관리자로서 갖춰야 할 관리기술 중 최고경영자 계층에서 특히 중요시되는 것은?

① 운영적 기술(operational skill)
② 개념적 기술(conceptual skill)
③ 인간관계적 기술(human skill)
④ 전문적 기술(technical skill)

해설

카츠(Katz)는 경영자가 수행해야 할 역할을 위한 능력을 개념적 능력, 인간적 능력, 기술적·전문적 능력의 세 가지로 분류하였다. 개념적 능력(conceptual skill)은 기업의 경영을 조정 및 통합할 수 있는 분석적인 사고능력으로 통합적으로 기업의 문제를 해결할 수 있는 능력을 의미하고, 인간적 능력(human skill)은 다른 사람과 잘 협조하는 인간관리 능력으로 신뢰, 열정, 대인관계에서의 순수함 등으로 나타난다. 마지막으로 기술적·전문적 능력(operational skill)은 특정한 과업을 수행하기 위해서 특수한 기량과 전문성을 사용할 수 있는 능력으로 경험을 응용하고 특정업무의 능숙한 처리가 가능한 능력을 의미한다. 이러한 경영자의 능력을 경영자의 계층과 연결시키면 최고경영자 계층은 개념적 능력이 가장 중요하고, 중간경영자 계층은 인간적 능력이 가장 중요하다. 또한, 하위경영자 계층은 기술적·전문적 능력이 중요하다.   정답 ②

03 ☐☐☐ 2021년 군무원 5급

민쯔버그(H. Mintzberg)가 제시한 경영자의 역할 중 대인관계 역할(interpersonal roles)에 대한 설명으로 가장 옳지 않은 것은?

① 외부로부터의 투자유치 및 기업홍보를 위한 대변인 역할
② 조직의 대외적 업무에 있어서 대표자 역할
③ 리더로서 사원들에 대한 동기부여와 조직 내 갈등해소 등의 역할
④ 상사와 부하, 기업과 고객 등의 관계에서 연결고리 역할

해설

민쯔버그(H. Mintzberg)는 경영자의 역할을 의사결정역할, 대인관계역할, 정보전달역할로 구분하였는데, 대인관계역할에는 외형적 대표자, 리더, 교신자 등이 있다. 따라서 ①번에 제시된 대변인은 정보전달역할에 해당한다.   **정답 ①**

04 ☐☐☐ 2024년 군무원 9급

다음 중 소유와 경영의 분리에 대한 설명으로 가장 적절한 것은?

① 기업과 경영의 분리
② 자본가와 종업원의 분리
③ 일반경영자와 전문경영자의 분리
④ 출자자와 경영자의 분리

해설

소유와 경영의 분리에서 소유는 소유자를 의미하고 경영은 경영자를 의미하기 때문에 주어진 보기에서 소유와 경영의 분리에 대한 설명으로 적절한 것은 출자자와 경영자의 분리이다.   **정답 ④**

05 ☐☐☐ 2021년 국가직

소유경영과 전문경영에 대한 설명으로 옳은 것은?

① 소유경영은 가족경영으로 인한 역량 강화의 어려움으로 환경변화에 빠르게 대응하기 어렵다.
② 소유경영은 개인 이해와 회사 이해의 혼용 가능성으로 과감한 경영혁신이 어렵다.
③ 전문경영은 경영의 전문화와 장기적 관점의 수익 추구에 효과적이다.
④ 전문경영은 민주적 리더십과 기업의 안정적 성장에 효과적이다.

해설

① 소유경영은 전문경영에 비해 환경변화에 빠르게 대응하기 쉽다.
② 소유경영은 전문경영에 비해 과감한 경영혁신이 쉽다.
③ 전문경영은 경영의 전문화와 단기적 관점의 수익 추구에 효과적이다.   **정답 ④**

06 ☐☐☐ 2021년 서울시

<보기>에서 전문경영자의 장점을 모두 고른 것은?

<보기>

ㄱ. 과감한 경영혁신
ㄴ. 경영의 전문화, 합리화
ㄷ. 환경변화에의 빠른 적응
ㄹ. 회사의 안정적 성장

① ㄱ, ㄷ
② ㄱ, ㄹ
③ ㄴ, ㄷ
④ ㄴ, ㄹ

해설

소유경영자는 과감한 경영혁신을 하거나 환경변화에 빠르게 적응할 수 있고, 전문경영자는 경영의 전문화, 합리화를 통해 회사의 안정적 성장을 꾀할 수 있다. 따라서 전문경영자의 장점에 해당하는 것은 ㄴ, ㄹ이다.　　　**정답** ④

07 ☐☐☐ 2019년 군무원

경영자에 관한 다음 설명 중 옳지 않은 것은?

① 소유경영자는 단기이익을 추구하는 경향이 있다.
② 경영자는 소유와 경영의 분리에 따라 소유경영자, 고용경영자, 전문경영자의 순으로 발전되어 왔다.
③ 전문경영자는 소유자와 독립하여 기업을 경영하는 자로써 기업경영상의 결정에 대하여 판단의 자유를 가진다.
④ 고용경영자는 소유와 경영이 완전히 분리되지 않은 상태에서 경영의 일부를 분담시키는 경우에 해당하는 경영자이다.

해설

소유와 경영의 분리에 따라 경영자는 소유경영자, 고용경영자, 전문경영자로 구분할 수 있는데, 소유경영자는 소유와 경영이 일치하는 경영자이고 전문경영자는 소유와 경영이 완전히 분리된 경영자이다. 일반적으로 소유경영자는 전문경영자에 비해 장기적인 이익을 추구하고, 전문경영자는 소유경영자에 비해 단기적인 이익을 추구한다.　　　**정답** ①

08 ☐☐☐ 2018년 서울시

경영자 분류에 대한 설명으로 가장 옳지 않은 것은?

① 소유경영자는 전문경영자에 비해 단기적 이익에 집중한다.
② 전문경영자는 출자여부와는 관계없이 기업을 경영하는 사람이다.
③ 소유경영자는 출자와 경영 기능을 동시에 담당한다.
④ 경영자를 계층에 따라 일선(현장)경영자, 중간경영자, 최고경영자로 분류할 수 있다.

해설

일반적으로 전문경영자는 임기가 정해져 있기 때문에 소유경영자에 비해 단기적 이익에 집중하는 경향을 보인다. **정답** ①

09 ☐☐☐ 2018년 군무원

다음 경영자에 대한 설명 중 가장 옳지 않은 것은?

① 최고경영자는 주로 기업의 전반적인 계획업무를 수행한다.
② 전문경영자는 소유경영자의 자본을 증식하기 위해 고용된 대리인이다.
③ 일선경영자는 현장실무경험이 중요하게 요구된다.
④ 직능경영자는 재무, 회계, 인사 등 특정 분야를 전담하고, 일반경영자는 여러 분야를 통합 및 조정한다.

해설

전문경영자는 소유와 경영이 완전히 분리된 상태에서 자본가는 출자자의 자격으로 경영일선에서 물러나고, 전문적인 경영능력과 지식을 갖춘 전문경영자에게 경영의 전부를 위탁하는 경우를 의미한다. 이러한 경영자들은 주주로부터 경영권을 위임받았기 때문에 수탁경영층이라고 부르기도 한다. 소유경영자의 자본을 증식하기 위해 고용된 대리인의 성격을 가지는 경영자는 고용경영자이다. **정답** ②

10 ☐☐☐ 2013년 국가직

대리인 비용을 대리문제 방지수단에 따라 구분할 때, 그 종류에 해당하지 않는 것은?

① 감시비용(monitoring cost)　　② 확증비용(bonding cost)
③ 잔여손실(residual loss)　　④ 보상손실(compensation loss)

해설

대리인비용은 기업의 소유주(주주, 채권자)와 대리인(경영자)과의 상충된 이해관계로 인하여 발생하는 비용으로 감시비용, 확증비용, 잔여손실로 구분할 수 있다. 감시비용은 본인이 대리인의 이탈행위를 방지하고자 대리인을 감시하기 위해 발생하는 비용을 말하고, 확증비용은 대리인 스스로가 이탈행위를 하지 않고 있음을 확증하기 위해 발생하는 비용을 말한다. 잔여손실은 대리문제의 발생으로 인해 최적의 의사결정을 하지 않음에 따라 발생하는 부의 감소를 말한다. **정답** ④

기업의 형태에 대한 설명으로 옳은 것은?

① 유한회사는 사원 전원이 출자액을 한도로 기업 채무에 대한 유한책임을 지며, 정관으로도 소유 지분의 일부 또는 전부에 대한 타인 양도를 제한하지 못한다.
② 합명회사는 회사의 모든 채무에 대해서 연대 책임을 지며, 다른 사람의 동의가 있더라도 지분의 일부 또는 전부를 타인에게 양도하지 못한다.
③ 합자회사의 유한책임사원은 출자가액에서 이미 이행한 부분을 공제한 가액을 한도로 회사 채무에 대한 변제의 책임을 지며, 회사의 업무집행이나 대표행위를 행사할 수 없다.
④ 주식회사의 주주는 회사의 모든 채무에 대해서 연대 책임을 지며, 변제 의무가 있다.

해설

① 유한회사는 소유지분의 일부 또는 전부의 양도는 사원총회의 결의에 의하여 허용되며 정관에 양도의 제한을 가하는 것이 가능하고 사원 상호 간의 양도도 정관으로 정한다.
② 합명회사는 회사의 모든 채무에 대해서 연대 책임을 지며, 지분의 양도는 다른 사원의 승낙(동의)을 필요로 한다.
④ 주식회사의 주주는 출자액을 한도로 책임을 지는 유한책임을 부담한다.

정답 ③

다음 중 무한책임사원과 유한책임사원으로 구성된 기업 형태로 가장 옳은 것은?

① 주식회사
② 유한회사
③ 합자회사
④ 합명회사

해설

무한책임사원과 유한책임사원으로 구성된 기업 형태는 합자회사이다.
① 주식회사는 자본과 경영의 분리를 통하여 일반 투자자로부터 거액의 자본을 조달하고 전문경영자가 기업을 경영하는 자본주의 경제체제에서 가장 대표적인 기업으로 유한책임사원(주주)으로 구성된 회사를 말한다. 주식회사는 자본조달의 용이성, 유한책임제도, 소유권양도의 용이성, 소유와 경영의 분리, 독립된 실체의 특성을 가진다.
② 유한회사는 출자액을 한도로 하여 기업채무에 대해 유한책임을 부담하는 출자자로 구성되는 소규모 기업을 말한다. 이 형태는 합명회사와 주식회사의 장점을 절충한 것으로 소규모 경영에 직접 참여하면서도 책임의 유한성이라는 이점을 살리려는 의도에서 발달한 기업형태이다.
④ 합명회사는 회사의 채무에 관해 직접·무한·연대책임을 지는 사원(무한책임사원)들로만 구성되고, 각 사원이 회사를 대표하며 업무를 집행하는 기업으로 출자자 상호 간의 신뢰관계를 중심으로 설립된 기업을 말한다.

정답 ③

13 □□□ 2018년 국가직

기업의 형태에 대한 설명으로 옳지 않은 것은?

① 합명회사는 출자액 한도 내에서 유한책임을 지는 사원만으로 구성된다.
② 합자회사는 연대무한책임을 지는 무한책임사원과 출자액 한도 내에서 유한책임을 지는 유한책임사원으로 구성된다.
③ 협동조합은 농민, 중소기업인, 소비자들이 자신들의 경제적 권익을 보호하기 위하여 공동으로 출자하여 조직된다.
④ 주식회사는 주주와 분리된 법적인 지위를 갖는다.

해설

합명회사(partnership)란 회사의 채무에 관해 직접·무한·연대책임을 지는 사원(무한책임사원)들로만 구성되고, 각 사원이 회사를 대표하며 업무를 집행하는 기업으로 출자자 상호 간의 신뢰관계를 중심으로 설립된 기업을 말한다.

정답 ①

14 □□□ 2019년 군무원

다음 중 주식회사에 대한 설명으로 옳지 않은 것은?

① 투자자로부터 거액의 자본을 조달하는 것이 가능하다.
② 소유자는 유한책임을 부담한다.
③ 주식회사는 소유자가 경영을 담당하므로 소유와 경영이 일치한다.
④ 소유권 양도의 용이성을 특징으로 한다.

해설

주식회사는 소유와 경영의 분리를 특징으로 한다.

정답 ③

15 □□□ 2018년 서울시

주식회사의 특징으로 가장 옳은 것은?

① 경영자는 부채에 대해 무한책임을 진다.
② 기업의 이해관계자 집단과 이해조정의 문제가 생기지 않는다.
③ 지분의 유가증권화를 인정하지 않는다.
④ 소유와 경영이 분리되면서 대리인 문제가 발생한다.

해설

주식회사(corporation)란 자본과 경영의 분리를 통하여 일반 투자자로부터 거액의 자본을 조달하고 전문경영자가 기업을 경영하는 자본주의 경제체제에서 가장 대표적인 기업으로 유한책임사원(주주)으로 구성된 회사를 말한다. 주식회사는 자본조달의 용이성, 유한책임제도, 소유권양도의 용이성, 소유와 경영의 분리, 독립된 실체의 특성을 가진다.
① 경영자는 부채에 대해 유한책임을 진다.
② 기업의 이해관계자 집단과 이해조정의 문제가 발생할 수 있다.
③ 지분의 유가증권화를 인정한다.

정답 ④

16 □□□ 2019년 군무원

주주에 대한 다음 설명 중 옳지 않은 것은?

① 주주는 채권자보다 앞서 이자비용을 받는다.
② 주주는 출자한도 내에서 유한책임을 진다.
③ 주주는 회사의 궁극적인 주인이다.
④ 주주는 주식시장에서 언제든지 주식을 양도하여 주주의 지위에서 벗어날 수 있다.

해설

주주는 배당을 받고, 채권자는 이자를 받는다.

정답 ①

17 □□□ 2017년 국가직

주식회사(Corporation)에 대한 설명으로 옳지 않은 것은?

① 주주는 회사에 대하여 개인적으로 출자한 금액한도에서 책임을 진다.
② 주식매매를 통하여 소유권 이전이 가능하다.
③ 전문지식을 가진 전문경영인에게 경영권을 위임하여 소유와 경영을 분리할 수 있다.
④ 주주의 수에 제한이 있어 복잡한 지배구조를 방지할 수 있다.

해설

주식회사의 주주의 수에 대한 제한이 없다.

정답 ④

18 □□□ 2020년 군무원

중소기업의 특징이 아닌 것은?

① 소유와 경영의 미분화
② 전문경영인의 부재
③ 시장규모의 소규모성
④ 자본의 무제한성

해설

중소기업은 소규모의 특징을 가지고 있기 때문에 자본의 무제한성이 특징이라고 보기 어렵다.　　　　　　　　　　　　　　　　　정답 ④

19 □□□ 2019년 국가직

협동조합(cooperatives)에 대한 설명으로 옳지 않은 것은?

① 자신들의 경제적 권익을 보호하기 위해 두 명 이상이 공동출자로 조직한 공동기업이다.
② 조합원에게는 출자액에 비례하여 의결권이 부여된다.
③ 영리보다 조합원의 이용과 편익제공을 목적으로 운영된다.
④ 운영주체 또는 기능에 따라 소비자협동조합, 생산자협동조합 등으로 나눌 수 있다.

해설

협동조합은 소비자나 비생산자가 이윤배제를 전제로 상부상조의 목적으로 공동사업을 영위하는 것으로 인적 결합체에 해당한다. 따라서 협동정신에 따라 경제적 복리를 향상시키기 위해 구매, 생산, 판매 등의 사업을 영위할 수 있으나, 원칙적으로 영리 그 자체가 목적이 되지는 않는다. 즉 협동조합의 운영원칙은 조합자체의 영리보다 조합원의 상부상조를 목적으로 하고, 조합원은 출자액의 다소에 관계없이 동등한 의결권(1인 1표)이 부여되며 조합의 잉여금 배분은 원칙적으로 조합원의 이용도에 비례한다.　　　　　　　　　정답 ②

20 □□□ 2020년 군무원

기업의 사회적 책임에 관한 설명으로 틀린 것은?

① 기업의 사회적 책임의 영역 중 가장 기본적이고 1차적인 책임은 경제적 책임이다.
② 기업은 법적으로 요구받는 범위 내에서 기업활동을 영유하여야 한다.
③ 윤리적 책임은 기업의 사회적 책임이라도 어디까지나 법적으로 한정되는 책임이다.
④ 기업의 사회적 책임에는 자선적 책임도 포함된다.

해설

윤리적 책임은 기업의 직접적인 경제적 이익과 관계를 가지지 않으며 법률에도 규정되어 있지 않은 기업의 윤리적 의사결정에 관한 책임을 의미한다.　　　　　　　　　　　　　　　　　정답 ③

21 □□□ 2021년 국가직

캐롤(A. B. Carroll)의 기업의 사회적 책임 4단계에 대한 설명으로 옳지 않은 것은?

① 제1단계는 경제적 책임으로 경쟁기업과의 공정 경쟁에 대한 책임을 의미한다.
② 제2단계는 법적 책임으로 경영활동을 수행할 때, 법규 준수에 대한 책임을 의미한다.
③ 제3단계는 윤리적 책임으로 경영활동을 수행할 때, 도덕적 책임의 이행을 의미한다.
④ 제4단계는 자선적 책임으로 경영활동과 관련이 없다 할지라도 사회적으로 의미가 있는 활동에 기업 스스로 자발적으로 참여하는 책임을 의미한다.

해설

경제적 책임은 사회가 필요로 하는 재화와 서비스를 생산하여 공급하고 주주를 위하여 이익을 극대화할 책임을 의미한다. 즉 기업은 사회를 구성하는 기본적인 경제단위로서 재화와 서비스를 생산할 책임을 지고 있다는 것이다. **정답** ①

22 □□□ 2022년 군무원 9급

다음 중 기업의 사회적 책임의 유형들에 대한 설명으로 가장 옳지 않은 것은?

① 경제적 책임: 이윤을 창출하는 것으로 가장 기초적인 수준의 사회적 책임에 해당됨
② 법적 책임: 법규를 준수하는 것
③ 윤리적 책임: 법적 책임의 범위 내에서 기업을 경영하는 것
④ 자선적 책임: 자발적으로 사회에 이바지하여 훌륭한 기업시민이 되는 것

해설

윤리적 책임은 기업의 직접적인 경제적 이익과 관계를 가지지 않으며, 법률에도 규정되어 있지 않은 기업의 윤리적 의사결정에 관한 책임을 의미한다. **정답** ③

23 □□□ 2024년 군무원 9급

아프리카에 진출한 어떤 한국기업의 경우, 그 국가에서 적절하다고 여겨지는 관행을 기준으로 급여를 책정하였으므로 한국 기준에서는 터무니없는 저임금일지라도 윤리적이라고 판단하고 있다. 이러한 경영윤리관을 지칭하는 용어로서 가장 적절한 것은?

① 공리주의 윤리관
② 정의론적 윤리관
③ 사회계약론적 윤리관
④ 인권론적 윤리관

해설

사회계약론적 윤리관은 경영활동이 사회적 계약의 결과물이라는 윤리관이다. 따라서 주어진 사례는 사회계약론적 윤리관에 대한 사례가 된다.
① 공리주의 윤리관은 최대 다수의 최대 행복을 추구하는 윤리관이다.
② 정의론적 윤리관은 타인을 대우함에 있어서 공정하고 평등해야 하며, 이익과 손실을 공평하게 배분해야 한다는 윤리관이다.
④ 인권론적 윤리관은 인간의 기본적인 권리와 자유를 보호하고 존중하는 것을 중심으로 한 윤리관이다. **정답** ③

24 ☐☐☐ 2017년 국가직

기업의 이해관계자에 대한 기업의 사회적 책임(CSR; Corporate Social Responsibility)이 잘못 연결된 것은?

① 종업원에 대한 책임 – 안전한 작업환경 제공, 적절한 노동의 대가 지불
② 사회에 대한 책임 – 새로운 부(Wealth)의 창출, 환경보호, 사회정의 촉진
③ 고객에 대한 책임 – 가치 있는 제품 및 서비스 공급, 고객만족
④ 투자자에 대한 책임 – 내부자거래(Insider Trading)로 주주의 부(Wealth) 극대화, 사회적 투자

해설

내부자거래는 정보의 비대칭을 이용한 불법거래로서 공정한 이윤을 추구하는 많은 투자자들에게 손해를 미치게 되며 장기적으로는 기업의 신뢰도를 하락시킨다.

정답 ④

25 ☐☐☐ 2015년 국가직

기업의 사회적 책임(CSR; Corporate Social Responsibility)의 내용으로 옳지 않은 것은?

① 기업의 유지 및 발전에 대한 책임
② 기업의 후계자 육성에 대한 책임
③ 기업의 주주 부(wealth)의 극대화에 대한 책임
④ 기업의 다양한 이해 조정에 대한 책임

해설

기업의 주주 부(wealth)의 극대화에 대한 책임은 기업의 사회적 책임의 내용에 해당하지 않는다.

정답 ③

26 ☐☐☐ 2022년 국가직

기업의 사회적 책임(corporate social responsibility; CSR)에 대한 설명으로 옳은 것은?

① 가장 높은 수준의 사회적 책임은 주주 대신 종업원, 소비자, 사회 및 환경에 대한 기업의 책임을 의미한다.
② 사회적 책임을 다하는 기업에게는 사회적 권력이 부여된다는 것이 기본 원리이다.
③ 사회경제적 관점에서 이해관계자의 복리는 '보이지 않는 손'에 의하여 이루어진다.
④ 전통적 관점에 의하면 기업의 이익극대화가 기업의 유일한 사회적 책임이다.

해설

① 캐롤(Carroll)은 기업의 사회적 책임을 경제적 책임, 법률적 책임, 윤리적 책임, 자선적 책임으로 구분하였으며, 이 중에 가장 높은 수준의 사회적 책임은 자선적 책임이다. 그리고 자선적 책임은 기업이 경제적·법률적·윤리적 책임과는 관계없이 순전히 자유재량으로 사회에 공헌할 의도로 수행하는 책임을 의미하며, 사회적 기부행위, 약물남용방지 프로그램, 보육시설 운영, 사회복지시설 운영 등이 이에 속한다.
② 사회적 책임을 가지는 기업은 이윤을 내기 위해 노력하는 동시에 법을 준수하고, 윤리적이고 성실한 기업시민의 역할을 수행한다고 할 수 있다. 기업의 사회적 책임은 시대와 기업환경의 변화에 따라서 동태적으로 변화하는 것이 일반적이다. 기업은 이러한 사회적 책임을 이행함으로써 기업의 매출액도 높아지게 되고, 자금조달도 더욱 원활하게 되어 성장과 발전에 더욱 유리하다. 그러나 사회적 책임을 다하는 기업에게 사회적 권력이 부여된다는 것은 아니다.
③ '보이지 않는 손'은 개개의 모든 이해는 궁극적·자연적으로 조화를 이룬다는 사상으로 '보이지 않는 손'의 문제점을 해결하기 위한 대안에 해당하는 것이 기업의 사회적 책임이다.

정답 ④

27 ☐☐☐ 2022년 군무원 7급

다음 중 기업의 사회적 책임에 대한 설명으로 가장 옳지 않은 것은?

① 사회적 책임은 기업의 소유주뿐만 아니라 기업의 모든 이해관계 당사자들의 복리와 행복에 대한 기업의 관심과 배려에 바탕을 두고 있다.
② 사회적 책임은 청렴, 공정, 존중 등의 기본원칙을 충실히 이행하려는 책임감에서 비롯된다.
③ 미국 경제학자인 밀턴 프리드먼(Milton Friedman)은 시장에서의 경쟁과 이윤 추구뿐만 아니라 기업의 사회적 책임을 강조했다.
④ 자선 재단 운영, 사회적 약자 고용, 환경보호 등은 기업의 사회적 책임 성과라고 할 수 있다.

해설

밀턴 프리드먼(Milton Friedman)은 자유방임주의와 시장제도를 통한 자유로운 경제활동을 주장한 미국의 경제학자이다. 따라서 그는 최선의 사회적 책임은 기업이 이윤을 많이 내는 것이라고 주장하였다.

정답 ③

28 ☐☐☐ 2017년 서울시

기업전략에서 고려하는 지속가능성(sustainability)에 대한 설명으로 가장 옳은 것은?

① 지속가능 기업전략에서는 이해관계자와 관계없이 주주의 이익을 우선시한다.
② 지속가능성 평가 기준의 일종인 삼중선(triple bottom lines)은 기업의 경제, 사회, 정부 차원의 책무를 강조한다.
③ 사회적 책임이 포함된 기업전략을 수립하는 것에 대해 모든 기업이 동의한다.
④ 기업의 이익을 넘어 사회의 이익을 제공할 수 있는 전략을 수립한다.

해설

① 지속가능 기업전략은 이해관계와 주주의 이익을 동시에 고려하는 것이 중요하다.
② 지속가능성 평가 기준의 삼중선(또는 삼중최저선)은 경제적 책임, 사회적 책임, 환경적 책임을 의미한다.
③ 사회적 책임이 포함된 기업전략을 수립하는 것에 모든 기업이 동의하는 것은 아니며 아울러 구체적인 법적인 구속력이 있는 것도 아니다.

정답 ④

29 ☐☐☐ 2022년 군무원 7급

기업의 지속가능경영을 구성하는 3가지 요소에 해당하지 않는 것은?

① 경제적 수익성
② 환경적 건전성
③ 대외적 공헌성
④ 사회적 책임성

해설

기업의 지속가능경영은 경제적 책임(경제적 수익성), 사회적 책임(사회적 책임성), 환경적 책임(환경적 건전성)으로 구성되어 있다. 따라서 대외적 공헌성은 기업의 지속가능경영을 구성하는 3가지 요소에 해당하지 않는다.

정답 ③

30 ☐☐☐ 2017년 국가직

공급사슬관리에서 "현재세대의 자원 운영 계획이 미래세대의 자원 활용 가능성을 제한하지 않아야 한다."라고 정의되는 지속가능성(Sustainability)의 3요소가 아닌 것은?

① 재무적(경제적) 가치
② 기술적 가치
③ 환경적 가치
④ 사회적 가치

해설

지속가능경영은 경제적 책임, 사회적 책임, 환경적 책임으로 구성되어 있다.   정답 ②

31 ☐☐☐ 2019년 군무원

자동차 부품회사에 대하여 자동차 완제품 회사가 이를 결합하고자 하는 경우에 해당하는 것은?

① 수평적 결합
② 수직적 결합
③ 구조적 결합
④ 통합적 결합

해설

수평적 결합은 같은 산업에서 생산활동단계가 비슷한 기업 간에 이루어지는 결합을 의미하고, 수직적 결합은 한 기업이 생산과정이나 판매경로상 이전 또는 이후의 단계에 있는 기업과의 결합을 의미한다. 따라서 자동차 부품회사에 대하여 자동차 완제품 회사가 이를 결합하고자 하는 경우는 수직적 결합에 해당한다.   정답 ②

32 ☐☐☐ 2018년 군무원

수직적 통합에 대한 다음 설명 중 가장 옳지 않은 것은?

① 원재료 공급업체가 생산업체를 통합할 경우 수직적 통합 중 전방통합에 해당한다.
② 수직적 통합을 하게 되면 관리의 유연성이 커진다.
③ 수직적 통합을 하게 되면 거래비용이 절감된다.
④ 수직적 통합은 주로 재화나 서비스의 안정된 판매나 원활한 원자재와 부품의 조달을 위한 목적으로 결합하는 것이다.

해설

수직적 통합은 시장의 통제를 목적으로 이루어지기 때문에 통제력이 증가하고 유연성은 감소한다.
① 전방은 소비자 방향을 의미하고 후방은 공급업체 방향을 의미한다.
③ 수직적 통합은 외부거래를 내부거래로 전환시켜 주기 때문에 거래비용이 절감된다.
④ 수직적 통합을 통해 비용절감 및 원료조달이나 제품의 판로확보가 가능해진다.   정답 ②

33 ☐☐☐ 2017년 군무원

다음 설명 중 가장 옳지 않은 것은?

① 제조 기업이 원재료의 공급업자를 인수·합병하는 것을 전방통합이라고 한다.
② 기업이 같거나 비슷한 업종의 경쟁기업을 인수하는 것을 수평적 통합이라고 한다.
③ 기업이 기존 사업과 관련이 없는 신사업으로 진출하는 것을 복합기업이라고 한다.
④ 제조 기업이 제품의 유통을 담당하는 기업을 인수·합병하는 것을 전방통합이라고 한다.

해설

제조 기업이 원재료의 공급업자를 인수·합병하는 것을 후방통합이라고 한다. 전방통합은 통합주체의 입장에서 고객방향에 있는 기업을 통합하는 것을 의미하고, 후방통합은 통합주체의 입장에서 공급업체방향에 있는 기업을 통합하는 것을 의미한다. **정답 ①**

34 ☐☐☐ 2017년 국가직

수직적 통합(Vertical Integration) 방식이 다른 것은?

① 정유업체의 유정개발사업 진출   ② 영화상영관업체의 영화제작사업 진출
③ 자동차업체의 차량공유사업 진출   ④ 컴퓨터업체의 반도체사업 진출

해설

수직적 통합은 한 기업이 생산과정이나 판매경로상 이전 또는 이후의 단계에 있는 기업과의 통합을 의미하는데, 서적이 고객에게 전달되는 경우에 출판사와 종이공급업체와의 통합과 출판사와 서점과의 통합 등이 이러한 형태의 결합에 해당한다. 수직적 결합은 다시 전방통합과 후방통합으로 구분할 수 있는데, 전방통합은 통합주체의 입장에서 고객방향에 있는 기업을 통합하는 것을 의미하고, 후방통합은 통합주체의 입장에서 공급업체방향에 있는 기업을 통합하는 것을 의미한다. 따라서 ①, ②, ④는 후방통합에 해당하고, ③은 전방통합에 해당한다. **정답 ③**

35 ☐☐☐ 2016년 국가직

수직적 통합전략(vertical integration)에 대한 설명으로 옳지 않은 것은?

① 부품생산에서 유통까지 수직적 활동분야의 참여정도를 결정하는 것으로 다각화의 한 종류로 볼 수도 있다.
② '부품업체 → 조립업체 → 유통업체'의 과정에서 조립업체가 부품업체를 통합하는 것은 전방통합이다.
③ 여러 단계의 시장거래를 내부화함으로써 세금을 줄일 수 있다.
④ 수요독점, 공급독점 시장에서 발생하는 가격의 불안정은 수직적 통합을 통해 피할 수 있다.

해설

'부품업체 → 조립업체 → 유통업체'의 과정에서 조립업체가 부품업체를 통합하는 것은 후방통합이다. **정답 ②**

36 □□□ 2023년 군무원 7급

성장을 위한 전략 가운데 수직적 통합(vertical integration) 및 수평적 통합(horizontal integration)에 대한 설명으로 가장 거리가 먼 것은?

① 수평적 통합을 통해 '규모의 경제'를 달성할 수 있다.
② 전방통합을 하면 안정적인 판로를 확보할 수 있다.
③ 후방통합을 통해 원가를 절감할 수 있다.
④ 의류제조업체가 섬유제조업체를 통합하는 것은 전방통합에 해당한다.

해설

의류제조업체가 섬유제조업체를 통합하는 것은 후방통합에 해당한다.   정답 ④

37 □□□ 2014년 국가직

자동차 제조회사 경영자는 최근 경영환경 변화에 효과적으로 대응하여 경영성과를 극대화하기 위해 사업확장을 추구하고자 한다. 그는 사업확장 방안으로 전방통합을 추진하고자 하는데, 전방통합의 이점으로 옳지 않은 것은?

① 시장에 대한 통제력 증대를 통해 독점적 지위를 유지할 수 있다.
② 판매 및 분배 경로를 통합함으로써 제품의 안정적 판로를 확보할 수 있다.
③ 부품의 자력 공급을 통해 제품차별화 가능성을 높일 수 있다.
④ 적정 생산규모를 유지함으로써 생산비용과 재고비용을 감소시킬 수 있다.

해설

전방통합은 통합주체의 입장에서 고객방향에 있는 기업을 통합하는 것을 의미하고, 후방통합은 통합주체의 입장에서 공급업체방향에 있는 기업을 통합하는 것을 의미한다. 따라서 부품의 자력 공급을 통해 제품차별화 가능성을 높일 수 있는 것은 후방통합의 이점에 해당한다. 부품의 자력 공급을 통해 제품차별화 가능성을 높일 수 있는 것은 후방통합의 이점에 해당한다.   정답 ③

38 □□□ 2013년 국가직

후방통합(backward integration)에 대한 설명으로 옳은 것은?

① 제조 기업이 원재료의 공급업자를 인수·합병하는 것을 말한다.
② 제조 기업이 제품의 유통을 담당하는 기업을 인수·합병하는 것을 말한다.
③ 기업이 같거나 비슷한 업종의 경쟁사를 인수하는 것을 말한다.
④ 기업이 기존 사업과 관련이 없는 신사업으로 진출하는 것을 말한다.

해설

② 제조 기업이 제품의 유통을 담당하는 기업을 인수·합병하는 것은 전방통합이다.
③ 기업이 같거나 비슷한 업종의 경쟁사를 인수하는 것은 수평적 통합이다.
④ 기업이 기존 사업과 관련이 없는 신사업으로 진출하는 것은 비관련 다각화이다.   정답 ①

39 □□□ 2019년 국가직

참가기업의 독립성과 결합 정도에 따른 기업집중 형태에 대한 설명으로 옳지 않은 것은?

① 카르텔(cartel or kartell)은 과당경쟁을 제한하면서 시장을 지배하기 위한 목적으로 각 기업이 경제적 독립성을 유지하면서 법률적으로 통합한 형태이다.
② 트러스트(trust)는 시장독점을 위해 각 기업이 법률적·경제적 독립성을 포기하고 새로운 기업으로 결합한 형태이다.
③ 컨글로머릿(conglomerate)은 기업규모 확대를 위해 다른 업종이나 기업 간 주식매입을 통해 결합한 형태이다.
④ 콘체른(concern or konzern)은 각 기업이 법률적 독립성을 유지하면서 주식소유 및 자금대여와 같은 금융적 방법에 의해 결합한 형태이다.

해설

카르텔은 다수의 동종 또는 유사기업이 경쟁을 제한하고 시장의 독점적 지배를 위해 경제적 독립성과 법률적 독립성을 유지하면서 기업 간 협정을 통해 결합하는 기업집단화의 형태로 기업연합이라고도 한다. 카르텔에 참여하는 기업들은 경제적 및 법률적으로 완전히 독립되어 있기 때문에 협정에 구속력이 없다.

정답 ①

40 □□□ 2023년 서울시

기업집중의 형태에서 콘체른(concern)에 대한 설명으로 가장 옳은 것은?

① 다수의 개별기업이 법률적으로는 독립성을 유지하지만, 경제적으로는 독립성을 상실한 기업집중형태로, 지주회사가 그 예이다.
② 다수의 개별기업이 법률적·경제적으로 독립성을 상실한 기업집중의 형태로, 구속력이 가장 크며 시장의 지배를 목적으로 한다.
③ 동종업종에 속한 기업들이 법률적·경제적으로 독립성을 유지하며 협정을 통해 수평적으로 이루어지는 결합형태이다.
④ 생산공정이나 판매과정에서 상호 경쟁 관계가 없는 산업 분야에 진출해서 사업 활동을 영위하는 기업형태이다.

해설

② 트러스트(trust)는 다수의 개별기업이 법률적·경제적으로 독립성을 상실한 기업집중의 형태로, 구속력이 가장 크며 시장의 지배를 목적으로 한다.
③ 카르텔(cartel)은 동종업종에 속한 기업들이 법률적·경제적으로 독립성을 유지하며 협정을 통해 수평적으로 이루어지는 결합형태이다.
④ 생산공정이나 판매과정에서 상호 경쟁 관계가 없는 산업 분야에 진출해서 사업 활동을 영위하는 기업형태는 콘글로머리트(conglomerate)이다.

정답 ①

41 □□□ 2017년 군무원

카르텔(cartel)에 대한 다음 설명 중 가장 옳지 않은 것은?

① 동종 산업이 수평적으로 결합한다.
② 기업결합 중 가장 강력한 형태이다.
③ 각각의 기업이 완전한 독립성을 유지한다.
④ 카르텔 등을 방지하기 위해 우리나라에서는 공정거래위원회가 존재한다.

해설

카르텔은 다수의 동종 또는 유사기업이 경쟁을 제한하고 시장의 독점적 지배를 위해 경제적 독립성과 법률적 독립성을 유지하면서 기업 간 협정을 통해 결합하는 기업집단화의 형태로 기업연합이라고도 한다. 카르텔에 참여하는 기업들은 경제적 및 법률적으로 완전히 독립되어 있기 때문에 협정에 구속력이 없다.

정답 ②

42 □□□ 2021년 군무원 7급

기업집단화에 대한 설명으로 가장 옳지 않은 것은?

① 카르텔(cartel)은 동종기업 간 경쟁을 배제하고 시장을 통제하는데 그 목적을 두고 있으며, 경제적·법률적으로 봤을 때 독립성을 유지하고 있지 않다.
② 기업집단화의 방법으로는 수직적 통합과 수평적 통합이 있으며, 그 중 수평적 통합은 같은 산업에서 활동단계가 비슷한 기업 간의 결합을 의미한다.
③ 자동차 제조 회사에서 자동차 판매에 필요한 금융리스사를 인수한다면 이는 수직적 통합 중 전방통합에 속한다.
④ 기업집단화는 시장통제와 경영합리화라는 목적을 지니고 있으며, 이는 시장의 과점적 지배와 규모의 경제 실현과 같은 경제적 영향을 미치게 된다.

해설

카르텔(cartel)은 다수의 동종 또는 유사기업이 경쟁을 제한하고 시장의 독점적 지배를 위해 경제적·법률적 독립성을 유지하면서 기업 간 협정을 통해 결합하는 기업집단화의 형태로 기업연합이라고도 한다. 즉, 카르텔(cartel)에 참여하는 기업들은 경제적·법률적으로 완전히 독립되어 있기 때문에 협정에 구속력이 없다.

정답 ①

43 □□□ 2019년 군무원

다음 중 적대적 M&A의 방안으로 적합하지 않은 것은?

① 시장공개매수
② 위임장투쟁
③ 차입매수
④ 매수제의

해설

매수제의 자체가 적대적 M&A의 방안이라고 보기는 어렵다.

정답 ④

44 ☐☐☐ 2023년 군무원 7급

다음 중 적대적 M&A에 대한 방어 수단과 가장 거리가 먼 것은?

① 황금낙하산

② 차입매수(LBO)

③ 백기사

④ 포이즌 필

> **해설**
>
> 차입매수(LBO)는 적대적 M&A에 대한 공격 수단에 해당한다.
>
> **정답 ②**

45 ☐☐☐ 2015년 국가직

기업 인수·합병(M&A)의 여러 동기 중 합병 기업의 기업가치 제고효과에 해당하지 않는 것은?

① 세금효과(tax effect)

② 저평가가설(under-valuation hypothesis)

③ 재무시너지효과(financial synergy effect)

④ 황금낙하산(golden parachute)

> **해설**
>
> 황금낙하산(golden parachute)이란 적대적 M&A 방어기법의 하나로서 기존의 경영진이 적대적 M&A로 인해 임기만료 이전에 타인에 의해 해임되는 경우 거액의 보상금을 지급하도록 하는 고용계약을 말한다. 따라서 사전에 이와 같은 고용계약을 체결해 두는 경우에는 기업가치 제고효과가 아니라 기업의 인수비용이 과다하게 발생하기 때문에 피인수기업입장에서 적대적 M&A의 방어수단이 된다.
>
> **정답 ④**

46 ☐☐☐ 2023년 국가직

다음 설명에 해당하는 인수·합병(M&A; merger & acquisition) 방어전략은?

> 경영진이 적대적 인수·합병으로 인하여 임기 전에 퇴직하게 될 때 일반적으로 지급되는 퇴직금 외에 현금과 주식 매수권(stock option), 일정한 기간 동안의 보수 등 상당한 액수의 추가보상금이 지급되도록 정관에 규정해 둠으로써 적대적 M&A 세력을 견제하는 전략이다.

① 왕관보석(crown jewel) 전략

② 백기사(white knight) 전략

③ 황금낙하산(golden parachute) 전략

④ 그린 메일(green mail) 전략

> **해설**
>
> 황금낙하산(golden parachute)이란 기존의 경영진이 적대적 M&A로 인해 임기만료 이전에 타인에 의해 해임되는 경우 거액의 보상금을 지급하도록 하는 고용계약을 말한다. 따라서 주어진 설명의 방어전략은 황금낙하산 전략이다.
>
> **정답 ③**

47 □□□ 2018년 서울시

적대적 인수 및 합병(M&A) 방어 전략으로 가장 옳지 않은 것은?

① 독약조항(poison pill)　　　　　　　　② 황금낙하산(golden parachute)
③ 백기사(white knight)　　　　　　　　④ 주식옵션(stock option)

해설

적대적 인수 및 합병(M&A)은 인수기업과 인수대상기업(피인수기업)의 경영자 간에 협상을 통해 M&A가 이루어지는 것이 아니라, 인수기업이 인수대상기업 경영자의 의사와는 무관하게 M&A를 하는 것을 말한다. 이러한 적대적 인수 및 합병은 인수기업이 수행하는 적대적 M&A의 공격전략과 인수대상기업이 수행하는 적대적 M&A의 방어전략으로 나눌 수 있다. 대표적인 공격전략에는 주식공개매수, 백지위임장 투쟁, 차입매수 등이 있으며, 방어전략에는 역공개매수, 의결정족수특약, 황금낙하산, 이사임기교차제, 백기사, 독소조항, 자기주식의 취득(자사주 매입), 왕관의 보석, 불가침협정 등이 있다. 주식옵션(stock option)은 해당 기업의 주식을 유리한 조건으로 구입할 수 있는 권리를 부여하는 것으로 적대적 인수 및 합병 방어전략으로는 적합하지 않다.　　　　　　　　**정답 ④**

48 □□□ 2018년 국가직

기업의 인수·합병(M&A; Merger & Acquisition)에 대한 설명으로 옳지 않은 것은?

① 인수대상 기업의 자산을 담보로 인수자금의 대부분을 조달하는 방법을 황금낙하산(Golden Parachute)이라고 한다.
② 2개 이상의 독립된 기업이 모두 해산, 소멸한 후에 새로운 기업을 설립하고, 신설되는 기업이 모든 자산과 부채를 승계하는 방법을 신설합병(Consolidation)이라고 한다.
③ 수평적 합병(Horizontal Merger)은 동종 산업에서 제품군이 유사한 두 기업이 비용 절감, 생산성 향상, 경쟁 회피 등을 위해 합병하는 것이다.
④ 수직적 합병(Vertical Merger)은 공급사슬상의 전방 또는 후방에 위치한 기업을 사들여 경쟁력을 키우고자 하는 합병이다.

해설

인수대상 기업의 자산을 담보로 인수자금의 대부분을 조달하는 방법을 차입매수(LBO; Leveraged buyout)라고 한다.　　　　　　　　**정답 ①**

49 □□□ 2017년 국가직

인수합병에서 인수기업의 성과에 대한 설명으로 옳은 것은?

① 인수합병을 성공으로 이끄는 가장 중요한 요인은 높은 인수프리미엄이다.
② 두 조직을 유기적으로 결합하는 합병 후 통합과정은 인수합병성패의 주요 요인이 된다.
③ 인수합병의 최종목표는 경쟁기업과의 입찰에서 승리하는 것이다.
④ 모든 인수합병은 기업성장을 위해 긍정적으로 작용한다.

해설

① 인수프리미엄이 높다는 것은 인수비용이 높다는 의미이기 때문에 성공요인으로 볼 수 없다.
③ 인수합병의 궁극적인 목표는 효율성 향상 등을 통한 기업의 시너지 효과 창출이다.
④ 인수합병은 기업성장에 부정적 영향을 줄 수 있다.　　　　　　　　**정답 ②**

01 ☐☐☐ 2018년 경영지도사 수정

민쯔버그(H. Mintzberg)의 10가지 경영자의 역할에 해당하지 않는 것은?

① 섭외자 역할(liaison role)
② 정보탐색자 역할(monitor role)
③ 조직설계자 역할(organizer role)
④ 분쟁조정자 역할(disturbance role)

해설

경영자의 역할은 의사결정역할, 대인관계역할, 정보전달역할로 구분할 수 있다. 의사결정역할은 세부적으로 기업가(entrepreneur), 분쟁의 해결자(disturbance handler), 자원의 배분자(resource allocation), 협상가(negotiator) 등이 있고, 대인관계역할은 세부적으로 외형적 대표자(figurehead), 리더(leader), 교신자(liaison) 등이 있다. 또한, 정보전달역할은 세부적으로 감시자(monitor), 전달자(disseminator), 대변인(spokesman) 등이 있다.

정답 ③

02 ☐☐☐ 2024년 공인노무사 수정

카츠(R. L. Katz)가 제시한 경영자의 기술에 관한 설명으로 옳은 것을 모두 고른 것은?

> ㄱ. 전문적 기술은 자신의 업무를 정확히 파악하고 능숙하게 처리하는 능력을 말한다.
> ㄴ. 인간적 기술은 다른 조직구성원과 원만한 인간관계를 유지하는 능력을 말한다.
> ㄷ. 개념적 기술은 조직의 현황과 현안을 파악하여 세부적으로 처리하는 실무적 능력을 말한다.

① ㄱ
② ㄱ, ㄴ
③ ㄱ, ㄷ
④ ㄱ, ㄴ, ㄷ

해설

개념적 기술은 기업의 경영을 조정 및 통합할 수 있는 분석적인 사고능력으로 통합적으로 기업의 문제를 해결할 수 있는 능력을 말하고, 조직의 현황과 현안을 파악하여 세부적으로 처리하는 실무적 능력은 전문적(기술적) 기술이다.

정답 ②

03 ☐☐☐

경영자의 능력 중 개념적 능력에 대한 다음 설명 중 가장 옳지 않은 것은?

① 기업의 경영을 조정 및 통합할 수 있는 분석적인 사고능력이다.
② 의사결정역할을 수행함에 있어 가장 주된 능력이다.
③ 비구조적인 문제들을 해결하는 경우에 요구되는 능력이다.
④ 특정한 과업을 수행하기 위해서 특수한 기량과 전문성을 사용할 수 있는 능력이다.

> **해설**
>
> 특정한 과업을 수행하기 위해서 특수한 기량과 전문성을 사용할 수 있는 능력은 기술적 능력이다.　　　　　　　　　　　　　　　　**정답 ④**

04 ☐☐☐

소유와 경영의 분리에 따른 경영자 분류에 대한 다음 설명 중 가장 옳지 않은 것은?

① 소유와 경영이 완전히 분리되면서 기업경영은 전문적인 경영능력을 가진 전문경영자에게 위임하게 되었다.
② 소유와 경영이 완전히 분리되지 않은 중간과정에서 나타나는 경영자의 형태를 총괄경영자(general manager)라고 한다.
③ 대리인비용(agent cost)은 감시비용(monitoring cost), 확증비용(bonding cost), 잔여손실(residual cost)로 구성된다.
④ 주주로부터 경영권을 위임받은 경영자들을 수탁경영층이라고 한다.

> **해설**
>
> 소유와 경영이 완전히 분리되지 않은 중간과정에서 나타나는 경영자의 형태를 고용경영자(employed manager)라고 한다.　　　　**정답 ②**

05 ☐☐☐ 2013년 경영지도사 수정

전문경영자와 소유경영자에 관한 설명으로 옳지 않은 것은?

① 소유경영자는 환경변화에 빠르게 대응할 수 있다는 장점이 있다.
② 전문경영자에 비해 소유경영자는 단기적 성과에 집착하는 경향이 강하다.
③ 소유경영자는 전문경영자에 비해 상대적으로 강력한 리더십의 발휘가 가능하다는 장점이 있다.
④ 전문경영자에 비해 소유경영자는 상대적으로 전문성이 떨어질 수 있다.

> **해설**
>
> 전문경영자는 소유경영자에 비해 단기적 성과에 집착하는 경향이 강하다.　　　　　　　　　　　　　　　　**정답 ②**

06 ☐☐☐

경영자에 대한 다음 설명 중 가장 옳지 않은 것은?

① 기업의 규모가 커짐에 따라 전문경영자가 출현하게 되었다.
② 전문경영자는 단기적 이익을 추구하는 성향을 보인다.
③ 수탁경영층은 최고경영층으로부터 경영기능을 위임받아 업무를 수행하는 중간경영층을 말한다.
④ 소유와 경영이 분리되지 않은 형태의 경영자는 소유경영자이다.

해설

수탁경영층은 주주로부터 경영기능을 위임받아 업무를 수행하는 최고경영층을 말한다.

정답 ③

07 ☐☐☐ 2015년 경영지도사 수정

주식회사의 대리인 문제에서 발생하는 감시비용에 포함되지 않는 것은?

① 성과급
② 사외이사
③ 잔여손실
④ 외부회계감사

해설

대리인비용은 기업의 소유주(주주, 채권자)와 대리인(경영자)과의 상충된 이해관계로 인하여 발생하는 비용으로 감시비용(monitoring cost), 확증비용(bonding cost), 잔여손실(residual cost)이 있다.

정답 ③

08 ☐☐☐ 2013년 경영지도사 수정

슘페터(J. Schumpeter)가 경영혁신을 언급하면서 지적한 생산요소에 해당하지 않는 것은?

① 새로운 제품의 생산
② 새로운 생산기술이나 방법의 도입
③ 혁신적인 기업가 정신
④ 신시장 또는 새로운 판로의 개척

해설

슘페터가 주장하는 혁신(innovation)에는 새로운 상품의 개발, 새로운 생산방법이 도입, 새로운 시장이 개척, 새로운 원료 ㅏ 부품의 공급, 새로운 조직의 개발 등이 있다.

정답 ③

09 □□□ 2021년 경영지도사 수정

기업가정신의 필요성에 직접적으로 해당하지 않는 것은?

① 기업환경의 변화에 대한 대응
② 학습곡선의 안정화
③ 창조적 조직문화의 조성
④ 새로운 가치사슬의 탐색

해설

기업가정신은 새로운 기업을 설립하고 사업을 개시하려는 의욕과 능력, 그리고 끊임없이 혁신을 추구하려는 의지를 말한다. 기업가는 이러한 정신으로 사업기회를 창출하거나 선점하여 가치 있는 재화나 서비스를 제공하며 사회에 대한 봉사나 새로운 가치를 창조하는 혁신적 활동도 이에 포함된다. 따라서 학습곡선의 안정화는 기업가정신의 필요성에 직접적으로 해당하지 않는다. 여기서 학습곡선은 작업이 진행됨에 따라 작업자의 학습능력으로 인하여 생산효율이 높아지는 현상을 나타내는 곡선이다. **정답 ②**

10 □□□ 2024년 경영지도사 수정

기업과 경영에 관한 일반적인 설명으로 옳지 않은 것은?

① 기업 규모의 거대화에 따른 경영의 전문화와 자본의 분산 등으로 인해 소유와 경영의 분리 필요성이 제기되었다.
② 경영자원은 유형, 무형, 인적 자원으로 구분되며, 금융자산과 기계 등 유형의 자원이 기업의 지속적인 경쟁우위 확보·유지에 가장 중요한 자원이다.
③ 기업지배구조(corporate governance)는 통상 기업 내부의 의사결정시스템, 이사회 및 감사의 역할과 기능, 경영자와 주주의 관계 등을 총칭하는 것이다.
④ 기업의 대주주, 임직원 또는 특수관계인은 그 기업의 사외이사로 선임될 수 없다.

해설

금융자산과 기계 등 유형의 자원보다는 무형의 자원이나 인적 자원이 기업의 지속적인 경쟁우위 확보·유지에 더 중요한 자원이다. **정답 ②**

11 □□□

기업의 형태에 대한 다음 설명 중 가장 옳지 않은 것은?

① 개인기업은 소유와 경영이 분리되지 않은 기업으로 기업에 대한 책임은 유한하다.
② 합명회사란 무한책임사원만으로 구성되고 각 사원이 회사를 대표한다.
③ 합자회사란 무한책임을 지는 출자자와 유한책임을 지는 출자자로 구성되는 기업형태를 말한다.
④ 유한회사란 유한책임을 부담하는 출자자로 구성되는 회사의 형태로 소규모 기업을 말한다.

해설

개인기업은 소유와 경영이 분리되지 않은 기업으로 기업에 대한 책임은 무한하다. **정답 ①**

12 □□□ 2021년 경영지도사 수정

2명 이상의 공동출자로 기업 채무에 사원 전원이 연대하여 무한책임을 지는 기업형태는?

① 유한회사   ② 합자회사
③ 합명회사   ④ 주식회사

해설

2명 이상의 공동출자로 기업 채무에 사원 전원이 연대하여 무한책임을 지는 기업형태는 합명회사이다.　　　　　　　정답 ③

13 □□□ 2015년 경영지도사 수정

무한책임사원과 유한책임사원으로 구성되는 기업형태는?

① 합명회사   ② 합자회사
③ 유한회사   ④ 주식회사

해설

무한책임사원과 유한책임사원으로 구성되는 기업형태는 합자회사에 해당한다.　　　　　　　정답 ②

14 □□□ 2013년 경영지도사 수정

회사의 설립 및 운영에 관한 설명으로 옳지 않은 것은?

① 합자회사는 무한책임사원과 유한책임사원의 두 종류의 사원에 의하여 이원적으로 구성된다.
② 합명회사는 2인 이상의 출자자 상호간의 신뢰관계를 중심으로 인적통합관계가 강한 것이 특징이며, 각 사원이 회사 채무에 대하여 연대무한책임을 진다.
③ 주식회사는 출자자인 주주의 유한책임제도와 자본의 증권화 제도의 특징을 지닌다.
④ 주식회사의 이사회는 법령 또는 정관에 의하여 주주총회의 권한으로 되어 있는 것을 제외하고는 회사업무집행에 관한 일체의 권한을 위임받은 수탁기관으로서 이사와 감사의 선임 및 해임권, 정관의 변경, 신주발행 결정 등의 권한이 있다.

해설

이사와 감사의 선임 및 해임권, 정관의 변경, 신주발행 결정 등의 권한은 주주총회의 권한에 해당한다.　　　　　　　정답 ④

15 ☐☐☐ 2020년 경영지도사 수정

주식회사에 관한 설명으로 옳지 않은 것은?

① 다수의 출자자로부터 대규모 자본조달이 용이하다.
② 소유와 경영의 인적 통합이 이루어진다.
③ 주주총회는 최고의사결정기구이다.
④ 주주의 유한책임을 전제로 한다.

해설

주식회사는 소유와 경영의 분리를 특징으로 한다.

정답 ②

16 ☐☐☐ 2023년 경영지도사 수정

주식회사의 특징에 관한 설명으로 옳지 않은 것은?

① 일반대중으로부터 자본을 쉽게 조달할 수 있다.
② 주주총회는 주주의 공동의사를 결정하는 최고의사결정기관이다.
③ 이사회는 회사의 경영전반에 관한 의사결정기관이다.
④ 주식회사의 주주는 무한책임사원으로 구성된다.

해설

주식회사의 주주는 유한책임사원으로 구성된다.

정답 ④

17 ☐☐☐ 2013년 경영지도사 수정

주식회사에 관한 설명으로 옳지 않은 것은?

① 소유와 경영의 분리가 가능하다.
② 주주는 이익에 대하여 이자와 배당을 청구할 수 있다.
③ 주주는 출자한도 내에서 유한책임을 진다.
④ 유가증권시장에 공개된 회사의 주식은 매매가 가능하다.

해설

주주는 이익에 대하여 배당은 청구할 수 있지만, 이자는 청구할 수 없다.

정답 ②

18 □□□ 2016년 경영지도사 수정

주식회사의 특징에 관한 설명으로 옳은 것은?

① 자본의 증권화로 소유권 이전이 불가능하다.
② 자본조달이 용이하고, 과세대상 이익에 대해서는 법인세를 납부한다.
③ 소유와 경영의 분리가 불가능하다.
④ 인적결합 형태로 법적 규제가 약하다.

해설

주식회사는 자본조달의 용이성, 유한책임제도, 소유권양도의 용이성, 소유와 경영의 분리, 독립된 실체의 특성을 가진다. **정답 ②**

19 □□□ 2023년 공인노무사 수정

다음 특성에 모두 해당되는 기업의 형태는?

- 대규모 자본 조달이 용이하다.
- 출자자들은 유한책임을 진다.
- 전문경영인을 고용하여 소유와 경영의 분리가 가능하다.
- 자본의 증권화를 통해 소유권 이전이 용이하다.

① 주식회사   ② 합명회사
③ 합자회사   ④ 유한회사

해설

문제에서 주어진 특성을 모두 포함하고 있는 기업의 형태는 주식회사이다. 주식회사는 자본과 경영의 분리를 통하여 일반 투자자로부터 거액의 자본을 조달하고 전문경영자가 기업을 경영하는 자본주의 경제체제에서 가장 대표적인 기업으로 유한책임사원(주주)으로 구성된 회사를 말한다. 주식회사는 자본조달의 용이성, 유한책임제도, 소유권양도의 용이성, 소유와 경영의 분리, 독립된 실체의 특성을 가진다.

② 합명회사는 회사의 채무에 관해 직접·무한·연대책임을 지는 사원(무한책임사원)들로만 구성되고, 각 사원이 회사를 대표하며 업무를 집행하는 기업으로 출자자 상호 간의 신뢰관계를 중심으로 설립된 기업을 말한다.

③ 합자회사는 무한책임을 지는 출자자(무한책임사원)와 유한책임을 지는 출자자(유한책임사원)로 구성되는 기업을 말한다. 무한책임사원은 출자와 더불어 경영에도 참여하는 반면에 유한책임사원은 출자만 하고 경영에는 참여하지 않으며 출자액을 한도로 책임을 진다. 따라서 이러한 기업의 형태는 자본은 없으나 경영능력이 있는 사람과 자본은 있으나 경영능력이 없는 사람이 결합하기에 적합한 형태이다.

④ 유한회사는 출자액을 한도로 하여 기업채무에 대해 유한책임을 부담하는 출자자로 구성되는 소규모 기업을 말한다. 이 형태는 합명회사와 주식회사의 장점을 절충한 것으로 소규모 경영에 직접 참여하면서도 책임의 유한성이라는 이점을 살리려는 의도에서 발달한 기업형태이다.

정답 ①

20 ☐☐☐ 2013년 경영지도사 수정

유한회사의 특징으로 옳은 것은?

① 감사는 필요적 상설기관이다.
② 이사는 3인 이상을 두어야 한다.
③ 경영은 무한책임을 지는 출자자가 담당한다.
④ 최고의사결정기관은 사원총회이다.

해설

유한회사란 출자액을 한도로 하여 기업채무에 대한 유한책임을 부담하는 출자자로 구성되는 회사의 형태로 합명회사와 닮은 폐쇄적·비공개적인 특색을 가진다. 또한, 1인 또는 다수의 이사를 두어야 하지만 이사회나 대표이사라는 기관의 분화도 없으며, 감사도 임의기관이다. **정답 ④**

21 ☐☐☐ 2024년 경영지도사 수정

다음 기업 형태에 관한 설명으로 옳은 것을 모두 고른 것은?

> ㄱ. 주식회사의 주주는 유한책임이 원칙이며, 무한책임을 지는 경우도 있다.
> ㄴ. 합명회사는 2인 이상의 사원이 공동출자로 회사 경영에 직접, 무한 책임을 부담하는 인적회사이다.
> ㄷ. 합명회사는 출자금의 한도도 없고, 자금조달도 용이하다는 장점이 있다.
> ㄹ. 합자회사의 무한책임사원은 출자와 경영업무를 맡고, 유한책임사원은 출자만을 담당한다.
> ㅁ. 유한회사는 합자회사와 주식회사의 장점을 고려한 기업 유형이다.

① ㄱ, ㄴ
② ㄴ, ㄷ
③ ㄴ, ㄹ
④ ㄷ, ㄹ

해설

ㄱ. 주식회사의 주주는 유한책임이 원칙이기 때문에 무한책임을 지는 경우는 없다.
ㄷ. 합명회사는 무한책임사원으로 구성된 회사이기 때문에 자금조달이 용이하지 않다.
ㅁ. 유한회사는 합명회사와 주식회사의 장점을 고려한 기업 유형이다. **정답 ③**

22 ☐☐☐

기업윤리에 대한 다음의 설명 중 가장 옳지 않은 것은?

① 기업윤리에 대한 개념을 간단하게 설명하기 힘들다.
② 법률과 같이 정부가 제정하지는 않지만, 기업에게 강제성은 부여하고 있다.
③ 구체적이기 보다는 암시적인 성격을 띠고 있다.
④ 사회가 일반적으로 기대하는 기업행동에 대한 불문율이다.

해설

법률과 같이 정부가 제정할 수 있는 성격이 아니기 때문에 강제성 또한 부여되지 않는다. **정답 ②**

23 ☐☐☐ 2021년 경영지도사 수정

경영자의 바람직한 윤리적 환경 구축에 관한 설명으로 옳지 않은 것은?

① 윤리의식이 잘 갖추어진 사람을 채용하고 승진시킨다.
② 윤리적 행동에 높은 가치를 부여하는 조직문화를 육성한다.
③ 윤리담당자를 임명한다.
④ 방임적 통제 프로세스를 발전시킨다.

해설 --

방임은 그대로 내버려 두는 것을 의미하기 때문에 방임적 통제 프로세스를 발전시키는 것은 경영자의 바람직한 윤리적 환경 구축에 대한 설명으로
는 옳지 않다.   **정답 ④**

24 ☐☐☐ 2024년 경영지도사 수정

캐롤(A. Carroll)이 제시한 기업의 사회적 책임(CSR; Corporate Social Responsibility) 4단계에 해당하지 않는 것은?

① 경제적 책임   ② 자생적 책임
③ 법률적 책임   ④ 윤리적 책임

해설 --

캐롤(Carroll)은 기업의 사회적 책임을 경제적 책임, 법률적 책임, 윤리적 책임, 자선적 책임으로 구분하였다. 따라서 자생적 책임은 캐롤(Carroll)
이 제시한 기업의 사회적 책임에 해당하지 않는다.   **정답 ②**

25 ☐☐☐

다음 중 캐롤(B. A. Carroll)이 주장하는 기업의 사회적 책임의 유형으로 가장 옳지 않은 것은?

① 경제적 책임   ② 법적 책임
③ 자선적 책임   ④ 환경적 책임

해설 --

캐롤(B. A. Carroll)이 주장하는 기업의 사회적 책임의 유형은 경제적 책임, 법적 책임, 윤리적 책임, 자선적 책임이다.   **정답 ④**

26 ☐☐☐ 2020년 공인노무사 수정

기업의 사회적 책임 중에서 제1의 책임에 해당하는 것은?

① 법적 책임   ② 경제적 책임

③ 윤리적 책임   ④ 자선적 책임

해설

캐롤(B. A. Carroll)은 기업의 사회적 책임을 경제적 책임, 법적 책임, 윤리적 책임, 자선적 책임으로 구분하였다. 따라서 제1의 책임은 경제적 책임이 된다.

정답 ②

27 ☐☐☐ 2023년 경영지도사 수정

이윤 극대화, 일자리 창출 등 기본적 영역에 해당하는 기업의 사회적 책임은?

① 윤리적 책임

② 경제적 책임

③ 법적 책임

④ 자유 재량적 책임

해설

캐롤(Carroll)은 기업의 사회적 책임을 경제적 책임, 법적 책임, 윤리적 책임, 자선적 책임으로 구분하였다. 이 중에 이윤 극대화, 일자리 창출 등 기본적 영역에 해당하는 기업의 사회적 책임은 경제적 책임이다.

정답 ②

28 ☐☐☐ 2021년 공인노무사 수정

캐롤(B. A. Carroll)의 피라미드 모형에서 제시된 기업의 사회적 책임의 단계로 옳은 것은?

① 경제적 책임 → 법적 책임 → 윤리적 책임 → 자선적 책임

② 경제적 책임 → 윤리적 책임 → 법적 책임 → 자선적 책임

③ 경제적 책임 → 자선적 책임 → 윤리적 책임 → 법적 책임

④ 경제적 책임 → 법적 책임 → 자선적 책임 → 윤리적 책임

해설

캐롤(B. A. Carroll)의 피라미드 모형에서 제시된 기업의 사회적 책임의 단계는 경제적 책임, 법적 책임, 윤리적 책임, 자선적 책임의 순서이다.

정답 ①

29 □□□ 2024년 공인노무사 수정

캐롤(B. A. Carroll)이 주장한 기업의 사회적 책임 중 책임성격이 의무성보다 자발성에 기초하는 것을 모두 고른 것은?

ㄱ. 경제적 책임	ㄴ. 법적 책임
ㄷ. 윤리적 책임	ㄹ. 자선적 책임

① ㄱ, ㄴ ② ㄴ, ㄷ
③ ㄷ, ㄹ ④ ㄱ, ㄴ, ㄹ

해설

캐롤(B. A. Carroll)이 주장한 기업의 사회적 책임 중 책임성격이 의무성에 기초한 것은 경제적 책임과 법적 책임이고, 자발성에 기초한 것은 윤리적 책임과 자선적 책임이다. **정답 ③**

30 □□□ 2014년 경영지도사 수정

기업의 사회적 책임에 대한 고전적 견해의 주장에 해당되는 것은?

① 기업의 사회적 목표 추구는 제품 및 서비스의 가격상승을 초래하여 소비자들이 피해를 보게 된다.
② 기업의 사회적 목표 추구는 장기적으로 기업에 이익을 가져다준다.
③ 기업의 사회적 목표 추구로 기업은 기업이미지 개선을 도모할 수 있다.
④ 기업의 사회적 목표 추구로 기업은 정부규제를 회피할 수 있다.

해설

기업의 사회적 책임에 대한 고전적 견해의 주장은 부정적인 입장을 보이고 있지만, 현대적 견해의 주장은 긍정적인 입장을 보이고 있다. **정답 ①**

31 □□□ 2022년 가맹거래사 수정

기업의 사회적 책임에 관한 설명으로 옳지 않은 것은?

① 기업의 사회적 책임에 관한 국제표준은 ISO 26000이다.
② ESG경영과 사회적 책임은 상호연관성이 높은 개념이다.
③ ISO 26000은 강제집행사항은 아니지만 국제사회의 판단기준이 된다.
④ 사회적 책임 분야는 CSV(creating shared value)에서 CSR(corporate social responsibility)의 순서로 발전되었다.

해설

기업의 사회적 책임의 성장에 힘입어 공유가치창출(CSV)라는 용어도 등장하였다. 기업의 사회적 책임(CSR)은 기업의 몫을 일방적으로 사회에 떼어주는 것이라면, 공유가치창출(CSV)은 사회문제를 해결하고 이 과정에서 기업도 이익을 늘리는 윈윈(win-win)을 추구한다. 따라서 사회적 책임 분야는 CSR에서 CSV의 순서로 발전되었다. **정답 ④**

32 □□□

지속가능경영(corporate sustainability management)에 대한 다음 설명 중 가장 옳지 않은 것은?

① 기업이 경영에 영향을 미치는 경제적, 환경적, 사회적 책임을 종합적으로 고려하면서 기업의 지속가능성을 추구하는 경영활동이다.
② 사회발전과 환경보호에 대한 공익적 기여보다는 수익증대라는 경영의 전통적인 가치를 중시한다.
③ 재무적 성과뿐만 아니라 비재무적 성과에 대해서도 함께 고려한다.
④ 대표적인 평가기준에는 ISO 26000과 다우존스 지속가능경영지수(DJSI) 등이 있다.

해설

지속가능경영은 수익증대라는 경영의 전통적인 가치 외에 경영투명성 및 윤리경영의 강조를 통해 사회발전과 환경보호에 대한 공익적 기여를 중시한다. **정답 ②**

33 □□□ 2017년 경영지도사 수정

지속가능경영을 구성하는 세 가지 요소는?

┌───┐
│ ㄱ. 대내적 공정성   ㄴ. 대외적 공헌성 │
│ ㄷ. 경제적 수익성   ㄹ. 환경적 건전성 │
│ ㅁ. 사회적 책임성   │
└───┘

① ㄱ, ㄴ, ㄹ
② ㄱ, ㄴ, ㅁ
③ ㄱ, ㄷ, ㄹ
④ ㄷ, ㄹ, ㅁ

해설

지속가능경영이란 기업이 경영에 영향을 미치는 경제적, 환경적, 사회적 책임을 종합적으로 고려하면서 기업의 지속가능성을 추구하는 경영활동을 말한다. 즉 기업들이 전통적으로 중요하게 생각했던 매출과 이익 등 재무성과뿐만 아니라 윤리, 환경, 사회문제 등 비재무성과에 대해서도 함께 고려하는 경영을 통해 기업의 가치를 지속적으로 향상시키려는 경영기법이다. **정답 ④**

34 □□□ 2023년 경영지도사 수정

수직적 통합전략에 관한 설명으로 옳지 않은 것은?

① 기업의 유통경로나 생산투입물의 공급원에 대한 소유나 통제를 도모하는 경영전략이다.
② 기업이 전방 혹은 후방으로 자사의 가치사슬 활동을 확대하고자 하는 것이다.
③ 전방수직통합을 통해 기업 산출물에 대한 수요의 예측력을 높일 수 있다.
④ 수요 불확실성에 효과적 대응이 가능하여 기업의 유연성을 높일 수 있다.

해설

수직적 통합전략은 유연성 감소로 인해 시장상황 변화에 대한 유연한 대응이 어려울 수 있다는 단점이 있다. **정답 ④**

35 □□□ 2019년 경영지도사 수정

기업의 수직적 통합(vertical integration)에 관한 설명으로 옳지 않은 것은?

① 후방통합(backward integration)은 부품과 원료 등의 투입요소에 대한 소유와 통제를 갖는다.
② 전방통합(forward integration)을 통하여 판매 및 분배경로를 통합함으로써 안정적인 판로를 확보할 수 있다.
③ 기업의 효율적인 생산규모와 전체적인 생산능력의 균형을 관리·유지하기가 쉽다.
④ 통합된 기업 중 어느 한 기업의 비효율성이 나타나는 경우 기업 전체의 비효율성으로 확대될 가능성이 높다.

해설

기업의 수직적 통합은 전방통합과 후방통합으로 구분할 수 있는데, 전방통합은 통합주체의 입장에서 고객방향에 있는 기업을 통합하는 것을 의미하고 후방통합은 통합주체의 입장에서 공급업체방향에 있는 기업을 통합하는 것을 의미한다. 기업의 효율적인 생산규모와 전체적인 생산능력의 균형을 관리·유지하기 쉬운 것은 수직적 통합이 아니라 수평적 통합에 관한 설명에 해당한다.

정답 ③

36 □□□ 2014년 경영지도사 수정

수직적 통합에 관한 설명으로 옳지 않은 것은?

① 수직적 통합은 거래비용의 감소에 따른 원가상 이점이 있는 반면, 관련 활동 간의 생산능력의 불균형과 독점적 공급으로 인한 비효율성에 의하여 오히려 원가열위로 작용하기도 한다.
② 전방통합을 통해 유통망을 확보하여 고객에게 차별적 서비스를 제공하는 것이 가능해진다.
③ 후방통합을 통해 양질의 원재료를 안정적으로 공급받아 고품질을 유지할 수 있다.
④ 수직적 통합은 기업활동의 유연성을 강화시키는 요인으로 작용해서 경쟁력을 강화시킬 수 있으며, 특히 기술변화가 심하고 수요가 불확실하거나 경쟁이 치열한 경우에 적합하다.

해설

수직적 통합은 일반적으로 기업활동의 유연성을 약화시키는 요인이 된다.

정답 ④

37 □□□ 2018년 공인노무사 수정

동종 또는 유사업종의 기업들이 법적, 경제적 독립성을 유지하면서 협정을 통해 수평적으로 결합하는 형태는?

① 지주회사(holding company)
② 카르텔(cartel)
③ 컨글로메리트(conglomerate)
④ 트러스트(trust)

해설

카르텔은 다수의 동종 또는 유사기업이 경쟁을 제한하고 시장의 독점적 지배를 위해 경제적 독립성과 법률적 독립성을 유지하면서 기업 간 협정을 통해 결합하는 기업집단화의 형태로 기업연합이라고도 한다. 카르텔에 참여하는 기업들은 경제적 및 법률적으로 완전히 독립되어 있기 때문에 협정에 구속력이 없다. 컨글로메리트(conglomerate)는 서로 업종이 다른 이종 기업 간의 결합에 의한 기업형태이다. 이것은 독점금지법의 금지를 벗어나기 위하여 이종 기업을 합병 매수하여 다각적 경영을 하는 기업집단화의 형태이다. **정답 ②**

38 □□□ 2022년 경영지도사 수정

'지주회사(holding company)에 의한 주식 소유'와 같은 형태의 기업집중은?

① 카르텔(cartel)
② 트러스트(trust)
③ 콘체른(Konzern)
④ 콤비나트(Kombinat)

해설

콘체른은 여러 개의 기업이 법률상으로는 형식적 독립성을 유지하면서 실질적으로는 출자관계 또는 금융관계를 통해 경제적 독립성을 상실한 기업집단화의 형태이다. 그리고 '지주회사에 의한 주식 소유'는 경제적 독립성이 상실된 상태를 의미한다. 따라서 '지주회사에 의한 주식 소유'와 같은 형태의 기업집중은 콘체른이 된다. 추가로 콤비나트(combinat)는 일정한 지역에 원재료부터 제품에 이르기까지 생산단계가 다른 각종 생산부문이 기술적으로 결부되어 집약적인 계열을 형성한 것을 말한다. **정답 ③**

39 □□□ 2021년 공인노무사 수정

다음의 특성에 해당하는 기업집중 형태는?

- 주식 소유, 금융적 방법 등에 의한 결합
- 외형상으로 독립성이 유지되지만 실질적으로는 종속관계
- 모회사와 자회사 형태로 존재

① 카르텔(cartel)
② 디베스티처(divestiture)
③ 트러스트(trust)
④ 콘체른(concern)

해설

문제에서 주어진 내용은 경제적 독립성을 상실하고 법률적 독립성은 유지하고 있는 기업집중 형태이기 때문에 콘체른(concern)이다.
② 디베스티처(divestiture)는 경영성과가 부진하거나 비효율적인 생산라인을 다른 기업에 매각하여 기업의 체질을 개선하고 경쟁력을 향상시키려는 기업집중전략이다. 즉 회사 전체를 매각하는 것은 흡수합병이 되지만, 디베스티처는 채산성이 떨어지는 부문이나 이익이 나지 않는 생산라인 일부를 부분 매각하는 것을 말한다. **정답 ④**

40 □□□ 2020년 경영지도사 수정

상호관련이 없는 이종 기업의 주식을 집중 매입하여 합병함으로써 기업 규모를 확대시켜 대기업의 이점을 추구하려는 다각적 합병은?

① 콤비나트(combinat)
② 다국적 기업(multinational corporation)
③ 조인트 벤처(joint venture)
④ 콘글로머리트(conglomerate)

해설
___

콘글로머리트(conglomerate)는 서로 업종이 다른 이종 기업 간의 결합에 의한 기업형태이다. 이것은 독점금지법의 금지를 벗어나기 위하여 이종 기업을 합병 매수하여 다각적 경영을 하는 기업집단화의 형태이다. 따라서 상호관련이 없는 이종 기업의 주식을 집중 매입하여 합병함으로써 기업 규모를 확대시켜 대기업의 이점을 추구하려는 다각적 합병은 콘글로머리트가 된다.
① 콤비나트(combinat)는 일정한 지역에 원재료부터 제품에 이르기까지 생산단계가 다른 각종 생산부문이 기술적으로 결부되어 집약적인 계열을 형성한 것을 말한다.
② 다국적 기업(multinational corporation)은 세계 여러 나라에 걸쳐 연구·개발·생산·판매·서비스 등의 활동을 하는 기업을 말한다.
③ 조인트 벤처(joint venture)는 특정 목적의 달성을 위한 2인 이상의 공동사업체를 의미한다. **정답 ④**

41 □□□

기업집단화에 대한 다음 설명 중 가장 옳지 않은 것은?

① 카르텔(cartel)은 다수의 동종 또는 유사기업이 경쟁을 제한하고 시장의 독점적 지배를 위해 법률적·경제적 독립성을 유지하면서 기업 간 협정을 통해 결합하는 것이다.
② 콘체른(concern)은 여러 개의 기업이 법률상으로는 형식적 독립성을 유지하지만 경제적 독립성을 상실한 기업집단화의 형태이다.
③ 트러스트(trust)는 각각의 기업들이 경제적·법률적 독립성을 완전히 상실하고 자본적으로 결합하는 기업집단화의 형태이다.
④ 수직적 결합(vertical integration)은 같은 산업에서 생산활동단계가 비슷한 기업 간에 이루어지는 통합을 말한다.

해설
___

수평적 결합(horizontal integration)은 같은 산업에서 생산활동단계가 비슷한 기업 간에 이루어지는 통합을 말한다. **정답 ④**

42 ☐☐☐ 2023년 경영지도사 수정

동일 · 유사업종에 속하는 기업들이 법률 · 경제적으로 독립성을 유지하면서 일정한 협약에 따라 이루어지는 기업의 수평적 결합방식은?

① 트러스트(trust)
② 콘체른(concern)
③ 콤비나트(kombinat)
④ 카르텔(cartel)

해설

동일 · 유사업종에 속하는 기업들이 법률 · 경제적으로 독립성을 유지하면서 일정한 협약에 따라 이루어지는 기업의 수평적 결합방식은 카르텔(cartel)이다. 추가로 콤비나트(kombinat)는 일정한 지역에 원재료부터 제품에 이르기까지 생산단계가 다른 각종 생산부문이 기술적으로 결부되어 집약적인 계열을 형성한 것을 말한다.   **정답 ④**

43 ☐☐☐ 2018년 경영지도사 수정

카르텔(cartel)에 관한 설명으로 옳지 않은 것은?

① 동종 또는 유사업종 기업 간에 수평적으로 맺는 협정이다.
② 참여기업들은 법률적, 경제적으로 완전히 독립되어 협정에 구속력이 없다.
③ 공동판매기관을 설립하여 협정에 참여한 기업의 생산품 판매를 규제하기도 한다.
④ 아웃사이더가 많을수록 협정의 영향력이 커진다.

해설

카르텔(cartel)은 다수의 동종 또는 유사기업이 경쟁을 제한하고 시장의 독점적 지배를 위하여 경제적 독립성과 법률적 독립성을 유지하면서 기업 간 협정을 통해 결합하는 기업집단화의 형태로 기업연합이라고도 한다. 카르텔에 참여하는 기업들은 경제적 및 법률적으로 완전히 독립되어 있기 때문에 협정에 구속력이 없다. 아웃사이더가 많을수록 협정의 영향력은 작아진다.   **정답 ④**

44 ☐☐☐ 2019년 경영지도사 수정

시장지배를 목적으로 동일한 생산단계에 속한 기업들이 하나의 자본에 결합하는 기업집중형태는?

① 카르텔(cartel)
② 콤비나트(combinat)
③ 콘체른(concern)
④ 트러스트(trust)

해설

트러스트(trust)는 시장의 경쟁을 제한하고 시장을 독점하기 위하여 각각의 개별기업들이 경제적 독립성과 법률적 독립성을 완전히 상실하고 자본적으로 결합하는 기업집단화의 형태이다. 따라서 시장지배를 목적으로 동일한 생산단계에 속한 기업들이 하나의 자본에 결합하는 기업집중형태는 트러스트(trust)이다.
① 카르텔(cartel)은 다수의 동종 또는 유사기업이 경쟁을 제한하고 시장의 독점적 지배를 위해 경제적 독립성과 법률적 독립성을 유지하면서 기업 간 협정을 통해 결합하는 기업집단화의 형태이다.
② 콤비나트(combinat)는 일정한 지역에 원재료부터 제품에 이르기까지 생산단계가 다른 각종 생산부문이 기술적으로 결부되어 집약적인 계열을 형성한 것을 말한다.
③ 콘체른(concern)은 여러 개의 기업이 법률상으로는 형식적 독립성을 유지하면서 실질적으로는 출자관계 또는 금융관계를 통해 경제적 독립성을 상실한 기업집단화의 형태이다.   **정답 ④**

45 ☐☐☐ 2018년 경영지도사 수정

울산석유화학단지와 같이 여러 개의 생산부문이 유기적으로 결합된 다각적 결합공장 혹은 공장집단은?

① 트러스트(trust)
② 콘체른(concern)
③ 콤비나트(kombinat)
④ 조인트벤처(joint venture)

해설

콤비나트(kombinat)는 기술적 연관이 있는 여러 생산부문이 근접 입지하여 형성된 기업의 지역적 결합체를 의미하기 때문에 울산석유화학단지와 같이 여러 개의 생산부문이 유기적으로 결합된 다각적 결합공장 혹은 공장집단은 콤비나트에 해당한다. **정답** ③

46 ☐☐☐ 2020년 공인노무사 수정

㈜한국은 정부의 대규모 사업에 참여하면서 다수 기업과 공동출자를 하고자 한다. 이 전략 유형에 해당하는 것은?

① 포획전략(captive strategy)
② 집중전략(concentration strategy)
③ 프랜차이징(franchising)
④ 컨소시엄(consortium)

해설

컨소시엄(consortium)은 공동 목적을 위한 협회나 조합을 말한다. 따라서 정부의 대규모 사업에 참여하면서 다수 기업과 공동출자를 하는 전략 유형에 해당하는 것은 컨소시엄이다. 포획전략은 주요 고객에게 집중하면서 약간의 기능활동의 범위를 축소하는 전략으로 자동차부품회사가 특정 자동차제조회사에 전적으로 의존하는 것과 같이 다른 기업에 전적으로 의존하여 생산, 판매, 안정성 등을 확보하는 전략이다. **정답** ④

47 ☐☐☐ 2014년 경영지도사 수정

기업의 인수합병 목적으로 옳지 않은 것은?

① 시장지배력 확대
② 투자소요액 증대
③ 시장진입 속도 단축
④ 성숙된 시장으로 진입

해설

투자소요액 증대는 기업의 인수합병 목적으로는 적합하지 않다. **정답** ②

48 ☐☐☐ 2023년 공인노무사 수정

적대적 M&A의 방어전략 중 다음에서 설명하는 것은?

> 피인수기업의 기존 주주에게 일정조건이 충족되면 상당히 할인된 가격으로 주식을 매입할 수 있는 권리를 부여함으로써, 적대적 M&A를 시도하려는 세력에게 손실을 가하고자 한다.

① 백기사(white knight)
② 그린메일(green mail)
③ 황금낙하산(golden parachute)
④ 독약조항(poison pill)

해설

문제에서 설명하는 적대적 M&A의 방어전략은 독약조항이다. 독약조항은 적대적 M&A가 성사되는 경우에 인수자가 매우 불리한 상황에 처할 수 있도록 하는 규정이나 계약을 말한다. 그 예로써 기존 주주들에게 적대적 M&A가 성사되는 경우에 새 기업 주식의 상당량을 할인된 가격에 매입할 수 있는 권리를 부여하는 규정을 두는 것이나 채권자에게 기업이 인수되는 경우 만기일 이전에 고액의 현금상환을 청구할 수 있는 채권을 발행하는 것 등을 들 수 있다. 대표적인 독소증권에는 상환우선주, 전환우선주, 신주인수권부사채, 전환사채 등이 있다.

① 백기사(white knight)는 적대적 M&A의 대상이 되는 기업의 기존 경영진에게 우호적인 제3자를 말한다. 기존의 경영진은 백기사와의 우호적인 협상을 통해 적대적 M&A 시도를 방어하면서 경영자의 지위를 계속 유지할 수 있다.

② 그린메일(green mail)은 인수대상기업의 주식을 매집한 후에 적대적 M&A를 포기하는 대가로 프리미엄이 포함된 높은 가격에 주식을 재매입하도록 인수대상기업의 경영자 또는 대주주에게 제안하는 것을 말한다.

③ 황금낙하산(golden parachute)은 기존의 경영진이 적대적 M&A로 인해 임기만료 이전에 타인에 의해 해임되는 경우 거액의 보상금을 지급하도록 하는 고용계약을 말한다. 사전에 이와 같은 고용계약을 체결해 두는 경우에는 기업의 인수비용이 과다하게 되므로 M&A의 유인이 감소될 수 있다.

정답 ④

49 ☐☐☐

적대적 M&A와 관련된 다음 개념들 중 그 실행주체가 동일한 것들로만 구성된 것으로 가장 옳은 것만을 고르면?

> ㄱ. 공개매수(take over bid, tender offer)
> ㄴ. 독소증권의 발행(poison pill plan)
> ㄷ. 황금낙하산(golden parachute)
> ㄹ. 역공개매수 전략(counter tender offer)
> ㅁ. 위임장 대결(proxy fight)

① ㄱ, ㄴ, ㄹ
② ㄱ, ㄴ, ㅁ
③ ㄴ, ㄷ, ㄹ
④ ㄴ, ㄷ, ㅁ

해설

ㄱ, ㅁ은 적대적 M&A의 주요 공격방법(인수기업)들이며, ㄴ, ㄷ, ㄹ은 적대적 M&A에 대한 방어전략(인수대상기업)의 예이다.

정답 ③

50 ☐☐☐ 2020년 가맹거래사 수정

인수대상 기업이 인수 위협을 느꼈을 때 가치가 높은 자산을 처분함으로써 인수기업에게 적대적 M&A 추진동기를 상실하게 만드는 전략은?

① 왕관보석(crown jewel)
② 황금낙하산(golden parachute)
③ 백기사(white knight)
④ 극약처방(poison pill)

해설

왕관의 보석(crown jewel)이란 적대적 M&A 시도가 있는 경우에 왕관의 보석과 같이 기업의 핵심적인 사업부문을 매각하여 인수시도를 저지하는 방법을 말한다. 그 예로써 인수대상기업이 새로운 기업을 설립하고 동 기업에 핵심자산을 매각하는 것을 들 수 있다. **정답 ①**

51 ☐☐☐ 2015년 가맹거래사 수정

적대적 인수합병의 방어수단 중의 하나로 거액의 퇴직보상금을 인수합병 되는 기업 경영진에게 지급하도록 하는 내용을 고용계약에 규정하는 것은?

① 독약조항(poison pill)
② 왕관의 보석(crown jewel)
③ 백기사(white knight)
④ 황금낙하산(golden parachute)

해설

거액의 퇴직보상금을 인수합병 되는 기업 경영진에게 지급하도록 하는 내용을 고용계약에 규정하는 것은 황금낙하산(golden parachute)이다. **정답 ④**

52 ☐☐☐

적대적 M&A의 방어방법에 대한 다음 설명 중 가장 옳지 않은 것은?

① 독소조항(poison pill)은 상호보유주식에 대한 의결권이 제한되는 상법규정을 이용하는 방법이다.
② 의결정족수특약(super majority voting provision)이란 합병승인에 대한 주주총회의 결의요건을 강화하는 방법을 말한다.
③ 사기주식의 취득을 통해 대주주의 지분을 상승시키고 주가상승의 효과를 얻을 수 있다.
④ 이사임기교차제(staggered terms for directors)를 통해 기업 지배력의 조기 확보를 어렵게 할 수 있다.

해설

상호보유주식에 대한 의결권이 제한되는 상법규정을 이용하는 방법은 역공개매수(counter tender offer)이다. **정답 ①**

CHAPTER 03 경영관리

제1절 | 계획화

1 의의

1. 개념

계획화(planning)는 기업의 목표를 달성하는 데 필요한 모든 활동들의 윤곽을 잡는 과정을 말한다. 계획화를 통해 경영자들은 자원을 어떻게 배분할 것이며 각 활동을 조직구성원과 작업집단에 어떻게 할당할 것인가를 결정하게 된다. 계획화의 결과로 얻은 산출물을 계획(plan)이라고 하며, 계획이란 행동을 위한 청사진으로써 기업이 그 목표를 실현하는데 필요한 활동들이 무엇인지를 규정하게 된다. 계획화의 목적은 기업이 고객에게 제공하는 재화나 서비스를 생산하는 활동을 효과적이고 효율적으로 수행하도록 돕는 것이다. 즉 기업의 구성원들에게 재화와 서비스를 생산할 때 구성원들이 수행해야 하는 역할에 대한 기준과 방향을 제시하는 것이다. 일반적으로 계획화는 '현재 상황에 대한 평가 및 기회의 인식 → 목표의 설정 → 계획전제의 설정 → 대안의 탐색과 검토 → 대안의 평가 → 대안의 선택 → 파생계획의 수립 → 예산편성 및 실행'의 순으로 이루어진다.

2. 장점

(1) 효과적인 통제시스템

계획에 명시된 활동의 수행이 평가되고 목표달성의 진행과정이 감시되어야 하며, 계획은 기업이 올바른 방향으로 나아가고 기업의 목표를 달성하는데 도움을 주는 역할을 수행한다.

(2) 미래지향적 사고

계획은 과거보다 미래에 기업으로 하여금 더욱 효과적이고 효율적으로 업무를 수행할 수 있도록 준비하게 만든다.

(3) 참여적 작업환경

기업이 계획을 수립하고 이를 성공적으로 실행하기 위해서는 폭넓은 조직구성원의 참여가 요구된다.

3. 단점

계획을 수립하는 데는 막대한 시간과 비용이 요구된다. 따라서 계획은 경영자들의 의사결정을 지연시킬 수 있으며, 이러한 의사결정의 지연은 기업의 성공이 변화에 어느 정도 빨리 적응하는가에 달려있는 경우에는 큰 손실을 초래할 수 있다.

2 목표에 의한 관리

1. 의의

목표에 의한 관리(MBO; management by objectives)는 드러커(Drucker)와 맥그리거(D. McGregor)가 주장한 개념으로, 측정가능한 특정 성과목표를 상급자와 하급자가 함께 합의하여 설정하고, 그 목표를 달성할 책임부문을 명시하여 이의 진척사항을 정기적으로 점검한 후 이러한 진도에 따라 보상을 배분하는 경영시스템을 말한다. MBO의 목적은 하급자들을 목표설정과 계획과정에 참여시켜 그들의 목소리를 반영하고, 일정기간 동안 그들이 구성원으로서 또는 작업집단으로서 달성해야 할 일이 무엇인가를 분명히 인식시킴과 동시에 그들의 활동을 기업의 목표달성과 직접적으로 연관시키는 것이다.

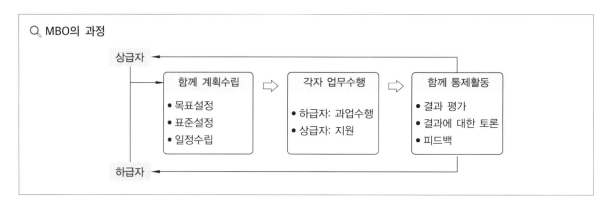

2. 구성요소

(1) 목표의 설정

목표의 설정(goal setting)이란 측정가능하고 비교적 단기적인 목표를 설정하는 것을 말한다.[14] 또한 그 목표는 조직의 장기적이고 일반적 목표와 관련되어 설정되어야 하며, 조직계층별로 목표가 수립되어야 한다. 구체적이고 검증가능한 목표의 설정은 조직구성원 각자의 책임영역을 분명히 하고, 역할갈등과 역할모호성을 최소화시켜 보다 효과적인 관리를 가능하게 한다.

(2) 참여

참여(participation)란 하급자를 목표설정에 참여시키는 것을 말한다. 하급자가 수행할 목표를 상급자와 하급자의 협의를 거쳐 설정하게 되면 그 목표는 보다 현실성이 있게 되고, 목표설정에 참여한 사람은 그 목표를 보다 쉽게 수용하게 되기 때문에 직무만족도와 생산성이 향상될 것이다.

(3) 피드백

피드백(feedback)이란 상급자와 하급자 사이의 상호작용을 말한다. 목표를 설정할 때 하급자의 의견이 상급자에게 반영되도록 해야 하며, 상급자와 하급자가 함께 각각의 목표추구과정과 달성정도를 정기적으로 검토 · 측정 · 평가해야 한다.

---

14) 목표설정에 있어서 SMART 원칙이 적용되어야 한다. 즉 목표는 구체적이어야 하고(specific), 측정이 가능해야 하고(measurable), 달성가능하면서도 도전적이어야 하고(achievable), 현실적이면서 결과 지향적이고(realistic & results-oriented), 시간제약적 즉, 평가기간 이내에 처리할 수 있어야 한다(time-bounded).

3. 특징

(1) 목표설정과 관리과정을 동시에 강조하고, 목표를 명확히 함으로써 갈등상황에 있는 다양한 목표를 확인한다.

(2) 참여의 기회를 제공하여 구성원들의 참여의욕을 고취시키고, 목표달성도의 측정과 피드백을 통하여 효과적인 통제기구역할을 한다.

(3) 구성원으로부터 성과에 대한 약속을 유도하여 결과에 대한 책임을 명확히 하고, 구성원 및 경영자를 합리적으로 평가하는 수단을 제공한다.

4. 성공요건

(1) 최고관리층이 MBO의 실행을 솔선수범하여 지원한다.

(2) MBO를 실시할 수 있도록 조직구조의 분화 및 통제과정이 있어야 하며, 조직의 다른 관리활동과 상호보완적이어야 한다.

(3) 개인과 개인, 조직단위와 조직단위, 그리고 조직과 환경 사이에 의사가 소통되고 피드백 과정이 마련되어 있어야 한다.

(4) 미래의 상황을 어느 정도 정확하게 예측할 수 있도록 조직 내외의 여건이 안정되어 있어야 한다.

5. 한계

(1) 신축성 또는 유연성이 결여되기 쉽고, 단기적 목표를 강조하는 경향이 있다.

(2) 모든 구성원의 참여가 현실적으로 쉽지 않으며, 부문 간에 과다경쟁이 일어날 수 있다.

(3) 숫자 또는 계량적인 측정의 강조로 인해 계량화할 수 없는 성과가 무시되는 경우가 있다.

(4) 전략적 목표보다는 당장 시급한 업무적 목표가 우선시되는 경향이 있다.

(5) 하급자들이 너무 쉬운 목표를 세우려는 경향이 있다.

제2절 조직화

1 의의

1. 개념

조직화(organizing)란 조직의 목표를 효과적으로 달성하기 위하여 수행해야 할 직무의 내용과 인적자원 간의 상호관계를 설정하는 과정을 말한다. 이러한 과정을 통해 직무수행에 필요한 권한과 책임을 부여하고, 조직목표를 실현하기 위해서 기업이 가지고 있는 다양한 자원을 배분하게 된다. 즉 조직화는 기업이 각종 자원을 활용하는 방법과 관련이 있다. 일반적으로 조직화의 결과는 조직구조로 나타난다. 따라서 조직화는 조직의 목표, 자원 및 환경에 적합하도록 조직구조를 형성하는 과정이라고 볼 수 있다.

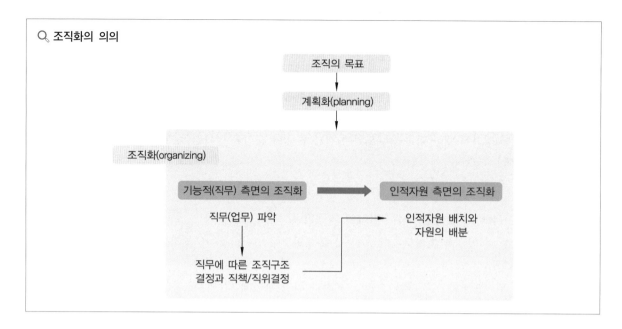

조직화의 의의

조직의 목표

계획화(planning)

조직화(organizing)

기능적(직무) 측면의 조직화 → 인적자원 측면의 조직화

직무(업무) 파악

직무에 따른 조직구조 결정과 직책/직위결정

인적자원 배치와 자원의 배분

2. 구성요소

(1) 직무

직무(job)란 조직의 목표달성에 필요한 인적자원의 활동을 말한다. 일반적으로 개인이 담당할 수 있는 일정분량을 단위로 하여 계획하고 확정되는 것이다. 이러한 직무가 전문화의 원칙을 가미하여 기능별로 정돈될 때 이를 직능이라고 한다.

(2) 직위

직위(position)란 직무 또는 직능이 권한의 계층적 관계와 결부되어 형성된 조직상의 위치를 말한다. 즉, 수행해야 할 일정한 직무가 할당되고, 그 직무를 수행하는 데 필요한 권한 및 책임이 구체적으로 규정되어 조직의 각 구성원인 개인에게 부여된 조직상의 위치이다.

(3) 상호관계의 설정

조직을 합리적으로 편성하기 위해서는 조직 상호 간의 중복 및 모순을 최소화해야 한다. 따라서 각 직위의 직무범위와 권한을 규정하고 직위 상호 간에도 관계를 합리적으로 설정해야 한다.

(4) 권한

권한(authority)이란 일정한 직무를 스스로 수행하거나 또는 다른 사람으로 하여금 수행하도록 하는 데 필요한 공식적인 힘 또는 권리를 말한다. 따라서 권한이 효율성을 가지기 위해서는 조직 내에서 공식적인 성격을 가지고 있어야 하며, 하급자의 수용이 이루어져야 한다.

(5) 책임

책임(responsibility)이란 조직목표를 달성하기 위해 일정한 권한을 행사하고 직무를 수행하는 데 따르는 의무를 말한다. 즉, 지시된 기준에 따라 책임사항을 수행하고 권한을 행사하는 모든 구성원은 그 업무수행결과에 대해 책임을 져야 한다.

3. 과정

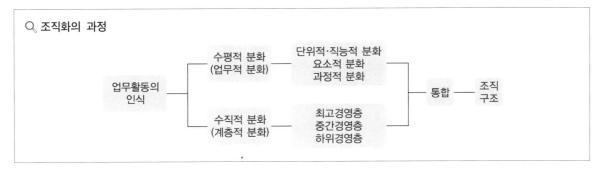

조직화의 과정

(1) 수평적 분화

수평적 분화란 조직이 수평적으로 몇 개의 업무단위로 나누어져 있는가를 의미하는데, 수평적 분화는 조직 내에서 분업이 이루어진 정도를 나타내며, 조직 내에서 기능이 많이 필요할수록 수평적 세분화 수준이 높아진다. 이러한 수평적 분화는 '라인부문의 형성(단위적 분화 → 직능적 분화) → 전문스탭의 형성(요소적 분화) → 관리스탭의 형성(과정적 분화)'의 순서로 그 절차가 진행된다.

① **라인부문의 형성**: 기업의 목표를 달성하기 위해 기본적으로 수행되어야 할 활동들이 1차적으로 분화되어 라인부문을 형성하게 되는데, 라인부문은 단위적 분화와 직능적 분화로 구분할 수 있다. 단위적 분화는 업무의 통일성 또는 구매, 생산, 판매 등의 경영활동을 지역별, 제품별 또는 고객별로 분화하는 것을 의미하며, 사업부제 조직이 그 예이다. 직능적 분화는 조직목표를 달성하기 위한 기본적 기능을 근거로 하여 조직을 단위화하는 것으로 기능적 분화라고도 한다. 이 과정에서 구매부, 생산부, 판매부 등이 형성된다.

② **전문스탭의 형성(요소적 분화)**: 1차적으로 라인부문이 분화되면 2차적으로 전문스탭이 형성된다. 업무의 구성요소를 기준으로 분화하는 것을 의미하기 때문에 요소적 분화라고도 하며, 인사부, 경리부, 총무부, 기술부 등이 형성된다.

③ **관리스탭의 형성(과정적 분화)**: 경영관리직능(계획화, 조직화, 지휘, 통제)이 명확히 분화되는 과정으로 단위적 분화, 직능적 분화 및 요소적 분화에 따라 형성되는 직무 또는 부문에는 그 내용에 관계없이 존재하는 활동들(관리스탭)이 있으며, 이러한 과정적 분화를 통해 기획부, 조직부, 통제부 등이 형성된다.

(2) 수직적 분화

수직적 분화란 기업을 구성하고 있는 인적자원 특히, 경영자들을 구분하는 과정을 말하는데, 조직의 계층구조가 몇 개의 직급으로 나누어져 있는가를 의미한다. 수직적 분화의 정도는 한 사람이 통제할 수 있는 인원수를 의미하는 통제의 범위(span of control)[15]에 의해 영향을 받는데, 수직적 분화의 수준이 높아질수록 통제의 범위는 감소하게 된다. 일반적으로 경영자는 수직적 분화에 의하여 최고경영층, 중간경영층, 하위경영층으로 분화된다.

2 원칙

1. 고전적 조직화

(1) 의의

고전적 조직화란 맥그리거(D. McGregor)의 XY이론 중 X이론에 근거하여 조직구조를 형성하는 것을 말한다. 즉 인간을 타율적 존재로 규정하고 조직구조를 형성하기 때문에 과업을 중심으로 조직구조를 형성하게 되며, 이러한 조직구조를 통칭하여 기계적 조직구조라고 한다. 이러한 고전적 조직화의 원칙은 다음과 같다.

① **분업 또는 전문화의 원칙**: 조직구성원에게 가능한 한 하나의 전문화된 업무를 분담시켜야 한다는 원칙이다. 분업 또는 전문화를 통해 조직의 구성원들은 직무수행에 필요한 전문지식을 보다 쉽게 얻을 수 있고, 숙련될 수 있으므로 조직의 능률은 촉진된다.

② **권한과 책임의 원칙**: 각 조직구성원들의 직무분담과 권한 및 책임의 상호관계를 명확히 해야 한다는 원칙이다. 모든 직위에는 각각 직무가 할당되어 있고 그 직무를 수행할 수 있는 권한이 주어져 있으므로, 해당 직위에 있는 사람은 권한을 행사한 결과에 대해서 책임져야 한다. 이 원칙은 '직무 · 책임 · 권한의 삼면등가 원칙'이라고도 한다.

③ **권한위양의 원칙**: 상급자가 하급자에게 직무의 일부를 위임한 경우에는 그 직무수행에 필요한 권한까지도 부여해야 한다는 원칙이다.

---

15) 통제의 범위가 넓다는 것은 한 사람의 관리자가 통제해야 할 부하의 수가 많다는 것을 의미하고 통제의 범위가 좁다는 것은 한 사람의 관리자가 통제해야 할 부하의 수가 적다는 것을 의미한다. 따라서 모든 조건이 동일할 경우에 통제의 범위가 좁을수록 수직적 분화가 발생하여 고층구조가 형성되고 통제의 범위가 넓을수록 평면구조가 이루어진다. 통제의 범위를 결정하는 데 중요하게 영향을 미치는 요인들은 다음과 같다.

① 과업구조: 부하들의 과업이 구조적 · 일상적 · 비전문적일수록 통제의 범위가 넓어지고 과업이 비구조적 · 비일상적 · 전문적일수록 통제의 범위가 좁아진다.

② 부하들의 능력: 부하들이 잘 훈련되고 능력이 있으며 경험이 풍부하면 권한위양이 쉬워지기 때문에 관리자로부터 많은 지시나 감독이 요구되지 않아 통제의 범위가 넓어진다.

③ 의사소통수단: 모든 지시 · 명령 · 계획을 구두로 전달하는 관리자의 경우 과중한 시간부담을 갖게 되어 통제의 범위가 좁아진다. 그러나 서면으로 주요 내용을 요약하여 보고하게 되면 신속하게 의사결정을 내릴 수 있어 통제의 범위가 넓어질 수 있다.

④ 조직목표와 권한위양: 조직목표가 명확하게 설정되어 있고 권한위양이 잘되어 부하들이 무엇을 해야 하는지를 분명하게 이해하고 있을 경우에 관리자는 신속하게 의사결정을 할 수 있기 때문에 통제의 범위가 넓어질 수 있다.

⑤ 관리자의 조직관리 기능: 목표설정 · 예산편성 · 실적평가 · 관련부서와의 업무조정 등 관리자의 조직관리 기능이 많고 복잡할수록 통제의 범위가 좁아진다.

⑥ 관련 부서로부터의 지원: 관리자는 스탭들로부터 업무상의 조언과 지원을 많이 받을수록 일상적인 업무에서 벗어날 수 있으므로 통제의 범위가 넓어진다.

⑦ 환경의 안정성: 경제적인 변화, 고객선호도의 변화, 정부정책의 변화 등은 조직내부의 여러 과정에서 긴밀한 조정을 필요로 하므로 통제의 범위를 좁아지게 한다.

④ **계층제의 원칙**: 조직의 전체구조가 피라미드 형태를 가지는 계층구조를 형성해야 한다는 원칙이다. 계층제의 원칙으로부터 파생되는 원칙으로는 명령일원화의 원칙, 감독범위의 원칙 및 계층단축화의 원칙이 있다. 명령일원화의 원칙은 한 사람의 하급자는 항상 한 사람의 직속상관으로부터 명령과 지시를 받아야 한다는 원칙이다. 감독범위의 원칙은 능률적인 감독을 위해서는 한 사람 또는 하나의 상위직위가 통제하는 하급자 또는 하위직위의 수를 적정하게 제한해야 한다는 원칙이다. 마지막으로, 계층단축화의 원칙은 감독범위의 원칙과 반대되는 것으로 조직의 능률을 높이기 위해서는 조직의 계층을 가능한 한 줄여야 한다는 원칙이다.

⑤ **스탭조직의 원칙**: 상위경영자의 관리능력을 보완하고 전문적 감독을 촉진하기 위해서 스탭(staff)조직을 따로 구성하고 이것을 라인(line)조직과 구별해야 한다는 원칙이다.

⑥ **직능화 또는 기능화의 원칙**: 전문화의 원칙에 따라서 업무의 종류와 성질에 따라 업무를 분류해야 한다는 것으로 사람중심이 아니라 일중심의 사고방식에 기인한 원칙이다. 이러한 원칙을 통해 각자의 직무에 따라 적합한 담당자가 배치되어 그 기능이 발휘되면 조직은 보다 효율적으로 성과를 달성하게 된다.

⑦ **조정의 원칙**: 경영운영에 있어서 효율적인 조정을 도모함으로써 조직적인 마찰을 최소화시켜야 한다는 원칙이다.

(2) 한계

① 조직의 공식적 요인만을 중요시하고, 비공식적 요인을 무시한다.
② 조직구성원의 자아실현, 자율규제, 창의성 발휘를 방해하고, 하급자는 상급자의 명령에 복종만 하는 수동적 존재이다.
③ 조직의 구조와 인간을 기계시하여 조직의 운영이 경직되고 신축성이 없다.
④ 상급자와 하급자 간의 의사소통이 일방통행적으로 이루어지기 때문에 조직 내의 원활한 의사소통이 어렵다.
⑤ 고전적 원칙 가운데 감독범위의 원칙과 계층단축화의 원칙은 서로 모순된다.
⑥ 고전적 원칙은 경험적으로 입증된 것이 아니기 때문에 보편적으로 적용될 수 없다.

(3) 고전적 조직화 원칙에 입각한 조직구조

① **라인조직(line organization)**: 상급자의 권한과 명령이 직선적으로 하급자에게 전달되는 조직형태로 가장 단순하고 편성하기 쉬운 조직형태이다.

② **라인과 스탭 조직(line & staff organization)**: 조직의 기본적인 기능을 수행하는 라인과 라인을 보조하는 기능을 수행하는 스탭을 결합시킨 조직형태이다. 스탭은 라인에 대하여 전문화된 조언과 서비스를 제공하고 적절한 균형을 유지한다.

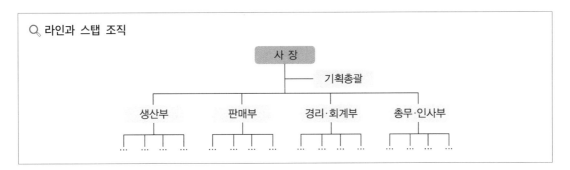

🔍 라인과 스탭 조직

③ **기능별 조직(functional organization):** 업무의 공통성에 근거하여 유사한 것끼리 묶는 전형적인 방식으로 상호 관련성 있는 업무를 동일 부서에 배치하는 조직형태이다. 이러한 기능별 조직은 부서와 부서 간의 의존성이 크고 상호작용이 많이 필요하다는 특징을 가진다. 일반적으로 기능별 조직은 조직의 규모가 비교적 작고 업무내용이 단순한 경우, 기업의 사업분야가 한정된 경우, 환경이 상당히 안정적이고 업무상 고도의 전문화를 필요로 하는 경우와 같은 상황에서 적합하다.

2. 현대적 조직화

(1) 의의

현대적 조직화란 맥그리거(D. McGregor)의 XY이론 중 Y이론에 근거하여 조직구조를 형성하는 것을 말한다. 즉 인간을 자율적 존재로 규정하고 조직구조를 형성하기 때문에 사람을 중심으로 조직구조를 형성하게 되며, 이러한 조직구조를 통칭하여 유기적 조직구조라고 한다. 고전적 조직화이론이 구성원으로 하여금 일을 하지 않을 수 없도록 압력을 가하는 이론이라고 한다면, 현대적 조직화이론은 조직분위기를 조성하여 구성원을 끌어당겨 일을 하면서 보람과 만족을 느끼도록 하는 이론이다. 이러한 이유에서 고전적 조직화이론은 압력이론(push theory)이라고 하고, 현대적 조직화이론을 견인이론(pull theory)이라고 한다. 이러한 현대적 조직화의 원칙은 다음과 같다.

① **통합의 원칙:** 조직의 각 부문 간의 통합을 중요시해야 한다.

② **행동자유의 원칙:** 구성원의 행동에 대한 자율성을 확대함으로써 구성원의 업무수행에 대한 제약을 최소화해야 한다.

③ **창의성의 원칙:** 과거에는 안정성(stability)을 중요시하였으나, 앞으로는 새로운 것과 창의성을 중요시해야 한다.

④ **업무흐름의 원칙:** 과거에는 직능(function), 즉 업무 자체를 중요시하였으나, 앞으로는 업무의 흐름을 중심으로 조직을 편성해야 한다.

(2) 현대적 조직화 원칙에 입각한 조직구조

① **사업부제(부문별) 조직(divisional organization):** 경영활동을 제품별, 지역별 또는 고객별 사업부 등의 단위로 분화하고, 독립성을 인정하여 권한과 책임을 위양함으로써 자주적인 이익중심점(profit center)으로 운영하고자 하는 조직형태를 말한다. 일반적으로 기업의 규모가 커지면 사업부제(부문별) 조직을 도입하는 경우가 많다. 사업부제 조직은 외부환경에 유연하게 적응할 수 있지만, 각 사업부가 공통적인 직능을 각자 수행하기 때문에 불필요하게 중복되는 비용이 있으며 규모의 경제로 얻는 이익을 기대할 수 없으며 사업부 간의 협조가 안 된다.

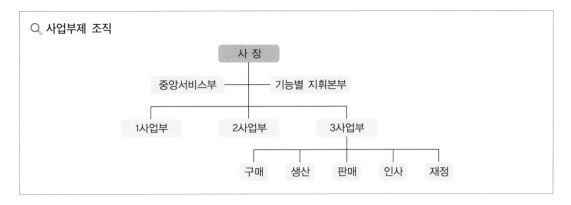

② **위원회 조직(committee organization)**: 경영정책이나 특정한 문제해결에 관련되는 여러 사람들을 각 계층으로부터 선출하여 구성한 위원회가 조직 내에 상시적으로 설치되어 있는 것을 말한다. 위원회 조직의 목적은 각 부문 간의 갈등과 마찰을 피하면서 구성원들이 민주적인 의사결정을 하고 그 의사결정을 수행할 수 있도록 하는 것이다.

③ **프로젝트팀 조직(project team organization)**: 특정 과업 또는 프로젝트를 해결하기 위해 일시적으로 구성되는 조직형태를 말한다. 이 조직은 과업(task)에 따라서 형성되는 기동적인 조직의 특성을 갖기 때문에 태스크 포스 팀(task force team)이라고도 한다. 프로젝트팀 조직은 정태적인 기능별 조직이 환경변화에 능동적으로 대처하지 못하는 문제점을 극복하기 위하여 등장한 보완적 성격의 조직인데, 특정 경영상황에서 활동하는 한시적·동태적 성격의 조직이다. 따라서 조직의 기동성, 신축성 및 환경적응력이 높지만, 일시적인 혼합조직이기 때문에 성패의 여부는 프로젝트 관리자 개인의 능력에 크게 의존하고 프로젝트 구성원의 소속부문과 프로젝트팀 조직 사이의 관계를 조정하는 것이 쉽지 않다.

④ **네트워크 조직(network organization)**: 전통적인 조직의 핵심요소는 간직하고 있으나 일부 전통적인 조직의 경계(boundary)와 구조가 없는 조직을 말한다. 즉 기존의 전통적인 계층형 조직과 비교되는 개념으로 조직의 위계적 서열과는 관계없이 조직구성원 개개인의 전문적 지식과 자율권을 기초로 하는 연결조직이다. 개인의 능력을 최대로 발휘하게 하고, 여러 기능과 사업부문 간에 의사소통을 활성화하기 위한 신축적인 조직 운영방식이다. 네트워크 조직에서 조직의 경계와 구조를 발견하기 어려운 이유는 조직의 구성요소들이 물리적으로 연결되어 있는 것이 아니라, 가상공간을 통해 연결되어 있기 때문이며, 이러한 이유로 가상조직(virtual organization)이라고도 한다. 따라서 네트워크 조직은 조직의 개념에 최근 급격하게 발달하고 있는 컴퓨터, 정보통신 등 정보기술을 적용함에 따라 전통적인 의미에서의 조직의 경계와 구조가 허물어져 도입된 개념이라고 할 수 있다. 조직의 규모와 상관없이 전 세계에서 인력과 자원의 획득이 가능하기 때문에 특정한 활동을 낮은 비용으로 수행할 수 있는 외부 기업들을 확보함으로써 생산비를 감소시킬 수 있고 소비자의 요구변화에 신속하고 유연하게 대응할 수 있지만, 협력업체와의 관계 유지 및 갈등 해결에 많은 시간이 소요되고 조직구성원의 충성심과 기업문화가 약하다.

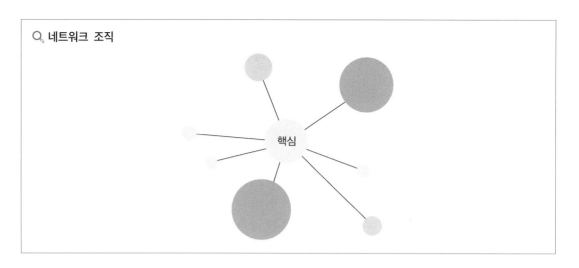

Q 네트워크 조직

핵심

⑤ **행렬 조직(matrix organization):** 기능에 의하여 편성된 조직과 목표(objectives)에 의하여 편성된 조직을 결합하여 두 조직형태의 장점을 살리려는 조직구조의 형태를 말하는데, 일반적으로 기능별 조직과 프로젝트팀 조직을 결합시킨 형태로 많이 운영된다. 또한, 행렬 조직은 복잡하고 급변하는 환경상황에서도 성장을 추구하려는 조직에서 주로 응용되는 조직유형이다. 따라서 행렬 조직은 효율성과 유연성을 동시에 추구할 수 있는 장점을 가진다. 그러나 조직구성원은 적어도 두 개 이상의 공식적인 집단에 동시에 속하기 때문에 보고해야 하는 상급자도 둘 이상이 되며, 이러한 이유에서 역할갈등(다각적 역할기대)이 발생할 수 있다.

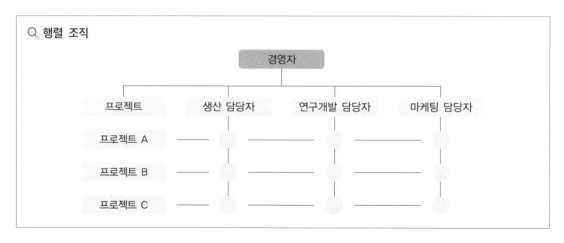

Q 행렬 조직

	경영자		
프로젝트	생산 담당자	연구개발 담당자	마케팅 담당자
프로젝트 A			
프로젝트 B			
프로젝트 C			

⑥ **프로세스 조직(process organization):** 리엔지니어링(reengineering)에 의하여 고객의 입장(고객만족) 에서 기존의 업무처리절차를 재설계하여 획기적인 경영성과를 도모하도록 설계된 조직이다. 즉 조직구조, 평가 및 보상시스템, 기업문화 등의 전체 조직시스템을 중심으로 근본적으로 재설계한 조직이다. 따라서 프로세스 조직은 고객을 중심으로 고객의 가치를 가장 이상적으로 반영할 수 있도록 전체 업무프로세스를 근본적으로 재설계했다는 점에서 단순한 업무 프로세스의 개선과는 다르다.

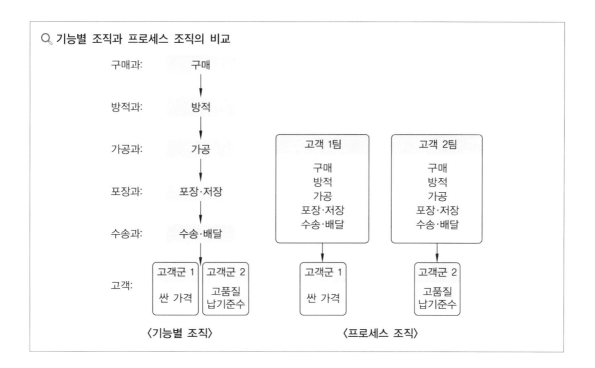

Q 기능별 조직과 프로세스 조직의 비교

구매과:	구매
방적과:	방적
가공과:	가공
포장과:	포장·저장
수송과:	수송·배달

고객 1팀
구매
방적
가공
포장·저장
수송·배달

고객 2팀
구매
방적
가공
포장·저장
수송·배달

고객:

| 고객군 1 | 고객군 2 |
| 싼 가격 | 고품질 납기준수 |

| 고객군 1 |
| 싼 가격 |

| 고객군 2 |
| 고품질 납기준수 |

〈기능별 조직〉　　　　　　　〈프로세스 조직〉

제3절 지휘와 통제

1 지휘

1. 의의

지휘(leading)란 부하들이 계획에 따라 기업활동을 의욕적이고 적극적으로 수행하도록 그들에게 동기를 부여하고 감독하는 관리직능을 말한다. 즉, 업무를 달성하기 위해서 다른 직원들이 더 열심히 일을 할 수 있도록 의욕을 고취시키는 과정을 의미하는데, 이는 상급자와 하급자 사이의 상호관계라고도 할 수 있다.

2. 선행조건

일반적으로 지휘는 조직성과를 달성하는 데 중요한 의미를 가진다. 왜냐하면 조직성과는 개인성과의 합이라고 할 수 있는데, 개인들이 높은 성과를 낼 수 있도록 도와주는 중요한 개념이 바로 지휘이기 때문이다. 따라서 지휘는 다음과 같은 선행조건이 필요하다.

(1) 인간의 본질을 파악하여야 한다.

(2) 부하들에게 동기를 부여하고 리더십을 발휘하여야 한다.

(3) 지휘의 수단이라고 할 수 있는 서로의 의사소통을 이해하고 있어야 한다.

3. 지휘방법

상급자가 부하들을 동기부여하여 기업활동을 의욕적이고 적극적으로 수행할 수 있도록 지휘하는 방법은 다음과 같다.

(1) 부하의 능력을 벗어나지 않는 범위 내에서 명확하고 완전한 명령을 내린다.

(2) 주어진 역할을 완수할 수 있도록 부하를 계속적으로 교육 및 훈련시킨다.

(3) 계속적으로 부하의 동기를 유발하고 유지해야 한다.

(4) 조직의 규범을 유지하고 업무를 적정하게 수행한 사람에게는 보상을 준다.

(5) 효과적인 의사소통경로를 유지하여 상의하달 및 하의상달의 과정이 원활하도록 한다.

2 통제

1. 의의

통제(control)란 성과를 측정하고 바람직한 결과를 확실하게 달성하기 위한 과정을 말한다. 따라서 통제는 실제적인 성과가 목표에 얼마나 부합하는지를 확인하는 것을 그 목적으로 한다. 즉, 계획된 기업의 목표가 달성될 수 있도록 계획과 비교하여 종업원의 성과를 측정하고, 만일 계획과 성과 사이에 편차가 있으면 그 편차를 수정하는 것이다. 따라서 통제는 '목표와 기준의 설정 → 실제 성과의 측정 → 목표와 실제 성과의 비교 → 수정행동'의 순서로 이루어진다.

2. 유형

통제는 통제가 발생하는 시점에 따라 사전통제, 동시통제, 사후통제로 구분할 수 있다.[16]

(1) 사전통제

실행에 앞서 결함을 예측하고 실시하는 통제이며, 목표가 분명한지, 방향이 올바르게 수립되었는지, 적절한 자원들이 목표달성에 배분되었는지를 점검하는 것이다.

(2) 동시통제

일이 진행되는 과정 속에서 실제로 무엇이 발생하였는지에 초점을 맞추는 통제이다.

(3) 사후통제

일이 다 이루어지고 난 이후에 사후적으로 검토를 하는 통제이다.

---

16) 오우치(Ouchi)는 조직의 경영진이 택할 수 있는 조직통제의 유형을 세 가지로 제시하고 있다.
   ① 관료적 통제: 규칙, 정책, 계층적 권한, 문서를 통한 표준화, 기타 관료제적 메커니즘을 동원하는 통제기법이다. 베버
     (Weber)에 의하면 관료적 통제수단으로 가장 적합한 것은 합리적·법적 권한이다.
   ② 시장통제: 수요와 공급의 법칙으로 결정되는 가격에 의한 통제기법이다. 생산성을 측정할 수 있고 경쟁적인 시장이 존재
     하는 상황에서는 경제학적 관점에 입각한 가격이 기업을 통제하는 가장 효율적이 수단이 될 수 있으며, 오늘날에는 전체
     조직뿐만 아니라 제품사업부나 개별부서 단위에서도 성과를 평가하는 과정에서 시장통제를 활용하고 있다.
   ③ 문화통제(clan control): 기업문화, 공유한 가치와 헌신, 신뢰와 같은 사회적 특성을 활용하는 통제기법이다. 일반적으로
     강한 조직문화가 존재하고 환경불확실성이 클 때 활용되며, 성공적인 조직사회화는 문화통제의 강도를 강화시킬 수 있다.

군무원 및 공무원 기출문제

01 □□□ 2022년 군무원 7급

다음 중 계획 – 조직화 – 지휘 – 통제 등 경영관리의 4가지 기능에 대한 설명으로 가장 옳은 것은?

① 계획은 미래의 추세에 대해 예측하고 조직의 목표를 달성하기 위한 최선의 전략과 전술을 결정하는 과정이다.

② 조직화는 조직이 목표에 다가가고 있는지 확인하기 위한 명확한 기준을 설정하고 직원의 성공적인 수행을 보상하기 위한 과정이다.

③ 지휘는 조직의 구조를 설계하고 모든 것들이 목표 달성을 위해 함께 작동하는 체계를 구축하는 과정이다.

④ 통제는 비전을 수립하고 조직목표를 더 효과적으로 달성하기 위해 의사소통 및 권한과 동기를 부여하는 과정이다.

해설

② 조직화는 설정된 목표를 달성하기 위해서 기업이 가지고 있는 자원을 배분하고, 계획을 실행하기 위해서 개인과 집단의 행동을 조정하고 조율하는 과정을 말한다. 조직이 목표에 다가가고 있는지 확인하기 위한 명확한 기준을 설정하는 과정은 계획이다.

③ 지휘는 사람들의 열정을 끌어내어 계획을 실행하기 위해 더 열심히 일하도록 사람들을 고취하고 목표를 달성하는 과정을 말한다. 조직의 구조를 설계하고 모든 것들이 목표 달성을 위해 함께 작동하는 체계를 구축하는 과정은 조직화이다.

④ 통제는 목표와 성과를 비교하고 그 차이를 수정하는 과정을 말한다. 비전을 수립하고 조직목표를 더 효과적으로 달성하기 위해 의사소통 및 권한과 동기를 부여하는 과정은 지휘이다.

정답 ①

02 □□□ 2019년 군무원

다음 중 경영관리에 관한 설명으로 옳지 않은 것은?

① 경영의 관리과정에 있어서 계획화의 핵심은 목표를 설정하는 것이다.

② 조직의 목표를 달성하기 위하여 인적자원을 동원하고 직무와 사람을 결합하는 활동은 조직화이다.

③ 작업을 하는 과정에서 사람들과 역동적인 관계를 유지하고, 성과에 대한 정보를 수집·분석하여 보다 발전적인 행동을 설계하는 과정을 지휘라고 한다.

④ 경영관리는 계획화, 조직화, 지휘, 통제의 순으로 이루어진다.

해설

지휘(leading)는 부하들이 계획에 따라 기업활동을 의욕적이고 적극적으로 수행하도록 그들에게 동기를 부여하고 감독하는 관리직능을 말한다. 즉 업무를 달성하기 위해서 다른 직원들이 더 열심히 일을 할 수 있도록 의욕을 고취시키는 과정을 의미하는데, 이는 상급자와 하급자 사이의 상호관계라고도 할 수 있다. 따라서 작업을 하는 과정에서 사람들과 역동적인 관계를 유지하고, 성과에 대한 정보를 수집·분석하여 보다 발전적인 행동을 설계하는 과정은 통제에 대한 설명에 가깝다.

정답 ③

03 □□□ 2021년 군무원 9급

경영과 관리의 차이점에 대한 설명으로 옳지 않은 것은?

① 경영은 지향성을 가지고 조직을 운영하는 활동이라 할 수 있다.
② 경영은 기업을 운영하고 통제하는 활동이라 할 수 있다.
③ 관리는 업무를 조직화하고 감독하는 활동이라 할 수 있다.
④ 관리는 일을 진행하고 통제하는 활동이라 할 수 있다.

해설

경영은 관리보다 포괄적이고 상위적인 개념이다. 즉 계획을 세우고 비전을 설정하여 이를 실천하는 것이 경영이고, 수립된 경영계획이나 운영 방침을 효율적으로 수행하기 위해 조직 내 여러 자원을 적절히 활용하는 기능이 관리이다. 따라서 업무를 조직화하고 감독하는 활동은 관리보다는 경영의 개념에 해당한다. **정답 ③**

04 □□□ 2016년 국가직

종업원의 동기부여와 성과관리 수단으로 기업에서 활용하는 목표관리기법(Management By Objective, MBO)의 특징으로 적절하지 않은 것은?

① 목표달성 기간의 명시
② 개인목표의 구체화를 위한 과정
③ 상사와 조직에 의한 하향식 목표 설정
④ 목표달성 여부에 대한 실적 및 정보의 피드백 제공

해설

목표관리기법에서는 목표설정에 종업원이 참여하기 때문에 상사와 종업원이 함께 목표를 설정하게 된다. 따라서 상사와 조직에 의한 하향식 목표설정은 목표관리기법의 특징으로 적절하지 않다. **정답 ③**

05 □□□ 2022년 군무원 9급

다음 중 목표에 의한 관리(MBO)의 성공요건이 아닌 것은?

① 목표의 난이도　　　　　　　　② 목표의 구체성
③ 목표의 유연성　　　　　　　　④ 목표의 수용성

해설

목표에 의한 관리(MBO)는 신축성 또는 유연성이 결여되기 쉽고, 단기적 목표를 강조하는 경향이 있기 때문에 목표의 유연성은 목표에 의한 관리(MBO)의 성공요건으로 적절하지 않다. **정답 ③**

06 ☐☐☐ 2017년 국가직

부문화에 대한 설명으로 옳지 않은 것은?

① 기능별 부문화는 지식과 기술의 유사성을 근거로 부서화 함으로써 높은 범위의 경제를 달성할 수 있다는 장점이 있다.

② 제품별 부문화는 특정제품 생산에 관한 모든 활동이 1명의 경영자에 의하여 감독되기 때문에 제품성과에 대한 책임이 확실하다는 장점이 있다.

③ 고객별 부문화는 다양한 고객요구와 구매력에 맞추어 서비스를 함으로써 고객에게 최상의 서비스를 제공할 수 있다는 이점이 있다.

④ 과정별 부문화는 업무와 고객의 흐름을 기반으로 집단활동이 이루어지며 부서는 각자 하나의 특정과정만을 담당한다.

해설

범위의 경제는 한 기업이 2종 이상의 제품을 함께 생산할 경우에 각 제품을 각각 생산할 때보다 평균비용이 적게 드는 현상을 말한다. 따라서 기능별 부문화를 통해 범위의 경제가 아니라 규모의 경제를 달성하게 된다. **정답 ①**

07 ☐☐☐ 2015년 국가직

조직에서 권한 배분 시 고려해야 할 원칙이 아닌 것은?

① 명령통일의 원칙

② 방향일원화의 원칙

③ 책임과 권한의 균형 원칙

④ 명령계층화의 원칙

해설

조직에서 권한 배분 시 고려해야 할 원칙에는 분업 또는 전문화의 원칙, 권한과 책임의 원칙, 권한위양의 원칙, 계층제의 원칙(명령일원화의 원칙, 감독범위의 원칙, 계층단축화의 원칙), 스탭조직의 원칙, 직능화 또는 기능화의 원칙, 조정의 원칙 등이 있다. 따라서 방향일원화의 원칙은 권한 배분 시 고려해야 할 원칙에 해당한다고 보기 어렵다. 방향일원화의 원칙은 페이욜(Fayol)이 제시한 경영의 14원칙 중에 하나이다. **정답 ②**

08 □□□ 2022년 군무원 9급

관리과정의 단계 중 조직화에 대한 설명으로 가장 적절한 것은?

① 과업의 목표, 달성 방법 등을 정리하는 것
② 전체 과업을 각자에게 나누어 맡기고 그 일들의 연결 관계를 정하는 것
③ 과업이 계획대로 실행되었는지 살펴보고 필요한 시정조치를 취하는 것
④ 과업이 실제로 실행되도록 시키거나 이끌어가는 것

해설

조직화는 전체 과업을 각자에게 나누어 맡기고 그 일들의 연결 관계를 정하는 것이다.
① 과업의 목표, 달성 방법 등을 정리하는 것은 계획화에 해당한다.
③ 과업이 계획대로 실행되었는지 살펴보고 필요한 시정조치를 취하는 것은 통제에 해당한다.
④ 과업이 실제로 실행되도록 시키거나 이끌어가는 것은 지휘에 해당한다.   정답 ②

09 □□□ 2023년 서울시

경영관리자의 통제범위(span of control)는 경영관리자가 직접 감독하는 직원의 수이다. 최적의 통제범위를 결정하는 요인에 대한 설명으로 가장 옳지 않은 것은?

① 과업이 복잡할수록 통제범위는 좁아진다.
② 책임을 위임하는 경영관리자의 능력이 우수할수록 통제범위는 넓어진다.
③ 작업자와 경영관리자 사이의 상호작용과 피드백이 많이 요구될수록 통제범위는 넓어진다.
④ 작업자의 기술수준이 높을수록 통제범위는 넓어진다.

해설

작업자가 경영관리자 사이의 상호작용과 피드백이 많이 요구될수록 통제범위는 좁아진다.   정답 ③

10 □□□ 2023년 군무원 9급

통제 범위(span of control)가 좁아지면 발생할 수 있는 상황에 대한 설명으로 가장 적절하지 않은 것은?

① 관리자의 통제는 능률이 오른다.
② 부하의 창의성 발휘가 고도화된다.
③ 관리비가 증대되어 기업 고정비가 증가한다.
④ 상하 간의 의사소통이 원활해진다.

해설

통제 범위는 한 사람이 통제할 수 있는 인원수를 의미한다. 부하들이 잘 훈련되고 능력이 있으며 경험이 풍부하면 권한위양이 쉬워지기 때문에 관리자로부터 많은 지시나 감독이 요구되지 않아 통제 범위가 넓어진다. 따라서 부하의 창의성 발휘가 고도화되는 것은 통제 범위가 좁아지면 발생할 수 있는 상황으로 적절하지 않다.   정답 ②

11 ☐☐☐ 2024년 군무원 9급

다음 중 수평적 조직구조의 장점에 대한 설명으로 가장 적절하지 않은 것은?

① 지휘·명령 계통이 단순하고 책임, 의무 및 권한의 통일적 귀속이 명확하다.
② 직공에 대한 작업지도가 쉬워 미숙련공을 활용할 수 있다.
③ 하나의 직능부서 내에서는 조정이 잘 이루어진다.
④ 작업자는 전문적 지식이나 기술을 가진 선임의 지도로 직무경험을 축적할 수 있다.

해설

지휘·명령 계통이 단순하고 책임, 의무 및 권한의 통일적 귀속이 명확한 것은 수직적 조직구조의 장점에 해당한다.　　　　　　　　정답 ①

12 ☐☐☐ 2019년 서울시

조직설계에서 기능조직의 특징에 대한 설명으로 가장 옳지 않은 것은?

① 각 기능별 규모의 경제를 획득할 수 있다.
② 각 기능별 기술개발이 용이하다.
③ 내적 효율성 향상이 가능하다.
④ 다품종 생산에 효과적이다.

해설

기능조직은 조직유형 중 가장 기본적인 것으로서 상호 관련성 있는 업무를 동일 부서에 배치하는 설계방식이다. 즉 업무의 공통성에 근거하여 유사한 것끼리 묶는 전형적인 방식이다. 이러한 기능조직은 규모의 경제를 획득할 수 있는데, 규모의 경제를 획득하기 위해서는 다품종 생산보다는 소품종 생산에 더 효과적이다.　　　　　　　　정답 ④

13 ☐☐☐ 2020년 군무원

기능식 조직과 사업부 조직에 대한 설명 중 옳지 않은 것은?

① 기능식 조직은 사업부 조직보다 자원배분의 효율성이 낮다.
② 기능식 조직은 사업부제 조직보다 성과에 대한 책임소재가 명확하지 않다.
③ 기능식 조직에 비하여 사업부 조직은 기능부서 간의 조정이 용이하다.
④ 기능식 조직에 비하여 사업부 조직은 환경변화에 유연하게 대처할 수 있다.

해설

기능식 조직은 규모의 경제를 달성할 수 있기 때문에 사업부 조직보다 자원배분의 효율성이 높다.
② 사업부제 조직은 기능별 조직의 한계점을 극복하고 단위적 분화의 원칙에 따라 부문 단위를 편성하고 각 단위에 대하여 생산, 마케팅, 재무, 인사 등의 독자적인 관리권한을 부여함으로써 제품별, 사업별, 지역별, 시장별, 고객별로 이익중심점을 설정하여 독립채산제를 실시할 수 있는 분권적 조직의 형태이기 때문에 책임소재가 명확하다.
③ 사업부 조직은 사업부 간의 협조는 쉽지 않지만, 각 사업부 내의 기능부서 간의 조정은 상대적으로 용이하다.
④ 사업부 조직은 분권적인 조직의 형태이기 때문에 환경변화에 유연하게 대처할 수 있다.　　　　　　　　정답 ①

14 □□□ 2020년 군무원

프로젝트 조직의 특징에 대한 설명으로 옳은 것은?

① 프로젝트의 규모 크기에 따라 동원되는 인원의 조정이 가능하다.
② 조직의 목표는 유동적이므로 중요한 고려대상이 아니다.
③ 프로젝트 조직은 변동하는 조직 환경에 효과적으로 대응하기 위한 안정적이고 지속적인 조직을 구성하기 위하여 필요하다.
④ 조직 구성원들 사이에 동질성이 강하므로 갈등이 발생할 가능성이 낮다.

해설

② 프로젝트 조직은 특정 과업을 수행하는 것이 목적이기 때문에 조직의 목표를 고려하는 것은 중요하다.
③ 프로젝트 조직은 정태적인 기능별 조직 또는 부문별 조직이 환경변화에 능동적으로 대처하지 못하는 문제점을 극복하기 위하여 등장한 보완적 성격의 조직인데, 특정 경영상황에서 활동하는 한시적·동태적 성격의 조직이다.
④ 프로젝트 조직은 프로젝트 구성원의 소속부문과 프로젝트팀 조직 사이의 관계를 조정하는 것이 쉽지 않다.

정답 ①

15 □□□ 2017년 군무원

다음에서 설명하는 조직구조에 해당하는 것으로 가장 옳은 것은?

> 특정 과제나 목표를 달성하기 위하여 구성하는 임시조직으로서, 조직의 유연성, 구성원의 전문성, 동태성 등을 특징으로 한다.

① 기능별 조직
② 사업부제 조직
③ 매트릭스 조직
④ 프로젝트 조직

해설

특정 과제나 목표를 달성하기 위하여 구성하는 임시조직으로서, 조직의 유연성, 구성원의 전문성, 동태성 등을 특징으로 하는 조직구조는 프로젝트 조직이다.

정답 ④

16 □□□ 2023년 국가직

조직구조에 대한 설명으로 옳은 것은?

① 매트릭스 조직에서는 역할 갈등과 업무 혼선이 생길 수 있다.
② 네트워크 조직은 환경변화에 유연하지 못하고 고정비 부담이 크다.
③ 사업부 조직은 기능부서에서 규모의 경제효과가 커지는 강점이 있다.
④ 기능 조직은 제품 종류가 소수보다 다수인 경우에 효과적이다.

해설

② 네트워크 조직은 조직의 개념에 최근 급격하게 발달하고 있는 컴퓨터, 정보통신 등 정보기술을 적용함에 따라 전통적인 의미에서의 조직의 경계와 구조가 허물어져 도입된 개념이다. 따라서 네트워크 조직은 환경변화에 유연하고 고정비 부담이 작다.
③ 기능부서에서 규모의 경제효과가 커지는 강점이 있는 것은 사업부 조직이 아니라 기능조직이다.
④ 기능 조직은 조직유형 중 가장 기본적인 것으로서 상호 관련성 있는 업무를 동일 부서에 배치하는 설계방식이다. 즉 업무의 공통성에 근거하여 유사한 것끼리 묶는 전형적인 방식이다. 따라서 기능 조직은 제품 종류가 다수(다품종 소량생산)보다 소수(소품종 대량생산)인 경우에 효과적이다. **정답 ①**

17 □□□ 2021년 군무원 7급

다음 제시된 조직구조 형태에 대한 설명 중 매트릭스 조직이 가지는 특징에 해당되는 것만을 모두 고르면?

> ㄱ. 두 개 이상의 조직 형태가 목적에 의해 결합한 형태이다.
> ㄴ. 프로젝트를 수행하기 위해 만들어지는 한시적인 조직 형태이다.
> ㄷ. 기존 조직구성원과 프로젝트 구성원 사이에 갈등이 생길 가능성이 크다.
> ㄹ. 업무 참여 시 전문가와 상호작용이 가능하므로 창의적인 업무 수행이 가능하다.
> ㅁ. 명령일원화의 원칙이 적용되며 조직 운영의 비용이 적게 발생한다.

① ㄱ, ㄹ
② ㄱ, ㄴ
③ ㄷ, ㄹ, ㅁ
④ ㄴ, ㄷ, ㄹ

해설

매트릭스 조직은 기능에 의해 편성된 조직과 목표에 의해 편성된 조직을 결합하여 두 조직형태의 장점을 살리려는 조직구조의 형태를 말하는데, 일반적으로 기능별 조직에 프로젝트팀 조직을 결합시킨 형태로 많이 운영된다. 또한, 매트릭스(행렬) 조직은 복잡하고 급변하는 환경상황에서도 성장을 추구하려는 조직에서 주로 응용되는 조직유형이다. 따라서 매트릭스(행렬) 조직은 효율성과 유연성을 동시에 추구할 수 있는 장점을 가진다. 그러나 조직구성원은 적어도 두 개 이상의 공식적인 집단에 동시에 속하기 때문에 보고해야 하는 상급자도 둘 이상이 되며, 이러한 이유에서 역할갈등(다각적 역할기대)이 발생할 수 있다. 따라서 ㄱ, ㄹ이 매트릭스 조직의 특징에 해당하고, ㄴ, ㄷ, ㄹ은 프로젝트팀 조직에 해당한다. **정답 ①**

조직 형태 중 매트릭스 조직에 대한 설명으로 가장 옳지 않은 것은?

① 매트릭스 조직은 프로젝트 조직과 직능식 조직의 장점을 포함한다.
② 매트릭스 조직의 구성원은 수평 및 수직적 명령체계에 모두 속할 가능성이 있다.
③ 라인 조직에 비해 명령체계에 의한 혼선과 갈등을 줄일 수 있다는 장점이 있다.
④ 매트릭스 조직의 기업은 동시에 다양한 프로젝트를 수행할 수 있다.

해설

매트릭스 조직은 효율성과 유연성을 동시에 추구할 수 있는 장점을 가진다. 그러나 조직구성원은 적어도 두 개 이상의 공식적인 집단에 동시에 속하기 때문에 보고해야 하는 상급자도 둘 이상이 되며, 이러한 이유에서 역할갈등이 발생할 수 있다.

정답 ③

매트릭스 조직에 대한 설명으로 옳은 것은?

① 이중적인 명령 체계를 갖고 있다.
② 시장의 새로운 변화에 유연하게 대처하기 어렵다.
③ 기능적 조직과 사업부제 조직을 결합한 형태이다.
④ 단일 제품을 생산하는 조직에 적합한 형태이다.

해설

② 시장의 새로운 변화에 유연하게 대처할 수 있다.
③ 기능적 조직과 프로젝트팀 조직을 결합한 형태이다.
④ 다양한 제품을 생산하는 조직에 적합한 형태이다.

정답 ①

다음 중 경영기능과 그 내용이 가장 적절하지 않은 것은?

① 계획화(planning) – 목표설정
② 조직화(organizing) – 자원획득
③ 지휘(leading) – 의사소통, 동기유발
④ 통제(controlling) – 과업달성을 위한 책임의 부과

해설

통제는 성과를 측정하고 바람직한 결과를 확실하게 달성하기 위한 과정을 말한다. 따라서 통제는 실제적인 성과가 목표에 얼마나 부합하는가를 확인하는 것을 그 목적으로 한다. "과업달성을 위한 책임의 부과"는 조직화에 해당한다.

정답 ④

21 ☐☐☐ 2021년 군무원 5급

조직구조 유형별 장단점에 대한 설명으로 가장 옳지 않은 것은?

① 기능별 조직(functional organization)은 기능 영역별로 전문적 지식과 정보의 공유가 원활하며 기능에 대한 전수가 용이하나, 기능 영역 간 이질화로 인해 부서 사이의 의사소통이나 조정에 심각한 문제가 발생할 수 있다.

② 사업부제 조직(divisionalized organization)은 전통적인 기능적 및 집단적 조직형태를 준수하며 사업부 단위를 유연하게 편성할 수 있으나, 각 사업부의 이기주의로 인해 기업 전체의 이익이 희생될 우려가 있다.

③ 매트릭스 조직(matrix organization)은 기능별 조직과 사업부제 조직의 장점을 동시에 살릴 수 있으며 시장의 변화에 유연하게 대처할 수 있으나, 팀의 목표를 지나치게 강조할 경우 조직 전체의 목적 달성에 장애가 될 수 있다.

④ 프로젝트 조직(project organization)은 일정한 과업에 일정 기간 동안 대량의 재능과 자원을 집중하고 신축성을 부여할 수 있으나, 조직 구성원의 본래 소속 부서와 프로젝트 부서 간에 갈등의 소지가 존재한다.

해설

사업부제 조직은 기능별 조직의 한계점을 극복하고 단위적 분화의 원칙에 따라 부문 단위를 편성하고, 각 단위에 대하여 생산, 마케팅, 재무, 인사 등의 독자적인 관리권한을 부여함으로써 제품별, 사업별, 지역별, 시장별, 고객별로 이익중심점을 설정하여 독립채산제를 실시할 수 있는 분권적 조직의 형태이다.

정답 ②

22 ☐☐☐ 2023년 군무원 7급

다음 중 조직형태에 대한 설명으로 가장 적절하지 않은 것은?

① 라인 조직(line organization)은 신속한 의사결정과 실행이 가능하다.

② 라인스탭 조직(line and staff organization)의 구성원은 두 개 이상의 공식적인 집단에 동시에 속한다.

③ 사업부제 조직(divisional organization)은 사업부별로 업무수행에 대한 통제와 평가를 한다.

④ 네트워크 조직(network organization)은 필요에 따라 기업 내부 부서 및 외부 조직과 네트워크를 형성해서 함께 업무를 수행한다.

해설

구성원이 두 개 이상의 공식적인 집단에 동시에 속하는 것은 행렬조직이다.

정답 ②

23 □□□ 2022년 국가직

경영관리활동 중 통제(control)에 대한 설명으로 옳지 않은 것은?

① 기업규모와 다양성이 커져서 하위층 관리자에게 권한위임과 분권화가 증대되면 통제의 필요성은 감소한다.
② 편차수정의 내용은 경영자의 다음 계획수립에 유용한 정보로 반영될 수 있다.
③ 실제 경영활동이 수행되기 전에 예방적 관리 차원에서 수행하는 통제 유형도 있다.
④ 모든 활동이 종결된 후 수행하는 통제가 보편적이고, 종업원 개개인의 업적평가기준 및 보상기준으로 사용될 수 있다.

해설

통제는 다양한 유형이 있기 때문에 기업규모와 다양성이 커져서 하위층 관리자에게 권한위임과 분권화가 증대된다고 해서 통제의 필요성 자체가 감소하는 것은 아니다.

정답 ①

기타 기출문제 및 예상문제

01 ☐☐☐

계획화(planning)에 대한 다음 설명 중 가장 옳지 않은 것은?

① 계획화는 기업의 목표를 달성하는데 필요한 모든 활동들의 윤곽을 잡는 과정을 말한다.
② 계획화의 목적은 기업이 고객에게 제공하는 재화나 서비스를 생산하는 활동을 효과적이고 효율적으로 수행하도록 돕는 것이다.
③ 계획화는 기업의 역할에 대한 기준과 방향을 제시해준다.
④ 계획화는 현재지향적 사고를 기반으로 한다.

해설

계획화는 미래지향적 사고를 기반으로 한다.   정답 ④

02 ☐☐☐ 2020년 경영지도사 수정

계획화(planning)의 단점이 아닌 것은?

① 시간과 비용의 수반   ② 의사결정의 지연
③ 미래 지향적 사고   ④ 경직성 유발

해설

계획화가 가지는 미래 지향적 사고는 단점이 아니라 장점에 해당한다.   정답 ③

03 ☐☐☐

계획화(planning)의 과정을 순서대로 열거한 다음 내용 중 가장 옳은 것은?

① 현재 상황에 대한 평가 → 대체안의 탐색 → 목표의 설정 → 대체안의 선택 → 파생계획의 수립
② 현재 상황에 대한 평가 → 대체안의 선택 → 대체안의 탐색 → 목표의 설정 → 파생계획의 수립
③ 현재 상황에 대한 평가 → 대체안의 탐색 → 대체안의 선택 → 목표의 설정 → 파생계획의 수립
④ 현재 상황에 대한 평가 → 목표의 설정 → 대체안의 탐색 → 대체안의 선택 → 파생계획의 수립

해설

계획화의 과정은 '현재 상황에 대한 평가 → 목표의 설정 → 대체안의 탐색 → 대체안의 선택 → 파생계획의 수립'의 순서이다.   정답 ④

04 □□□ 2020년 가맹거래사 수정

목표에 의한 관리(MBO)에 관한 설명으로 옳지 않은 것은?

① 맥그리거(D. McGregor)의 X이론에 바탕을 둔다.
② 보통 1년을 주기로 한 단기목표를 설정한다.
③ 측정 가능한 목표를 설정한다.
④ 조직의 목표 설정 시 구성원이 참여한다.

해설

목표에 의한 관리(MBO)는 맥그리거(McGregor)의 Y이론에 바탕을 둔다.

정답 ①

05 □□□ 2019년 경영지도사 수정

목표관리(MBO)의 일반적 요소가 아닌 것은?

① 목표의 구체성(goal specificity)
② 명확한 기간(explicit time period)
③ 성과 피드백(performance feedback)
④ 조직구조(organizational structure)

해설

목표관리(MBO)의 구성요소에는 목표의 설정(goal setting), 참여(participation), 피드백(feedback)이 있다. 목표의 설정은 측정가능하고 비교적 단기적인 목표를 설정하는 것을 말하고, 참여는 하급자를 목표설정에 참여시키는 것을 말한다. 피드백은 상급자와 하급자의 상호작용을 말한다. 따라서 조직구조가 목표관리의 일반적 요소에 해당하지 않는다.

정답 ④

06 □□□ 2022년 경영지도사 수정

목표관리(MBO)에 관한 설명으로 옳지 않은 것은?

① 구체적이면서 실행 가능한 목표를 세운다.
② 부하는 상사와 협의하지 않고 목표를 세운다.
③ 목표의 달성 기간을 구체적으로 명시한다.
④ 업무수행 후 부하가 스스로 평가하여 그 결과를 보고한다.

해설

목표관리(MBO)는 측정가능한 특정 성과목표를 상급자와 하급자가 함께 합의하여 설정하고, 그 목표를 달성할 책임부문을 명시하여 이의 진척사항을 정기적으로 점검한 후 이러한 진도에 따라 보상을 배분하는 경영시스템을 말한다. 따라서 목표관리(MBO)는 하급자가 수행할 목표를 상급자와 하급자의 협의를 거쳐 설정하기 때문에 ②번이 옳지 않다.

정답 ②

07 ☐☐☐ 2015년 경영지도사 수정

목표관리(management by objectives, MBO)에 관한 설명으로 옳지 않은 것은?

① 단기목표를 강조하는 경향이 있다.
② 결과에 의해 평가가 이루어진다.
③ 사기와 같은 직무의 무형적인 측면을 중시한다.
④ 종업원들이 역량에 비해 더 쉬운 목표를 설정하려는 경향이 있다.

해설

MBO의 관점에서 목표는 측정가능하고 비교적 단기적인 목표의 특성을 가져야 한다. 따라서 무형적인 측면보다는 유형적인 측면을 중시한다.

정답 ③

08 ☐☐☐ 2014년 경영지도사 수정

목표관리(MBO)에서 바람직한 목표설정방법이 아닌 것은?

① 목표설정 후 업무가 진행되어 가는 도중에도 현재까지 수행된 업무 결과를 담당자에게 알려 주어야 한다.
② 목표설정과정에 당사자가 참여해야 한다.
③ 목표설정에 있어서 수량, 기간, 절차, 범위를 구체적으로 설정해야 한다.
④ 경영전략에 의거하여 하향식(top-down) 방식으로 목표를 설정해야 한다.

해설

MBO의 관점에서 하급자가 수행할 목표를 상급자와 하급자의 협의를 거쳐 설정하게 되면 그 목표는 보다 현실성이 있게 되고, 목표설정에 참여한 사람은 그 목표를 보다 쉽게 수용하게 되기 때문에 직무만족도와 생산성이 향상될 것이다.

정답 ④

09 ☐☐☐

목표에 의한 관리(management by objectives)에 대한 다음 설명 중 가장 옳지 않은 것은?

① 목표에 의한 관리에서 설정되는 목표는 측정가능하고 비교적 장기적인 목표를 설정해야 한다.
② 하급자를 목표설정에 참여시켜야 한다.
③ 목표에 의한 관리는 신축성이 결여되기 쉽다.
④ 목표에 의한 관리는 목표설정과 관리과정을 동시에 강조한다.

해설

목표에 의한 관리에서 설정되는 목표는 측정가능하고 비교적 단기적인 목표를 설정해야 한다.

정답 ①

10 □□□

목표관리(management by objectives)에 대한 다음 설명 중 가장 옳지 않은 것은?

① 목표달성도의 측정과 피드백을 통해 통제기구역할을 한다.
② 보상을 배분하는 경영시스템이다.
③ 장기목표를 강조하는 경향이 있다.
④ 목표설정과 관리과정을 동시에 강조한다.

해설

목표관리는 드러커(Drucker)와 맥그리거(D. McGregor)가 주장한 개념으로, 측정가능한 특정 성과목표를 상급자와 하급자가 함께 합의하여 설정하고, 그 목표를 달성할 책임부문을 명시하여 이의 진척사항을 정기적으로 점검한 후 이러한 진도에 따라 보상을 배분하는 경영시스템을 말한다. 따라서 목표관리는 단기목표를 강조하는 경향이 있다.

정답 ③

11 □□□ 2024년 경영지도사 수정

목표에 의한 관리(MBO)에 관한 내용으로 옳지 않은 것은?

① 목표 설정에 개인 참여
② 장기적인 목표 강조
③ 조직 목표와 개인 목표의 일치
④ 성과와 능률 중시

해설

목표관리(MBO)의 구성요소에는 목표의 설정(goal setting), 참여(participation), 피드백(feedback)이 있다. 목표의 설정은 측정가능하고 비교적 단기적인 목표를 설정하는 것을 말하고, 참여는 하급자를 목표설정에 참여시키는 것을 말한다. 피드백은 상급자와 하급자의 상호작용을 말한다. 따라서 장기적인 목표 강조는 목표에 의한 관리(MBO)에 관한 내용으로 옳지 않다.

정답 ②

12 □□□

목표에 의한 관리(management by objectives)의 구성요소들로만 구성된 것으로 가장 옳은 것만을 고르면?

ㄱ. 실행(do)	ㄴ. 참여(participation)
ㄷ. 피드백(feedback)	ㄹ. 조치(act)
ㅁ. 목표의 설정(goal setting)	

① ㄱ, ㄴ, ㄹ
② ㄱ, ㄴ, ㅁ
③ ㄴ, ㄷ, ㄹ
④ ㄴ, ㄷ, ㅁ

해설

MBO의 구성요소에는 목표의 설정(goal setting), 참여(participation), 피드백(feedback) 등이 있다.

정답 ④

13 □□□ 2020년 공인노무사 수정

MBO에서 목표설정 시 SMART 원칙으로 옳지 않은 것은?

① 구체적(specific)이어야 하고, 측정가능(measurable)하여야 한다.
② 조직목표와의 일치성(aligned with organizational goal)이 있어야 한다.
③ 현실적이며 결과지향적(realistic and result-oriented)이어야 한다.
④ 훈련가능(trainable)하여야 한다.

해설

MBO에서 목표설정 시 SMART 원칙이 적용되어야 한다. 즉 목표는 구체적이어야 하고(specific), 측정이 가능해야 하고(measurable), 달성가능하면서도 도전적이어야 하고(achievable), 결과지향적이고(results-oriented), 시간제약적 즉, 평가기간 이내에 처리할 수 있어야 한다(time-bounded).　　　　정답 ④

14 □□□ 2024년 공인노무사 수정

조직의 목표를 달성하기 위하여 조직구성원들이 담당해야 할 역할 구조를 설정하는 관리과정의 단계는?

① 계획
② 조직화
③ 지휘
④ 통제

해설

조직의 목표를 달성하기 위하여 조직구성원들이 담당해야 할 역할 구조를 설정하는 관리과정의 단계는 조직화이다.　　　　정답 ②

15 □□□

조직화(organizing)에 대한 다음 설명 중 가장 옳지 않은 것은?

① 조직화는 조직의 목표, 자원 및 환경에 적합하도록 조직구조를 형성하는 과정이다.
② 조직화의 구성요소로는 직무(job), 직위(position), 상호관계의 설정, 권한(authority), 책임(responsibility) 등이 있다.
③ 조직화의 과정은 경영자와 관련된 수평적 분화와 직무와 관련된 수직적 분화를 통해 이루어진다.
④ 단위적 분화는 업무의 통일성 또는 생산, 판매 등의 경영활동을 지역별, 제품별 또는 고객별로 분화하는 것을 의미한다.

해설

조직화의 과정은 직무와 관련된 수평적 분화와 경영자와 관련된 수직적 분화를 통해 이루어진다.　　　　정답 ③

16 ☐☐☐

조직화이론은 고전적 조직화이론과 현대적 조직화이론으로 구분할 수 있다. 다음 조직구조 중 그 성격이 다른 하나는?

① 행렬 조직
② 프로젝트팀 조직
③ 위원회 조직
④ 라인 조직

해설

라인 조직은 고전적 조직화이론에 입각한 조직구조이고, 행렬 조직, 프로젝트팀 조직, 위원회 조직은 현대적 조직화이론에 입각한 조직구조이다.

정답 ④

17 ☐☐☐

다음 중 고전적 조직화의 원칙으로 가장 옳지 않은 것은?

① 전문화의 원칙
② 계층제의 원칙
③ 행동자유의 원칙
④ 스탭조직의 원칙

해설

고전적 조직화의 원칙에는 전문화의 원칙, 계층제의 원칙, 스탭조직의 원칙 등이 있으며, 행동자유의 원칙은 현대적 조직화의 원칙에 해당한다.

정답 ③

18 ☐☐☐

고전적 조직화 원칙의 특징에 대한 다음 설명 중 가장 옳지 않은 것은?

① 직위에 대한 책임과 권한이 명시되어 있기 때문에 명령계통이 체계적으로 이루어져 있다.
② 감독범위의 원칙과 계층단축화의 원칙은 동시달성이 가능하다.
③ 조직의 운영이 경직되고 신축성이 없다.
④ 상급자들이 의사소통을 일방통행적으로 하기 때문에 조직 내의 원활한 의사소통이 어렵다.

해설

고전적 조직화 원칙 가운데 감독범위의 원칙과 계층단축화의 원칙은 서로 모순된다.

정답 ②

19 □□□ 2015년 경영지도사 수정

기계적 조직구조의 특징이 아닌 것은?

① 많은 규칙
② 집중화된 의사결정
③ 경직된 위계질서
④ 비공식적 커뮤니케이션

해설

기계적 조직구조는 조직의 공식적 요인만을 중요시하고, 비공식적 요인을 무시한다.

정답 ④

20 □□□ 2013년 경영지도사 수정

생산, 판매, 회계, 인사, 총무 등의 부서를 만들고 관련과업을 할당하는 조직설계방식은?

① 사업부 조직
② 매트릭스 조직
③ 기능별 조직
④ 네트워크 조직

해설

생산, 판매, 회계, 인사, 총무 등의 부서를 만들고 관련과업을 할당하는 조직설계방식은 기능별 조직에 해당한다.

정답 ③

21 □□□ 2024년 경영지도사 수정

명령일원화의 원칙을 토대로 전문적인 지식이나 기술을 가진 사람들을 참모로 하여 보다 더 효과적인 경영활동을 위해 협력하도록 하는 조직형태는?

① 라인 조직
② 기능별 조직
③ 라인-스태프 조직
④ 프로젝트 조직

해설

'명령일원화의 원칙을 토대로'는 라인 조직을 의미하고, '전문적인 지식이나 기술을 가진 사람들을 참모로 하여 보다 더 효과적인 경영활동을 위해 협력'하는 것은 스태프 조직이다. 따라서 설문의 조직형태는 라인-스태프 조직이 된다.

정답 ③

22 □□□ 2016년 경영지도사 수정

전통적 조직형태에 해당하는 것은?

① 사내벤처분사 조직
② 역피라미드형 조직
③ 라인스탭조직
④ 가상조직

해설

고전적 조직화의 원칙에 입각한 조직형태인 전통적 조직형태(기계적 조직구조)의 대표적인 예에는 라인조직이나 라인스탭조직 등이 있다.

정답 ③

23 □□□

현대적 조직화에 대한 다음 설명 중 가장 옳지 않은 것은?

① 구성원으로 하여금 일을 하지 않을 수 없도록 압력을 가한다.
② 견인이론(pull theory)이라고도 한다.
③ 조직분위기를 조성하여 구성원으로 하여금 일을 하면서 보람과 만족을 느끼도록 한다.
④ 조직의 각 부문 간의 통합을 중요시한다.

해설

①은 고전적 조직화에 대한 설명이다.

정답 ①

24 □□□ 2019년 경영지도사 수정

사업별 조직구조의 강점이 아닌 것은?

① 분권화된 의사결정
② 제품 라인 간 통합과 표준화 강화
③ 불안정한 환경에서 신속한 변화에 적합
④ 명확한 책임 소재를 통한 고객만족 향상

해설

사업별 조직구조(= 사업부제 조직 = 부문별 조직)는 경영활동을 제품별, 지역별 또는 고객별 사업부 등의 단위로 분화하고, 독립성을 인정하여 권한과 책임을 위양함으로써 자주적인 이익중심점으로 운영하고자 하는 조직형태를 말한다. 따라서 제품 라인 간 통합과 표준화 강화는 사업별 조직구조의 강점에 해당하지 않는다.

정답 ②

25 □□□ 2016년 경영지도사 수정

명령통일의 원칙이 무시되며 개인이 두 상급자의 지시를 받고 보고를 하는 조직으로 동태적이고 복잡한 환경에 적합한 조직구조는?

① 사업부제 조직
② 팀 조직
③ 네트워크 조직
④ 매트릭스 조직

해설

매트릭스 조직(matrix organization)이란 기능에 의하여 편성된 조직과 목표(objectives)에 의하여 편성된 조직을 결합하여 두 조직형태의 장점을 살리려는 조직구조의 형태를 말하는데, 일반적으로 기능별 조직 또는 부문별 조직형태에 프로젝트팀 조직을 결합시킨 형태로 많이 운영된다.

정답 ④

26 □□□ 2015년 경영지도사 수정

동일한 제품이나 지역, 고객, 업무과정을 중심으로 조직을 분화하여 만든 부문별 조직(사업부제 조직)의 장점으로 옳지 않은 것은?

① 책임소재가 명확하다.
② 자원의 효율적인 활용으로 규모의 경제를 기할 수 있다.
③ 환경변화에 대해 유연하게 대처할 수 있다.
④ 특정한 제품, 지역, 고객에게 특화된 영업을 할 수 있다.

해설

자원의 효율적인 활용으로 규모의 경제를 기할 수 있는 것은 기능별 조직의 장점에 해당한다.

정답 ②

27 □□□ 2023년 경영지도사 수정

경영조직에 관한 설명으로 옳지 않은 것은?

① 기계적 조직은 공식화 정도가 높다.
② 유기적 조직은 환경 변화에 신속히 대응할 수 있다.
③ 라인조직은 업무수행에 있어 유사한 기술이나 지식이 요구되는 활동을 토대로 조직을 부문화시킨 것으로 내적 효율성을 기할 수 있다.
④ 매트릭스 조직은 이중적 명령계통으로 인해 중첩되는 부문 간 갈등이 야기될 수 있다.

해설

업무수행에 있어 유사한 기술이나 지식이 요구되는 활동을 토대로 조직을 부문화시킨 것으로 내적 효율성을 기할 수 있는 조직은 기능별 조직이다. 라인조직은 상급자의 권한과 명령이 직선적으로 하급자에게 전달되는 조직형태로 가장 단순하고 편성하기 쉬운 조직형태이다.

정답 ③

28 ☐☐☐ 2024년 공인노무사 수정

다음과 같은 장점을 지닌 조직구조는?

- 관리 비용을 절감할 수 있음
- 작은 기업들도 전 세계의 자원과 전문적인 인력을 활용할 수 있음
- 창업 초기에 공장이나 설비 등의 막대한 투자없이도 사업이 가능

① 사업별 조직구조
② 프로세스 조직구조
③ 매트릭스 조직구조
④ 네트워크 조직구조

해설

네트워크 조직구조는 전략적 제휴나 아웃소싱과 관련되어 있기 때문에 주어진 내용은 네트워크 조직구조에 대한 설명이다. 사업별 조직구조는 경영 활동을 제품별, 지역별 또는 고객별 사업부 등의 단위로 분화하고, 독립성을 인정하여 권한과 책임을 위양함으로써 자주적인 이익중심점(profit center)으로 운영하고자 하는 조직구조이고, 프로세스 조직구조는 리엔지니어링(reengineering)에 의해 고객의 입장(고객만족)에서 기존의 업무처리절차를 재설계하여 획기적인 경영성과를 도모하도록 설계된 조직구조이다. 그리고 매트릭스 조직구조는 기능에 의해 편성된 조직과 목표(objectives)에 의해 편성된 조직을 결합하여 두 조직형태의 장점을 살리려는 조직구조이다.   **정답 ④**

29 ☐☐☐ 2022년 경영지도사 수정

조직구조에 관한 설명으로 옳은 것은?

① 위원회 조직구조는 의사결정을 빠르게 하고 책임소재를 분명히 한다는 장점이 있다.
② 네트워크 조직구조는 핵심 이외의 사업을 외주화하기 때문에 외부환경의 변화에 민첩하게 대응할 수 있다.
③ 매트릭스 조직구조는 업무 수행자의 기능 및 제품에 대한 책임 규명이 쉽다는 장점이 있다.
④ 사업부 조직구조는 각 사업부 간의 전문성 교류를 원활하게 함으로써 규모의 경제를 실현하게 한다.

해설

① 위원회 조직구조는 위원회에서 타협한 결과가 절충안을 채택하는 경우에는 좋지 못한 대안이 채택될 수 있으며, 위원회의 결정은 다수에 의한 것이기 때문에 공동책임을 지게 되고 이로 인해 개인의 책임을 회피할 수 있다는 단점이 있다.
③ 매트릭스 조직구조는 명령일원화의 원칙이 이루어지지 않기 때문에 역할갈등이 발생할 수 있으며, 이로 인해 충성심이 결여될 수 있어 업무 수행자의 기능 및 제품에 대한 책임 규명이 쉽지 않다.
④ 사업부 조직구조는 각각 사업부가 공통적인 직능을 각자 수행하기 때문에 불필요하게 중복되는 비용이 있으며 규모의 경제로 얻는 이익을 기대할 수 없다.   **정답 ②**

30 □□□ 2020년 경영지도사 수정

사업부별 조직구조에 관한 설명으로 옳지 않은 것은?

① 오늘날 대부분의 다국적 기업들이 채택하고 있다.
② 각 사업부는 독립적인 수익단위 및 비용단위로 운영된다.
③ 성과에 대한 책임 소재가 불분명하다.
④ 시장변화 또는 소비자 욕구변화에 비교적 빠르게 대처할 수 있다.

해설

사업부별 조직구조는 경영활동을 제품별, 지역별 또는 고객별 사업부 등의 단위로 분화하고, 독립성을 인정하여 권한과 책임을 위양함으로써 자주적인 이익중심점(profit center)으로 운영하고자 하는 조직형태이기 때문에 성과에 대한 책임 소재가 분명하다. **정답 ③**

31 □□□ 2021년 경영지도사 수정

공간과 시간, 그리고 조직의 경계를 넘어 컴퓨터와 정보통신기술을 이용하는 조직형태는?

① 프로세스 조직
② 사업부제 조직
③ 매트릭스 조직
④ 가상 조직

해설

공간과 시간, 그리고 조직의 경계를 넘어 컴퓨터와 정보통신기술을 이용하는 조직형태는 네트워크 조직 또는 가상조직이다. **정답 ④**

32 □□□ 2020년 공인노무사 수정

매트릭스 조직의 장점에 해당하지 않는 것은?

① 구성원들 간 갈등해결 용이
② 환경 불확실성에 신속한 대응
③ 인적자원의 유연한 활용
④ 제품 다양성 확보

해설

매트릭스 조직은 기능에 의하여 편성된 조직과, 목표(objectives)에 의하여 편성된 조직을 결합하여 두 조직형태의 장점을 살리려는 조직구조의 형태를 말하는데, 일반적으로 기능별 조직 또는 부문별 조직형태에 프로젝트팀 조직을 결합시킨 형태로 많이 운영된다. 또한, 매트릭스 조직은 복잡하고 급변하는 환경상황에서도 성장을 추구하려는 조직에서 주로 응용되는 조직유형이다. 따라서 매트릭스 조직은 효율성과 유연성을 동시에 추구할 수 있는 장점을 가진다. 그러나 조직구성원은 적어도 두 개 이상의 공식적인 집단에 동시에 속하기 때문에 보고해야 하는 상급자도 둘 이상이 된다. 이러한 이유에서 역할갈등(다각적 역할기대)이 발생할 수 있고, 구성원들 간의 갈등을 해결하는 것도 쉽지 않다. **정답 ①**

33 ☐☐☐ 2018년 경영지도사 수정

조직구조의 유형에 관한 설명으로 옳지 않은 것은?

① 매트릭스 조직(matrix organization)은 전통적 기능식 조직에 프로젝트 조직을 덧붙인 조직이다.
② 프로젝트 팀 조직(project team organization)은 조직 내의 여러 하위 단위의 결합된 노력이 필요한 특정 과업(프로젝트)을 수행하기 위하여 형성된 임시적 조직이다.
③ 자유형 조직(free-from organization)은 조직이 생존하기 위하여 필요하면 끊임없이 형태를 변화시키는 아메바와 같은 조직이다.
④ 네트워크 조직(network organization)은 조직 외부에서 수행하던 기능들을 계약을 통하여 조직 내부에서 수행하도록 설계된 조직이다.

해설

네트워크 조직(network organization)은 전통적인 조직의 핵심요소는 간직하고 있으나 일부 전통적인 조직의 경계(boundary)와 구조가 없는 조직을 말한다. 즉 기존의 전통적인 계층형 조직과 비교되는 개념으로 조직의 위계적 서열과는 관계없이 조직구성원 개개인의 전문적 지식과 자율권을 기초로 하는 연결조직이다. 개인의 능력을 최대로 발휘하게 하고, 여러 기능과 사업부문 간에 의사소통을 활성화하기 위한 신축적인 조직 운영방식이다. 네트워크 조직에서 조직의 경계와 구조를 발견하기 어려운 이유는 조직의 구성요소들이 물리적으로 연결되어 있는 것이 아니라, 가상공간을 통해 연결되어 있기 때문이며, 이러한 이유로 가상조직(virtual organization)이라고도 한다. 따라서 네트워크 조직은 조직의 개념에 최근 급격하게 발달하고 있는 컴퓨터, 정보통신 등 정보기술을 적용함에 따라 전통적인 의미에서의 조직의 경계와 구조가 허물어져 도입된 개념이라고 할 수 있다. 즉, 네트워크 조직은 조직 내부에서 수행하던 기능들을 계약을 통하여 조직 외부에서 수행하도록 설계된 조직이다. **정답 ④**

34 ☐☐☐ 2020년 경영지도사 수정

조직 내에는 꼭 필요한 핵심 기능을 보유하고 그 외의 기능들은 상황에 따라 다른 조직을 활용함으로써 조직의 유연성을 확보하고자 하는 조직구조는?

① 매트릭스 조직
② 라인-스태프 조직
③ 사업부제 조직
④ 네트워크 조직

해설

조직 내에는 꼭 필요한 핵심 기능을 보유하고 그 외의 기능들은 상황에 따라 다른 조직을 활용함으로써 조직의 유연성을 확보하고자 하는 조직구조는 네트워크 조직에 해당한다. 네트워크 조직은 개인의 능력을 최대로 발휘하게 하고, 여러 기능과 사업부문 간에 의사소통을 활성화하기 위한 신축적인 조직 운영방식이다. **정답 ④**

35 □□□

통제과정을 순서대로 배열한 것 중 가장 옳은 것은?

① 목표와 기준의 설정 → 실제 성과의 측정 → 목표와 성과의 결과 비교 → 수정행동
② 목표와 기준의 설정 → 목표와 성과의 결과 비교 → 실제 성과의 측정 → 수정행동
③ 목표와 기준의 설정 → 실제 성과의 측정 → 수정행동 → 목표와 성과의 결과 비교
④ 목표와 기준의 설정 → 수정행동 → 목표와 성과의 결과 비교 → 실제 성과의 측정

해설

통제과정은 '목표와 기준의 설정 → 실제 성과의 측정 → 목표와 성과의 결과 비교 → 수정행동' 순으로 진행된다.

정답 ①

36 □□□ 2020년 경영지도사 수정

기업이 제품과 서비스를 생산하기 위하여 사용하는 구체적인 활동이나 방법을 규제하는 통제의 유형은?

① 운영적 통제
② 전략적 통제
③ 전술적 통제
④ 관료적 통제

해설

기업이 제품과 서비스를 생산하기 위하여 사용하는 구체적 활동이나 방법을 규제하는 통제의 유형은 운영적 통제이다. 일반적으로 통제는 그 수준에 따라 가장 상위의 통제가 전략적 통제이며, 가장 하위의 통제가 운영적 통제이다. 그리고 중간수준의 통제가 전술적(관리적) 통제이다.

정답 ①

37 □□□ 2014년 경영지도사 수정

경영통제에 관한 설명으로 옳지 않은 것은?

① 사전통제는 목표달성을 위하여 사전준비를 확인하는 가장 바람직한 통제이다.
② 진행통제는 업무가 수행되는 동안에 통제에 영향을 미치는 것을 통제하는 방법이다.
③ 사후통제는 업무가 종료된 후에 이루어지는 통제활동으로 피드백을 통해 결과의 변경이 가능하다.
④ 평가기준과 수행결과의 차이에 대한 원인이 밝혀지면 이에 대한 대응조치를 강구해야 한다.

해설

사후통제는 업무가 종료된 후에 이루어지는 통제활동이지만 피드백을 통해 결과의 변경이 가능한 것은 아니다.

정답 ③

38 □□□ 2022년 경영지도사 수정

경영통제와 관련된 설명으로 옳은 것은?

① 생산수량, 불량률, 비용 등은 산출표준에 해당한다.
② PERT, 재무상태분석 등은 재무통제에 해당한다.
③ 원재료, 재공품은 재고통제 대상이 아니다.
④ 문제가 발생하기 전에 취하는 관리적인 행동을 동시통제(concurrent control)라고 한다.

해설

② PERT는 공정관리 또는 일정관리를 위한 기법에 해당하기 때문에 재무통제에 해당하지 않는다.
③ 원재료, 재공품도 재고통제 대상이다.
④ 문제가 발생하기 전에 취하는 관리적인 행동을 사전통제라고 하고, 동시통제는 일이 진행되는 과정 속에서 실제로 무엇이 발생했는가에 초점을 맞추는 통제이다.

정답 ①

39 □□□ 2023년 경영지도사 수정

경영통제에 관한 설명으로 옳지 않은 것은?

① 경영의 계획·조직·지휘 활동과 더불어 순환적으로 수행되어야 할 기본적인 기능이다.
② 경영통제시스템은 조직의 목표 달성을 위해 사전에 설정된 표준에 조직의 성과를 일치시키고자 하는 것이다.
③ 신제품 개발 시 시장의 수요를 예측하고 생산일정계획을 수립하는 것은 동시통제시스템에 해당한다.
④ 기업의 자산이 효율적으로 관리되고 있는지를 확인하는 것은 재무통제에 해당한다.

해설

통제는 통제가 발생하는 시점에 따라 사전통제, 동시통제, 사후통제로 구분할 수 있다. 따라서 신제품 개발 시 시장의 수요를 예측하고 생산일정계획을 수립하는 것은 사전통제시스템에 해당한다.

정답 ③

40 □□□ 2020년 경영지도사 수정

경영관리 과정상 통제(controlling)의 목적에 해당하는 것을 모두 고른 것은?

ㄱ. 기회의 발견	ㄴ. 오류와 실수의 발견
ㄷ. 비용감소와 생산성 향상	ㄹ. 환경의 변화와 불확실성에의 대처

① ㄱ, ㄴ
③ ㄴ, ㄷ, ㄹ
② ㄱ, ㄷ, ㄹ
④ ㄱ, ㄴ, ㄷ, ㄹ

해설

모두 통제의 목적에 해당한다.

정답 ④

CHAPTER 04 경영전략

제1절 경영전략의 기초개념

1 의의

1. 개념

경영전략은 기업의 사명과 목표를 달성하고 경쟁우위를 확보하기 위하여 환경과의 관계를 고려하며 전략을 수립하고 실행하는 과정을 말한다. 따라서 경영전략의 범위에는 단순한 계획은 물론 실행과 통제(관리)를 포함할 뿐만 아니라 보다 폭넓게 경영환경에 대한 분석도 포함된다. 기업은 경쟁우위의 확보를 위해 다양한 경영전략을 수립하게 되는데, 그 구체적인 특징은 다음과 같다.

(1) 경영전략은 조직의 목적과 직결되어 있다.

(2) 조직의 모든 행동은 궁극적으로 경영전략에 의해서 이루어지기 때문에 경영전략은 다른 모든 계획의 기본 준거틀(basic framework)을 제공한다.

(3) 경영전략은 다른 형태의 계획보다 비교적 장기적인 계획이며, 조직의 모든 행동과 의사결정에 대하여 일관성을 유지시켜 준다.

(4) 일반적으로 경영전략은 최고경영층에서 수립된다.

2. 수준

(1) 기업전략

기업전략이란 기업전체의 목표를 달성하기 위해 지속적 경쟁우위를 확보하고 그 기업이 나아가야 할 방향을 설정하기 위해 수립되는 경영전략을 말한다. 즉, 기업전략은 기업전체의 장기적인 방향을 설정하는 전략으로 어떤 시장 또는 어떤 산업에 속하여 경쟁할 것인가를 결정하는 것과 기업전체의 자원배분과 관련된 지침과 방향을 결정하는 것을 그 목적으로 한다.

(2) 사업전략

사업전략이란 개별 주요사업을 완수하기 위해 하나의 사업단위, 하나의 제품 또는 하나의 제품라인 등을 위해 수립되는 경영전략을 말한다. 사업전략에서는 주로 특정 시장이나 특정 산업 내에서 경쟁하기 위한 제품믹스의 결정, 생산능력의 입지 선정, 신기술 도입 등과 같은 의사결정이 이루어진다. 일반적으로 규모가 큰 기업은 다수의 전략사업단위(strategic business unit, SBU)를 보유하고 있는데, 각 사업단위는 고유한 사명과 경쟁자를 가지고 있기 때문에 기업전략의 범위 내에서 사업전략을 독립적으로 수립할 수 있다.

(3) 기능전략

기능전략이란 사업전략을 실행하기 위한 자원의 배분을 위해 수립되는 경영전략을 말한다. 이 전략의 핵심은 제한된 자원을 어떻게 하면 효율적으로 배분할 것인가의 문제가 핵심이기 때문에 특정 기능의 영역인 연구개발, 생산, 인적자원, 마케팅, 재무 등과 같은 부분에 초점을 두게 된다.

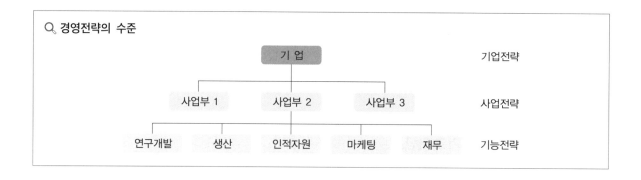

경영전략의 수준

2 경영전략의 단계

1. 전략분석

전략분석의 단계는 '기업의 현재 위치는 어디인가?'라는 질문에 답을 하는 단계를 말한다. 따라서 이 단계에서는 기업이 직면한 현재의 내적·외적 환경을 분석하고 이를 통해 입수한 정보를 이용하여 다음 단계에서 전략을 수립하게 된다.

2. 전략수립

전략수립의 단계는 '그 기업이 어디로 가고자 원하는가?'라는 질문에 답을 하는 단계를 말한다. 따라서 이 단계에서는 기업의 사명과 목표 및 그 기업이 나아가야 할 전반적인 방향을 설정하게 된다.

3. 전략실행

전략실행의 단계는 '기업이 가고자 하는 곳에 어떻게 도달할 수 있는가?'라는 질문에 답을 하는 단계를 말한다. 이 단계에서는 전략을 효과적으로 실행하기 위해서 필요한 모든 활동을 수행하게 된다.

4. 전략통제

전략통제의 단계는 '기업이 목표지점에 도착하였음을 어떻게 알 수 있는가?'라는 질문에 답을 하는 단계를 말한다. 이 단계에서는 경영전략을 효과적으로 실행하여 목표를 제대로 달성하기 위하여 모든 활동들이 잘 진행되어 왔는가를 검토하게 된다.

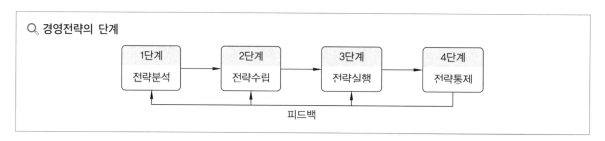

경영전략의 단계

1 조직자원과 역량의 분석

1. SWOT 분석

(1) 개념

전략을 수립함에 있어 조직의 내부환경과 외부환경에 대한 분석은 필수적이다. SWOT 분석이란 내부환경이라는 관점에서 기업의 강점(strength, S)과 약점(weakness, W)에 대한 분석과 외부환경이라는 관점에서 기회(opportunity, O)와 위협(threat, T)에 대한 분석을 실시하여 현재 기업이 가지고 있는 자원과 역량을 분석하는 기술적 방법(descriptive method)을 말한다.

(2) 목적

기업은 경쟁우위를 달성하기 위해 기업이 가지고 있는 핵심역량을 이용하여 기업의 강점을 최대화하고 약점을 최소화하는 전략을 수립하고자 한다. 따라서 기업은 SWOT 분석을 통해 경쟁기업과 비교하여 해당 기업의 특별한 강점인 핵심역량(core competencies)을 발견하고자 하는 것이다. 핵심역량이란 다른 경쟁기업들보다 더 잘하는 독특한 활동들의 집합체를 의미하는데, 이는 실질적으로 희소성을 가지며, 모방하는 데 비용이 많이 들고, 경쟁우위를 달성하는 과정에서 대체가 불가능한 특징을 가지고 있다. 핵심역량의 예로는 우월한 지식이나 기술 및 노하우(know-how), 효과적인 제조기술 또는 시스템 등을 들 수 있다.

(3) 장점

SWOT 분석을 사용하게 되면 전략분석에 있어 내부적인 상황과 외부적인 상황에 대해서 전체적인 관점에서 파악 및 적용이 가능하고 이해하기 쉽다. 또한, 전체적인 분석부터 세부적인 분석까지 그 분석의 수준을 조절하는 것이 용이하다.

(4) 단점

SWOT 분석의 과정에서 요인 각각에 대한 충분한 정보를 얻지 못하게 되면 효과적인 분석에 어려움을 가져올 수 있다. 또한, 외부환경에 대한 기회(O)와 위협(T)이 분석되기 전까지는 SWOT 분석이 완성될 수 없다.

🔍 **SWOT 분석과 전략**

	강점(strength)	약점(weakness)
기회(opportunity)	**성장전략** 다각화, 인수합병, 시장진출	**약점극복(안정화 전략)** 핵심역량 개발, 전략적 제휴
위협(threat)	**위협극복(안정화 전략)** 다각화, 전략적 제휴	**축소전략** 철수, 제거

---

2. VRIO 분석

(1) 개념

VRIO 분석이란 자원기반 관점[17]을 분석하기 위해 바니(Barney)가 고안한 분석도구인데, 기업이 가지고 있는 자산에 대하여 내부보유가치(value), 보유한 자산의 희소성(rarity), 모방가능성의 정도(imitability), 조직(organization)에 대한 질문을 통해 성장 잠재력을 가늠하고, 기업이 보유한 내부 자원과 능력을 통해 지속가능한 경쟁우위를 확보할 수 있는지를 판단하는 모형이다. 즉 기업이 경쟁우위를 확보할 수 있느냐는 보유한 경영자원과 그것을 활용할 수 있는 능력에 달려 있다는 것이다.

(2) 목적

VRIO 분석의 목적은 단순히 어떤 자원을 보유하고 있는지를 확인하는 것이 아니라 그 자원을 활용할 능력(capability)이 있는지를 보는 것이다. 또한, 기업이 가진 자원과 능력의 우위성을 종합적으로 분석할 때는 가치사슬(value chain)이나 7S와 같은 경영자원에 관한 프레임워크가 함께 고려되어야 한다. 그렇게 하면 조직의 강점과 약점을 객관적으로 파악할 수 있고 어떤 부분을 경쟁우위로 키울 것인지 검토할 수 있다.

(3) 구성요소

VRIO 분석은 기업이 가지고 있는 자산에 대하여 내부보유가치(value), 보유한 자산의 희소성(rarity), 모방가능성의 정도(imitability), 조직(organization)의 관점에 입각하여 기업의 이윤을 극대화 할 수 있는 전략과 성과가 달라져야 한다는 것이다. 따라서 VRIO 분석은 기업이 소유한 자원의 속성을 정의하고 전략적으로 유용한 내부자원을 판별하기 위한 방법론으로서 자주 활용된다.

① **내부보유가치**: 자원과 능력이 기업의 성과와 이익으로 직결될 수 있어야 함을 의미한다.

② **희소성**: 기업이 보유한 자원과 능력이 희소하거나 접근하기 어려워 경쟁기업이 보유할 가능성이 낮아야 함을 의미한다.

③ **모방가능성**: 경쟁기업이 자원과 능력을 완벽하게 모방할 수 없거나 모방하는 데 상당한 비용이 들수록 기업이 지속가능한 경쟁우위를 확보할 수 있음을 의미한다.

④ **조직**: 시장 변화에 빠르게 대처할 수 있는 내부의사결정구조 등 보유한 자원과 능력을 잘 활용할 수 있도록 조직체계가 구성되어 있는지를 의미한다.

🗒 VRIO 분석

가치가 있는가?	희소성이 있는가?	모방하기 어려운가?	조직에 의해 실현되는가?	경쟁력 상태
아니오	–	–	아니오	경쟁열위
예	아니오	–	↕	경쟁등위
예	예	아니오		임시적 경쟁우위
예	예	예	예	지속적 경쟁우위

---

17) 자원기반이론(자원의존이론)의 핵심적 주장은 기업이 시장에서 경쟁적 우위를 확보하고 유지하기 위해서는 경쟁자들과 다른 자원을 보유하여야 한다는 것이다. 즉, 조직이 당면한 불확실성을 극복하기 위해 적절한 의사결정을 통해서 필요한 자원을 획득하여야 한다는 것이다. 따라서 조직은 존속과 발전을 위해 필요한 자원에 대해서 환경에 의존하게 된다.

2 산업구조분석

1. 의의

(1) 개념

산업구조분석이란 산업에 영향을 미치는 5개의 힘과 산업수익률 사이의 관계를 분석하고자 하는 방법을 말한다. 마이클 포터(M. Porter)는 모든 기업이 주어진 시장에서 경쟁하기 위해 다양한 자원을 보유하고 있는데, 전략을 수립할 때 이러한 자원에 대한 고려뿐만 아니라 산업구조에 영향을 미치는 5개의 힘(five forces)도 고려해야 한다는 점을 강조하고 있다. 이러한 힘은 산업경쟁에 영향을 미치기 때문에 강하게 작용하면 작용할수록 기업은 이익을 내기 어려워지며 해당 산업은 투자자들에게 매력적이지 못하게 된다.

(2) 장단점

산업구조분석은 해당 산업의 미래에 대한 예측을 가능하게 하며, 산업수익률을 구성하는 요소들을 고려함으로써 각 요소별 전략을 세우는 데 도움이 된다. 그러나 산업구조분석은 정태적 분석이기 때문에 산업이 지속적으로 변화하는 현실을 제대로 설명하기 어렵고, 기업 간 경쟁전략에 의한 상호 영향 등을 고려하지 못한다는 단점을 가지고 있다.

2. 구성요소

산업구조분석은 산업을 구성하는 다섯 가지의 힘 중 수평적 힘으로 산업 내 경쟁, 신규진입자(진입장벽), 대체재의 존재를 고려하고, 수직적 힘으로 공급자의 교섭력과 소비자(구매자)의 교섭력을 고려하였다.

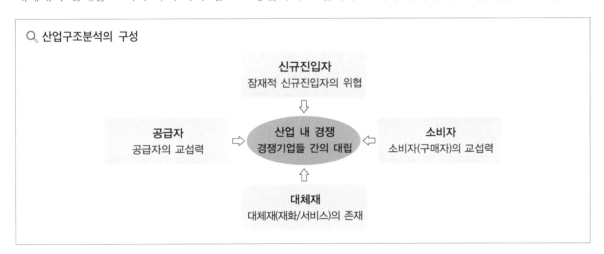

Q 산업구조분석의 구성

신규진입자
잠재적 신규진입자의 위협

공급자
공급자의 교섭력

산업 내 경쟁
경쟁기업들 간의 대립

소비자
소비자(구매자)의 교섭력

대체재
대체재(재화/서비스)의 존재

(1) 산업 내 경쟁

산업에는 일반적으로 다수의 기업들이 존재하고 있으며, 이러한 기업들 간에는 동일한 고객을 대상으로 경쟁이 존재하게 된다. 따라서 산업구조를 이해하기 위해서는 동일 산업 내에 존재하는 경쟁기업 사이의 경쟁구조를 분석해야 한다. 산업 내 경쟁에 영향을 미치는 요인으로는 산업의 집중도, 제품차별화 정도, 경쟁기업과의 동질성 및 산업 내의 비용구조, 철수장벽, 초과생산능력 등이 있으며, 이는 산업의 수익률에 영향을 미치게 된다. 일반적으로 산업 내 경쟁이 치열해지면 산업의 수익률에는 부정적 영향을 미치게 된다.

① **산업의 집중도**: 시장을 구성하는 기업의 수와 관련되어 있다. 일반적으로 산업의 집중도가 낮을수록 경쟁적인 시장이며, 산업의 집중도가 높을수록 독과점시장이 된다. 따라서 산업의 집중도가 낮을수록 산업 내 경쟁이 치열해져 산업수익률은 낮아지게 된다.

② **제품차별화 정도**: 산업 내의 제품이 차별화가 이루어지지 않아 가격 이외에 경쟁할 만한 이점이 없는 경우에는 가격경쟁이 심화되어 산업수익률이 낮아지게 된다. 따라서 제품차별화 정도가 높을수록 산업수익률은 높아지게 된다.

③ **경쟁기업과의 동질성**: 일반적으로 경쟁기업과의 동질성이 높을수록 산업 내 경쟁이 치열해지기 때문에 산업수익률은 낮아지게 된다. 그러나 경쟁기업과의 동질성으로 인해 담합을 추구하는 것이 가능한 경우에는 오히려 산업수익률이 높아질 수 있다.

④ **산업 내의 비용구조**: 산업 내의 비용구조는 고정비용과 변동비용의 비중을 의미한다. 일반적으로 고정비용의 비중이 높을수록 기업은 고정비용을 회수하기 위하여 생산량을 늘리게 되고, 이로 인해 경쟁이 심화되어 산업수익률이 낮아지게 된다. 그러나 높은 고정비용이 진입장벽을 형성하는 경우에는 오히려 산업수익률이 높아질 수 있다.

⑤ **철수장벽**: 기업의 수익이 마이너스 상태에서도 기업은 철수장벽으로 인해 해당 산업에 머물 수밖에 없게 된다. 따라서 철수장벽이 높을수록 산업 내 경쟁은 치열해지기 때문에 산업수익률은 낮아지게 된다. 철수장벽의 예로는 특수한 자산, 철수에 따른 고정비 부담, 감정적인 집착, 정부정책, 기업의 전략적 선택 등이 있다.

⑥ **초과생산능력**: 일반적으로 기업이 수요 이상의 초과생산능력을 가지게 되면 비용이 증가하게 되어 산업수익률이 낮아지게 된다. 그러나 이러한 초과생산능력은 급격하게 수요가 증가하게 되는 경우에는 진입장벽으로 작용하여 오히려 산업수익률이 높아질 수 있다.

(2) 신규진입자(진입장벽)

새로운 기업의 진입이 쉬울수록 산업 내의 경쟁이 치열해지기 때문에 산업수익률은 낮아지게 된다. 그렇기 때문에 일반적으로 산업에 속해 있는 기존 기업들은 진입장벽을 만들기 위해 노력하게 되고, 진입장벽이 높은 경우에는 산업수익률이 높아질 수 있다. 진입장벽의 예로는 자본소요량, 규모의 경제, 절대적 비용우위, 제품차별화, 유통경로, 정부규제 및 제도 등이 있다.

(3) 대체재의 존재

대체재가 존재하는 경우에 기업은 시장에서의 교섭력을 상실하여 제품의 가격을 올릴 수 없게 되기 때문에 산업수익률에 부정적인 영향을 미치게 된다.

(4) 공급자의 교섭력

기업이 재화나 서비스를 생산하기 위해서는 공급자로부터 자원을 공급받아야 한다. 일반적으로 공급자의 교섭력이 강하게 되면 기업의 원가부담이 증가하여 이윤은 감소하게 된다. 특히 공급자의 가격인상을 소비자에게 전가시킬 수 없는 기업의 경우에는 이런 현상이 더욱 심하게 나타난다.

(5) 소비자(구매자)의 교섭력

시장에 다수의 기업이 존재하게 되면 소비자(구매자)들의 구매선택권이 확대되고, 이를 통해 소비자(구매자)들의 교섭력이 증가하게 되면 제품의 가격이 낮아지게 되어 해당 기업의 산업수익률은 낮아지게 된다.

3 가치사슬분석

1. 가치사슬

가치사슬(value chain)이란 기업의 부가가치창출에 직접 또는 간접적으로 관련된 활동들의 연계를 의미한다. 가치사슬은 1985년 미국 하버드대학교의 마이클 포터(M. Porter)가 모형으로 정립한 이후 광범위하게 활용되고 있는 개념이다.

(1) 본원적 활동

본원적 활동(primary activities)은 상품의 물리적 변화에 직접적으로 관련된 기능을 수행하는 활동을 의미하며, 가치창출에 직접적으로 기여하는 활동이다. 이러한 본원적 활동에는 다음과 같은 다섯 가지 활동이 있다.

① 내부물류(inbound logistics): 투입물의 계획 및 관리에 관련된 활동, 접수, 보관, 재고관리, 수송계획 등
② 생산/운영(manufacturing/operations): 투입물을 최종제품으로 변환시키는 가공, 포장, 조립, 장비 유지, 검사 등
③ 외부물류(outbound logistics): 최종제품을 고객에게 전달하는데 필요한 활동, 창고관리, 주문실행, 배송, 유통관리 등
④ 판매 및 마케팅(sales & marketing): 구매자들이 제품을 구매하도록 하는 데 관련된 모든 활동들
⑤ 사후서비스(after service): 기업의 제품의 가치를 유지·강화하는 활동, 고객지원, 수리업무 등

(2) 지원적 활동

지원적 활동(supportive activities)은 본원적 활동을 지원하는 활동을 의미하며, 가치창출에 간접적으로 기여하는 활동이다. 지원적 활동에는 다음과 같은 네 가지 활동이 있다.

① 기업의 하부구조(firm infrastructure): 일반관리, 회계, 법률, 재무, 전략적 계획, 기타 기업의 전반적 운영에 있어서 필수적인 활동
② 인적자원관리(human resource management): 인력의 충원, 동기부여, 훈련, 개발 등
③ 연구/기술개발(technology development): 제품 및 제반 가치활동을 개선하기 위한 노력이나 활동
④ 구입/조달(procurement): 기업의 특정부분에 국한되지 않는 원재료, 서비스, 기계 등의 전체적인 구입 및 조달활동

🔍 **가치사슬의 구조**

2. 가치사슬분석

가치사슬분석이란 가치사슬의 개념을 이용하여 가치를 최종소비자에게 전달하는 데 연관된 기업의 프로세스와 활동들을 분석하는 것을 의미한다. 그 결과를 통해 기업의 프로세스와 활동들에 대해서 창출하는 가치를 기준으로 경쟁우위(가치창출 부분)와 열세(가치비창출 부분)를 파악하게 된다. 그렇게 함으로써 각 기업의 핵심역량이 어디에 있는지를 정확히 파악하게 되고, 어떤 부분을 보완해야 하는지를 알게 되는 것이다. 즉, 가치창출 부분은 기업이 가지고 있는 자원을 투입하여 직접 수행하지만, 가치비창출 부분은 아웃소싱

(outsourcing)을 하게 된다. 이러한 가치사슬의 분석과정을 통하여 가치활동 각 단계에 있어서 부가가치창출과 관련된 핵심활동이 무엇인가를 규명할 수 있으며, 각 단계 및 핵심활동들의 강점이나 약점 및 차별화요인을 분석할 수 있다. 나아가 각 활동단계별 원가동인을 분석하여 경쟁우위 구축을 위한 도구로 활용할 수 있으며, 기업의 내부역량을 분석하는 도구로도 많이 사용된다.

제3절 | 전략수립

1 경영전략의 유형

경영전략은 기업이 추구하는 바에 따라 몇 가지의 유형을 가지는데, 일반적으로 성장전략, 축소전략, 안정화전략, 협력전략 등이 있다.

1. 성장전략

성장전략(growth strategy)이란 기업의 규모를 증대시키고 현재의 영업범위를 확대하는 전략을 말한다. 이러한 성장전략은 어떤 산업에서는 장기적 생존을 위해서는 필수적이며, 기업이 성장전략을 추구하게 되면 판매수익과 시장점유율이 확대되고 종업원의 수가 증가하게 된다.

2. 축소전략

축소전략(retrenchment strategy)이란 효율성을 달성하거나 성과를 향상시키기 위해서 기업의 규모를 축소하는 전략을 말한다. 축소전략의 방법으로는 다운사이징(downsizing), 구조조정(restructuring), 분사(divestiture) 및 청산(liquidation) 등의 방법이 있다.

3. 안정화전략

안정화전략(stability strategy)이란 운영상의 큰 변화 없이 현상유지를 꾀하고자 하는 전략을 말하는데, 기업이 동일한 재화나 서비스를 공급하고 시장점유율을 유지함으로써 다른 사업을 확장하는 데 따르는 위험부담을 회피하려는 전략을 말한다. 기업이 안정화전략을 추구하는 경우는 기업이 강점을 가지고 있으나 환경의 위협요소가 예상되는 때이거나 결정적 약점을 가지고 있지만 환경의 기회요소가 예상되는 때이다.

4. 협력전략

협력전략(cooperate strategy)이란 전략적 제휴(strategic alliances)라고도 하는데, 두 개 이상의 기업이 상호 공동의 관심 또는 목표를 추구하기 위해서 서로 협력하는 전략을 말한다. 즉, 특별한 관계를 갖고 있지 않았던 기업들이 각자의 독립성을 유지하면서 특정 분야에 한해서 상호보완적이고 지속적인 협력관계를 위한 제휴를 맺음으로써 둘 또는 그 이상의 기업들이 각각의 약점을 서로 보완하고 경쟁우위를 강화하고자 하는 방법을 말한다.

2 마이클 포터(M. Porter)의 본원적 전략

1. 의의

마이클 포터는 경쟁우위와 경쟁범위라는 차원에서 전략을 구분하고 이를 본원적 전략이라고 하였다. 여기서 경쟁우위는 기업이 경쟁에서 살아남기 위해 우선시해야 하는 요소를 의미하고, 경쟁범위란 기업이 목표로 하는 시장의 넓이를 의미한다.

2. 유형

마이클 포터는 경쟁우위와 경쟁범위라는 차원에서 본원적 전략을 원가우위 전략, 차별화 전략, 집중화 전략으로 구분하였으며, 그 과정에서 고려한 경쟁우위는 원가(cost)와 고객화(customization)이다. 또한, 경쟁범위의 관점에서 어떤 기업은 매우 폭넓은 시장을 겨냥하지만 어떤 기업은 상대적으로 좁은 시장의 일부분을 겨냥한다.

> 🔍 **본원적 전략의 유형**
>
> | | | 경쟁우위 | |
> |---|---|---|---|
> | | | 원가(저원가 생산) | 고객화(차별화) |
> | **경쟁범위** | 넓은 범위 | 원가우위 전략 | 차별화 전략 |
> | | 좁은 범위 | 집중화된 원가우위 전략 | 집중화된 차별화 전략 |

(1) 원가우위 전략

원가우위 전략(cost leadership strategy)은 기업이 가지고 있는 역량을 발휘하여 경쟁자보다 낮은 원가로 제품을 생산하고, 이를 통해 낮은 가격으로 소비자에게 제품을 제공하는 전략을 말한다. 원가우위를 달성할 수 있는 방법으로는 규모의 경제, 학습효과, 투입요소 가격의 자체적인 차이 및 효율적인 프로세스 등이 있다.

(2) 차별화 전략

차별화 전략(differentiation strategy)은 경쟁기업과는 다른 독특한 재화나 서비스를 제공함으로써 경쟁우위를 확보하려는 전략을 말한다. 제품이 가지는 차별성은 소비자의 특수한 욕구를 만족시키는 것으로부터 시작되기 때문에 기업들은 다양한 소비자 수요의 특성을 이해하기 위해 다차원척도법(multi-dimensional scaling)이나 컨조인트 분석(conjoint analysis)을 이용하게 된다. 또한, 차별화 전략은 차별적 특성을 갖는 제품을 공급하기 때문에 시장의 평균가격보다 높은 프리미엄 가격을 부과할 수 있으며, 이러한 이유 때문에 프리미엄 전략(premium strategy)이라고도 한다.

(3) 집중화 전략

집중화 전략(focus strategy)은 특정지역이나 시장의 한 부분에 있는 제한된 고객들에게 재화나 서비스를 제공하는 전략을 말하는데, 이러한 전략을 추구하는 기업들은 특정 시장에 관심을 두기 때문에 넓은 시장을 목표로 하는 기업과의 경쟁을 피할 수 있게 된다.

❸ 마일즈(Miles)와 스노우(Snow)의 전략유형

1. 공격형

공격형 또는 개척형(prospectors)은 신제품 및 신시장 기회를 적극적으로 찾아내고 이용하는 기업군으로 기술과 정보의 급속한 발전과 변화를 조기에 포착하고 기술혁신을 통하여 신제품을 개발한다. 따라서 이러한 유형은 고도의 전문지식을 필요로 하고 분권적 조직과 수평적 의사소통이 필수적이다. 이러한 전략은 창의성이 효율성보다 더 중요시되는 동태적이고 급변하는 환경에 적합한 전략이다.

2. 방어형

방어형(defenders)은 위험을 추구하거나 새로운 기회를 탐색하기 보다는 안정성을 중요시하거나 좁은 제품시장을 정해놓고 제품을 경쟁적인 가격으로 공급하는 기업군이다. 방어전략을 채택하는 기업들은 가장 효율적으로 제품을 생산 및 공급하며 이들에게 있어서는 기술적 효율이 성공의 관건이다. 이러한 유형은 환경분석을 소홀히 하고 새로운 사업기회에 소극적이기 때문에 시장환경의 변화에 신속하게 적응하지 못한다는 단점이 있다. 이러한 전략은 쇠퇴기에 있는 산업이나 안정적인 환경에 있는 조직에 적합한 전략이다.

3. 분석형

분석형(analyzers)은 제한된 범위의 방어전략과 공격전략을 혼합하여 사용하는 기업군으로 변화하는 정보기술에 효과적으로 대응하는 동시에 전통적 사업에도 충실하고자 노력한다. 이들은 안정적인 제품시장에서는 합리적인 생산을 추구하며 최소의 비용으로 제품을 생산하거나 최고품질의 제품을 생산함과 동시에 새로운 기회에 부응하여 시장성 있는 신제품의 개발도 추진한다.

4. 반응형

반응형 또는 낙오형(reactors)은 적극적으로 환경을 개척하는 것이 아니라 전략형성에 실패한 기업군을 말한다.

제4절 │ 전략실행 - 사업포트폴리오 분석

❶ 의의

1. 개념

사업포트폴리오 분석(business portfolio analysis)이란 사업포트폴리오 전략을 실행히기 전에 헌재 운영 중인 사업단위 중에서 전략적 측면을 고려하여 해당 사업단위의 유지 및 철수에 대한 의사결정을 내리기 위해 현 사업단위들의 위치와 성과를 분석하고 평가하는 기법을 말한다. 대표적인 사업포트폴리오 분석의 방법으로는 BCG 매트릭스와 전략적 사업계획 그리드(GE matrix) 등이 있다.

2. 전략사업단위

전략사업단위(SBU; strategic business unit)란 최고경영자로부터 권한을 위임받고 경영성과에 대해서 책임을 지는 독립적 사업단위를 의미한다. 다양한 제품이나 사업을 영위하는 대부분의 기업들은 전략수립을 위해 관련된 제품이나 사업들을 묶어 별도의 사업단위로 분류하게 되며, 기업의 전체 규모, 기업이 취급하는 제품의 특성 따라 사업단위의 규모나 범위가 결정되게 된다.

2 사업포트폴리오 분석기법

1. BCG 매트릭스

(1) 의의

BCG 매트릭스(matrix)란 사업포트폴리오 분석의 한 방법인 포트폴리오 매트릭스를 이용하는 방법 중의 하나인데, 이는 보스톤 컨설팅 그룹(Boston Consulting Group)이 고안한 방법이기 때문에 붙여진 이름이다. 이 기법은 특정 사업단위의 상대적 시장점유율(매출액), 해당 사업단위가 속한 시장의 성장률, 사업의 추진에 따른 현금흐름이라는 세 가지 측면에서 SBU를 평가하게 되며, 기업은 이 기법을 활용하여 모든 SBU를 분석하고 어떤 사업에 자원을 할당해야 하는지에 대한 투자의 우선순위를 결정하게 된다. BCG 매트릭스는 상대적 시장점유율과 시장(산업)성장률을 기준으로 각 사업단위의 경쟁적 지위를 알아볼 수 있게 설계되어 있으며, 조직의 모든 SBU들은 상대적 시장점유율과 시장(산업)성장률에 따라 매트릭스상의 한 곳에 위치하게 된다.

① **상대적 시장점유율**: 같은 시장에서 가장 성공적인 경쟁자의 매출액에 대한 해당 SBU의 매출액 비율로 측정한다. 상대적 시장점유율은 1을 기준으로 하여 고·저로 구분한다. 즉 상대적 시장점유율은 1보다 클 수 있으며, 상대적 시장점유율이 1보다 크다는 것은 해당 SBU가 시장에서 가장 높은 시장점유율을 차지하고 있음을 의미한다.

② **시장(산업)성장률**: 해당 SBU가 속한 시장의 연간 성장률을 의미하는데, 10%를 기준으로 고·저로 분류한다.

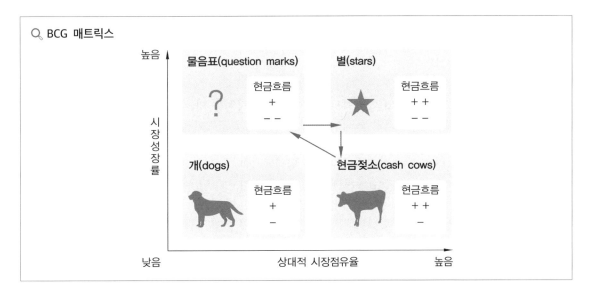

(2) 전략적 선택

BCG 매트릭스는 상대적 시장점유율과 시장(산업)성장률이라는 기준으로 4개의 영역을 도출하게 되며, 이 영역은 각각 물음표[18], 별, 현금젖소, 개라고 명명한다. 또한, BCG 매트릭스는 이 4개의 영역을 제품수명주기(PLC; product life cycle)의 개념과 연결시켜 전략적 문제를 설명한다. BCG 매트릭스는 사업단위(SBU)의 위치를 원으로 표시한다. 여기서 원의 크기는 매출액으로 측정된 해당 사업단위의 크기를 의미하며, 원의 위치는 현금흐름과 연관되어 있다.

---

18) 야생고양이(wild cats) 또는 문제아(problem children)라고도 한다.

🗒 BCG 매트릭스의 전략적 선택

영역	경쟁적 지위(제품수명주기)	전략적 선택
물음표 (question marks)	성장하는 산업에서 열등한 경쟁적 지위(도입기)	• 확대 또는 축소전략(안정화 전략) • 전망이 좋으면 자원을 확대투입하고, 그렇지 않으면 자원 투입을 축소
별 (stars)	성장하는 산업에서 지배적 경쟁적 지위(성장기)	• 확대전략 • 시장예측에 기반을 두어 사업을 더 확장하고 자원을 추가투입
현금젖소 (cash cows)	낮은 성장산업에서 지배적 경쟁적 지위(성숙기)	• 안정화 또는 점진적 성장전략 • 자원투자를 최소화로 유지하여 보다 많은 현금흐름의 편익을 유지
개 (dogs)	낮은 성장산업에서 열등한 경쟁적 지위(쇠퇴기)	• 축소전략 • 자원의 유출을 제거하기 위해 사업을 매각·분사·청산

2. 전략적 사업계획 그리드(GE 매트릭스)

(1) 의의

GE(General Electric)는 BCG 매트릭스 기법을 수정하여 전략적 사업계획 그리드(strategic business planning grid) 또는 신호등 전략(stoplight strategy)이라고 불리는 기법을 개발하였다. GE는 매년 판매, 이윤, 투자수익률 등을 기준으로 각 제품을 평가하고, 그 제품이 속하는 산업을 기술적 요구, 시장점유율, 경쟁상태, 산업에서의 종업원 충성도 및 사회적 요구 등을 기준으로 평가하여 사업단위(SBU)의 강점(strength)과 산업의 매력도(attractiveness)를 각각 고·중·저로 구분하고 각 영역들을 신호등과 같은 색깔로 표시하였다.

(2) 전략적 선택

전략적 사업계획 그리드는 산업의 매력도와 사업단위의 강점을 기준으로 영역을 도출하는데, 사업단위(SBU)의 위치는 각 영역에 원으로 표시한다. 여기서 원의 크기는 해당 사업단위가 포함되어 있는 시장의 크기를 의미하며, 원의 내부에 존재하는 부채꼴은 해당 사업단위의 시장점유율을 나타내고, 원의 위치는 투자수익률(ROI)과 연관되어 있다. 각 영역에서의 전략적 선택은 다음과 같다.

① **청신호 지역(green zone)**: 산업의 매력도와 사업단위의 강점이 높은 지역으로, 투자를 통해 현재 상태를 유지하거나 성장하는 전략을 추구하여야 한다.

② **황신호 지역(yellow zone)**: 산업의 매력도와 사업단위의 강점이 중간정도인 지역으로, 경쟁력이 있다고 판단되는 사업단위는 투자를 지속적으로 증가시키고, 그렇지 않은 사업단위에 대해서는 투자감소를 통해 철수하거나 매각하는 전략을 추구하여야 한다.

③ **적신호 지역(red zone)**: 산업의 매력도와 사업단위의 강점이 낮은 지역으로, 투자감소를 통해 철수하거나 매각하는 전략을 추구하여야 한다.

전략적 사업계획 그리드(GE 매트릭스)

산업의 매력도		사업부(SBU)의 강점		
		강함	평균	약함
높음		우월한 사업 [성장 추구]	우월한 사업 [성장 추구]	물음표 [계속 유지]
중간		우월한 사업 [성장 추구]	평균적인 사업 [계속 유지]	실패한 사업 [철수(매각)]
낮음		수익창출 사업 [계속 유지]	실패한 사업 [철수(매각)]	실패한 사업 [철수(매각)]

3 한계

1. 각 사업부 사이의 연관 문제

사업포트폴리오 분석을 통해 수익성이 낮은 사업부를 제거함으로써 그 여파가 수익성이 좋은 사업부까지 미쳐 오히려 두 사업부 모두를 악화시킬 수 있다. 즉, 사업부 간의 상호작용을 무시하고 결정함으로써 그 파장이 다른 곳까지 미칠 수 있다.

2. 자원의 제약성

사업포트폴리오 분석을 위한 방법들은 내부적 자원만 고려하고 있으며 외부적 자원의 공급문제에 대해서 고려하지 못하고 있다. 즉, 각 SBU의 투자재원이 주로 기업 내에서 조달된다고 전제하고 있다.

3. 가정의 비현실성

BCG 매트릭스의 경우 점유율을 기준으로 투자의사결정을 하게 되는데, 이는 제품의 특성에 따라 중요 요인이 각각 다를 수 있다는 점을 간과하고 있다. BCG 매트릭스는 수익성의 지표로써 다른 요인들을 무시하고 상대적 시장점유율과 시장(산업)성장률만을 고려하고 있다. 또한, 사업포트폴리오 분석은 이분법적 분류를 사용함으로써 사업단위의 유형을 너무 단순화하고 있다.

4. 주관의 개입 가능성

사업포트폴리오 분석과정에서 각 부분에 주관적인 요소가 개입할 수 있으므로 객관적인 평가가 가능하도록 요인과 변수의 선택과정에 신중을 기해야 한다.

1 의의

1. 개념

균형성과표(balanced scorecard, BSC)란 기업의 전략적 목표를 일련의 성과측정지표로 전환할 수 있는 종합적인 틀로써 재무적 관점, 고객 관점, 내부프로세스 관점, 학습과 성장 관점 등 4개의 범주로 구분하여 성과를 측정하는 것을 말하며, 카플란(Kaplan)이 제시한 개념이다. 균형성과표의 목표와 측정치는 조직의 비전과 전략으로부터 도출되며 네 가지 관점에서 조직의 성과를 평가한다.

2. 특징

성과측정을 위한 목표와 측정치는 각 사업단위의 비전과 전략에 따라 도출되어야 하며, 각각의 목표와 측정치는 다음과 같이 서로 균형을 이루어야 하는데, 이러한 의미에서 이 성과기록표를 '균형성과표'라고 부른다.

(1) 균형성과표는 주주와 고객을 위한 외부적인 측정치와 내부프로세스의 개선 및 학습과 성장이라는 내부적인 측정치 간의 균형을 이루어야 한다.

(2) 균형성과표는 과거 노력의 산출물인 결과 측정치와 미래성과를 창출할 측정치 간의 균형을 이루어야 한다.

(3) 균형성과표는 객관적으로 계량화되는 측정치와 주관적인 판단이 요구되는 비계량적 측정치 간의 균형을 이루어야 한다.

(4) 균형성과표는 재무적 관점에 의한 단기적 성과와 나머지 세 가지 관점에 의한 장기적 성과 간의 균형을 이루어야 한다.

2 구성

1. 재무적 관점

재무적 관점(financial perspective)은 주주에게 어떻게 보일 것인가를 중요시하는 관점으로써 전략을 실행하여 영업이익이나 순이익 등과 같은 재무성과가 얼마나 개선되었는지를 측정하는 것이다. 재무적 관점은 성과측정지표로 영업이익, 투자수익률, 잔여이익, 경제적 부가가치, 판매성장, 현금흐름 등을 사용한다.

2. 고객 관점

고객 관점(customer perspective)은 고객에게 어떻게 보일 것인가를 중요시하는 관점으로써 전략을 실행하여 고객과 관련된 성과가 얼마나 개선되었는지를 측정하는 것이다. 고객 관점은 성과측정지표로 고객만족도, 시장점유율, 고객수익성 등을 사용한다.

3. 내부프로세스 관점

내부프로세스 관점(internal process perspective)은 주주나 고객을 만족시키기 위해 어떤 내부프로세스가 탁월해야 하는지를 중요시하는 관점으로서 전략을 실행하여 기업내부에 가치를 창출할 수 있는 프로세스가 얼마나 개선되었는지를 측정하는 것이다. 내부프로세스 관점은 성과측정지표로 경영시스템(관리비, 제안건수), 제품개발, 생산, 품질, 적송, 사후 서비스, 정보기술 등을 사용한다.

4. 학습과 성장 관점

학습과 성장 관점(learning and growth perspective)은 비전을 달성하기 위해 변화하고 개선하는 능력을 어떤 방법으로 길러야 하는지를 중요시하는 관점으로써 전략을 실행하여 장기적인 성장과 발전을 위해 인적자원과 정보시스템 및 조직의 절차 등이 얼마나 개선되었는지를 측정하는 것이다. 학습과 성장 관점은 성과측정지표로 직원숙련도, 직원만족, 자발적 이직률, 정보획득 가능성, 연구개발(R&D) 등을 사용한다.

제6절 | 경영혁신

1 의의

1. 개념

경영혁신이란 시대의 흐름이나 환경의 변화에 맞춰 기업을 기업전체의 차원에서 과감하게 변화시킴으로써 기업의 지속적인 성장과 발전을 꾀하려는 기업구성원들의 의도적인 노력을 말한다. 이러한 경영혁신의 대상은 유형 또는 무형의 산출물(output), 관리과정 및 조직구조(managerial process and structure), 조직의 구성원(people) 등이 된다.

2. 특징

경영혁신은 일반적으로 목표를 달성하고 있지 못한 경우, 새로운 목표를 추구하는 경우 및 기업이 처해 있는 환경이 급변하는 경우 등에 필요한 노력이라고 할 수 있는데, 경영자는 유행에 민감하기 때문에 시대에 따라 유행하는 경영혁신기법이 달라질 수 있다는 점을 고려하여 그 당시 경영환경을 반영해야 하고, 만병통치약과 같은 경영혁신기법은 없기 때문에 경영자는 신중하게 경영혁신기법을 선택해야 한다.

2 경영혁신기법

1. 다운사이징

다운사이징(downsizing)은 조직의 효율, 생산성, 경쟁력을 높이기 위해서 비용구조나 업무흐름을 개선하는 일련의 조치들로 필요가 없는 인원이나 경비를 줄여 낭비적인 요소를 제거하는 것을 말한다. 이러한 기법은 조직의 체중을 감량하여 홀가분하게 하여 원활한 활동을 할 수 있도록 하는 것으로 감량경영기업이라고 할 수 있지만, 기업이 의도적으로 실시하는 것이기 때문에 조직이 쇠퇴하면서 규모가 작아지는 것과는 다르다. 또한, 이 기법은 기업이 위기에서 벗어나기 위한 방어적인 수단뿐만 아니라 성과를 높이기 위한 공격적인 수단으로도 사용될 수 있다.

2. 구조조정과 리엔지니어링

(1) 구조조정(restructuring)

기업이 장기적으로 치열한 경쟁에서 살아남아 경쟁우위를 확보하기 위해 제품이나 사업의 편성을 변경하고, 사업의 생산·판매·개발시스템을 구조적으로 변화시키고 재편성하는 등 의도적이고 계획적으로 사업구조를 재구성하는 것을 의미한다.

(2) 리엔지니어링(business process re-engineering, BPR)

업무방식을 단순히 개선 또는 보완하는 차원이 아니라 고객만족이라는 전제하에서 업무를 처리하는 방식을 근본적으로 개선하고 업무프로세스 자체를 바꿈으로써 경영효율을 높이는 기법을 말한다. 즉, 기존의 조직단위나 규칙 또는 순서를 완전히 무시하고 프로세스를 근본적으로 뜯어고쳐 고객가치의 증가라는 관점에서 기업의 모든 활동을 프로세스 중심으로 재편하여 처음부터 다시 시작하는 것이다.

3. 벤치마킹

벤치마킹(benchmarking)이란 제품이나 업무수행과정 등 경영의 어느 특정부문에서 최고의 성과(best practice)를 올리고 있는 다른 기업을 선정하고 그 부문에서 우리 기업과 그 기업 사이의 차이를 비교·검토한 후 학습과 자기혁신을 통해 성과를 올리려는 지속적인 노력을 말한다. 그 대상은 기업경영에서 측정가능한 모든 것이 될 수 있는데, 특정 제품의 품질, 고객서비스 수준, 생산프로세스 등 모두 벤치마킹의 대상이 될 수 있다.

4. 지식경영

지식경영(knowledge management)이란 지식의 창출 및 공유활동을 통해 조직 내의 개인과 조직이 지니고 있는 지식을 효율적으로 관리하여 부가가치를 창출하는 경영기법으로, 통합적인 지식경영 프레임워크를 성공적으로 수행하기 위해서는 조직문화, 조직전략, 프로세스, 정보기술과 같은 네 가지의 구성요소가 필요하다. 또한, 지식경영은 지식생산, 지식저장, 지식공유, 지식활용의 프로세스를 가지는데, 지식경영의 핵심은 지식의 창출과 공유라고 할 수 있다. 노나카 이쿠지로(Nonaka Ikuziro)는 SECI 모형을 통해 지식을 암묵지(tacit knowledge)[19]와 형식지(explicit knowledge)[20]로 분류하고, 지식은 '사회화 → 표출화 → 연결화 → 내면화 → 사회화 → …'의 활동들이 순차적이고 지속적으로 순환하는 암묵지와 형식지 간의 상호변환과정을 통해 창출된다고 하였다. 또한, 그 과정에서 창출된 지식은 '개인(individual)수준 → 집단(group)수준 → 조직(organization)수준 → 개인수준 → …'으로 지식의 공유가 일어나게 된다. 일반적으로 지식의 창출과 공유는 동시에 발생한다.

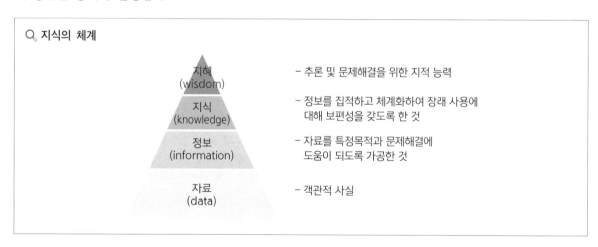

🔍 **지식의 체계**

- 지혜(wisdom) — 추론 및 문제해결을 위한 지적 능력
- 지식(knowledge) — 정보를 집적하고 체계화하여 장래 사용에 대해 보편성을 갖도록 한 것
- 정보(information) — 자료를 특정목적과 문제해결에 도움이 되도록 가공한 것
- 자료(data) — 객관적 사실

---

19) 언어로는 설명할 수 없이 전적으로 개인의 경험이나 잠재적인 능력에서 비롯되는 지식이다. 인간의 정신과 신체 속에 체화되어 있기 때문에 부호화나 전달이 어렵고, 특정 상황하에서 오직 행동과 노력을 통해서만 표출되고 이전될 수 있는 지식이다.

20) 언어로 명료화되어 전달될 수 있는 지식을 의미한다. 책, 기술사양서, 설계도 형태로 부호화되어 있고 관찰이 가능하므로 손쉽게 습득하고 이전할 수 있는 지식이다.

(1) 사회화(socialization)

한 사람의 암묵지가 다른 사람의 암묵지로 변환되는 과정이다. 이 과정에서는 구성원들 간의 경험공유를 통해서 새로운 암묵지가 창출된다. 이러한 사회화는 경험의 공유를 통해서 새로운 지식이 창출되는 방식이기 때문에 구성원들의 상호작용을 위한 공간(field)을 만들어 주는 것이 중요하다.

(2) 표출화(externalization)

개인이나 집단의 암묵지가 공유되고 통합되어 새로운 형식지가 만들어지는 과정이다. 즉 머릿속의 지식을 실천에 옮겨 새로운 지식을 얻어내는 과정이다.

(3) 연결화(combination)

각기 다른 형식지를 분류, 가공, 조합, 편집해서 새로운 형식지로 체계화되는 과정이다.

(4) 내면화(internalization)

글이나 문서형태로 표현된 형식지를 암묵지로 개인의 머리와 몸속에 체화시키는 과정이다. 기업에서는 종업원이 표준작업절차, 업무매뉴얼, 기계사용설명서 등으로부터 작업에 필요한 지식을 얻어 자신의 머릿속에 기억하고 저장하는 것을 말한다.

🔍 **지식의 창출과정**

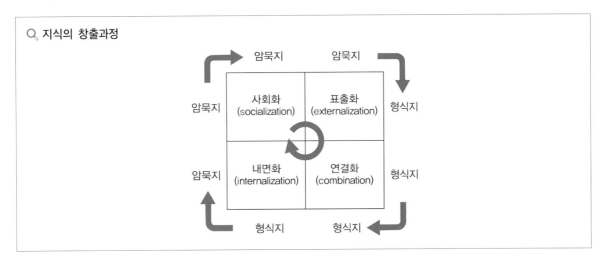

5. 시간기반 경쟁과 고객만족 경영

(1) 시간기반 경쟁(time-based competition, TBC)

제품의 기획 및 개발단계에서부터 최종소비자에 대한 서비스에 이르기까지 전 사업과정에서 시간이란 측면의 경쟁우위를 확보하려는 경영기법을 말한다. 즉, 시간과 시점을 중시하는 현대 고객의 특성을 고려하여 현재와 미래의 고객이 원하는 재화와 서비스를 가장 빨리 그리고 고객이 바라는 가장 적당한 시점에 제공하려는 경영활동이다.

(2) 고객만족 경영(customer satisfaction management, CSM)

시간기반 경쟁이 확대된 개념으로 고객만족을 이익창출을 위한 가장 중요한 경영목표로 삼고 이를 위해 기업의 모든 경영활동을 집중시키는 경영기법으로 고객의 기대와 욕구를 만족시켜 줌으로써 고객과 지속적인 관계를 유지하도록 하는 것이다. 고객의 만족 정도는 고객만족지수를 이용하여 평가하게 된다.

6. 경제적 부가가치 경영

경제적 부가가치(economic value-added, EVA) 경영이란 EPS(주당순이익), PER(주가수익률), ROE(자기자본수익률)와 같은 이익중심의 기업평가방법들은 기업의 안정성과 흑자도산의 가능성을 잘 보여주지 못하기 때문에 기업이 구조조정, 신규사업 선택 등의 투자의사결정, 사업부의 업적평가 및 종업원들의 인사평가 등을 할 때 자본의 효율성을 나타내는 경제적 부가가치를 의사결정의 기준으로 삼는 경영기법을 말한다. 경제적 부가가치는 기업이 투자자와 채권자들의 기대에 부응한 후에 어느 정도의 부가가치를 창출하였는지를 나타내는 지표이며, 기업의 근본활동인 영업에서 창출된 이익이 투자된 자본의 비용을 초과하는 액수이다. 따라서 경제적 부가가치는 회계지표들과는 달리 기업이 장기적인 수익성을 확보하고 있는지 또는 실질적인 가치를 창출하고 있는지를 나타내주는 것이 특징이다.

경제적 부가가치(EVA) = 세후영업이익 – 자본비용
= (영업이익 – 법인세) – (타인자본비용 + 자기자본비용)

7. 블루오션 전략

(1) 의의

블루오션 전략(blue ocean strategy)은 기존 경쟁시장에 얽매이지 말고 경쟁이 없는 새로운 시장을 개척하고자 하는 전략을 말한다. 즉 산업혁명 이후 기업들이 끊임없이 거듭해 온 경쟁의 원리에서 벗어나 발상의 전환을 통해 고객이 모르던 전혀 새로운 시장을 창출해야 한다는 전략이다. 이를 통해 기업은 기회를 최대화하고 위험(risk)을 최소화하는 것이 가능하다는 것이다.

(2) 레드오션

레드오션(red ocean)은 이미 잘 알려진 시장, 즉 기존의 모든 산업을 의미한다. 산업경계가 이미 정의되어 있고 이를 수용하고 있어서 게임의 경쟁법칙이 잘 알려졌기 때문에 레드오션에 있는 기업들은 기존 시장수요의 점유율을 높이기 위해 경쟁기업보다 우위에 서려고 노력한다.

(3) 블루오션

블루오션(blue ocean)은 잘 알려지지 않은 시장, 즉 현재 존재하지 않아서 경쟁이 무의미한 모든 산업을 말한다. 시장수요는 경쟁에 의해서 얻어지는 것이 아니라 창조에 의해서 얻어지며, 높은 수익과 빠른 성장을 가능하게 하는 엄청난 기회가 존재한다. 또한, 게임의 법칙이 아직 정해지지 않았기 때문에 경쟁은 무의미하다. 이러한 블루오션에 존재하는 소비자를 블루슈머라고 한다. 즉 블루슈머(bluesumer)는 경쟁자가 없는 시장의 새로운 소비자를 뜻하는 말로 블루오션(blue ocean)과 소비자(consumer)를 합성한 용어이다.

🔲 레드오션과 블루오션

속성	레드오션	블루오션
개념	이미 알려진 시장	잘 알려지지 않은 시장
시장과 경쟁	기존 수요시장 공략 ⇨ 경쟁의 원리	새로운 수요창출 및 장악 ⇨ 무경쟁(경쟁이 무의미)
목표	가치와 비용 가운데 택일	가치와 비용을 동시에 추구

(4) 퍼플오션

퍼플오션(purple ocean)은 치열한 경쟁시장인 레드오션과 경쟁자가 없는 시장인 블루오션을 조합한 말이다. 기존의 레드오션에서 발상의 전환을 통하여 새로운 가치의 시장을 만드는 전략을 퍼플오션 전략이라고 한다. 즉 포화상태의 치열한 경쟁이 펼쳐지는 기존의 시장에서 새로운 아이디어나 기술 등을 적용함으로써 자신만의 새로운 시장을 만든다는 의미로 발상의 전환을 통하여 새로운 가치의 시장을 만드는 것을 일컫는다.

01 　□□□ 2021년 군무원 5급

전략의 수준을 사업부 수준의 전략과 전사적 수준의 전략으로 구분할 때, 사업부 수준의 전략의 예에 해당하지 않는 것은?

① 다른 기업과 차별화된 자동차를 판매한다.
② 다양한 고객을 상대하는 대신 좁은 범위의 고객을 대상으로 햄버거를 판매한다.
③ 규모의 경제를 통한 비용 절감을 이루어 값싼 볼펜을 판매한다.
④ 영화 제작사와 제휴를 맺어서 새로운 영화에 등장하는 캐릭터 인형을 판매한다.

해설

마이클 포터(M. Porter)의 본원적 전략은 사업부 수준의 전략에 해당하는데, ①은 차별화전략, ②는 집중화전략, ③은 원가우위전략에 해당하는 설명이기 때문에 모두 사업부 수준에 전략에 해당한다. 그리고 ④는 전략적 제휴에 대한 설명이고, 전략적 제휴는 사업부 수준이 아니라 기업 수준에서 이루어지기 때문에 전사적 수준의 전략에 해당한다. 　　　　정답 ④

02 　□□□ 2022년 군무원 9급

다음 중에서 기업의 종합적인 관점에서 비전과 목표를 설정하고 각 사업분야에서 경영자원을 배분하고 조정하는 일련의 활동으로 가장 옳은 것은?

① 기업전략　　　　　　　　　　　② 사업부전략
③ 기능별전략　　　　　　　　　　④ 마케팅전략

해설

기업전략은 기업전체의 목표를 달성하기 위해 지속적 경쟁우위를 확보하고 그 기업이 나아가야 할 방향을 설정하기 위해 수립되는 경영전략이다. 따라서 기업의 종합적인 관점에서 비전과 목표를 설정하고 각 사업분야에서 경영자원을 배분하고 조정하는 일련의 활동은 기업전략이다.
② 사업부전략은 개별 주요사업을 완수하기 위해 하나의 사업단위, 하나의 제품 또는 하나의 제품라인 등을 위해 수립되는 경영전략이다.
③ 기능별전략은 사업전략을 실행하기 위한 자원의 배분을 위해 수립되는 경영전략이다.
④ 마케팅전략은 기능별전략 중의 하나이다. 　　　　정답 ①

03 □□□ 2019년 군무원

경영전략을 수립함에 있어서 환경상의 기회와 위협에 대한 분석 및 기업 역량에 대한 강점과 약점을 분석하는 기법을 무엇이라고 하는가?

① 가치사슬분석(VCA)
② VRIO 분석
③ 사업포트폴리오 분석(BPA)
④ SWOT 분석

해설

경영전략을 수립함에 있어서 환경상의 기회와 위협에 대한 분석 및 기업 역량에 대한 강점과 약점을 분석하는 기법은 SWOT 분석이다. **정답 ④**

04 □□□ 2022년 국가직

SWOT 분석의 각 상황에 대한 전략 대안으로 적절하지 않은 것은?

① ST - 시장침투전략, 다각화 전략
② WT - 제품/시장 집중화 전략, 철수 또는 축소 전략
③ WO - 전략적 제휴, 핵심역량 개발 전략
④ SO - 제품확충전략, 다각화 전략

해설

SO 상황에서는 다각화 전략, 인수합병, 시장진출 전략이 적합한 전략대안이 된다. 따라서 제품확충전략은 SO 상황에 대한 전략 대안으로 적절하지 않고, ST 상황에 대한 전략 대안에 해당한다. **정답 ④**

05 □□□ 2021년 군무원 7급

기업의 경쟁우위에 대한 설명으로 가장 옳지 않은 것은?

① 산업 등 외부환경 조건이 아닌 기업자원 수준의 요인이 기업의 경쟁력을 주로 결정한다고 설명하는 이론은 자원기반이론이다.
② 자원기반이론에 의하면 기업의 지속적 경쟁 우위는 높은 진입장벽으로 인해 창출된다.
③ 자원기반이론에 의하면 가치가 있지만 희소하지 않은 기업자원은 경쟁 등위를 창출할 수 있다.
④ 5가지 세력 모형(five-force model)은 산업수준의 요인이 기업의 경쟁력을 주로 결정한다고 설명한다.

해설

자원기반이론에 의하면 기업의 지속적 경쟁 우위는 기업이 보유한 내부 자원과 능력을 통해 창출된다. 그리고 경쟁 등위는 어떤 기업이 경쟁기업과 비슷한 크기의 경제적 가치를 창출하여 어느 한 기업을 우위로 판단하기 어려운 상태를 의미한다. **정답 ②**

06 ☐☐☐ 2021년 군무원 5급

기업의 전략적 의사결정을 위한 환경위협 요인에 해당하지 않은 것을 모두 고른 것은?

ㄱ. 구매자	ㄴ. 공급자
ㄷ. 정부의 통화정책	ㄹ. 미래경쟁자
ㅁ. 유망기술	

① ㄱ, ㄷ   ② ㄴ, ㄷ
③ ㄷ, ㅁ   ④ ㄹ, ㅁ

해설

ㄷ. 정부의 통화정책과 ㅁ. 유망기술은 기업의 전략의 의사결정을 위한 환경위협 요인보다는 환경기회 요인에 해당한다.   **정답 ③**

07 ☐☐☐ 2013년 국가직

경영전략이론으로서 자원기반관점(resource based view)에 대한 설명으로 옳지 않은 것은?

① 동일 산업에 속하는 기업 간에는 통제가능한 전략적 자원이 동질적이라는 것을 전제로 한다.
② 기업이 장기간의 노력으로 보유하게 된 인적자원, 조직문화, 생산시설, 연구시설 등이 기업 경쟁력의 원천이 된다.
③ 지속적인 경쟁우위의 원천이 되는 자원은 경쟁사들이 모방할 수 없고, 쉽게 다른 자원으로 대체될 수 없다.
④ 기존 관점에서 상대적으로 등한시하였던 조직 능력, 경영자능력 등과 같은 무형자산을 중요하게 다룬다.

해설

자원기반이론의 핵심적 주장은 기업이 시장에서 경쟁적 우위를 확보하고 유지하기 위해서는 경쟁자들과 다른 자원을 보유하여야 한다는 것이다. 이러한 자원의 특징은 가치가 있고, 드물며, 모방하기가 어렵고, 대체하기가 어려워야 한다는 것이다. 따라서 자원기반관점은 동일 산업에 속하는 기업 간에는 통제가능한 전략적 자원이 동질적이라는 것을 전제로 한다는 설명은 옳지 않다.   **정답 ①**

08 □□□ 2023년 국가직

자원기반관점의 VRIO 모형에서 (가) ~ (라)에 들어갈 내용으로 옳지 않은 것은?

가치가 있는가?	희소성이 있는가?	모방하기 어려운가?	조직에 의해 실현되는가?	경쟁력 상태
아니오	–	–	아니오	(가)
예	아니오	–	↕	(나)
예	예	아니오		(다)
예	예	예	예	(라)

① (가) – 경쟁열위
② (나) – 경쟁등위
③ (다) – 허위적 경쟁우위
④ (라) – 지속적 경쟁우위

해설

(다)는 허위적 경쟁우위가 아니라 임시적 경쟁우위에 해당한다. VRIO 분석의 결과에 의하면, 경쟁열위, 경쟁등위, 임시적 경쟁우위, 지속적 경쟁우위의 순으로 핵심역량이 강화된다.

정답 ③

09 □□□ 2022년 군무원 5급

다음 중 자원기반관점(resource-based view)에 대한 설명으로 가장 옳지 않은 것은?

① 기업의 지속적 경쟁우위를 가능하게 하는 것은 기업의 외부 자원이며, 이러한 외부자원은 시간에 걸쳐 기업 외부에서 형성되는 것으로, 차별적이고 독특하며, 다른 기업으로 완전 이동이 불가능하다.
② 모방 불가능성은 특정 자원을 보유하고 있지않은 기업이 가치 있는 자원을 획득하거나 개발하고자 할 때 얼마나 더 많은 비용을 감내해야 하는가에 의해 결정된다.
③ 희소성은 얼마나 많은 경쟁기업이 자사의 자원과 능력을 보유하고 있는가에 의해서 결정된다.
④ 지속적 경쟁우위의 원천인 기업 특유의 자원은 가치가 있고, 희소성 있고, 모방할 수 없고, 조직화할 수 있는 자원을 의미한다.

해설

기업의 지속적 경쟁우위를 가능하게 하는 것은 기업의 내부 자원이며, 이러한 내부자원은 시간에 걸쳐 기업 내부에서 형성되는 것으로, 차별적이고 독특하며, 다른 기업으로 완전 이동이 불가능하다.

정답 ①

10 ☐☐☐ 2018년 국가직

마이클 포터(M. Porter)의 산업구조분석(5-forces Model)에 대한 설명으로 옳지 않은 것은?

① 퇴출장벽(Exit Barrier)이 높을수록 가격경쟁이 치열해져 시장의 매력도가 낮아진다.
② 구매자의 공급자 전환비용(Switching Cost)이 높을수록 구매자의 교섭력이 높아져 시장의 매력도가 낮아진다.
③ 진입장벽(Entry Barrier)이 높을수록 새로운 경쟁자의 진입이 어려워져 시장의 매력도가 높아진다.
④ 대체재가 많을수록 대체재의 존재 때문에 가격을 높이기가 어려워져 시장의 매력도가 낮아진다.

해설

구매자와 공급자는 공급자와 생산자 간의 관계로 이해할 수도 있고, 생산자와 소비자 간의 관계로 이해할 수도 있다. 구매자가 공급자를 바꾸는데 발생하는 비용(전환비용)이 높게 되면 구매자는 공급자를 쉽게 바꿀 수 없기 때문에 구매자보다는 공급자가 더 큰 힘을 가지게 된다. 따라서 구매자의 교섭력이 낮아지기 때문에 공급자 입장에서 시장의 매력도는 높아지게 된다.   정답 ②

11 ☐☐☐ 2022년 국가직

포터(M. Porter)의 산업구조분석에 대한 설명으로 옳은 것은?

① 산업구조분석에서 시장매력도는 단지 산업의 평균 수익성을 의미할 뿐이다.
② 제품시장의 성장률이 낮을수록 기존 기업 간의 경쟁이 감소하는 경향이 있다.
③ 후방통합의 가능성이 높을수록 구매자의 협상력이 감소하는 경향이 있다.
④ 초과설비가 많을수록 기업의 수익률이 증가하는 경향이 있다.

해설

② 제품시장의 성장률이 낮을수록 기존 기업 간의 경쟁이 증가하는 경향이 있다.
③ 후방통합의 가능성이 높을수록 구매자의 협상력이 증가하는 경향이 있다.
④ 초과설비가 많을수록 기업의 수익률이 감소하는 경향이 있다.   정답 ①

12 ☐☐☐ 2016년 서울시

포터(M. Porter)는 기업의 환경에서 경쟁적 우위를 확보 하는 데 위협이 되는 요소를 5가지로 파악하여 다섯 가지의 힘(5 forces)이라고 명명하였다. 이 요소에 해당하지 않는 것은?

① 혁신의 위협(threat of innovation)
② 기존 기업 간의 경쟁(threat of rivalry)
③ 대체재의 위협(threat of substitutes)
④ 신규 진입자의 위협(threat of entry)

해설

마이클 포터(M. Porter)의 산업구조분석은 산업을 구성하는 다섯 가지의 힘 중 수평적 힘으로 산업 내 경쟁, 신규진입자(진입장벽), 대체재의 존재를 고려하고, 수직적 힘으로 소비자의 교섭력과 공급자의 교섭력을 고려하였다. 따라서 혁신의 위협은 다섯 가지의 힘에 포함되지 않는다.   정답 ①

13 □□□ 2022년 군무원 5급

기업의 환경을 산업환경과 일반환경으로 구분할 경우, 산업환경과 관련하여 포터(M. Porter)는 5요인 모형(5 forces model)에서, 기업이 수익을 창출할 수 있느냐 없느냐 하는 능력은 5가지 요인에 의해 영향을 받는다고 제시하고 있다. 다음 중 이 5요인에 해당하지 않는 것은?

① 대체품의 위협(threat of substitute products) ② 구매자의 교섭력(bargaining power of buyer)
③ 공급자의 교섭력(bargaining power of supplier) ④ 인구통계적 요인(demographic forces)

해설

포터(M. Porter)는 5요인 모형(5 forces model) 또는 산업구조분석은 산업을 구성하는 다섯 가지의 힘 중 수평적 힘으로 산업 내 경쟁, 신규진입 자(진입장벽), 대체재의 존재(대체품의 위협)를 고려하고, 수직적 힘으로 공급자의 교섭력과 소비자(구매자)의 교섭력을 고려하였다. 따라서 인구 통계적 요인은 해당하지 않는다.   정답 ④

14 □□□ 2023년 군무원 7급

산업의 매력도를 평가하는 환경분석도구로서 포터(M. Porter)의 5대 경쟁세력모형(5-Forces Model)에서 제시된 5대 경쟁요인과 가장 거리가 먼 것은?

① 대체재(substitute)의 위협 ② 신규 진입기업(new entrant)의 위협
③ 정부정책(government policy)의 위협 ④ 공급자(supplier)의 교섭력

해설

포터(M. Porter)의 5대 경쟁세력모형(5-Forces Model)에서 제시된 5대 경쟁요인은 수평적 힘으로 산업 내 경쟁, 신규진입자(진입장벽), 대체 재의 존재를 고려하고, 수직적 힘으로 공급자의 교섭력과 소비자(구매자)의 교섭력을 고려하였다. 따라서 정부정책(government policy)의 위협 은 5대 경쟁요인으로 가장 거리가 멀다.   정답 ③

15 □□□ 2021년 군무원 7급

포터(M. Porter)의 가치사슬 모형에 대한 설명으로 옳지 않은 것은?

① 직접적으로 이윤을 창출하는 활동을 기간 활동(primary activities)이라 한다.
② 가치사슬은 다른 기업과 연계될 수 없다.
③ 판매 후 서비스 활동은 하류(downstream) 가치사슬에 포함된다.
④ 기업의 하부 구조는 보조 활동(support activities)에 포함된다.

해설

가치사슬은 아웃소싱(outsourcing)을 통해 다른 기업과 연계될 수 있다.   정답 ②

16 ☐☐☐ 2019년 군무원

마이클 포터(M. Poter)의 본원적 활동에 해당하는 것은?

① 기업의 하부조직관리
② 인적자원관리
③ 연구기술개발
④ 사후지원활동

해설

본원적 활동은 상품의 물리적 변화에 직접적으로 관련된 기능을 수행하는 활동을 의미하며, 가치창출에 직접적으로 기여하는 활동이다. 이러한 본원적 활동에는 내부물류, 생산/운영, 외부물류, 판매 및 마케팅, 사후서비스가 있다. 이에 반해, 지원적 활동은 본원적 활동을 지원하는 활동을 의미하며, 가치창출에 간접적으로 기여하는 활동이다. 지원적 활동에는 기업의 하부구조, 인적자원관리, 연구/기술개발, 구입/조달이 있다. **정답 ④**

17 ☐☐☐ 2021년 군무원 9급

가치사슬 분석에서 본원적 주된 활동에 해당하지 않는 것은?

① 구매
② 생산
③ 판매
④ 연구개발

해설

연구개발은 지원적 활동에 해당한다. **정답 ④**

18 ☐☐☐ 2013년 국가직

포터(M. Porter)가 기업의 가치 분석 틀로 제시한 가치사슬(value chain) 중 본원적 활동(primary activities)에 해당하지 않는 것은?

① 서비스(service)
② 마케팅 및 판매(marketing & sales)
③ 물류투입활동(inbound logistics)
④ 인적자원관리(human resource management)

해설

마이클 포터(M. Porter)는 5가지 본원적 활동과 4가지 지원적 활동을 주장하였다. 5가지 본원적 활동은 내부물류(물류투입활동), 생산·운영, 외부물류, 판매 및 마케팅, 사후서비스가 있으며 지원적 활동은 기업의 하부구조, 인적자원관리, 연구·기술개발, 구입·조달이 있다. **정답 ④**

19 □□□ 2020년 국가직

가치사슬(value chain)에 대한 설명으로 옳지 않은 것은?

① 가치사슬이란 기업이 가치 있는 제품 또는 서비스를 시장에 제공하기 위해 수행해야 할 일련의 활동을 의미한다.
② 주활동(primary activities)은 기업이 투입물을 산출물로 변환시키면서 직접 가치를 증가시키는 활동을 의미한다.
③ 가치사슬의 수평축을 따라 기업이 수행하는 각 활동은 가치를 점진적으로 증가시키고, 비용을 점진적으로 감소시킨다.
④ 보조활동(supporting activities)에는 연구개발, 인적자원관리, 회계와 재무 등의 활동들이 포함된다.

해설

가치사슬의 수평축을 따라 기업이 수행하는 각 활동은 가치를 점진적으로 증가시키지만, 비용이 점진적으로 감소하는 것은 아니다.　　　**정답 ③**

20 □□□ 2022년 국가직

아웃소싱에 대한 설명으로 옳지 않은 것은?

① 핵심부문만 내부화하고, 기타 비핵심부문은 외부에서 조달하는 전략이다.
② 기업의 비용절감과 유연성 확보가 가능하다.
③ 아웃소싱 이후에도 동일한 사업을 수행하므로 리스크는 감소하지 않는다.
④ 장기적으로 실행하면 핵심기술이 상실되고 공급업체에 종속될 위험이 있다.

해설

일반적으로 아웃소싱을 하게 되면 리스크는 감소한다.　　　**정답 ③**

21 □□□ 2023년 군무원 9급

다음 중 물류관리에 관한 설명으로 가장 거리가 먼 것은?

① 물류관리의 성과지표에는 매출액 대비 물류비용, 납기 준수율 등이 있다.
② 물류관리의 대상은 하역, 포장, 보관, 운송, 유통가공, 정보 등이다.
③ 제품이 수송 및 배송 활동을 거쳐 소비자에게 전달되는 과정은 인바운드 물류(in-bound logistics)에 해당한다.
④ 생산에 필요한 원자재를 자사 창고나 공장으로 이동하는 활동은 조달물류에 해당한다.

해설

제품이 수송 및 배송 활동을 거쳐 소비자에게 전달되는 과정은 아웃바운드 물류(out-bound logistics)에 해당한다. 인바운드 물류(in-bound logistics)는 원자재를 생산장소까지 전달하는 과정이다.　　　**정답 ③**

22 □□□ 2022년 군무원 7급

다음 내용은 어떤 기업전략의 사례를 설명하는 것이다. 아래의 사례에 가장 옳은 것은?

> N사는 운동화를 만드는 과정 중에서 제품 디자인과 판매와 같이 가치사슬의 처음과 끝부분만 자신이 담당하고 나머지 생산부문은 전세계의 하청기업에 맡기고 있다. 하청기업들 간에 서로 비용절감 및 품질향상 경쟁을 유도하여 그 중에서 가장 낮은 가격과 높은 품질의 제품을 구매한다.

① 전략적 아웃소싱
② 전략적 제휴
③ 다각화 전략
④ 수직적 통합

해설

주어진 기업전략의 사례는 전략적 아웃소싱에 해당한다.   **정답 ①**

23 □□□ 2023년 군무원 9급

포터(M. Porter)의 본원적 경쟁전략(generic competitive strategy)과 가장 거리가 먼 것은?

① 집중화 전략
② 차별화 전략
③ 현지화 전략
④ 원가우위 전략

해설

포터(M. Porter)의 본원적 경쟁전략은 경쟁우위와 경쟁범위에 따라 원가우위 전략, 차별화 전략, 집중화 전략으로 구분하였다. 따라서 현지화 전략은 본원적 경쟁전략에 해당하지 않는다.   **정답 ③**

24 □□□ 2019년 군무원

포터(M. Porter)의 본원적 전략에 관한 설명 중 옳지 않은 것은?

① 소기업이 집중화전략을 쓰는 경우 원가우위전략은 고려하지 않아도 된다.
② 차별화전략은 프리미엄 전략(premium strategy)이라고도 한다.
③ 시장점유율이 높은 기업은 원가우위전략을 통하여 시장지배력을 강화할 수 있다.
④ 시장점유율이 낮은 기업은 차별화전략을 통하여 시장점유율의 확대를 모색할 수 있다.

해설

포터(M. Porter)의 본원적 전략에서 원가우위전략은 집중된 원가우위전략과 집중화되지 않은 원가우위전략으로 나눌 수 있다.   **정답 ①**

25 □□□ 2022년 군무원 7급

기업의 경쟁전략에 있어서 경쟁우위는 차별화우위와 비용우위로 실현될 수 있는데, 다음 중 경쟁우위와 경쟁전략에 대한 설명으로 가장 옳지 않은 항목은?

① 차별화우위는 경쟁기업과는 다른 차별화된 제품을 제공함으로써 소비자로 하여금 차별화를 하는데 소요된 비용 이상의 가격프리미엄을 받는 것이다.
② 규모의 경제, 경험효과, 조직의 효율성 증대 등은 비용우위의 원천이 될 수 있다.
③ 다양한 제품의 기획이나 제품 품질에 대한 광고전략 등을 통해 비용우위전략을 추진할 수 있다.
④ 차별화우위는 소비자가 제품과 서비스에 대하여 느끼는 사회적, 감정적, 심리적 차이에서도 나타날 수 있다.

해설

다양한 제품의 기획이나 제품 품질에 대한 광고전략 등을 통해 비용우위전략이 아니라 차별화우위전략을 추진할 수 있다.

정답 ③

26 □□□ 2021년 국가직

포터(M. E. Porter)의 본원적 경쟁전략을 추구하는 기업에 대한 설명으로 옳지 않은 것은?

① 원가우위전략을 추구하는 기업은 구조화된 조직과 책임을 강조하며, 업무의 효율성을 중시한다.
② 원가우위전략을 추구하는 기업은 강력한 마케팅 능력을 중시하는 경향이 있다.
③ 차별화전략을 추구하는 기업은 제품공학을 중시하는 경향이 있다.
④ 차별화전략을 추구하는 기업은 R&D, 제품개발, 마케팅 분야의 상호조정을 중시한다.

해설

강력한 마케팅 능력을 중시하는 경향은 원가우위전략보다는 차별화전략을 추구하는 기업에서 나타난다.

정답 ②

27 □□□ 2014년 국가직

포터(M. Porter)가 제시한 기업의 본원적 경쟁전략에 해당하지 않는 것은?

① 낮은 원가를 유지하기 위해 추가적 특성이나 서비스를 제거한 표준화된 제품을 제공한다.
② 독특한 기능을 제공하기 위해 추가적 비용을 지불한다.
③ 끊임없이 새로운 시장에 진입하거나 기존시장에서 철수하여 시장 다각화를 도모한다.
④ 특정 고객층에 집중화된 전문 상품을 개발한다.

해설

마이클 포터의 본원적 전략은 원가우위전략, 차별화전략, 집중화전략이 있다. ①은 원가우위전략을 의미하고, ②는 차별화전략을 의미하며, ④는 집중화전략을 의미한다.

정답 ③

28 □□□ 2021년 서울시

BCG매트릭스에 대한 설명으로 가장 옳지 않은 것은?

① 스타(star)는 투자와 성장전략을 추구하며, 투자를 강화하여 경쟁우위를 확보하고 확장을 통해 시장 지배력을 강화한다.
② 물음표(question mark)는 선택과 집중전략을 추구하며, 키울 사업과 버릴 사업을 선택하고, 키울 사업에 자원배분을 집중한다.
③ 캐시카우(cash cow)는 유지와 수확전략을 추구하며, 고수익을 유지하고, 수익을 조정이 필요한 개에 투자하여 스타로 만든다.
④ 개(dog)는 조정과 철수전략을 추구하며, 구조조정으로 수익성을 유지하고, 이익가능성이 없는 사업에서 철수한다.

해설

캐시카우(cash cow)는 수익을 스타(star)에 안정적인 투자를 할 수 있도록 한다.   정답 ③

29 □□□ 2022년 군무원 9급

다음 중 제품 포트폴리오 관리 도구인 BCG 매트릭스가 제공하는 4가지 진단상황에 대한 설명으로 가장 옳지 않은 것은?

① 별(star): 시장성장률과 시장점유율이 모두 높은 제품
② 현금젖소(cash cow): 시장점유율은 낮지만 시장성장률이 높은 제품
③ 개(dog): 시장성장률과 시장점유율이 모두 낮은 제품
④ 물음표(question mark): 시장성장률은 높지만 시장점유율이 낮은 제품

해설

현금젖소(cash cow)는 시장점유율은 높지만 시장성장률이 낮은 제품이다.   정답 ②

30 □□□ 2022년 군무원 7급

다음 중 BCG(Boston Consulting Group)의 성장점유율 모형(growth-share model)에서 BCG 매트릭스에 대한 설명으로 가장 옳지 않은 항목은?

① 문제아(problem children)는 성장률이 높은 시장에서 상대적 시장점유율이 낮은 사업이다.
② 현금젖소(cash cow)는 상대적 시장점유율이 크지만 성장률이 둔화되고 투자의 필요성이 감소하여 현금 잉여가 창출되는 사업이다.
③ 개(dog)는 성장률이 낮은 시장에서 시장점유율이 취약한 사업이다.
④ 스타(star)는 고도성장 시장에서 시장의 선도자가 되어 현금유출이 적고 현금흐름의 여유가 큰 사업이다.

해설

고도성장 시장에서 시장의 선도자가 되어 현금유출이 적고 현금흐름의 여유가 큰 사업은 현금젖소(cash cow)이다. **정답 ④**

31 □□□ 2017년 군무원

BCG 매트릭스에 대한 다음 설명 중 가장 옳지 않은 것은?

① star 영역에서 현금흐름은 항상 긍정적이다.
② cash cow 영역일 때는 현상유지전략이 필요하다.
③ 시장성장률은 보통 10%를 기준으로 고저를 나눈다.
④ BCG 매트릭스는 산업이나 시장의 성장률과 상대적 시장점유율로 사업기회를 분석하는 기법이다.

해설

BCG 매트릭스에서 순현금흐름(현금유입-현금유출)이 가장 큰 영역은 cash cow이다. star 영역에서는 현금유입이 크지만, 현금유출 또한 크기 때문에 현금흐름이 항상 긍정적인 것은 아니다. **정답 ①**

32 □□□ 2017년 국가직

다음 BCG(Boston Consulting Group) 매트릭스에 대한 설명으로 옳은 것으로만 묶은 것은?

> ㄱ. 시장성장률이 높다는 것은 그 시장에 속한 사업부의 매력도가 높다는 것을 의미한다.
> ㄴ. 매트릭스상에서 원의 크기는 전체 시장규모를 의미한다.
> ㄷ. 유망한 신규사업에 대한 투자재원으로 활용되는 사업부는 현금젖소(Cash Cow) 사업으로 분류된다.
> ㄹ. 상대적 시장점유율은 시장리더기업의 경우 항상 1.0이 넘으며 나머지 기업은 1.0이 되지 않는다.

① ㄱ, ㄴ
② ㄱ, ㄷ
③ ㄴ, ㄹ
④ ㄷ, ㄹ

해설

ㄱ. 시장성장률이 높다는 것은 사업부의 매력도가 높다는 것이 아니라 시장 자체의 매력도가 높다는 것이다.
ㄴ. BCG 매트릭스상의 원의 크기는 시장규모가 아니라 매출액으로 측정한 사업부의 크기를 의미하고, GE 매트릭스의 원의 크기는 시장의 크기
이다.   정답 ④

33 □□□ 2017년 서울시

보스톤 컨설팅 그룹에서 개발한 BCG 매트릭스에서 상대적 시장점유율이 높고 시장성장률이 낮은 경우와 상대적 시장점유율이 낮고 시장성장률이 높은 경우를 각각 어떤 사업 분야로 분류하는가?

① 자금젖소(cash cow)와 물음표(question mark)
② 자금젖소(cash cow)와 별(star)
③ 물음표(question mark)와 별(star)
④ 물음표(question mark)와 개(dog)

해설

BCG 매트릭스는 상대적 시장점유율과 시장(산업)성장률을 기준으로 각 사업단위의 경쟁적 지위를 알아볼 수 있게 설계되어 있으며, 조직의 모든
SBU들은 상대적 시장점유율과 시장(산업)성장률에 따라 매트릭스 상의 한 곳에 위치하게 된다.

정답 ①

34 ☐☐☐ 2014년 국가직

BCG 매트릭스의 제품 포트폴리오 전략 중에서 철수, 청산, 매각 등의 시장철수 전략이 요구되는 전략적 사업단위는?

① question mark
③ cash cow

② star
④ dog

해설

BCG 매트릭스의 제품 포트폴리오 전략 중에서 철수, 청산, 매각 등의 시장철수 전략이 요구되는 전략적 사업단위는 dog이다.

정답 ④

35 ☐☐☐ 2020년 군무원

균형성과표의 내용에 해당하지 않는 것은?

① 고객 관점
③ 업무 프로세스 관점

② 재무적 관점
④ 학습과 성장 관점

해설

카플란(Kaplan)이 주장한 균형성과표는 재무적 관점, 고객 관점, 내부 프로세스 관점, 학습과 성장 관점으로 구성되어 있다.

정답 ③

36 ☐☐☐ 2022년 군무원 9급

다음 중 균형성과표(BSC)의 4가지 관점에 해당하지 않는 것은?

① 학습과 성장 관점
③ 경쟁자 관점

② 내부 비즈니스 프로세스 관점
④ 재무적 관점

해설

균형성과표(BSC)는 재무적 관점, 고객 관점, 내부 비즈니스 프로세스 관점, 학습과 성장 관점으로 구성되어 있다. 따라서 경쟁자 관점은 균형성과표(BSC)의 4가지 관점에 해당하지 않는다.

정답 ③

37 ☐☐☐ 2017년 군무원

균형성과표(Balanced ScoreCard)의 구성요소로 가장 옳지 않은 것은?

① 환경 관점   ② 고객 관점
③ 내부 프로세스 관점   ④ 학습과 성장 관점

해설 --

균형성과표(Balanced ScoreCard, BSC)란 기업의 전략적 목표를 일련의 성과측정지표로 전환할 수 있는 종합적인 틀로써 재무적 관점, 고객 관점, 내부프로세스 관점, 학습과 성장 관점 등 4개의 범주로 구분하여 성과를 측정하는 것을 말하며, 카플란(Kaplan)이 제시한 개념이다.   **정답** ①

38 ☐☐☐ 2017년 서울시

기업의 경영성과를 평가하는 데 사용되는 균형성과표 (Balanced ScoreCard, BSC)의 평가관점과 성과지표와 측정 지표 간의 연결로 가장 옳지 않은 것은?

① 재무 관점 – EVA(Economic Value Added)   ② 고객 관점 – 시장점유율
③ 내부 프로세스 관점 – 자발적 이직률   ④ 학습 및 성장 관점 – 직원 만족도

해설 --

내부 프로세스 관점은 주주나 고객을 만족시키기 위해 어떤 내부프로세스가 탁월해야 하는지를 중요시하는 관점으로써 전략을 실행하여 기업내부에 가치를 창출할 수 있는 프로세스가 얼마나 개선되었는지를 측정하는 것이다. 따라서 자발적 이직률은 내부 프로세스 관점과 관련된 측정지표로 보기 어렵다.   **정답** ③

39 ☐☐☐ 2014년 국가직

균형성과표(Balanced ScoreCard, BSC)와 비교하여 전통적 성과관리시스템의 한계에 대한 설명으로 옳지 않은 것은?

① 구성원의 경영전략에 대한 이해도가 높지 않다.
② 성과에 대한 재무적 관심이 부족하다.
③ 자원 할당과 전략의 연계가 부족하다.
④ 인센티브와 목표달성의 연계가 부족하다.

해설 --

균형성과표(Balanced ScoreCard, BSC)란 기업의 전략적 목표를 일련의 성과측정지표로 전환할 수 있는 종합적인 틀로써 재무적 관점, 고객 관점, 내부프로세스 관점, 학습과 성장 관점 등 4개의 범주로 구분하여 성과를 측정하는 것을 말하며, 카플란(Kaplan)이 제시한 개념이다. 이와 비교하여 전통적 성과관리시스템은 재무적 관점을 중심으로 성과관리가 이루어졌다.   **정답** ②

40 □□□ 2021년 군무원 5급

최근에 민간 및 공공조직에서 성과관리를 위한 체계로서 많이 활용되고 있는 균형성과표(Balanced ScoreCard, BSC)에 대한 설명으로 가장 옳지 않은 것은?

① 조직의 성과관리를 재무, 고객, 내부프로세스, 학습 및 성장 관점으로 구분하여 성과관리지표를 도출 및 관리한다.
② 조직의 균형성과표는 해당 조직의 비전, 전략, 목표 등에 따라 차별적으로 설계 및 운용될 수 있다.
③ 전통적 성과관리 체계의 한계점을 보완하면서 정성적 및 지식적 활동지표까지도 포괄하는 성과측정시스템이다.
④ 궁극으로는 조직의 대표적 성과인 회계 및 재무적 성과목표를 달성하는데 초점을 두고 있는 성과관리체계이다.

해설

균형성과표(BSC)는 재무적 관점에 치중되어 있던 전통적인 성과관리체계를 극복하기 위하여 기업의 전략적 목표를 일련의 성과측정지표로 전환할 수 있는 종합적인 틀로써 재무적 관점, 고객 관점, 내부프로세스 관점, 학습과 성장 관점 등 4개의 범주로 구분하여 성과를 측정하는 것을 말하며, 카플란(Kaplan)이 제시한 개념이다.   정답 ④

41 □□□ 2023년 군무원 9급

탁월한 기업들의 경영활동을 이해하고 활용하여 자사의 경영활동을 개선하는 혁신 기법은?

① 블루오션 전략(blue ocean strategy)
② 지식경영(knowledge management)
③ 브레인스토밍(brainstorming)
④ 벤치마킹(benchmarking)

해설

탁월한 기업들의 경영활동을 이해하고 활용하여 자사의 경영활동을 개선하는 혁신 기법은 벤치마킹(benchmarking)이다. 벤치마킹(benchmarking)은 제품이나 업무수행과정 등 경영의 어느 특정부문에서 최고의 성과(best practice)를 올리고 있는 다른 기업을 선정하고 그 부문에서 우리 기업과 그 기업 사이의 차이를 비교·검토한 후 학습과 자기혁신을 통해 성과를 올리려는 지속적인 노력을 말한다.   정답 ④

42 □□□ 2020년 군무원

암묵지에 관한 설명으로 옳지 않은 것은?

① 컴퓨터 매뉴얼
② 몸에 밴 지식
③ 주관적인 체험이나 경험
④ 암묵지가 공유되고 통합되어 새로운 형식지가 만들어지는 과정을 표출화라고 한다.

해설

암묵지는 언어로는 설명할 수 없이 전적으로 개인의 경험이나 잠재적인 능력에서 비롯되는 지식을 의미하고, 형식지는 언어로 명료화되어 전달될 수 있는 지식을 의미한다. 따라서 컴퓨터 매뉴얼은 형식지에 해당한다.   정답 ①

43 ☐☐☐ 2019년 국가직

지식경영에 대한 설명으로 옳은 것은?

① 언어로 표현하기 힘든 주관적 지식을 형식지라고 한다.
② 암묵지에서 형식지로 지식이 전환되는 과정을 내면화라고 한다.
③ 수집된 데이터를 문제해결과 의사결정에 도움이 될 수 있도록 일정한 패턴으로 정리한 것을 정보라고 한다.
④ 지식경영은 형식지를 기업 구성원들에게 체화시킬 수 있는 암묵지로 전환하여 공유하는 경영방식이다.

해설

- -

① 언어로 표현하기 힘든 주관적 지식을 암묵지라고 한다.
② 암묵지에서 형식지로 지식이 전환되는 과정을 표출화(externalization)라고 하고, 형식지에서 암묵지로 지식이 전환되는 과정을 내면화(internalization)라고 한다.
④ 지식경영은 지식의 창출 및 공유활동을 통해 조직 내의 개인과 조직이 지니고 있는 지식을 효율적으로 관리하여 부가가치를 창출하는 경영기법을 말하며, 지식은 형식지를 기업 구성원들에게 체화시킬 수 있는 암묵지로 전환하여 창출되는 것이 아니라 암묵지와 형식지 간의 상호변환과정을 통해 창출된다.
　　　정답 ③

44 ☐☐☐ 2023년 군무원 7급

노나카(Ikujiro Nonaka)가 제시한 암묵지(tacit knowledge)와 형식지(explicit knowledge)간의 상호작용을 통한 4개의 지식변환과정(knowledge conversion process)인 ㉠ − ㉡ − ㉢ − ㉣을 가장 적절하게 표시하고 있는 것은?

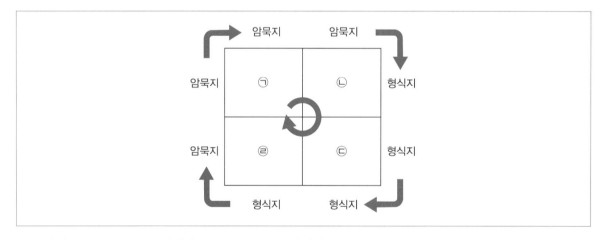

① 종합화(combination) − 사회화(socialization) − 외재화(externalization) − 내재화(internalization)
② 종합화(combination) − 외재화(externalization) − 사회화(socialization) − 내재화(internalization)
③ 사회화(socialization) − 외재화(externalization) − 종합화(combination) − 내재화(internalization)
④ 사회화(socialization) − 외재화(externalization) − 내재화(internalization) − 종합화(combination)

해설

- -

㉠은 사회화(socialization), ㉡은 외재화(externalization), ㉢은 종합화(combination), ㉣은 내재화(internalization)이다.
　　정답 ③

45 □□□ 2022년 군무원 9급

조직 내부에서 지식을 증폭 및 발전시키는 과정에 대한 설명 중 가장 옳지 않은 것은?

① 이식(공동화 socialization): 각 개인들이 가진 형식지(explicit knowledge)를 조직 안에서 서로 나누어 가지는 과정
② 표출(명료화 externalization): 머릿속의 지식을 형식지로 옮기면서 새로운 지식이 얻어지는 과정
③ 연결(통합화 combination): 각자의 단편지식들이 연결되면서 통합적인 새로운 지식들이 생성되는 과정
④ 체화(내재화 internalization): 구성원들이 얻은 형식지를 머릿속에 쌓아 두면서 자신의 지식과 경험으로 만드는 과정

해설

이식(공동화) 또는 사회화는 한 사람의 암묵지가 다른 사람의 암묵지로 변환되는 과정이다. 이 과정에서는 구성원들 간의 경험공유를 통해서 새로운 암묵지가 창출된다. 이러한 이식(공동화) 또는 사회화는 경험의 공유를 통해서 새로운 지식이 창출되는 방식이기 때문에 구성원들의 상호작용을 위한 공간을 만들어 주는 것이 중요하다.

정답 ①

46 □□□ 2017년 군무원

노나카 이쿠지로(Nonaka Ikuziro)의 지식경영이론에서 형식지와 암묵지의 변환과정에 대한 단계로 가장 옳은 것은?

① 암묵지 → 암묵지: 내재화(internalization)
② 암묵지 → 형식지: 사회화(socialization)
③ 형식지 → 형식지: 연결화(combination)
④ 형식지 → 암묵지: 외재화(externalization)

해설

노나카 이쿠지로(Nonaka Ikuziro)는 SECI 모형을 통해 지식을 암묵지(tacit knowledge)와 형식지(explicit knowledge)로 분류하고, 지식은 '사회화 → 표출화 → 연결화 → 내면화 → 사회화 → …'의 활동들이 순차적이고 지속적으로 순환하는 암묵지와 형식지 간의 상호변환과정을 통해 창출된다고 하였다.

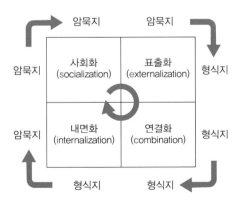

정답 ③

47 □□□ 2021년 군무원 7급

전략의 통제기법인 균형성과표(BSC)와 경영혁신 기법에 관련된 설명으로 가장 옳지 않은 것은?

① 균형성과표에서는 주주와 고객을 위한 외부적 측정치와 내부프로세스인 학습과 성장의 균형이 필요하다.
② 시간기반경쟁(time based competition)은 고객이 원하는 재화와 서비스를 가장 빨리, 그리고 적당한 시점에 제공하는 활동을 의미한다.
③ 노나카 이쿠지로(Nonaka Ikuziro)의 지식경영에서는 지식을 형식지와 암묵지로 구분했으며, 암묵지는 지식 전파속도가 늦은 반면에 형식지는 전파속도가 빠르다.
④ 전략적 제휴(strategic alliance)에서는 경쟁이 무의미하기 때문에 차별화와 저비용을 동시에 추구하도록 전략을 구성한다.

해설

전략적 제휴는 두 개 이상의 기업이 상호 공동의 관심 또는 목표를 추구하기 위해서 서로 협력하는 전략을 말한다. 즉 특별한 관계를 갖고 있지 않았던 기업들이 각자의 독립성을 유지하면서 특정 분야에 한해서 상호보완적이고 지속적인 협력관계를 위한 제휴를 맺음으로써 둘 또는 그 이상의 기업들이 각각의 약점을 서로 보완하고 경쟁우위를 강화하고자 하는 방법을 말한다. 경쟁이 무의미하고, 차별화와 저비용을 동시에 추구하도록 전략은 블루오션 전략이다.

정답 ④

48 □□□ 2023년 국가직

균형성과표(BSC: balanced scorecard)에 대한 설명으로 옳은 것은?

① 균형성과표는 전략실행이 아닌 전략수립을 위해 개발된 도구이다.
② 조직의 비전은 균형성과표에서 고려되지 않는다.
③ 고객 관점은 가장 미래지향적인 관점으로 다른 3가지 관점의 성과를 이끌어 내는 원동력이다.
④ 내부프로세스관점은 성과 극대화를 위해 기업의 핵심 프로세스나 역량을 규명하는 과정이다.

해설

균형성과표는 기업의 전략적 목표를 일련의 성과측정지표로 전환할 수 있는 종합적인 틀로써 재무적 관점, 고객관점, 내부프로세스관점, 학습과 성장관점 등 4개의 범주로 구분하여 성과를 측정하는 것을 말하며, 카플란(Kaplan)이 제시한 개념이다. 따라서 균형성과표의 목표와 측정치는 조직의 비전과 전략으로부터 도출된다.
① 균형성과표는 성과측정과 관련되어 있기 때문에 전략수립보다는 전략실행을 위해 개발된 도구이다.
② 조직의 비전은 균형성과표에서 고려된다.
③ 가장 미래지향적인 관점으로 다른 3가지 관점의 성과를 이끌어 내는 원동력은 학습과 성장 관점이다

정답 ④

01 ☐☐☐ 2013년 경영지도사 수정

경영전략에 관한 설명으로 옳지 않은 것은?

① 경영전략은 기업이 활동하는 경영환경의 위협, 위험, 기회에 대하여 기업이 보유한 경영자원으로 대응하고자 하는 노력이다.

② 운영전략은 기업 내 사업단위가 그 사업과 관련된 시장에서의 경쟁에 대한 전략이다.

③ 전략은 그 대상이 되는 기업 활동이나 관련된 조직의 범위와 수준에 따라 흔히 전사적 전략, 사업전략, 운영전략으로 나누어진다.

④ 기업이 어떤 사업을 수행할 것인지 혹은 사업포트폴리오를 어떻게 구성할 것인지 등에 관한 결정은 전사적 전략에 속한다.

해설

사업전략은 기업 내 사업단위가 그 사업과 관련된 시장에서의 경쟁에 대한 전략이다.
정답 ②

02 ☐☐☐

경영전략(business strategy)에 대한 다음 설명 중 가장 옳지 않은 것은?

① 조직의 존속과 직결되며, 조직의 이해관계자들은 어떤 조직이나 기업에 대하여 그 조직의 전략이 무엇인가, 그들의 행동이 그 조직의 전략과 일치하는가의 여부를 확인하고자 한다.

② 조직의 모든 행동은 궁극적으로 전략에 의해서 이루어지기 때문에 다른 모든 계획의 기본준거틀(basic framework)을 제공한다.

③ 중간경영층은 조직 전반에 걸친 모든 정보를 입수할 수 있고, 조직의 모든 구성원으로부터 협조를 얻어내기 위해서는 중간경영층에 의한 지지가 필요하기 때문에 일반적으로 중간경영층에서 수립된다.

④ 조직의 모든 행동과 의사결정에 대하여 일관성을 유지시켜 준다.

해설

일반적으로 경영전략은 최고경영층에서 수립된다.
정답 ③

03 □□□ 2015년 경영지도사 수정

경영전략의 수준에 관한 설명으로 옳지 않은 것은?

① 경영전략은 조직규모에 따라 차이가 있으나 일반적으로 기업차원의 전략, 사업부 단위 전략, 기능별 전략으로 구분된다.
② 성장, 유지, 축소, 철수, 매각, 새로운 사업에의 진출 등에 관한 전략적 의사결정은 기업차원의 전략 영역에 포함된다.
③ 사업부 전략은 각 사업영역과 제품분야에서 어떻게 경쟁우위를 획득하고 유지해 나갈 것인지를 결정하는 전략을 말한다.
④ 기능별 전략은 사업단위들 간의 시너지효과를 높이는데 초점을 둔다.

해설

기능별 전략은 사업단위 내에서 수행되는 전략을 의미하기 때문에 사업단위들 간의 시너지효과를 높이는데 초점을 둘 수 없다. 사업단위들 간의 시너지효과를 높이는데 초점을 둘 수 있는 것은 사업부 전략의 상위전략인 기업차원의 전략이다. **정답 ④**

04 □□□

경영전략의 단계를 순서대로 배열한 것으로 가장 옳은 것은?

① 전략수립 → 전략분석 → 전략실행 → 전략통제
② 전략분석 → 전략실행 → 전략수립 → 전략통제
③ 전략수립 → 전략실행 → 전략분석 → 전략통제
④ 전략분석 → 전략수립 → 전략실행 → 전략통제

해설

경영전략은 '전략분석 → 전략수립 → 전략실행 → 전략통제'의 순서대로 진행된다. **정답 ④**

05 □□□ 2014년 경영지도사 수정

장기적인 조직의 임무, 목표, 자원배분에 관한 의사결정을 수행하는 과정은?

① 운영적 계획
② 전술적 계획
③ 전략적 계획
④ 지속적 계획

해설

장기적인 조직의 임무, 목표, 자원배분에 관한 의사결정을 수행하는 과정은 최고경영자가 수행하는 전략적 계획에 해당한다. **정답 ③**

06 □□□ 2019년 경영지도사 수정

SWOT 분석에 관한 설명으로 옳은 것은?

① 교섭력 분석기법
② 사업포트폴리오 분석기법
③ 수익성, 성장성, 효과성을 분석하는 최신기법
④ 기업환경의 기회, 위협, 강점, 약점을 분석하는 기법

해설

SWOT 분석은 내부환경이라는 관점에서 기업의 강점과 약점에 대한 분석과 외부환경이라는 관점에서 기회와 위협에 대한 분석을 실시하여 한 기업이 가지고 있는 자원과 역량을 분석하는 기술적 방법(descriptive method)이다. **정답 ④**

07 □□□ 2021년 경영지도사 수정

하멜과 프라할라드(Hamel & Prahalad)가 제시한 핵심역량(core competence) 강화와 관련이 없는 것은?

① 비관련 다각화(unrelated diversification)
② 제휴전략(coalition strategy)
③ 차별화전략(differentiation strategy)
④ 리엔지니어링(reengineering)

해설

핵심역량이란 단순히 그 기업이 잘하는 활동을 의미하는 것이 아니라 경쟁기업에 비하여 훨씬 우월한 능력, 즉 경쟁우위를 가져다주는 기업의 능력을 말한다. 따라서 주어진 보기 중에 핵심역량 강화와 관련이 없는 것은 비관련 다각화가 된다. 여기서 비관련 다각화는 기업과 완전히 무관한 사업을 전개하는 것을 의미한다. **정답 ①**

08 □□□

A기업은 자체적인 SWOT 분석 결과 현재 S-O 위치에 속해 있는 것으로 결론을 내고 전략을 세우기로 하였다. 다음 중 A기업이 취할 수 있는 전략으로 가장 옳지 않은 것은?

① 비슷한 시장의 관련 기업들을 인수하여 사업을 확장한다.
② 해외시장으로 진출한다.
③ 새로운 제품을 개발한다.
④ 다른 기업을 벤치마킹하여 부족한 역량을 학습한다.

해설

다른 기업을 벤치마킹하여 부족한 역량을 학습하는 전략은 W-O의 위치나 W-T의 위치에 있을 때 취할 수 있는 전략이다. **정답 ④**

SWOT 모델에서 철수전략이 필요한 경우는?

① 강점 - 기회
② 약점 - 기회
③ 강점 - 위협
④ 약점 - 위협

해설

SWOT 모델에서 철수전략이 필요한 경우는 내부환경 측면에서 약점과 외부환경 측면에서 위협이 결합된 상황이기 때문에 ④번이 정답이 된다.

정답 ④

핵심역량에 관한 설명으로 옳지 않은 것은?

① 집중적인 학습과정을 통해 단기간에 구축가능한 절대적 시장경쟁력이다.
② 고객에 대한 편익을 증대시킨다.
③ 경쟁사가 모방하기 어려운 독보적 능력이다.
④ 경쟁사를 능가하는 우월적 능력이다.

해설

핵심역량은 집중적인 학습과정을 통해 장기간에 구축가능한 상대적 시장경쟁력이다.

정답 ①

포터(M. Porter)의 산업구조분석모형(5 forces model)에 관한 설명으로 옳은 것은?

① 잠재경쟁자의 진입위험이 높으면 산업의 전반적인 수익률은 낮아진다.
② 산업 내 기존기업 간의 경쟁정도가 높으면 산업의 전반적인 수익률은 높아진다.
③ 구매자와 공급자의 교섭력이 낮으면 산업의 전반적인 수익률은 낮아진다.
④ 산업의 제품에 대한 대체재의 출현가능성이 낮으면 산업의 전반적인 수익률은 낮아진다.

해설

② 산업 내 기존기업 간의 경쟁정도가 높으면 산업의 전반적인 수익률은 낮아진다.
③ 구매자와 공급자의 교섭력이 낮으면 산업의 전반적인 수익률은 높아진다.
④ 산업의 제품에 대한 대체재의 출현가능성이 낮으면 산업의 전반적인 수익률은 높아진다.

정답 ①

12 □□□

포터(M. Porter)의 산업구조분석에 대한 설명으로 가장 옳지 않은 것은?

① 산업구조분석은 산업경쟁에 영향을 미치는 다섯 가지의 힘과 산업수익률 사이의 관계를 분석하고자 하는 방법이다.
② 산업구조분석은 산업 전체의 수익률에 대하여 설명해주기 때문에 해당산업의 미래에 대한 예측이 가능하다.
③ 산업구조분석은 산업수익률을 구성하는 요소들을 고려함으로써 각 요소별 전략을 세우는데 도움이 된다.
④ 산업구조분석은 동태적 분석이기 때문에 산업이 지속적으로 변화하는 현실을 제대로 설명해준다.

해설

산업구조분석은 정태적 분석이기 때문에 산업이 지속적으로 변화하는 현실을 제대로 설명하기 어렵다. **정답 ④**

13 □□□ 2017년 경영지도사 수정

포터(M. Porter)의 산업구조분석기법에 관한 설명으로 옳지 않은 것은?

① 산업구조의 이해를 통하여 산업 전체의 수익률의 높고 낮음을 효과적으로 설명해 줄 수 있다.
② 각 개별기업의 구체적인 경쟁전략을 다루지 못한다.
③ 산업의 구조적 특성을 자사에게 유리한 방향으로 바꾸는 것도 기업의 노력으로 가능하게 할 수 있다.
④ 동태적으로 변하는 산업구조를 고려하는 동태적 모형이다.

해설

산업구조분석은 산업 전체의 수익률에 대하여 설명해 주기 때문에 해당 산업의 미래에 대한 예측을 가능하게 하며, 산업수익률을 구성하는 요소들을 고려함으로써 각 요소별 전략을 세우는데 도움이 된다. 그러나 산업구조분석은 정태적 분석이기 때문에 산업이 지속적으로 변화하는 현실을 제대로 설명하기 어렵고, 기업 간 경쟁전략에 의한 상호 영향 등을 고려하지 못한다는 단점을 가지고 있다. **정답 ④**

14 □□□

진입장벽으로 작용하는 요소로 가장 옳지 않은 것은?

① 시장에 들어가기 위해 필요한 자본소요량
② 초기진입자의 경험으로 인한 비용우위
③ 기존 기업의 유통채널
④ 기존 기업의 이미지 저하

해설

기존 기업의 이미지 저하는 진입장벽이 아니라 진출기회가 될 수 있다. **정답 ④**

15 □□□ 2021년 경영지도사 수정

포터(M. Porter)의 산업구조분석 모형에 해당하지 않는 것은?

① 산업군 내 기존 산업 간의 경쟁
② 구매자의 교섭력
③ 공급자의 교섭력
④ 잠재적 진입자의 위협

해설

산업구조분석은 산업을 구성하는 다섯 가지의 힘 중 수평적 힘으로 산업 내 경쟁, 신규진입자(진입장벽), 대체재의 존재를 고려하고, 수직적 힘으로 공급자의 교섭력과 소비자의 교섭력을 고려하였다. 따라서 산업구조분석은 산업 내 경쟁을 고려하고 있기 때문에 산업군 내 기존 산업 간의 경쟁은 산업구조분석 모형에 해당하지 않는다.

정답 ①

16 □□□ 2021년 경영지도사 수정

높은 진입장벽에 해당하지 않는 것은?

① 진입한 기존 기업들이 유통채널을 구축함
② 진입한 기존 기업들이 규모의 경제를 확보함
③ 잠재적 진입자와 진입한 기존 기업 간의 기술적 차이가 적음
④ 진입한 기존 기업들이 지적재산권을 확보함

해설

잠재적 진입자와 진입한 기존 기업 간의 기술적 차이가 적으면 잠재적 진입자가 시장에 진입하기 좋기 때문에 높은 진입장벽에 해당하지 않는다.

정답 ③

17 □□□ 2016년 경영지도사 수정

마이클 포터(M. Porter)가 산업구조분석을 위해 사용한 5가지 경쟁요인에 해당되지 않는 것은?

① 대체재의 위협
② 신규진입 위협
③ 구매자의 교섭력
④ 노조와의 교섭력

해설

산업구조분석은 산업을 구성하는 다섯 가지의 힘 중 수평적 힘으로 산업 내 경쟁, 신규진입자(진입장벽), 대체재의 존재를 고려하고, 수직적 힘으로 소비자의 교섭력과 공급자의 교섭력을 고려하였다.

정답 ④

18 ☐☐☐ 2022년 공인노무사 수정

포터(M. Porter)의 산업구조분석 모형에서, 소비자 관점의 사용용도가 유사한 다른 제품을 고려하는 경쟁분석의 요소는?

① 산업내 기존 경쟁업체 간 경쟁
② 잠재적 경쟁자의 진입 가능성
③ 대체재의 위협
④ 구매자의 교섭력

해설

산업구조분석은 산업을 구성하는 다섯 가지의 힘 중 수평적 힘으로 산업 내 경쟁, 신규진입자(진입장벽), 대체재의 존재(위협)를 고려하고, 수직적 힘으로 공급자의 교섭력과 소비자(구매자)의 교섭력을 고려하였다. 이 중에 소비자 관점의 사용용도가 유사한 다른 제품을 고려하는 경쟁분석의 요소는 대체재의 존재(위협)가 된다. **정답 ③**

19 ☐☐☐ 2013년 경영지도사 수정

특정 산업에서 활동하고 있는 기업이 산업매력도를 확인하기 위하여 산업경쟁구조분석을 하였다. 산업경쟁구조요인별로 산업매력도를 설명한 내용으로 옳지 않은 것은?

① 진입장벽이 높을수록 매력도는 떨어진다.
② 대체재가 더 나타날 가능성이 클수록 매력도는 떨어진다.
③ 기존 경쟁업체의 수가 많고, 경쟁이 치열할수록 매력도는 떨어진다.
④ 고객의 수가 적거나 고객이 단체를 구성하여 강한 협상력을 갖고 있는 경우 매력도는 떨어진다.

해설

진입장벽이 높을수록 매력도는 높아진다. **정답 ①**

20 ☐☐☐

마이클 포터의 산업구조분석에서 산업에 영향을 미치는 요인을 다섯 가지로 구분했을 때 수직적 요인끼리 짝지어진 것으로 가장 옳은 것은?

① 산업 내 경쟁, 대체재의 존재
② 신규진입자의 존재, 대체재의 존재
③ 대체재의 존재, 소비자의 교섭력
④ 공급자의 교섭력, 소비자의 교섭력

해설

산업 내 경쟁, 대체재의 존재, 신규진입자의 존재는 수평적 요인에 해당하고, 공급자의 교섭력과 소비자의 교섭력은 수직적 요인에 해당한다.
정답 ④

21 □□□

포터(M. Porter)가 산업구조분석에서 제시한 다섯 가지 요인들 중 산업의 수익률에 미치는 영향이 다른 하나는?

① 산업 내 경쟁
② 진입장벽
③ 대체재의 존재
④ 소비자의 교섭력

해설

진입장벽이 높을수록 산업의 수익률은 높아지지만, 나머지 요인들이 증가할수록 산업의 수익률은 낮아진다.

정답 ②

22 □□□ 2024년 공인노무사 수정

포터(M. Porter)의 산업구조분석 모형에 관한 설명으로 옳지 않은 것은?

① 산업 내 경쟁이 심할수록 산업의 수익률은 낮아진다.
② 산업 내 대체재가 많을수록 기업의 수익이 많이 창출된다.
③ 구매자의 교섭력은 소비자들이 기업의 제품을 선택하거나 다른 제품을 구매할 수 있는 힘을 의미한다.
④ 공급자의 교섭력을 결정하는 요인으로는 공급자의 집중도, 공급물량, 공급자 판매품의 중요도 등이 있다.

해설

대체재가 존재하는 경우에 기업은 시장에서의 교섭력을 상실하여 제품의 가격을 올릴 수 없게 되기 때문에 산업수익률에 부정적인 영향을 미치게 된다. 따라서 산업 내 대체재가 많을수록 기업의 수익은 감소하게 된다.

정답 ②

23 □□□ 2020년 공인노무사 수정

포터(M. Porter)의 가치사슬(value chain)모델에서 주요활동(primary activities)에 해당하는 것은?

① 인적자원관리
② 서비스
③ 기술개발
④ 기획 · 재무

해설

포터(M. Porter)의 가치사슬(value chain)모델에서 인적자원관리, 기술개발, 기획 · 재무는 지원적 활동에 해당한다.

정답 ②

24 □□□

포터(M. Porter)의 가치사슬분석에 대한 설명으로 가장 옳지 않은 것은?

① 가치사슬(value chain)이란 부가가치 창출에 직접 또는 간접적으로 관련된 일련의 활동·기능·프로세스의 연계를 의미한다.
② 가치사슬분석은 기업이 가치를 최종소비자에게 전달하는데 연관된 프로세스와 활동들을 분석하고, 그 각각의 프로세스 또는 그 연계활동에서 창출하는 가치에 따른 경쟁우위와 열세를 파악하는 것을 그 목적으로 한다.
③ 가치사슬분석을 통해 각 기업의 핵심역량이 어디에 있는지를 정확히 파악하게 되고, 어떤 부분을 보완해야 하는지를 알게 되는 것이다.
④ 본원적 활동에는 내부물류(inbound logistics), 생산(manufacturing), 외부물류(outbound logistics), 마케팅 및 판매(marketing and sales), 사후서비스(after service), 구입활동(procurement) 등이 있다.

해설

본원적 활동에는 내부물류(inbound logistics), 생산(manufacturing), 외부물류(outbound logistics), 마케팅 및 판매(marketing and sales), 사후서비스(after service) 등이 있고, 지원적 활동에는 기업의 하부구조, 인적자원관리, 연구개발, 구입활동 등이 있다. **정답 ④**

25 □□□ 2022년 가맹거래사 수정

포터(M. Porter)의 가치사슬 활동을 순서대로 나열한 것은?

① 구매활동 → 생산활동 → 물류활동 → 서비스활동 → 판매 및 마케팅활동
② 구매활동 → 생산활동 → 판매 및 마케팅활동 → 물류활동 → 서비스활동
③ 구매활동 → 생산활동 → 물류활동 → 판매 및 마케팅활동 → 서비스활동
④ 구매활동 → 물류활동 → 생산활동 → 서비스활동 → 판매 및 마케팅활동

해설

포터(M. Porter)의 가치사슬 활동은 '구매활동 → 생산활동 → 물류활동 → 판매 및 마케팅활동 → 서비스활동'의 순서이다. **정답 ③**

26 ☐☐☐ 2024년 경영지도사 수정

포터(M. Porter)의 가치사슬에서 지원활동에 해당하지 않는 것은?

① 조달　　　　　　　　　　　　　② 서비스
③ 인적자원 관리　　　　　　　　　④ 기업 인프라

해설

포터(M. Porter)의 가치사슬에서 본원적 활동(primary activities)은 상품의 물리적 변화에 직접적으로 관련된 기능을 수행하는 활동을 의미하며, 내부물류(inbound logistics), 생산/운영(manufacturing/operations), 외부물류(outbound logistics), 판매 및 마케팅(sales & marketing), 사후서비스(after service) 등이 있다. 지원적 활동(supportive activities)은 본원적 활동을 지원하는 활동을 의미하며, 가치창출에 간접적으로 기여하는 활동이다. 지원적 활동에는 기업의 하부구조(firm infrastructure), 인적자원관리(human resource management), 연구/기술개발(technology development), 구입/조달(procurement) 등이 있다. 따라서 서비스는 본원적 활동에 해당한다. **정답 ②**

27 ☐☐☐ 2015년 공인노무사 수정

포터(M. Porter)의 가치사슬모델에서 주요 활동에 해당하지 않은 것은?

① 운영 · 제조　　　　　　　　　　② 입고 · 출고
③ 고객서비스　　　　　　　　　　④ 인적자원관리

해설

본원적 활동에는 내부물류, 생산 · 운영, 외부물류, 판매 및 마케팅, 사후서비스의 다섯 가지 활동이 있고, 지원적 활동에는 기업의 하부구조, 인적자원관리, 연구 · 기술 개발, 구입 · 조달의 네 가지 활동이 있다. **정답 ④**

28 ☐☐☐ 2021년 경영지도사 수정

다른 회사와의 연합으로 부가가치 확대와 경쟁우위를 확보하고자 하는 전략은?

① 제휴전략(coalition strategy)　　　　② 수평적 통합(horizontal integration)
③ 원가우위전략(cost leadership)　　　　④ 방어전략(defensive strategy)

해설

다른 회사와의 연합으로 부가가치 확대와 경쟁우위를 확보하고자 하는 전략은 제휴전략이다. **정답 ①**

29 □□□ 2020년 경영지도사 수정

기업조직 내의 각 사업부가 각기 다른 전략을 동시에 채용하는 전략유형은?

① 안정전략
② 성장전략
③ 축소전략
④ 결합전략

해설

기업조직 내의 각 사업부가 각기 다른 전략을 동시에 채용하는 전략유형은 결합전략이다.

정답 ④

30 □□□ 2014년 경영지도사 수정

경쟁관계에 있는 기업들 간에 특정사업 및 업무분야에 걸쳐 협력관계를 맺는 것을 의미하는 것으로 기업 간의 상호 보완적인 제품, 시설, 기능, 기술을 공유하고자 하는 것은?

① 아웃소싱
② 전략적 제휴
③ 기업집중
④ 기업계열화

해설

경쟁관계에 있는 기업들 간에 특정사업 및 업무분야에 걸쳐 협력관계를 맺는 것을 의미하는 것으로 기업 간의 상호 보완적인 제품, 시설, 기능, 기술을 공유하고자 하는 것은 전략적 제휴에 해당한다.

정답 ②

31 □□□ 2021년 경영지도사 수정

전략집단(strategic group)을 의미하는 것은?

① 제품단위의 비용우위전략이다.
② BCG 모델의 cash cow에 해당한다.
③ 수명주기의 단계이다.
④ 산업 내 유사한 전략을 채택한 기업군이다.

해설

전략집단(strategic group)은 산업 내 유사한 전략을 채택한 기업군을 의미한다.

정답 ④

32 ☐☐☐ 2020년 경영지도사 수정

포터(M. Porter)의 경쟁우위의 유형과 경쟁의 범위를 기준으로 한 본원적 전략(generic strategy)에 해당하는 유형을 모두 고른 것은?

> ㄱ. 비용우위 전략　　　　　　　　　　ㄴ. 안정 전략
> ㄷ. 차별화 전략　　　　　　　　　　　ㄹ. 집중화 전략
> ㅁ. 방어 전략

① ㄱ, ㄴ, ㄷ　　　　　　　　　　② ㄱ, ㄴ, ㅁ
③ ㄱ, ㄷ, ㄹ　　　　　　　　　　④ ㄴ, ㄷ, ㄹ

해설

포터(M. Porter)는 경쟁우위의 유형과 경쟁의 범위를 기준으로 비용(원가)우위 전략, 차별화 전략, 집중화 전략을 제시하였다.　　　정답 ③

33 ☐☐☐ 2019년 가맹거래사 수정

포터(M. Porter)의 비용우위전략을 실행하는 방법이 아닌 것은?

① 제품품질의 차별화　　　　　　　　② 효율적인 규모의 설비투자
③ 간접비의 효율적인 통제　　　　　　④ 경험곡선효과에 의한 원가의 감소

해설

비용우위전략은 기업이 가지고 있는 역량을 발휘하여 경쟁자보다 낮은 원가로 제품을 생산하고, 이를 통해 낮은 가격으로 소비자에게 제품을 제공하는 전략을 말한다. 또한, 차별화전략은 경쟁기업과는 다른 독특한 재화나 서비스를 제공함으로써 경쟁우위를 확보하려는 전략을 말한다. 따라서 제품품질의 차별화는 비용우위전략이 아니라 차별화전략에 해당한다.　　　정답 ①

34 ☐☐☐

포터(M. Porter)의 본원적 전략에 대한 설명으로 가장 옳지 않은 것은?

① 경쟁범위라는 차원에서 원가우위 전략과 차별화 전략을 구분하고, 경쟁우위라는 차원에서 집중화 전략을 제시하였다.

② 집중화 전략(focus strategy)은 특정지역이나 시장의 한 부분에 있는 제한된 고객들에게 독특한 재화나 서비스를 제공하는 전략을 말한다.

③ 원가우위 전략(cost leadership strategy)은 기업이 가지고 있는 역량을 발휘하여 경쟁자보다 낮은 원가로 제품을 생산하고, 궁극적으로 낮은 가격으로 소비자에게 제품을 제공하는 전략을 말한다.

④ 차별화 전략(differentiation strategy)은 경쟁기업과는 다른 독특한 재화나 서비스를 제공함으로써 경쟁우위를 확보하려는 전략을 말한다.

해설

본원적 전략은 경쟁우위라는 차원에서 원가우위 전략과 차별화 전략을 구분하고, 경쟁범위라는 차원에서 집중화 전략을 제시하였다. **정답 ①**

35 ☐☐☐ 2024년 경영지도사 수정

포터(M. Porter)의 차별화 전략 요소에 해당하지 않는 것은?

① 규모의 경제　　　　　　　　　　② 높은 품질
③ 독특한 서비스　　　　　　　　　④ 혁신적인 디자인

해설

규모의 경제는 원가우위를 달성하기 위한 요소에 해당한다. **정답 ①**

36 ☐☐☐

경쟁우위에 대한 설명 중 가장 옳지 않은 것은?

① 프로세스를 효율화함으로써 비용우위를 달성할 수 있다.

② 포터(Porter)는 경쟁우위를 비용우위, 차별화우위, 집중화우위로 분류하였다.

③ 기업들은 제품차별화를 위해 공장의 규모를 키우게 된다.

④ 생산량의 증가에 따라 단위당 원가가 줄어드는 것을 규모의 경제(economy of scale)라고 한다.

해설

기업이 공장의 규모를 키우는 것은 일반적으로 규모의 경제효과를 얻기 위한 것이기 때문에 제품차별화를 위해서가 아니라 비용우위를 위해서이다. **정답 ③**

37 □□□ 2015년 경영지도사 수정

본원적 경쟁전략의 하나인 원가우위 전략에서 원가의 차이를 발생시키는 요인이 아닌 것은?

① 학습 및 경험곡선 효과
② 경비에 대한 엄격한 통제
③ 적정규모의 설비
④ 디자인의 차별화

해설

원가우위를 달성할 수 있는 방법으로는 규모의 경제, 학습효과, 투입요소 가격의 자체적인 차이 및 효율적인 프로세스 등이 있다. **정답 ④**

38 □□□ 2014년 공인노무사 수정

차별화 전략의 원천에 해당되는 것은?

① 경험효과
② 규모의 경제
③ 투입요소 비용
④ 제품의 특성과 포지셔닝

해설

제품의 특성과 포지셔닝이 차별화 전략의 원천에 해당하고, 나머지는 원가절감의 원천에 해당한다. **정답 ④**

39 □□□ 2023년 가맹거래사 수정

마일즈(R. Miles)와 스노우(C. Snow)의 전략유형으로 옳지 않은 것은?

① 반응형(reactor)
② 방어형(defender)
③ 분석형(analyzer)
④ 혁신형(innovator)

해설

마일즈(R. Miles)와 스노우(C. Snow)의 전략유형은 공격형(prospector), 방어형(defender), 분석형(analyzer), 반응형(reactor)이다.

정답 ④

40 □□□ 2017년 경영지도사 수정

마일즈(R. Miles)와 스노우(C. Snow)가 제시한 환경적합적 대응전략으로만 구성되어 있는 것은?

① 전방통합형 전략, 후방통합형 전략, 차별화 전략
② 집중화 전략, 방어형 전략, 반응형 전략
③ 원가우위 전략, 차별화 전략, 집중화 전략
④ 공격형 전략, 방어형 전략, 분석형 전략

해설

마일즈(Miles)와 스노우(Snow)는 전략유형을 공격형 또는 개척형(prospectors), 방어형(defenders), 분석형(analyzers), 반응형 또는 낙오형(reactors)으로 구분하였다. **정답 ④**

41 □□□ 2024년 공인노무사 수정

마일즈(R. Miles)와 스노우(C. Snow)의 전략 유형 중 유연성이 높고 분권화된 학습지향 조직구조로 설계하는 것이 적합한 전략은?

① 반응형 전략
② 방어형 전략
③ 분석형 전략
④ 공격형 전략

해설

마일즈(R. Miles)와 스노우(C. Snow)의 전략 유형 중 유연성이 높고 분권화된 학습지향 조직구조로 설계하는 것이 적합한 전략은 공격형 전략이다. 공격형은 신제품 및 신시장 기회를 적극적으로 찾아내고 이용하는 기업군으로 기술과 정보의 급속한 발전과 변화를 조기에 포착하고 기술혁신을 통하여 신제품을 개발한다. 따라서 이러한 유형은 고도의 전문지식을 필요로 하고 분권적 조직과 수평적 의사소통이 필수적이다. 이러한 전략은 창의성이 효율성보다 더 중요시되는 동태적이고 급변하는 환경에 적합한 전략이다. **정답 ④**

42 □□□

사업포트폴리오 분석(business portfolio analysis)에 대한 다음 설명 중 가장 옳지 않은 것은?

① 대표적인 사업포트폴리오 분석의 방법으로는 BCG 매트릭스와 전략적 사업계획 그리드 등이 있다.
② 전략사업단위(strategic business unit, SBU)란 최고경영자로부터 권한을 위임받고 경영성과에 대해서 책임을 지는 독립적 사업단위를 의미한다.
③ BCG 매트릭스는 하나의 축에 절대적 시장점유율을, 또 다른 하나의 축에 시장성장률을 나타내어 각 사업단위의 경쟁적 지위를 알아볼 수 있게 설계되어있다.
④ BCG 매트릭스에서 시장점유율이 낮고, 시장성장률이 높은 사업단위를 문제아(problem children)라고 한다.

해설

BCG 매트릭스는 하나의 축에 상대적 시장점유율을, 또 다른 하나의 축에 시장성장률을 나타내어 각 사업단위의 경쟁적 지위를 알아볼 수 있게 설계되어있다. **정답 ③**

43 ☐☐☐ 2021년 공인노무사 수정

GE/맥킨지 매트릭스(GE/McKinsey matrix)에서 전략적 사업부를 분류하기 위한 두 기준은?

① 산업매력도 – 사업단위 위치(경쟁력) ② 시장성장률 – 시장점유율
③ 산업매력도 – 시장성장률 ④ 사업단위 위치(경쟁력) – 시장점유율

해설

GE/맥킨지 매트릭스(GE/McKinsey matrix)에서 전략적 사업부를 분류하기 위한 두 기준은 산업매력도와 사업단위 위치(경쟁력)이다. **정답 ①**

44 ☐☐☐ 2020년 가맹거래사 수정

BCG 매트릭스 중 다음에서 설명하는 사업단위는?

- 낮은 시장점유율과 낮은 시장성장률을 나타낸다.
- 현금을 창출하지만 이익이 아주 적거나 손실이 발생한다.
- 시장전망이 밝지 않아 가능한 빨리 철수하는 것이 바람직하다.

① star ② question mark
③ cash cow ④ dog

해설

해당 사업단위는 개(dog)에 해당한다. **정답 ④**

45 ☐☐☐ 2023년 공인노무사 수정

다음 BCG 매트릭스의 4가지 영역 중, 시장성장률이 높은(고성장) 영역과 상대적 시장점유율이 높은(고점유) 영역이 옳게 짝지어진 것은?

ㄱ. 현금젖소(cash cow)	ㄴ. 별(star)
ㄷ. 물음표(question mark)	ㄹ. 개(dog)

	고성장	고점유		고성장	고점유
①	ㄱ, ㄴ	ㄴ, ㄷ	②	ㄱ, ㄴ	ㄴ, ㄹ
③	ㄴ, ㄷ	ㄱ, ㄴ	④	ㄴ, ㄷ	ㄱ, ㄷ

해설

BCG 매트릭스의 4가지 영역 중, 시장성장률이 높은(고성장) 영역은 물음표와 별이고, 상대적 시장점유율이 높은(고점유) 영역은 별과 현금젖소이다.

정답 ③

46 ☐☐☐ 2019년 경영지도사 수정

BCG 매트릭스에 관한 설명으로 옳지 않은 것을 모두 고른 것은?

> ㄱ. 개(dogs)는 시장의 성장률이 높고 점유율이 낮은 사업을 말한다.
> ㄴ. 별(stars)은 시장의 성장률이 높고 점유율이 높은 사업을 말한다.
> ㄷ. 현금젖소(cash cows)는 시장의 성장률은 낮지만 점유율은 높은 사업을 말한다.

① ㄱ
② ㄴ
③ ㄱ, ㄷ
④ ㄴ, ㄷ

해설

개(dogs)는 시장의 성장률이 낮고 점유율이 낮은 사업을 말한다. **정답 ①**

47 ☐☐☐

BCG 매트릭스에 대한 설명으로 가장 옳지 않은 것은?

① 회사 내의 여러 사업들을 시장성장률과 시장점유율이라는 두 변수를 양축으로 하는 2차원 공간상에 표시하여 각 사업의 상대적 매력도를 비교한다.
② 자사의 시장점유율을 시장점유율이 가장 큰 경쟁기업의 시장점유율로 나눈 상대적 시장점유율은 1보다 클 수 있다.
③ 매트릭스상에 각 사업단위는 원으로 표시되는데, 원의 위치는 각 사업단위의 시장성장률과 상대적인 시장점유율의 값을 나타내며, 원의 크기는 해당 사업단위의 이익액을 의미한다.
④ 사업단위들과의 현금의존성을 제외한 상호의존성을 무시하고 있고 그것으로 인하여 발생하는 시너지 효과에 대한 고려를 등한시하고 있다.

해설

매트릭스상에 각 사업단위는 원으로 표시되는데, 원의 위치는 각 사업단위의 시장성장률과 상대적인 시장점유율의 값을 나타내며, 원의 크기는 해당 사업단위의 매출액을 의미한다. **정답 ③**

48 ☐☐☐

다음은 사업단위에 대한 대표적인 전략적 평가 방법인 BCG 매트릭스와 GE 매트릭스에 관한 설명이다. 다음 설명 중 가장 옳지 않은 것은?

① BCG 매트릭스에서는 시장성장률과 상대적 시장점유율의 두 가지 기준에 의해서 각 사업을 위치화시킨다.
② BCG 매트릭스의 도표상의 각 사업은 원으로 표시가 되는데, 이 원은 해당 사업의 시장점유율을 나타내는 것이다.
③ GE 매트릭스는 산업의 매력도와 사업부의 강점이라는 두 개의 기준 차원으로 구성되며 이와 같은 차원의 측정을 위해서 많은 수의 변수들을 이용한다.
④ GE 매트릭스의 도표상의 각 사업의 위치는 원으로 표시가 되는데, 이 원의 크기는 해당 사업단위가 속한 시장크기를 나타내는 것이다.

해설

BCG 매트릭스의 도표상의 원은 해당 사업의 매출액 규모에 따라 크기가 바뀐다. 즉 매출액을 반영하는 것이다.   **정답 ②**

49 ☐☐☐ 2022년 가맹거래사 수정

BCG 매트릭스에 관한 설명으로 옳지 않은 것은?

① 미국의 보스턴 컨설팅 그룹이 개발한 사업전략 분석 기법이다.
② 절대적 시장점유율과 시장성장률의 관계를 분석한다.
③ 사업부의 분면 위치는 시간이나 시장 환경에 따라 재평가되어야 한다.
④ 시장성장률은 사업매력도를 나타내고 일반적으로 사업부의 매출성장률로 측정한다.

해설

BCG 매트릭스는 상대적 시장점유율과 시장성장률의 관계를 분석한다.   **정답 ②**

50 ☐☐☐ 2024년 가맹거래사 수정

BCG 매트릭스에 관한 설명으로 옳지 않은 것은?

① 사업의 매력도를 평가하기 위해 시장성장률을 사용한다.
② 사업의 경쟁력을 평가하기 위해 상대적 시장점유율을 사용한다.
③ Cash Cow는 시장성장률과 상대적 시장점유율이 모두 높은 영역이다.
④ Star는 지속적인 투자가 요구되는 영역이다.

해설

Cash Cow는 시장성장률이 낮고 상대적 시장점유율이 높은 영역이다. 시장성장률과 상대적 시장점유율이 모두 높은 영역은 Star이다.   **정답 ③**

51 □□□ 2023년 경영지도사 수정

BCG 매트릭스 기법에 관한 설명으로 옳은 것은?

① 산업매력도지표와 사업강점지표를 구성하여 수행하는 사업포트폴리오 평가 기법이다.
② 원의 크기는 사업부의 시장점유율을 나타낸다.
③ 시장성장률이 높을수록 사업부의 매력도가 높은 것으로 평가된다.
④ 상대적 시장점유율이 0.4라는 것은 자사 사업부의 시장점유율이 그 시장에서의 경쟁 기업 중 가장 큰 점유율을 나타내는 경쟁사 시장점유율의 2/5 수준임을 의미한다.

해설

① 산업매력도지표와 사업강점지표를 구성하여 수행하는 사업포트폴리오 평가 기법은 GE 매트릭스이다.
② BCG 매트릭스 기법에서 원의 크기는 매출액으로 측정된 사업부의 규모를 나타낸다.
③ 시장성장률이 높을수록 시장의 매력도가 높은 것으로 평가되고, 상대적 시장점유율이 높을수록 사업부의 매력도가 높은 것으로 평가된다.

정답 ④

52 □□□ 2017년 경영지도사 수정

BCG(Boston Consulting Group) 매트릭스 전략에 사용된 두 가지 기준은?

① 시장 성숙도, 시장 점유율
② 시장 점유율, 시장 성장률
③ 시장 성장률, 시장 세분화
④ 후방 통합도, 전방 통합도

해설

BCG 매트릭스는 특정 사업단위의 상대적 시장점유율(매출액), 해당 사업단위가 속한 시장의 성장률을 기준으로 전략적 사업단위(SBU)를 평가한다.

정답 ②

53 □□□ 2015년 공인노무사 수정

BCG의 성장 – 점유율 매트릭스에서 시장성장률은 낮고 상대적 시장점유율이 높은 영역은?

① dog
② star
③ cash cow
④ problem child

해설

BCG의 성장–점유율 매트릭스에서 시장성장률은 낮고 상대적 시장점유율이 높은 영역은 현금젖소(cash cow)이다.

정답 ③

BCG 매트릭스에서 시간 흐름에 따른 사업단위(SBU)의 수명주기를 순서대로 나열한 것은?

① 별 → 현금젖소 → 개 → 물음표
② 물음표 → 별 → 현금젖소 → 개
③ 현금젖소 → 개 → 별 → 물음표
④ 개 → 물음표 → 현금젖소 → 별

해설

BCG 매트릭스에서 시간 흐름에 따른 사업단위(SBU)의 수명주기를 순서대로 나열한 것은 '물음표 → 별 → 현금젖소 → 개'의 순서이다. **정답 ②**

보스턴 컨설팅 그룹(BCG)의 사업 포트폴리오 매트릭스에 관한 설명으로 옳은 것은?

① 산업의 매력도와 사업부의 강점을 기준으로 분류한다.
② 물음표(question mark)에 속해 있는 사업단위는 투자가 필요하나 성장가능성은 낮다.
③ 개(dog)에 속해 있는 사업단위는 확대전략이 필수적이다.
④ 현금젖소(cash cow)에 속해 있는 사업단위는 수익이 높고 안정적이다.

해설

① 시장(산업)성장률과 상대적 시장점유율을 기준으로 분류한다.
② 물음표(question mark)에 속해 있는 사업단위는 시장이 급속히 성장하므로 이익을 높일 수 있는 투자기회는 매력적이라고 할 수 있지만 심한 경쟁에서 이겨야 하므로 투자가 시장점유율의 확대와 연결되지 않을 불확실성과 위험이 내포되어 있다.
③ 개(dog)에 속해 있는 사업단위는 철수나 매각이 필수적이다. **정답 ④**

BCG 매트릭스에 관한 설명으로 옳은 것은?

① 어떤 사업단위가 개(dog) 위치에 있었다면 이를 별(star)로 이동하도록 관리하는 것이 바람직하다.
② 현금젖소(cash cow) 상황은 시장성장률은 낮지만, 시장점유율은 높은 경우이다.
③ 물음표(question mark) 상황은 시장이 커질 가능성도 낮고, 수익도 거의 나지 않는 상황이다.
④ 개(dog) 상황은 현금유입은 적지만, 현금유출이 많은 경우이다.

해설

어떤 사업단위가 개(dog) 위치에 있었다면 철수전략을 사용하는 것이 바람직하다. 물음표(question mark) 상황은 시장성장률은 높지만, 시장점유율은 낮은 경우이다. 개(dog) 상황은 현금유입과 유출이 적은 경우이다. 별(star) 상황에 필요한 전략은 성장전략이다. **정답 ②**

57 □□□ 2013년 경영지도사 수정

BCG(Boston Consulting Group) 매트릭스에 관한 설명으로 옳지 않은 것은?

① 원의 크기는 매출액 규모를 나타낸다.
② 수직축은 시장성장률, 수평축은 상대적 시장점유율을 나타낸다.
③ 기업의 자원을 집중적으로 투입하는 강화전략은 시장성장률과 시장점유율이 높은 사업에 적합하다.
④ 시장성장률은 높지만 시장점유율이 낮은 사업의 경우 안정적 현금 확보가 가능하다.

해설

안정적 현금 확보가 가능한 사업은 현금젖소(cash cow)를 의미하며, 이는 시장성장률은 낮지만 시장점유율이 높은 사업에 해당한다. **정답 ④**

58 □□□ 2012년 공인노무사 수정

BCG 매트릭스에 관한 설명으로 옳은 것은?

① 횡축은 시장성장률, 종축은 상대적 시장점유율이다.
② 물음표 영역은 시장성장률이 높고, 상대적 시장점유율은 낮아 계속적인 투자가 필요하다.
③ 별 영역은 시장성장률이 낮고, 상대적 시장점유율은 높아 현상유지를 해야 한다.
④ 현금젖소 영역은 현금창출이 많지만, 상대적 시장점유율이 낮아 많은 투자가 필요하다.

해설

① 종축은 시장성장률, 횡축은 상대적 시장점유율이다.
③ 별 영역은 시장성장률이 높고, 상대적 시장점유율도 높아 성장전략을 선택해야 한다.
④ 현금젖소 영역은 시장성장률은 낮지만, 상대적 시장점유율이 높다. **정답 ②**

59 □□□

사업포트폴리오 분석의 한계에 대한 다음 설명 중 가장 옳지 않은 것은?

① 사업부 간의 상호작용을 무시하고 결정한다.
② 외부적 자원만 고려하고 있다.
③ 제품의 특성에 따라 중요 요인이 각각 다를 수 있다는 점을 간과하였다.
④ 분석과정에서 주관적인 요소가 개입할 수 있다.

해설

사업포트폴리오 분석은 내부적 자원만 고려하고 있다. **정답 ②**

60 ☐☐☐ 2022년 경영지도사 수정

기업전략에 관한 설명으로 옳지 않은 것은?

① BCG 매트릭스에서 성장은 느리지만 시장점유율이 높아서 이익이 많이 나는 집단을 별(star)이라고 한다.
② 포터(M. Porter)의 집중화전략은 한정된 특수 고객층에 집중하여 원가우위전략 혹은 차별화전략을 쓰는 것을 말한다.
③ 포터(M. Porter)의 차별화전략은 품질이나 디자인이 뛰어난 만큼 비용이 많이 든다.
④ 자원기반관점(resource-based view)에서는 기업이 통제하는 자원과 역량이 경쟁우위의 원천이 된다.

해설

BCG 매트릭스에서 성장은 느리지만 시장점유율이 높아서 이익이 많이 나는 집단을 현금젖소(cash cow)라고 한다.   **정답 ①**

61 ☐☐☐

균형성과표(balanced score card)에 대한 다음 설명 중 가장 옳지 않은 것은?

① 기업의 전략적 목표를 일련의 성과측정지표로 전환할 수 있는 종합적인 틀이다.
② 객관적으로 정량화되는 재무적 측정치와 주관적인 판단이 요구되는 비재무적 측정치 간의 균형을 이루어야 한다.
③ 균형성과표는 학습과 성장관점에 의한 단기적 성과와 나머지 세 가지 관점에 의한 장기적 성과 간의 균형을 이루어야 한다.
④ 과거 노력의 산출물인 결과 측정치와 미래성과를 창출할 측정치 간의 균형을 이루어야 한다.

해설

균형성과표는 재무적 관점에 의한 단기적 성과와 나머지 세 가지 관점에 의한 장기적 성과 간의 균형을 이루어야 한다.   **정답 ③**

62 ☐☐☐ 2022년 가맹거래사 수정

균형성과표(BSC)에 포함되지 않는 것은?

① 외부지표와 내부지표의 균형
② 원인지표와 결과지표의 균형
③ 단기지표와 장기지표의 균형
④ 개인지표와 집단지표의 균형

해설

균형성과표는 외부지표와 내부지표의 균형, 원인지표와 결과지표의 균형, 단기지표와 장기지표의 균형, 재무지표와 비재무지표의 균형을 포함한다.
정답 ④

63 ☐☐☐ 2019년 가맹거래사 수정

비즈니스 프로세스 리엔지니어링의 특징에 관한 설명으로 옳은 것은?

① 업무 프로세스 변화의 폭이 넓다.
② 업무 프로세스 변화가 점진적이다.
③ 업무 프로세스 재설계는 쉽고 빠르다.
④ 조직 구조의 측면에서 상향식으로 추진한다.

해설

비즈니스 프로세스 리엔지니어링(business process reengineering)은 기존의 조직단위나 규칙 또는 순서를 완전히 무시하고 프로세스를 근본적으로 뜯어고쳐 고객가치의 증가라는 관점에서 기업의 모든 활동을 프로세스 중심으로 재편하여 처음부터 다시 시작하는 것을 의미한다. 따라서 업무 프로세스 변화가 급진적이며 시간과 비용이 많이 발생한다. 또한, 조직 구조의 측면에서 하향식으로 추진하고 실패 가능성과 위험이 크다.

정답 ①

64 ☐☐☐ 2017년 경영지도사 수정

기존의 업무처리방식을 고려하지 않고 비용, 품질, 서비스, 속도 등 기업의 성과를 대폭 향상시키기 위하여 업무처리 과정이나 절차를 근본적으로 다시 생각하고 과감하게 재설계하는 경영기법은?

① 아웃소싱(outsourcing)
② 다운사이징(downsizing)
③ 리엔지니어링(reengineering)
④ 전략적 제휴(strategic alliance)

해설

기존의 업무처리방식을 고려하지 않고 비용, 품질, 서비스, 속도 등 기업의 성과를 대폭 향상시키기 위하여 업무처리 과정이나 절차를 근본적으로 다시 생각하고 과감하게 재설계하는 경영기법은 리엔지니어링(reengineering)이다.

정답 ③

65 ☐☐☐ 2023년 경영지도사 수정

리스트럭처링(restructuring)에 관한 특징으로 옳지 않은 것은?

① 무능한 경영자의 퇴출
② 업무프로세스, 절차, 공정의 재설계
③ 미래지향적 비전의 구체화
④ 비관련사업의 매각

해설

리스트럭처링(restructuring)은 기업이 장기적으로 치열한 경쟁에서 살아남아 경쟁우위를 확보하기 위해 제품이나 사업의 편성을 변경하고, 사업의 생산·판매·개발시스템을 구조적으로 변화시키고 재편성하는 등 의도적이고 계획적으로 사업구조를 재구성하는 것을 의미하고, 리엔지니어링(reengineering)은 업무방식을 단순히 개선 또는 보완하는 차원이 아니라 고객만족이라는 전제하에서 업무를 처리하는 방식을 근본적으로 개선하고 업무프로세스 자체를 바꿈으로써 경영효율을 높이는 기법을 말한다. 따라서 ②번은 리엔지니어링(reengineering)에 관한 특징에 해당한다.

정답 ②

66 □□□ 2021년 경영지도사 수정

기존의 경영활동을 무시하고 기업의 부가가치를 산출하는 활동을 완전히 백지상태에서 새롭게 구성하는 경영혁신기법은?

① 리스트럭처링(restructuring)
② 아웃소싱(outsourcing)
③ 목표관리(management by objective)
④ 리엔지니어링(reengineering)

해설

기존의 경영활동을 무시하고 기업의 부가가치를 산출하는 활동을 완전히 백지상태에서 새롭게 구성하는 경영혁신기법은 리엔지니어링이다.

정답 ④

67 □□□ 2020년 경영지도사 수정

높은 성과를 올리고 있는 회사와 비교·분석하여 창조적 모방을 통해 개선하고자 하는 경영혁신 기법은?

① 동료그룹(peer group)평가
② 벤치마킹(benchmarking)
③ 구조조정(restructuring)
④ 6시그마(six sigma)

해설

높은 성과를 올리고 있는 회사와 비교·분석하여 창조적 모방을 통해 개선하고자 하는 경영혁신 기법은 벤치마킹이다.

정답 ②

68 □□□ 2016년 경영지도사 수정

아웃소싱(outsourcing)에 관한 설명으로 옳지 않은 것은?

① 기업이 생산·유통·포장·용역 등 업무의 일부분을 기업외부에 위탁하는 것이다.
② 기업을 혁신하고 경쟁력을 높일 수 있는 방법 중 단기간에 많은 효과를 얻을 수 있는 방법이다.
③ 성장과 경쟁력 및 핵심역량 강화를 위한 대안으로 활용되고 있다.
④ 독립 가능한 사업부와 조직 단위를 개개의 조직 단위로 나누어 소형화하는 것이다.

해설

독립 가능한 사업부와 조직 단위를 개개의 조직 단위로 나누어 소형화하는 것은 다운사이징(downsizing)이다.

정답 ④

69 ☐☐☐

경제적 부가가치(economic value added)에 대한 다음 설명 중 가장 옳지 않은 것은?

① 경제적 부가가치는 지속적인 특징을 가진다.
② 경제적 부가가치가 양(+)인 기업은 자본비용 이상을 벌어들인 기업으로 평가된다.
③ 경제적 부가가치는 주주중심의 사고에서 평가한 경영성과이다.
④ 주식에 대한 배당지급이 없는 경우에는 자기자본비용이 없기 때문에 경제적 부가가치는 회계상의 당기순이익과 일치한다.

해설

자기자본비용은 자기자본에 대한 기회비용(주주의 요구수익률)이기 때문에 배당의 지급이 없는 경우에도 자기자본비용은 존재한다. 따라서 배당의 지급이 없는 경우에도 경제적 부가가치와 회계상 당기순이익은 일치하지 않는다.　　　　정답 ④

70 ☐☐☐ 2024년 경영지도사 수정

지식에 관한 설명으로 옳지 않은 것은?

① 지식이란 사람의 행동과 의사결정에 지침을 주는 본능, 지각, 아이디어, 규칙과 절차 등의 결합을 의미한다.
② 지식은 데이터를 집적하고 체계화한 후 가공한 형태로 정보의 하위 개념이다.
③ 지식은 개인의 자산이자 기업의 자원으로써 부가가치 창출에서 차지하는 역할이 커지고 있다.
④ 암묵지란 개인이 학습과 체험을 통해 쌓은 지식으로 문서화하기 어렵다.

해설

지식(knowledge)은 정보를 체계화하여 장래 사용에 대해 보편성을 갖도록 한 것이고, 정보(information)는 자료를 특정 목적과 문제해결에 도움이 되도록 가공한 것이다. 또한, 자료(data)는 객관적 사실을 의미한다. 따라서 지식은 정보의 상위 개념이다.　　　　정답 ②

71 ☐☐☐ 2020년 경영지도사 수정

지식을 형식지와 암묵지로 구분할 때 암묵지의 특징으로 볼 수 없는 것은?

① 언어로 표현 가능한 객관적 지식
② 경험을 통해 몸에 밴 지식
③ 은유를 통한 전달
④ 다른 사람에게 전이하기가 어려움

해설

암묵지는 언어로는 설명할 수 없이 전적으로 개인의 경험이나 잠재적인 능력에서 비롯되는 지식을 의미한다. 인간의 정신과 신체 속에 체화되어 있기 때문에 부호화나 전달이 어렵고, 특정 상황하에서 오직 행동과 노력을 통해서만 표출되고 이전될 수 있는 지식이다. 따라서 언어로 표현 가능한 객관적 지식은 암묵지가 아니라 형식지의 특징에 해당한다.　　　　정답 ①

72 ☐☐☐ 2023년 가맹거래사 수정

노나카(I. Nonaka)의 지식전환 모델에 관한 설명으로 옳지 않은 것은?

① 암묵지(implicit knowledge)와 형식지(explicit knowledge)의 전환과정에서 지식이 공유되고 창출된다.
② 암묵지에서 형식지로 전환과정을 외재화(externalization)라 한다.
③ 형식지에서 암묵지로 전환과정을 표준화(standardization)라 한다.
④ 형식지에서 형식지로 전환과정을 결합화(combination)라 한다.

해설

형식지에서 암묵지로 전환과정을 내면화(internalization)라 한다.　　　　　　　　　　　　　　　　　　　**정답 ③**

73 ☐☐☐ 2018년 경영지도사 수정

다음은 무엇에 관한 설명인가?

> • 개인 간의 직접적인 상호작용을 통해 암묵지가 암묵지 그대로 전달되는 경우를 말한다.
> • 장인들이 관찰, 모방, 지도와 같은 도제관계를 통해 장기적으로 지식을 전수하는 경우를 말한다.

① 연결화(combination)　　　　　　　② 외부화(externalization)
③ 사회화(socialization)　　　　　　　④ 내면화(internalization)

해설

노나카 이쿠지로(Nonaka Ikuziro)는 SECI 모형을 통해 지식을 암묵지(tacit knowledge)와 형식지(explicit knowledge)로 분류하고, 지식은 '사회화 → 외부화 → 연결화 → 내면화 → 사회화 → …'의 활동들이 순차적이고 지속적으로 순환하는 암묵지와 형식지 간의 상호변환과정을 통해 창출된다고 하였다. 사회화(socialization)는 한 사람의 암묵지가 다른 사람의 암묵지로 변환하는 과정이고, 외부화(externalization)는 개인이나 집단의 암묵지가 공유되고 통합되어 새로운 형식지가 만들어지는 과정이다. 연결화(combination)는 각기 다른 형식지를 분류, 가공, 조합, 편집해서 새로운 형식지로 체계화하는 과정이고, 내면화(internalization)는 글이나 문서형태로 표현된 형식지를 암묵지로 개인의 머리와 몸 속에 체화시키는 과정이다.　　　　　　　　　　　　　　　　　　　**정답 ③**

74 ☐☐☐ 2016년 경영지도사 수정

다음은 무엇에 관한 설명인가?

> 기업이 가지고 있는 지적 자산뿐만 아니라 구성원 개개인의 지식이나 노하우를 체계적으로 발굴하여 조직내부의 보편적인 지식으로 공유하고, 공유지식의 활용을 통해 조직전체의 문제해결 능력과 기업가치를 향상시키는 경영방식

① 지식경영(knowledge management)
② 전사적 자원관리(enterprise resource planning)
③ 가치공학(value engineering)
④ BPR(business process reengineering)

해설

기업이 가지고 있는 지적 자산뿐만 아니라 구성원 개개인의 지식이나 노하우를 체계적으로 발굴하여 조직내부의 보편적인 지식으로 공유하고, 공유지식의 활용을 통해 조직전체의 문제해결 능력과 기업가치를 향상시키는 경영방식은 지식경영이다.

정답 ①

75 ☐☐☐ 2021년 가맹거래사 수정

지식경영과 관련한 용어에 관한 설명으로 옳은 것은?

① 지식경영은 지식을 생성, 저장, 활용하는 일련의 과정을 의미한다.
② 지식은 객관적 사실, 측정된 내용, 통계를 의미한다.
③ 데이터 및 정보는 지식과 명확히 구별하기 어렵다.
④ 암묵지(tacit knowledge)는 객관적이고 이성적이며 기술적 지식을 포함한다.

해설

②, ③ 지식(knowledge)은 정보를 체계화하여 장래 사용에 대하여 보편성을 갖도록 한 것이고, 정보(information)는 자료를 특정 목적과 문제해결에 도움이 되도록 가공한 것이다. 또한, 자료(data)는 객관적 사실을 의미한다.
④ 암묵지는 언어로는 설명할 수 없이 전적으로 개인의 경험이나 잠재적인 능력에서 비롯되는 지식을 의미하고, 형식지는 언어로 명료화되어 전달될 수 있는 지식을 의미한다.

정답 ①

76 □□□ 2022년 경영지도사 수정

기업이 성공하기 위해서 경쟁이 없는 새로운 시장을 창출해야 한다는 전략은?

① 침투 전략(penetration strategy)　　② 레드오션 전략(red ocean strategy)
③ 블루오션 전략(blue ocean strategy)　④ 창조 전략(creation strategy)

해설
블루오션(blue ocean)은 잘 알려지지 않은 시장, 즉 현재 존재하지 않아서 경쟁이 무의미한 모든 산업을 말한다. 시장수요는 경쟁에 의해서 얻어지는 것이 아니라 창조에 의해서 얻어지며, 높은 수익과 빠른 성장을 가능하게 하는 엄청난 기회가 존재한다. 또한, 게임의 법칙이 아직 정해지지 않았기 때문에 경쟁은 무의미하다. 따라서 기업이 성공하기 위해서 경쟁이 없는 새로운 시장을 창출해야 한다는 전략은 블루오션 전략(blue ocean strategy)이다.
정답 ③

77 □□□

레드오션 전략(red ocean strategy)과 블루오션 전략(blue ocean strategy)을 비교한 다음 설명 중 가장 옳지 않은 것은?

	레드오션 전략	블루오션 전략
①	기존 시장 공간 안에서 경쟁	경쟁자 없는 새 시장 공간의 창출
②	경쟁의 원리	경쟁이 무의미
③	새 수요창출 및 장악	기존 수요시장 공략
④	가치와 비용 가운데 택일	가치와 비용을 동시에 추구

해설
레드오션 전략은 기존 수요시장을 공략하는 전략이고, 블루오션 전략은 새 수요창출 및 장악하는 전략이다.
정답 ③

78 □□□ 2021년 경영지도사 수정

사내 벤처비즈니스의 성공요인이 아닌 것은?

① 의사결정을 행사할 수 있다.
② 자원을 활용할 수 있다.
③ 조직경계를 넘지 않는다.
④ 팀원을 채용할 수 있다.

해설

사내 벤처비즈니스가 성공하기 위해서는 조직 내에 머물러 있는 것이 아니라 조직경계를 넘나드는 것이 필요하다.　　　**정답 ③**

79 □□□ 2019년 경영지도사 수정

다음에서 공통으로 설명하는 경영개념은?

- 원재료 유입에서 최종 소비자에게 완제품 전달까지 각 단계에서 가치를 부가하는 일련의 조직적 작업 활동이다.
- 기업의 원가 또는 차별화 우위를 형성할 수 있는 요소들을 파악하여 경쟁우위 원천을 찾을 수 있다.

① benchmarking
② division of labor
③ just in time
④ value chain

해설

가치사슬(value chain)은 기업의 부가가치창출에 직접 또는 간접적으로 관련된 활동들의 연계를 의미한다. 따라서 문제에서 제시된 서술은 가치사슬에 대한 설명이 된다.
① 벤치마킹(benchmarking)은 제품이나 업무수행과정 등 경영의 어느 특정부분에서 최고의 성과(best practice)를 올리고 있는 다른 기업을 선정하고 그 부문에서 우리 기업과 그 기업 사이의 차이를 비교·검토한 후에 학습과 자기혁신을 통해 성과를 올리려는 지속적인 노력을 말한다.
② 노동분업(division of labor)은 주어진 조직 내에서 목표로 하는 작업을 수행하기 위해 각자에게 특정 작업을 부여하는 것을 말한다.
③ 적시생산(just in time)은 필요한 자재를 원하는 수준의 품질로 필요한 수량만큼 원하는 시점에서 조달하는 적시공급에 의한 생산방식을 말한다.
　　　정답 ④

해커스군무원 학원·인강
army.Hackers.com

PART 02

조직행동론

CHAPTER 01 조직행동론의 기초개념

제1절 조직

1 의의

1. 개념

조직(organization)은 하나 이상의 명확한 목적을 가지고 그 목적을 달성하기 위하여 둘 이상의 사람들이 상호작용하는 협동체계이다. 따라서 조직구성원들은 공통된 목적을 가지고 그 목적을 달성하기 위해 지속적인 상호작용을 하게 된다. 공통의 목적을 달성하기 위해 체계화된 구조로 이루어져 있는 조직의 특성은 다음과 같다.

(1) 조직은 인간에 의하여 창조된 사회집단이다.

(2) 조직은 일반적으로 환경과 상호작용을 하는 개방시스템이지만, 어느 정도의 폐쇄성도 가지고 있다.

(3) 조직은 외부환경과 구분되는 경계와 활동영역이 존재하며, 지속적으로 외부환경으로부터 영향을 받기 때문에 이에 대한 적응의 과정이 필요하다.

2. 기계적 조직과 유기적 조직

조직은 기계적 – 유기적이라는 두 개념의 연속선에서 구분할 수 있는데, 이 개념은 번즈(Burns)와 스탈커(Stalker)에 의해서 처음 사용되었다.

(1) **기계적 조직**

기계적 조직(mechanistic organization)은 표준화된 절차와 규칙, 분명한 권한구조에 의하여 기계처럼 작동한다. 이런 조직은 매우 공식화되어 있고 의사결정권한이 상층에 집중되어 집권화가 높다.

(2) **유기적 조직**

유기적 조직(organic organization)은 느슨하고 자유롭게 흐르는 유연한 이미지를 갖는 조직이다. 규칙이나 규정이 문서화되어 있지 않고 간혹 문서화가 되어 있다고 하여도 매우 유연하게 적용된다. 사람들은 자신들의 방식으로 일을 처리할 수 있으며 권한계층은 느슨하면서도 분명하지 않다. 의사결정은 분권화되어 있다.

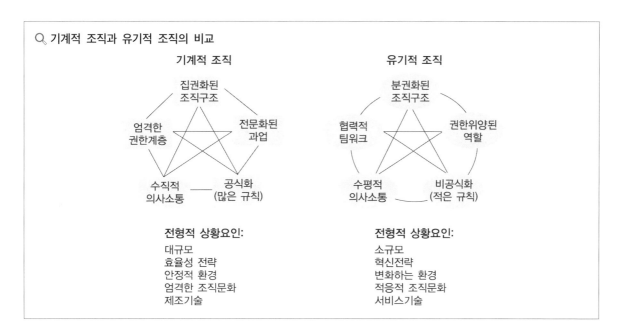

기계적 조직과 유기적 조직의 비교

기계적 조직

집권화된 조직구조

엄격한 권한계층 / 전문화된 과업

수직적 의사소통 / 공식화 (많은 규칙)

전형적 상황요인:
대규모
효율성 전략
안정적 환경
엄격한 조직문화
제조기술

유기적 조직

분권화된 조직구조

협력적 팀워크 / 권한위양된 역할

수평적 의사소통 / 비공식화 (적은 규칙)

전형적 상황요인:
소규모
혁신전략
변화하는 환경
적응적 조직문화
서비스기술

3. 양면형 조직

양면형 조직(ambidextrous organization, 양손잡이 조직)은 기업의 규모가 크거나 수행 중인 기존 사업이 잘되고 있을수록 혁신을 도모하기 위해서는 절실히 요구되는 조직구조이다. 양면형 조직은 한 쪽은 기존 사업 중심으로 안정성을 추구하면서 또 다른 쪽은 혁신적인 새로운 것을 추구하는 조직을 말한다. 즉 기존 역량을 활용하면서 새로운 기회를 탐험하는 능력을 가진 조직을 의미한다. 한 쪽 조직은 기존의 일이나 사업을 잘해서 최대한의 수익을 내는 일에 초점을 맞추고, 다른 조직은 미래의 변화에 잘 대응할 수 있도록 준비하는 일에 초점을 맞춘다. 쉽게 말하면 한 회사 내에 현재 이익이 발생하는 활동을 열심히 하는 조직과 미래의 기회를 탐험하는 활동을 하는 조직이 공존하는 것이다.

2 조직목표와 변화

1. 조직목표

조직목표는 조직이 달성하고자 하는 바람직한 상태를 의미한다. 조직목표는 조직행동의 방향을 제시하고 현재 활동에 실질적 영향을 미치는 사회적 힘을 가지고 있는데, 조직목표의 구체적인 역할은 다음과 같다.

(1) 조직행동의 기준과 방향을 제시

조직목표는 미래지향적인 의미를 가지고 있기 때문에 조직이 앞으로 나아갈 방향에 대한 지침과 조직의 행동근거를 제시하는 기준을 제공한다. 이를 통해 조직은 합법성과 정당성을 확보할 수 있게 된다.

(2) 효과성(유효성)의 평가기준

효과성 또는 유효성은 조직목표의 달성정도를 의미한다. 따라서 조직목표는 각 조직의 효과성을 평가하기 위한 기준이 된다.

(3) 조직구성원들에 대한 동기부여의 원천

조직구성원들을 동기부여시키기 위해서는 조직구성원들의 자발적인 참여가 필수적이다. 따라서 조직목표와 조직구성원의 목표가 일치하여야 한다.

2. 조직목표의 변화

조직목표는 다양한 요인들에 의하여 지속적으로 수정되고 변화하게 된다. 조직목표의 변화에 영향을 미치는 요인들은 다음과 같다.

(1) 내부요인

조직내부의 권력체계의 변동이나 조직구조의 변동이 대표적이다. 일반적으로 최고경영자가 바뀌면 새로운 경영자의 경영철학에 따라 목표가 바뀌게 된다. 또한, 새로운 부서, 새로운 기준의 도출 또는 새로운 담당자의 출현같은 경우도 조직의 변화를 일으킨다.

(2) 외부요인

기술의 개발, 사회적·정치적·경제적 변화 등이 있다.

3. 경쟁적 가치모형

(1) 의의

퀸(Quinn)과 로어바우(Rohrbaugh)가 개발한 경쟁적 가치 모형(competing value model)은 조직이 다양한 과업을 수행하고 많은 산출물을 생산한다는 것을 고려하여 조직의 한 부분에 집중하는 것이 아니라 조직의 다양한 부분들을 균형 있게 다루기 위해 몇몇 효과성 지표들을 지표 간의 경쟁이라는 관점에서 하나의 틀에서 측정한다. 이러한 통합적 효과성을 측정하기 위해 유연성(분권화와 분화를 강조)/통제성(집권화와 통합을 강조)과 내부지향성/외부지향성의 2가지 경쟁적 차원에 따라 효과성 지표들을 네 가지의 유형으로 구분하였다. 또한, 대칭점에 있는 인간관계 접근과 합리적 목표 접근의 사이와 개방시스템 접근과 내부프로세스 접근 사이에는 서로 상반되는 성격을 가지는데, 이는 하나의 조직에 서로 상반되는 가치가 공존하고 있다는 것을 의미한다.

(2) 구성요소

① **인간관계 접근**: 분권화와 분화를 강조하는 유연성과 내부지향성의 차원을 가지는 경쟁적 가치에 해당한다. 이러한 접근은 인적자원의 개발이 목표이기 때문에 인간을 중시하고 응집성과 사기를 통해 효과성을 높일 수 있다고 보고, 외부환경보다 조직구성원들에게 더 관심을 가진다.

② **개방시스템 접근**: 분권화와 분화를 강조하는 유연성과 외부지향성의 차원을 가지는 경쟁적 가치에 해당한다. 이러한 접근은 성장과 자원획득이 목표이기 때문에 외부환경과 좋은 관계를 유지하고 유연성과 신속성을 통해 효과성을 높일 수 있다고 본다. 자원기준 접근과 유사한 부분이 많다.

③ **내부프로세스 접근**: 집권화와 통합을 강조하는 통제성과 내부지향성의 차원을 가지는 경쟁적 가치에 해당한다. 이러한 접근은 조직의 안정과 균형을 유지하는 것이 목표이기 때문에 관리와 조정을 통해 효과성을 높일 수 있다고 본다.

④ **합리적 목표 접근**: 집권화와 통합을 강조하는 통제성과 외부지향성의 차원을 가지는 경쟁적 가치에 해당한다. 이러한 접근은 생산성·효율성·수익성에 목표를 두기 때문에 조직은 통제를 통해 목표를 달성하기를 원하고 목표 접근과 유사한 부분이 많다.

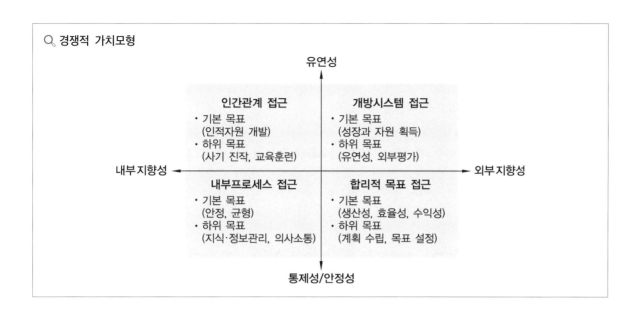

🔍 경쟁적 가치모형

인간관계 접근
- 기본 목표
  (인적자원 개발)
- 하위 목표
  (사기 진작, 교육훈련)

개방시스템 접근
- 기본 목표
  (성장과 자원 획득)
- 하위 목표
  (유연성, 외부평가)

내부프로세스 접근
- 기본 목표
  (안정, 균형)
- 하위 목표
  (지식·정보관리, 의사소통)

합리적 목표 접근
- 기본 목표
  (생산성, 효율성, 수익성)
- 하위 목표
  (계획 수립, 목표 설정)

유연성 / 통제성/안정성 / 내부지향성 / 외부지향성

제2절 조직행동론

1 의의

1. 개념

조직행동론(organizational behavior)은 조직의 목적을 달성하기 위하여 조직 내에 있는 개인에 대한 문제를 이해하려는 측면에 초점을 두는 분야를 말한다. 따라서 조직행동론은 조직에서의 개인행동을 조직 내 개인과 그 개인을 둘러싸고 있는 환경과의 함수라고 가정하고 개인의 행동을 이해·예측·통제하려고 한다. 일반적으로 개인은 개인의 욕구를 충족시키고 동시에 조직의 목표달성에 공헌하려는 의지를 가졌기 때문에 조직에 참여한다. 조직행동론은 다양한 욕구를 지닌 개인의 욕구를 어떻게 충족시키고, 개인이 조직의 목표달성에 기여하게 할 것인가가 중요한 관심사이다. 일반적으로 행동과학적, 성과지향적, 상황적합적, 인간중심적 성격을 가진다.

2. 행동형성의 가정

조직행동론은 조직에서의 개인행동을 조직 내 개인(person)과 그 개인을 둘러싸고 있는 환경(environment)과의 함수라고 가정한다. 즉 조직에서의 개인행동은 다음과 같이 표현할 수 있다.

$$Behavior = f(Person, \ Environment)$$

(1) 개인

개인의 능력, 심리를 반영하는 내부요소이다. 내부요소로는 성격, 지각, 학습, 태도, 동기, 능력 등이 있다.

(2) 환경

환경적인 측면을 반영하는 외부요소이다. 외부요소로는 직무의 성격, 관리시스템, 조직분위기, 성과에 대한 보상과 평가, 가족, 사회, 문화 등이 있다.

2 인간에 대한 이해

1. 개인행동의 접근법

조직행동론에서의 개인행동에 대한 접근법은 개인과 환경에 대한 강조에 따라 행동주의적(강화적) 접근법, 인지적 접근법, 절충적 접근법으로 구분할 수 있다.

(1) 행동주의적(강화적) 접근법

행동주의적(강화적) 접근법은 개인과 환경의 함수관계에서 환경(E)을 강조하고 개인의 행동을 자극과 반응의 관계로 보았다. 개인행동을 객관적 관찰이나 실험을 통해 검증하는 연구방식을 도입해 과학적 이론을 수립하려고 했다는 점에서 의의가 있지만, 동일한 자극에도 상이한 반응이 나타나는 것을 설명할 수 없기 때문에 개인 내부의 심리적 과정을 간과했다는 단점을 가지고 있다.

(2) 인지적 접근법

인지적 접근법은 환경(E)보다는 개인(P)에 초점을 맞춰 개인의 인지가 개인행동을 결정하는 주요한 요소라고 주장하였다. 개인은 자극을 단순히 수동적으로 수용하는 것이 아니라 받아들인 정보를 능동적으로 처리한다고 보았다.

(3) 절충적 접근법

절충적 접근법은 환경(E)과 개인(P)을 동시에 고려한다. 따라서 자극은 인지과정이나 심리적 과정을 통해 행동을 유발하고, 각 변수들 간에는 상호관련성을 가지기 때문에 이들을 연결하는 피드백(feedback)이 존재한다.

2. 인간에 대한 다양한 가정

(1) 합리적·경제적 인간(rational & economic man)

인간은 경제적 요인에 의하여 동기부여가 되고, 자기의 이익을 최대한 추구한다는 것이다. 또한, 개인의 목표와 조직의 목표가 대립되므로 조직의 목표를 달성하기 위해서는 외부적인 힘에 의하여 통제되어야 한다.

(2) 사회적 인간(social man)

인간을 사회적 존재로 파악하고 인간은 집단에 대한 소속감이나 일체감과 같은 사회적 욕구의 충족을 통해 동기부여가 유발된다.

(3) 자아실현적 인간(self actualizing man)

인간은 자질 또는 잠재적 능력을 생산적으로 활용하고 성장하려는 욕구를 지닌 존재이다. 인간의 자율성, 동기부여의 내재성, 개인과 조직 목표의 일치를 강조하며, 내재적 보상을 기초로 하여 구성원에게 더 많은 자율을 준다.

(4) 복잡한 인간(complex man)

인간은 복잡하고 변동적이다. 또한, 인간은 다양한 경험을 통해 욕구를 학습할 수 있고, 동일한 일을 하는 경우에도 상이한 동기가 작용할 수 있다.

01　□□□ 2013년 국가직

경영조직론 관점에서 기계적 조직과 유기적 조직에 대한 설명으로 옳지 않은 것은?

① 기계적 조직은 효율성과 생산성 향상을 목표로 한다.
② 기계적 조직에서는 공식적 커뮤니케이션이 주로 이루어지고, 상급자가 조정자 역할을 한다.
③ 유기적 조직에서는 주로 분권화된 의사결정이 이루어진다.
④ 유기적 조직은 고객의 욕구 및 환경이 안정적이고 예측가능성이 높은 경우에 효과적이다.

해설

고객의 욕구 및 환경이 안정적이고 예측가능성이 높은 경우에는 유기적 조직보다는 기계적 조직이 효과적이다.　　　　정답 ④

01 □□□

조직(organization)에 대한 다음 설명 중 가장 옳지 않은 것은?

① 조직은 특정한 목적을 달성하기 위하여 협동체계를 이룬 집단이다.
② 조직구성원들은 적어도 하나 이상의 명확한 목적을 가지는 목표지향성을 띠고 있다.
③ 조직은 뚜렷한 공통의 목적을 설정하고 체계화된 구조를 보이고 있다.
④ 조직은 환경과 상호관계를 맺고 있는 개방시스템이기 때문에 폐쇄성은 전혀 없다.

해설

조직은 환경과 상호관계를 맺고 있는 개방시스템이지만 어느 정도 폐쇄성도 가지고 있는 이중성을 지니고 있다.

정답 ④

02 □□□ 2013년 경영지도사 수정

기계적 조직과 유기적 조직에 관한 설명으로 옳지 않은 것은?

① 기계적 조직은 경영관리위계가 수직적인 반면, 유기적 조직은 수평적이다.
② 기계적 조직은 공식화 정도가 낮은 반면, 유기적 조직은 높다.
③ 기계적 조직은 직무전문화가 높은 반면, 유기적 조직은 낮다.
④ 기계적 조직은 의사결정권한이 집중화되어 있는 반면, 유기적 조직은 분권화되어 있다.

해설

기계적 조직은 공식화 정도가 높은 반면, 유기적 조직은 낮다.

정답 ②

03 □□□ 2021년 경영지도사 수정

유기적 조직의 특성이 아닌 것은?

① 융통성 있는 의무
② 많은 규칙
③ 비공식적 커뮤니케이션
④ 탈집중화된 의사결정 권한

해설

유기적 조직은 분권화된 조직구조, 권한위양한 역할, 비공식화(적은 규칙), 수평적 의사소통, 협력적 팀워크 등을 특징으로 한다. 따라서 많은 규칙은 기계적 조직의 특성이 된다.

정답 ②

04 ☐☐☐

조직의 목표에 대한 다음 설명 중 가장 옳지 않은 것은?

① 조직의 목표는 조직이 실현하고자 하는 과업의 바람직한 상태를 의미한다.
② 조직의 목표는 조직이 활동을 어떻게 해야 하는가에 대한 지침을 제공해 준다.
③ 조직의 목표는 현재지향적인 의미를 부여하고 있어야 한다.
④ 조직의 목표를 통해 조직 구성원들의 자발적인 조직참여를 불러 일으켜야 한다.

해설

조직의 목표는 미래지향적인 의미를 부여하고 있어야 한다.   정답 ③

05 ☐☐☐

조직행동론의 학문적 성격에 대한 다음 설명 중 가장 옳지 않은 것은?

① 조직구성원들의 행동과학(behavioral science)을 기초로 성립하였다.
② 인간행동을 이해하고 응용하여 조직의 성과를 높이고자 한다.
③ 동태적으로 변하는 환경에 따라 상황을 고려해 상황에 적합한 이론이나 원리를 도출한다.
④ 인간에 대한 부정적 측면을 강조한 X이론적 입장을 취한다.

해설

인간에 대한 긍정적 측면을 강조한 Y이론적 입장을 취한다.   정답 ④

06 ☐☐☐

조직행동론의 가정과 접근법에 대한 다음 설명 중 가장 옳지 않은 것은?

① 행동주의적 접근법은 개인과 환경의 함수관계에서 환경에 강조를 둔다.
② 인지적 접근법은 행동을 발생시키는 인간 내부의 심리적 과정을 간과하고 있다.
③ 인지적 접근법은 환경보다는 개인에 초점을 둔다.
④ 절충적 접근법에서 자극은 인지과정이나 심리적 과정을 통해 행동을 유발한다고 보았다.

해설

행동주의적 접근법은 행동을 발생시키는 인간 내부의 심리적 과정을 간과하고 있고, 인지적 접근법은 개인과 환경의 함수관계에서 개인에 초점을 둔다.   정답 ②

07 ☐☐☐

조직행동론에서의 행동형성의 기본가정 중 그 성격이 다른 하나는?

① 지각
② 학습
③ 태도
④ 보상

해설

조직행동론에서의 행동형성의 기본가정은 개인과 환경의 측면에서 살펴볼 수 있다. 개인의 측면에서 해당하는 것은 성격, 지각, 학습, 태도, 동기, 능력 등이 있으며, 보상은 환경의 측면에 해당하는 것이기 때문에 그 성격이 다르다.

정답 ④

08 ☐☐☐

조직행동론의 접근법 중 행동주의적 접근법과 인지적 접근법을 포함하는 접근법으로 가장 옳은 것은?

① 절충적 접근법
② 조직적 접근법
③ 사회적 접근법
④ 효과적 접근법

해설

행동주의적 접근법과 인지적 접근법을 포함하는 접근법을 절충적 접근법이라고 한다.

정답 ①

09 ☐☐☐ 2017년 경영지도사 수정

맥그리거(D. McGreger)의 X이론에서 인간에 대한 가정에 해당하는 것은?

① 대다수 사람들은 조직문제를 해결할 만한 능력이나 창의성이 없다.
② 일은 고통의 원천이 되기도 하지만 조건여하에 따라 만족의 근원이 된다.
③ 인간은 외적 강제나 처벌의 위협이 없더라도 조직목표를 위하여 자기관리와 자기통제를 행한다.
④ 일정 조건하에서 인간은 스스로 책임질 뿐만 아니라 오히려 그것을 추구한다.

해설

맥그리거(McGregor)는 경영자들이 가지는 인간의 본성에 대한 관점을 X이론의 사고방식으로부터 Y이론의 사고방식으로 전환해야 한다고 주장하였다. 여기서 X이론은 인간이 타율적 존재이기 때문에 외부통제가 필요하다고 보는 관점이며, Y이론은 인간이 자율적 존재이기 때문에 자아통제가 가능하다고 보는 관점이다.

정답 ①

CHAPTER 02 개인수준에서의 행동

제1절 성격

1 의의

1. 개념

성격(personality)은 개인이 가진 독특한 특성을 의미한다. 따라서 성격은 타인과 구별되는 독특한 심리적 특성이기 때문에 개인차를 명백히 구별할 수 있는 인간행동의 기본적 결정요인이다. 일반적으로 개인의 성격은 환경이나 학습 등에 의하여 변화하기 전까지 일관되게 지속적으로 나타난다. 성격은 다양한 요인에 의하여 결정되는데 대표적인 결정요인으로는 유전적 요인, 상황적 요인, 문화적 요인, 사회적 요인 등이 있다.

2. 조직행동과 관계된 개인의 기본적 성격특질

(1) 자기효능감(self efficacy)

과업의 성공적 수행에 필요한 능력을 지니고 있다고 믿는 정도(자신감)를 말한다. 자기효능감이 높을수록 직무만족과 성과향상에 긍정적인 효과를 나타낸다.

(2) 자기감시성향(self monitoring)

외부환경에 잘 대처할 수 있는 능력을 말한다. 즉, 개인의 환경의 신호(cue)를 읽고 그것을 해석하여 자신의 행위를 환경요구에 맞춰 조절해 나가는 성향을 말한다. 자기감시성향이 높다는 것은 다른 사람을 많이 의식한다는 뜻이다. 따라서 다른 사람의 말에 민감하고 그들이 바라는 것을 맞춰주려 노력하기 때문에 자기감시성향이 높을수록 외부환경과 조화롭게 적응하며 관리의무를 잘 감당한다.

(3) 자존심(self esteem)

자신과 능력에 대해 가지는 긍지를 말하는데, 자긍심이라고도 한다. 자존심이 높을수록 직무만족과 동기부여 향상에 긍정적이다.

3. 긍정심리자본

긍정심리자본(positive psychological capital)이란 개인이 실현할 수 있는 최대한의 잠재력을 실현하기 위한 개인의 긍정적인 심리와 의지의 역할을 강조한 개념이다. 물론 긍정심리자본은 마냥 행복한 마음상태만을 의미하는 것은 아니라 개인의 복합적인 긍정적 심리상태로 정의된다. 이러한 긍정심리자본은 자기효능감(self efficacy), 희망(hope), 낙관주의(optimism), 복원력(resiliency)의 4가지 구성요소를 가진다.

(1) 자기효능감

특정한 맥락 속에서 주어진 구체적인 과업을 성공적으로 수행하는 데 필요한 동기부여 수준, 인지적 자원 및 일련의 행위과정을 동원할 수 있는 자신의 능력에 대한 믿음을 의미한다.

(2) 희망

현실적인 계획을 세울 수 있으며, 중요한 목표에 도달할 수 있다는 믿음의 결과로 생기는 심리상태이다. 즉 긍정적인 동기부여상태를 의미하는데, 특정 목표를 달성하기 위해 자신이 에너지를 투입하겠다는 의지(willpower)와 목표달성경로(pathways)에 대한 긍정적인 평가를 포함한다.

(3) 낙관주의

자신에게 일어난 사건의 원인을 어떻게 설명하고 접근하는가에 대한 심리적 태도와 관련되어 있으며, 비현실적으로 어떤 상황에 대한 허황된 태도가 아니라 현실에서 동떨어지지 않은 낙관주의적 사고를 의미한다.

(4) 복원력(회복력)

다양한 사건들에서 겪는 좌절과 슬픔 등을 극복할 뿐만 아니라 더 긍정적인 결과를 만들어 낼 수 있는 심리적 역량을 의미한다.

2 성격이론

1. 특성이론

특성이론(trait theory)은 개인의 성격적 다양성을 인정하고 성격을 구성하는 특성과 요인에 초점을 둔다. 일반적으로 개인을 협동, 성취감, 근심, 공격본능, 의존성과 같은 특성의 결합으로 간주하고, 개인들의 개성과 행동의 차이는 각 개인이 가지고 있는 특성의 양에서 차이를 가지기 때문에 발생한다고 가정한다.

2. 유형이론

유형이론(type theory)은 특성이론의 확장이라고 할 수 있다. 유형이론에서는 구체적인 성격의 특성을 살펴보는 대신에 하나의 범주 안에 함께 묶을 수 있는 자질들을 범주화하여 성격을 구분한다. 대표적인 성격의 유형구분은 다음과 같다.

(1) 외향성과 내향성

외향성(extroversion)과 내향성(introversion)은 주어진 상황에 대한 반응에 있어 개인의 에너지가 어느 쪽을 더 많이 지향하느냐에 따라 달라진다. 외향성을 지닌 개인은 폭넓은 활동력을 보이며 내향성을 지닌 개인은 내적인 면을 중요시하고 집중력이 높다.

(2) 독재성과 민주성

독재성은 타인의 의견을 배제하고 독단적으로 행동하는 경향을 말하며, 민주성은 타인을 존중하고 최대한 이타적으로 행동한다. 독재성과 관련된 대표적인 개념으로는 마키아벨리즘(Machiavellism)이 있는데, 이는 실질적이고 비인간적이며 목적달성을 위해 수단과 방법을 가리지 않는 행동경향을 의미한다. 즉 권력을 확보하기 위해서 온갖 조작적 수단을 동원하는 권력지향적인 성격을 말한다.

(3) A형과 B형

프리드만(Friedman)이 신경세포의 조바심물질과 관련하여 개인의 성격유형을 구분한 것이다. A형은 야심이 크고 경쟁적이며 공격적인 성향을 가지고, 항상 시간압박에 쫓기는 성격이다. B형은 물건에 대한 욕심이 별로 없으며 양적인 면보다 질적인 면을 중요시하는 성격이다. 실제적으로 극단적인 A형과 B형은 없으며 어느 쪽이 더 나은지에 대한 구분도 쉽지 않다. 다만, A형의 경우는 업무수행측면에서 유리하고 B형의 경우는 인간관계측면에서 상대적으로 유리하다.

A형과 B형

A형	B형
• 언제나 뭔가 하고 있음	• 언제나 차분하게 있음
• 성격이 급함	• 유유자적함
• 걸음걸이가 빠름	• 천천히 걸음
• 시간에 쫓김	• 시간에 무관심함
• 한꺼번에 여러 가지의 많은 일을 함	• 한 번에 한 가지씩 서두르지 않음
• 엄청난 계획을 한 번에 세움	• 한 번에 한 가지씩 계획을 세움.
• 언제나 지쳐 있음	• 피로한 기색이 별로 없음
• 경쟁적이고 조급함	• 협조적이고 서두르지 않음
• 일밖에 모름	• 일 이외에 다른 것도 챙김
• 인내심이 적음	• 인내심이 많음
• 여가를 갖지 않거나, 갖는다 하더라도 불안감을 보임	• 여가를 즐길 때에는 죄의식 없이 즐김

(4) 내재론자와 외재론자

내재론자(internals)는 자신이 자신의 운명을 통제한다고 믿는 사람이며, 외재론자(externals)는 자신에게 일어난 운명이 외부의 요인에 의하여 결정된다고 믿는 사람이다. 내재론자와 외재론자는 자신의 행동이 삶의 결과에 얼마나 영향을 줄 수 있을지 믿는 정도를 의미하는 통제위치(locus of control)에 따라 분류된다. 통제위치에 대한 대부분의 연구들은 개인의 능력과 성과가 내재론자에게 더 높게 나타남을 보여주고 있지만, 모든 직무가 내재론자에게 맞는 것은 아니며 상황에 따라 외재론자가 적합할 수도 있다. 또한, 내재론자에 비하여 외재론자는 스스로 통제가 불가능하기 때문에 상대적으로 평소에 걱정을 더 많이 한다.

내재론자와 외재론자

구분	내재론자	외재론자
통제위치	자신	외부환경
성격	자신의 운명은 자신이 개척한다고 믿음	타인과 외부요인이 운명을 결정한다고 믿음
적합한 직무	자율적 업무, 참여적 관리스타일	완전 통제된 업무, 지시적 관리스타일
직무난이도	복잡한 정보처리가 필요하고 고도의 훈련이 요구되는 직무	단순반복적인 직무이며 쉽게 습득이 가능한 직무
직무주도권	자기가 주도적으로 결정해서 혼자서 수행하는 직무	상급자나 동료에 의하여 주도되며 자신은 따르기만 하면 되는 직무
동기부여정도	사기가 높아야 하며, 노력정도와 생산성에 따라 보상이 주어짐	많은 노력이 필요하지 않으며, 성과와 보상의 크기가 무관함

(5) 빅 파이브 모형

성격의 기본단위를 발견하는 한 방법은 성격을 기술하기 위해 사람들이 사용하는 어휘를 분석하는 것이다. 노만(Norman)이 1963년에 동료평정의 요인분석연구에서 5개의 기본적인 성격요인들을 발견한 이후 다양한 표본과 측정도구를 사용한 많은 연구에서 유사한 5가지 요인이 반복해서 발견되었다. 5가지 요인을 영문 이니셜을 따서 NEOAC라고 부르기도 한다. 이런 과정을 통해 얻어진 5가지 특성과 각각의 하위척도들은 다음과 같다.

① **성실성(conscientiousness)**: 신뢰감의 수준을 의미하며, 하위척도들은 유능함, 질서, 의무감, 성취노력, 자기절제, 신중함 등이 있다. 성실한 사람은 믿을 만하고 끈기가 있지만 성실성이 부족한 사람은 주의가 산만하고 신뢰도가 낮다.

② **우호성 또는 친화성(agreeableness)**: 타인을 따르는 개인성향을 의미하며, 하위척도들은 신뢰, 솔직함, 이타성, 순종성, 겸손, 온유함 등이 있다. 높은 우호성(친화성)을 가진 사람은 협조적이며 믿음이 가지만 우호성(친화성)이 낮은 사람은 비협조적이며 적대감을 가진다.

③ **경험에 대한 개방성(openness to experience)**: 관심과 열정 및 새로운 것에 대한 호기심의 범위를 의미하며, 하위척도들은 환상, 미적 감수성, 감정, 행위, 관념, 가치 등이 있다. 개방성 수준이 높은 사람은 창조적이며 예술적 감각이 뛰어나지만 개방성 수준이 낮은 사람은 진부하며 편안함을 추구한다.

④ **외향성(extraversion)**: 대인관계에 있어서의 편안한 정도를 의미하며, 하위척도들은 따뜻함, 사교성, 자기주장성, 활동성, 흥분추구, 정적 정서 등이 있다. 외향적인 사람은 집단적이고 사교적이지만 내향적인 사람은 조심스럽고 조용하다.

⑤ **신경증성향(neuroticism)**: 스트레스에 잘 견디는 정도를 의미하며, 하위척도들은 불안, 분노, 적대감, 우울, 자의식, 충동성, 상처받기 쉬움 등이 있다. 정서적 안정성(emotional stability)이라고도 하는데, 정서적 안정성이 높은 사람은 자신감이 있고 확신이 있으나 정서적 안정성이 낮은 사람은 신경질적이고 우울하다.

제2절 가치관과 감정

1 가치관

1. 의의

가치관(values)이란 개인이 믿고 따르는 도덕적 신념을 말한다. 따라서 가치관은 개인의 생각을 내포하는 판단기준이 되며 성격, 지각, 태도, 동기유발 등의 이해를 위한 기초가 된다. 또한, 개인의 가치관은 그 사람이 겪은 독특한 문화적 경험뿐만 아니라 종교적 신념 및 철학적 판단에 그 기반을 두고 있다. 가치관은 문화적, 종교적, 철학적 요인들과 같은 다양한 요인들의 영향을 받은 개인의 판단기준과 관련되어 있다.

2. 가치의 유형

로키치(Rokeach)는 가치관이란 어떤 구체적인 행동양식이나 존재양식이 그 반대의 행동양식이나 존재양식보다 개인적으로 또는 사회적으로 더 바람직하다는 신념이라고 하였다. 또한, 개인의 가치체계는 가치관의 상대적 중요성에 따라 순위가 매겨져 있고 그 순위에 기인하여 하나의 가치체계를 형성한다고 하였으며, 가치를 최종적 가치(terminal value)와 최종적 가치를 달성하기 위한 수단적 가치(instrumental value)로 나눈 다음 각각에 해당되는 구체적인 내용을 18개 항목으로 제시하고 있다.

(1) 최종적 가치

개인이 궁극적으로 달성하고자 하는 최종의 목표를 말한다. 최종적 가치에는 성취감, 평등한 세상, 행복 등을 포함한 18가지가 있다.

(2) 수단적 가치

최종적 가치를 달성하기 위해 개인적으로 선호되는 행동방식을 말한다. 수단적 가치에는 야심, 너그러움, 정직, 책임감 등을 포함한 18가지가 있다.

최종적 가치와 수단적 가치

최종적 가치	수단적 가치
• 평안한 삶(번창하는 삶)	• 야심(열심히 일하는 것, 높은 야망으로 가득참)
• 재미있는 삶(자극적·활동적 삶)	• 너그러움(편견이 없음)
• 성취감(지속적 기여)	• 유능함(가능성, 효율성)
• 평화로운 세상(전쟁과 갈등이 없는 삶)	• 쾌활함(기쁨, 근심걱정 없는 마음)
• 아름다운 세상(자연과 예술의 미)	• 깨끗함(말쑥함, 단정함)
• 평등한 세상(동등한 기회)	• 용기(신념에 충실함)
• 가족의 안전(사랑하는 사람을 돌보는 것)	• 아량(다른 사람을 용서하고자 하는 마음)
• 자유(독립, 자유로운 선택)	• 도움(타인의 복지를 위해 일함)
• 행복(만족함)	• 정직(진실함)
• 내적인 조화(마음의 갈등으로부터의 해방)	• 상상력(창조성)
• 성숙한 사랑(육체적·정신적 완성)	• 독립성(자급자족할 수 있음)
• 국가의 안전(침략으로부터의 보호)	• 지성(이지적임, 총명함)
• 기쁨(즐겁고 여유 있는 삶)	• 논리(이성, 변치 않음)
• 구원(구제되고 영원한 삶)	• 사랑(애정, 다정다감한 마음)
• 스스로에 대한 존경심(자존심)	• 복종(존경심, 순종)
• 사회적 존경(존경, 감탄의 대상)	• 예의바름(정중함, 매너가 좋음)
• 진정한 우정(가까운 교제)	• 책임감(의지할 만함)
• 지혜(삶에 대한 성숙한 이해)	• 자기통제(자기규율)

2 감정

1. 의의

감정(emotion)이란 인간에게 어떤 대상(사람, 사건, 사물 등)에 대하여 반작용으로 생겨나는 짧고 강한 느낌을 의미한다. 이러한 감정은 느낌, 신체적 각성, 목적의식, 사회적-표현적 현상의 4가지 하위요소로 구성된다.

2. 감정노동

감정노동(emotion labor)은 효과적인 직무수행을 위하여 개인이 실제로 경험하는 감정상태와 요구되는 감정의 표현 사이에 차이가 발생할 때 자신의 감정을 조절하고자 하는 노력을 의미한다. 이러한 노력에는 자신의 감정을 통제하려는 노력과 조직이 원하는 감정을 표출하려는 노력이 있다. 감정노동에 종사하는 구성원의 감정표현은 일반적으로 세 가지 유형으로 나타난다.

(1) 가식적 행동(surface acting)

조직이 원하는 감정을 표현하기 위하여 자신의 실제 감정을 억제하거나 숨기는 것을 말한다. 이러한 행동은 실제로 많은 스트레스를 유발한다.

(2) 내면화 행동(deep acting)

가식적 행동을 자신이 원하는 행동으로 인지하려고 하는 것을 말한다. 이러한 행동은 가식적 행동보다 낮은 수준의 스트레스를 유발한다.

(3) 진실 행동(genuine acting)

조직이 원하는 감정에 대하여 공감하고 이에 맞는 표현행동을 하는 것을 말한다. 이러한 행동은 개인이 원하는 감정을 표현하는 것이기 때문에 스트레스를 거의 유발하지 않으며 감정노동의 강도가 가장 낮다.

3. 감정지능

감정지능(emotional intelligence quotient, EQ)은 개인이 자기 자신이나 다른 사람들의 감정을 지각하는 역량을 의미하며, 이는 자기인식, 자기감정조절, 자기동기부여, 감정이입, 사회적 기술(대인관계)의 차원으로 이루어져 있다. 일반적으로 감정지능이 높은 사람은 자신의 성공과 조직의 성과향상에 긍정적 영향을 미친다.

(1) 자기인식

자신의 감정을 빠르게 인식하는 역량, 즉 특정 대상에 대한 자신의 감정을 정확히 인식하는 역량을 의미한다.

(2) 자기감정조절

자신의 감정을 처리하고 변화시키는 역량, 즉 감정을 상황에 맞게 잘 다루는 역량을 의미한다.

(3) 자기동기부여

목표성취를 위해 어려움을 견디고 노력하는 역량, 즉 어려움에서 낙관적인 태도를 유지할 수 있는 역량을 의미한다.

(4) 감정이입

타인의 감정을 파악하고 공감하는 역량, 즉 다른 사람의 감정을 이해할 줄 아는 역량을 의미한다.

(5) 사회적 기술(대인관계)

다른 사람의 감정에 대하여 알맞게 대응하는 역량, 즉 타인의 감정에 적절히 반응하여 인간관계를 원활히 할 수 있는 역량을 의미한다.

제3절 지각

1 의의

1. 개념

지각(perception) 또는 지각과정이란 환경으로부터 자극이 투입되어 이에 대한 반응을 형성하는 과정을 말한다. 이러한 과정을 통해 개인이 접하는 환경에 특정한 의미를 부여하게 되는데, 이러한 의미를 부여하는 과정은 세부적으로 선택, 조직화, 해석의 과정으로 이루어진다. 지각 또는 지각과정에 영향을 미치는 요인은 지각대상과 관련된 요인인 외부환경요인과 지각자와 관련된 요인인 내부환경요인으로 구분할 수 있다. 외부환경요인에는 강도(strength), 대조(contrast), 반복(repetition), 동작(motion), 신기함과 친숙함(novelty & familiarity) 등이 있고, 내부환경요인에는 욕구와 동기(needs & motives), 과거의 경험과 학습(experience & learning), 자아개념(self concept), 성격(personality) 등이 있다. 외부환경요인과 내부환경요인 이외에 상황요인도 지각에 영향을 준다. 즉 지각과정에 포함된 구성원들 간의 공식지위와 역할, 상호작용의 배경과 사회적 맥락, 물리적 환경과 분위기 등이 지각과정에 영향을 준다. 대표적인 상황요인에는 시간, 장소, 직무환경, 주변인들의 상황, 물리적 상황 등이 있다.

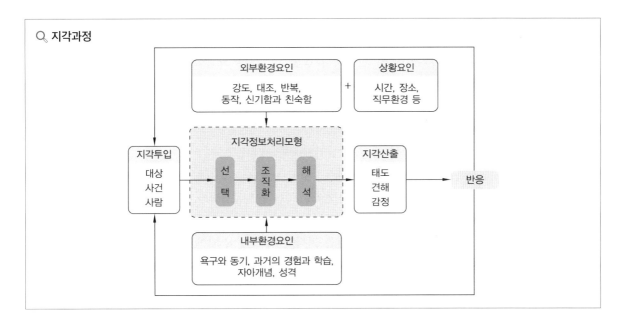

2. 사회적 지각과 사회적 정체성

(1) 사회적 지각

사람에 대한 지각(사회적 지각)은 사물을 지각하는 방법과 똑같이 적용된다. 단, 대상이 사람일 때는 지각자는 피지각자가 지각자를 지각하고 있을 것이라는 상황을 하나 더 첨가시키고 지각한다는 점이 다르다. 즉 서로 간에 심리적인 상호작용이 있게 되어 상대방이 갖고 있는 태도, 욕구, 기대, 가치관 등을 의식하면서 지각하게 된다. 이렇게 하여 지각자는 피지각자를 파악하는데, 이를 사물이나 사건의 인지와 구별하여 사회적 인지(social cognition)라고 한다. 그런데 이 때 지각자는 일반적으로 인지적 인색자 (cognitive misers)이기 때문에 상당히 제한된 정보만 가지고 함부로 피지각자를 평가하게 된다. 즉 사람들은 대인지각을 할 때 바쁘고 시간도 없고 게을러서 많은 정보를 조사해 보지도 않고 극히 적은 정보에만 의지하여 재빨리 판단해 버린다는 것이다.

(2) 사회적 정체성

사회적 정체성이론(social identification theory)은 타인의 정체를 밝히려는 것을 의미한다. 즉 지각자가 피지각자를 인식한다는 것은 피지각자의 정체를 알아내는 것이다. 대개의 사람들은 다른 사람의 정체를 밝혀낼 때 주로 비교행동(사회적 비교이론)과 범주화행동(사회적 범주화이론)이라는 것을 거쳐 파악하게 되며, 약간 비이성적이지만 자동적 사고[21]에 의해 저절로 그렇게 한다.

① **사회적 비교이론**: 지각자가 피지각자와 다른 사람들을 비교한 후에 지각(판단)을 내린다는 것이다. 예를 들어, 이 세상에 오직 한 사람만 있다면 그가 큰 사람인지 또는 작은 사람인지, 온화한 사람인지 또는 냉정한 사람인지를 판단하기 어렵다. 물론, 이러한 과정은 타인을 지각할 때뿐만 아니라 자기 자신을 지각할 때에도 똑같이 적용된다.

---

21) 상대방을 올바로 파악해야 그와 원만한 관계를 유지할 뿐만 아니라 마음먹은 대로 상대를 통제할 수 있으며, 기업이라면 고객을 제대로 알아야 그 욕구를 충족시키면서 고객과의 관계를 잘 맺을 수 있다. 타인이라는 자극에 대해 지각자는 공통적 지각패턴을 보이는데 이 패턴대로 하면 틀릴 때도 많다. 그러므로 패턴을 버리고 백지에서 출발하면 정확한 판단이 될 수 있지만 패턴을 따르는 것이 편할 때도 있고 버리려고 해도 패턴이 저절로 작용하기 때문에 쉽지도 않다. 이러한 공통적 패턴을 크게 분류하면 자동적 사고와 통제된 사고로 나눌 수 있다. 자동적 사고(automatic thinking)는 지각자가 타인을 지각할 때 반사적이고 자동적으로 기존의 패턴을 따르는 것을 의미하고, 통제된 사고(controlled thinking)는 상대방을 수없이 관찰하고 심사숙고하며 이성적으로 지각하는 것을 의미한다.

② **사회적 범주화이론:** 지각자가 타인을 인식할 때 피지각자 자체만을 보기 전에 일단 그 피지각자를 어떤 집단에 범주화한 후에, 그 집단의 속성을 가지고 피지각자를 판단한다는 것이다. 이 때 지각자는 피지각자를 피지각자가 속한 집단의 일부로 간주한다. 예를 들어, 남루한 옷차림으로 지하도에 누워 있는 사람을 보면 우리는 그를 노숙자 범주에 넣고 판단하기 마련이며, 그가 특별히 술에 취해 쓰러져 있는지 또는 다른 사정이 있는지를 더 이상 생각하려 하지 않는다. 이러한 범주화과정은 순간적으로 저절로 일어나는 것이며 이성적으로 심사숙고하는 것은 아니다.

3. 지각정보처리모형(지각메커니즘)

개인에게 지각투입이 일어나면 개인은 지각투입에 의미를 부여하는 과정을 진행하게 되는데, 이를 지각정보처리모형 또는 지각메커니즘이라고 한다. 일반적으로 이는 선택, 조직화, 해석의 과정으로 이루어진다.

(1) 선택

선택(selection)이란 지각자가 관심이 있는 것은 지각을 하고 관심 밖에 있는 것은 지각하지 않는 것을 말한다. 개인은 가만히 있어도 수많은 자극에 노출되지만 모든 사람이 모든 자극을 똑같이 지각하지 않고 관심이 있는 일부의 자극에 주의를 기울이게 되며, 이처럼 개인에게 필요한 자극만을 받아들이는 경향을 선택적 지각(selective perception)이라고 한다. 이러한 선택적 지각은 의사소통의 과정에서 부분적 정보만을 받아들여 오류를 유발시키기도 한다.

(2) 조직화

조직화(organization)란 지각이 된 대상이 분리된 형태로 존재할 수 없기 때문에 하나의 형태로 만들어가는 과정으로 이미지[22]를 형성하는 과정이라고 할 수 있다. 조직화의 과정을 게스탈트 과정(Gestalt process)이라고도 하는데, 여기서 게스탈트(Gestalt)는 형태라는 뜻을 가진 독일어이다. 이러한 조직화의 형태에는 집단화(grouping), 폐쇄화(closure), 단순화(simplification), 전경-배경의 원리(law of figure & background) 등이 있다.

① **집단화(범주화):** 접근성(proximity)이나 유사성(similarity)을 근거로 하여 사물 또는 사람을 하나로 묶는 경향을 말한다.

② **폐쇄화:** 불완전한 정보에 직면하게 되었을 때 임의대로 불완전한 정보를 채워서 전체로 지각하려는 경향을 말한다.

③ **단순화:** 지각자가 눈에 덜 띄는 정보를 빼버리는 것을 말한다. 정보가 너무 많을 경우 그 중에서 이해가능하고 중요하다고 생각하는 것만 골라 정보를 줄이려 하는 것이다.

④ **전경 - 배경의 원리:** 개인은 하나의 대상을 지각할 때, 주요 요소(전경)와 부수적 요소(배경)로 조직화하려는 경향을 보인다. 즉 선택된 대상은 전경(figure)으로 구분하고 그 배후의 대상은 배경(background)으로 구분한다.

🔍 **조직화의 형태**

| 폐쇄화 | 단순화 | 전경-배경의 원리 |

---

22) 서로 관련되는 여러 정보들이 한 덩어리로 조직화되어 하나의 그림형태로 고정화된 것을 스키마(schema)라고 한다. 즉 스키마란 일련의 서로 관련되는 사건, 사물, 사람의 덩어리로 조직화된 그림이다. 개인은 이런 그림들을 머리에 수천수만 장을 보관하고 있다. 일반적으로 개인이 어떤 자극을 처음 받았을 때 정보를 모두 지각하여 이해하고 대응하기는 거의 불가능하기 때문에 스키마를 활용하면 빠른 시간 내에 정보를 대략적으로 파악하는 것이 가능하다.

(3) 해석

해석(interpretation)이란 조직화된 지각에 대한 판단의 결과를 말한다. 이러한 해석은 주관적이기 때문에 판단과정이 쉽게 왜곡될 수 있으며, 이로 인해 지각오류가 발생한다.

4. 지각오류[23]

지각과정은 다양한 영향요인들이 영향을 미치게 되는데, 이러한 다양한 영향요인들로 인하여 지각자는 객관적인 지각을 하지 못하고 다양한 형태의 지각오류를 범하게 된다. 대표적인 지각오류는 다음과 같다.

(1) 후광효과와 뿔효과

후광효과(halo effect)란 어떤 대상이 가지는 개인적 특성(지능, 사교성, 용모 등)으로 인하여 호의적인 인상이 만들어져 대상에 대한 평가에 좋은 영향을 주는 지각오류를 말한다. 이에 반해, 뿔효과(horn effect)란 어떤 대상이 가지는 개인적 특성으로 인하여 비호의적인 인상이 만들어져 대상에 대한 평가에 좋지 못한 영향을 주는 지각오류를 말한다.

(2) 상동적 태도

상동적 태도(stereotyping)란 어떤 대상이 속한 집단(종족, 나이, 성별, 출신지역, 출신학교 등)에 대한 지각을 바탕으로 지각대상을 판단하는 지각오류를 말한다. 이러한 상동적 태도는 평가자가 평가대상이 속한 집단의 특성을 통하여 평가대상의 특성을 추론하려고 하기 때문에 발생하며, 이로 인하여 사람에 대한 경직적인 편견을 가지는 지각, 즉 고정관념이 발생한다. 후광효과는 지각대상의 개인적 특성에 근거한 지각오류이고, 상동적 태도는 지각대상이 속한 집단의 특성에 근거하여 대상을 판단하는 지각오류이다.

(3) 지각적 방어

지각적 방어(perceptual defense)란 개인에게 위협을 안겨주는 자극이나 상황적 사건이 있을 경우에 이에 대하여 담을 쌓거나 인식하기를 거부함으로써 방어를 구축하는 지각오류를 말한다. 자신의 상동적 태도와 일치하지 않는 사실에 직면할 때 그 불일치를 제거할 목적으로 정보를 회피하거나 지각에 맞도록 정보를 왜곡시키는 오류이다.

(4) 투영효과(투사)

투영효과 또는 투사(projection)란 평가대상에 지각자의 감정을 귀속시키는 데서 발생하는 지각오류를 말한다. 다른 사람들도 나의 태도나 감정 등과 똑같을 것이라고 단정하는 경향으로 지각자가 처해 있는 주관적인 상황을 객관적인 상황으로 인식하는 지각오류이다.

(5) 자성적 예언

자성적 예언(self-fulfilling prophecy)이란 개인의 기대나 믿음이 그의 행위나 성과를 결정하게 되는 지각오류를 말한다. 지각자가 지각대상자의 특성이나 사건의 발생에 대하여 미리 기대를 가짐으로써 실제 결과에 무비판적으로 사실을 지각할 수 있는 지각오류로 피그말리온 효과(Pygmalion effect)라고도 한다.

---

[23] 지각자에 의한 오류는 심리적 원인에 의한 오류와 결과의 분포도상의 오류로 구분할 수 있다. 심리적 원인에 의한 오류에는 후광효과, 상동적 태도, 대비오류(대조효과), 상관편견(논리적 오류) 등이 있고, 결과의 분포도상의 오류에는 가혹화 경향, 중심화 경향, 관대화 경향이 있다.

(6) 자존적 편견

자존적 편견(self-serving bias)은 평가자가 자신의 자존심을 지키기 위하여 자신이 실패했을 때는 자신의 외부적 요인에서 원인을 찾고, 자신의 성공에 대해서는 내부적 요인에서 원인을 찾으려는 경향을 의미한다.

(7) 통제의 환상

통제의 환상(illusion of control)은 자신이 모든 행동의 원인을 통제할 수 있다고 착각하는 지각오류이다. 즉 자기만 잘하면 모든 일이 잘 될 수 있다고 믿으면서 어떤 결과(행동)의 원인을 외부보다 자신의 내부로 돌리려는 경향을 말한다.

(8) 순위효과

순위효과(order effect)란 대상을 평가할 때 받은 지각의 순서에 따라 평가결과가 달라지는 지각오류를 말한다. 지각순서 중 가장 먼저 투입된 지각대상의 첫인상이 평가에 크게 작용하는 것을 최초효과(primacy effect)라고 하며, 지각순서 중 가장 늦게 투입된 지각대상의 최근 인상이 평가에 크게 작용하는 것을 최근효과(recency effect)라고 한다. 일반적으로 순위효과는 지각자가 스스로 오류를 범하고 있다는 사실을 인지하지 못하는 경우가 많다.

(9) 대비오류

대비오류(contrast error) 또는 대조효과(contrast effect)란 지각대상을 평가함에 있어서 다른 대상과 비교해서 평가함으로써 범하게 되는 지각오류를 말한다. 예를 들어, 면접 시 두 명의 지원자가 들어 왔을 때 한 명이 서류전형이나 1차 면접에서 최하위의 성적을 기록한 사람이라면 다른 한 사람은 그렇게 뛰어나지 않더라도 상대적으로 더 높은 평가를 받게 되는 것이다. 이러한 대비오류는 지각대상과 비교하는 대상이 지각자 자신이 될 수도 있다. 이러한 경우에 지각자는 자신과 유사한 지각대상을 더 좋아하게 되는데, 이로 인해 자신이 좋아하는 지각대상을 더 호의적으로 평가하는 지각오류를 범하게 되며 이러한 지각오류를 유사효과(similar to me effect)라고도 한다. 예를 들어, 입사 면접 시 면접관이 자신과 동일한 학교 출신의 피면접자를 더 좋게 평가하는 것이다.

(10) 상관편견

상관편견(correlational bias)이란 지각자가 다수의 지각대상 간에 논리적인 상관관계가 높지 않음에도 불구하고 상관관계가 높다고 생각할 때 나타나는 지각오류를 말하며, 논리적 오류(logical error)라고도 한다. 일반적으로 지각자는 지각대상 중에 하나가 우수하면 다른 지각대상도 우수할 것이라고 판단하게 되며, 지각자가 지각대상에 대한 정보가 부족할 때 발생한다.

(11) 관대화 · 중심화 · 가혹화 경향(분배적 오류)

관대화 경향(lenient tendency)은 지각대상을 평가할 때 가급적이면 후하게 평가하려는 경향을 말한다. 반대로 대상을 평가할 때 가급적이면 부정적으로 평가하려는 경향을 가혹화 경향(harsh tendency)이라고 한다. 중심화 경향(central tendency)은 집단화 경향이라고도 하며 평가가 중간으로 몰리는 성향을 말한다. 이러한 지각오류는 지각능력이 부족하거나 지각방법에 대한 이해가 부족한 경우, 지각대상에 대하여 정확하게 알지 못하는 경우에 나타나게 된다.

2 지각이론

1. 인상형성이론

애쉬(Asch)의 인상형성이론(impression formation theory)이란 개인이 타인에 대한 인상을 형성할 때는 일정한 패턴을 가지고 인상을 형성한다는 이론이다. 인상형성이론은 내재적 인성이론에 근거하고 있는데, 내재적 인성이론은 타인에 대하여 인상을 형성할 때는 개인마다 타인의 인성을 판단하는 독자적인 틀 또는 감각을 가지고 있다는 것이다. 개인이 인상을 형성할 때 나타나는 대표적인 패턴에는 일관성, 중심특질과 주변특질, 합산원리와 평균원리, 최초효과와 부정적 효과 등이 있다.

(1) 일관성

일관성(consistency)이란 인상을 형성함에 있어 사람들은 타인에 대한 단편적인 정보를 통합하여 타인의 일관성 있는 특징을 형상화하려고 한다는 것이다. 즉 타인에 대하여 서로 모순되는 정보가 있다고 하더라도 특정의 정보에 입각하여 한쪽으로만 일관되게 지각하려고 한다는 것이다.

(2) 중심특질과 주변특질

하나의 인상을 형성하는 데 있어 중심적인 역할을 수행하는 특질과 주변적인 역할밖에 하지 못하는 특질이 있다. 여기서 통일된 인상을 형성함에 있어서 중심적인 역할을 수행하는 특질을 중심특질이라고 하며, 주변적인 역할밖에 하지 못하는 특질을 주변특질이라고 한다. 따라서 선택적 지각을 통해 획득된 지각대상의 정보가 중심특질이고 획득되지 못한 지각대상의 정보가 주변특질이 된다. 이는 중심특질만이 지각된 대상의 전체적인 평가에 영향을 미치게 된다는 것을 의미한다.

(3) 합산원리와 평균원리

타인에 대한 인상은 주어진 정보들을 기계적으로 합산하여 형성된다는 것과 그보다는 정보들의 무게를 평균하여 이루어지는 것이라는 두 가지 주장이 있으며, 이를 각각 합산원리와 평균원리라고 한다. 합산원리는 정보가 동시에 들어오는 경우와 순차적으로 들어오는 경우 모두 적용하는 것이 가능하지만, 평균원리는 정보가 동시에 들어오는 경우에만 적용가능하다.

① 합산원리: 전체 인상이 지각된 특질들의 단순한 합계라는 주장이다. 예를 들어, 지각자가 지각대상에 대해 +5 정도의 호의적인 인상을 가지고 있다고 가정하고, 여기에 +1의 새로운 호의적인 인상이 추가되면 지각대상자에 대한 호의적인 인상은 합산하여 +6이 된다. 반면에 비호의적인 인상이 추가되어 -1의 인상이 생긴다면 지각대상자에 대한 호의적인 인상은 +4가 된다.

② 평균원리: 모든 지각정보가 동시에 들어오고 그 정보의 무게가 동일하다면 단순평균의 형태로 이루어진다는 논리이다. 단, 정보가 제시되는 과정에서 시간적 차이가 존재하게 되면 단순평균은 적용되지 않는다. 예를 들어, 어떤 사람에 대하여 호의적인 인상을 갖게 하는 정보가 +5인 정보와 +1인 정보가 동시에 주어졌을 때 그 단순평균인 +3의 인상을 갖는다는 것이다.

(4) 최초효과와 부정적 효과

최초효과(primacy effect)란 나중에 들어온 정보보다 처음에 들어온 정보가 인상형성에 중요한 역할을 한다는 것이다. 또한, 부정적인 특질이 긍정적인 특질보다 인상형성에 중요한 역할을 하게 되는데, 이를 부정적 효과(negativity effect)라고 한다.

2. 귀인(귀속)이론

(1) 의의

귀인 또는 귀속(attribution)이란 개인이 지각된 상황에 대하여 그 원인을 해석하는 인지과정이다. 즉 지각대상이 보인 성과에 대한 원인을 찾아가는 과정을 의미한다. 하이더(Heider)의 귀인이론(attribution theory)에 의하면, 개인의 행동은 근본적으로 개인의 내적 귀인(능력, 노력 등)과 외적 귀인(과업의 난이도, 운 등)의 결합작용에 의하여 형성되고 개인이 지각한 상황을 내적 귀인과 외적 귀인 중 어느 것에 적용시키느냐에 따라 행동이 달라진다.

(2) 귀인의 판단기준과 입방체이론

켈리(Kelley)의 입방체이론(cubic theory) 또는 공변모형(covariance model)에 따르면, 개인행동의 원인을 동료구성원, 과업, 시간의 세 가지 차원으로 분류하고 각각의 차원에 대한 귀인정도를 합의성(consensus), 특이성(distinctiveness), 일관성(consistency)의 세 가지 판단기준에 의하여 결정한다. 일반적으로 개인은 지각과정에서 높은 합의성(일치성), 높은 특이성, 낮은 일관성을 지각할수록 외적 환경요인에 귀인하는 경향을 보이며, 낮은 합의성(일치성), 낮은 특이성, 높은 일관성을 지각할수록 내적 환경요인에 귀인하는 경향을 보인다.

① **합의성(일치성)**: 개인의 성과가 다른 사람의 성과와 얼마나 일치하느냐에 관한 것이다. 특정 상황에서 개인의 성과가 다른 사람의 성과와 유사할수록 합의성(일치성)이 높다.

② **특이성**: 개인의 특정 과업에 대한 성과가 다른 과업에 대한 성과에 비하여 얼마나 다른지에 대한 정도이다. 개인의 특정 과업에 대한 성과가 다른 과업에 대한 성과에 비하여 많이 다를수록 특이성이 높다.

③ **일관성**: 개인의 특정 과업에 대한 성과가 일정기간 동안 얼마나 똑같이 나타나는가에 대한 정도이다. 개인의 성과가 유사할수록 일관성이 높다.

▤ 귀인의 판단

귀인의 판단기준	외적 귀인	내적 귀인
합의성(성과와 동료구성원)	높음	낮음
특이성(성과와 과업)	높음	낮음
일관성(성과와 시간)	낮음	높음

(3) 귀인(귀속)오류

귀인(귀속)오류(error of attribution)란 결과와 원인이 반대로 해석되는 경우이다. 인사평가에서 피평가자의 업적이 낮을 때 그 원인이 외적 귀인에 있음에도 불구하고 내적 귀인에서 찾거나, 피평가자의 업적이 높을 때 그 원인이 내적 귀인에 있음에도 불구하고 외적 귀인에서 찾게 되는 경우이다. 이런 오류가 나타나는 원인은 행위에 대하여 자신과 타인이 상이한 정보를 가지고 있을 때 발생한다. 또한, 행위자가 자신의 행동을 귀인할 때와 타인의 행동을 관찰자로서 귀인할 때에 차별적인 경향을 보이는 귀인(귀속)오류를 행위자 - 관찰자 효과(actor-observer effect)라고 한다. 사람들은 자신의 행동에 대한 원인을 찾을 때와 타인의 행동에 대한 원인을 찾을 때 서로 다른 경향을 보인다. 이러한 행위자 - 관찰자 효과가 발생하는 이유는 자존적 편견과 관련되어 있다. 추가로 근원적 귀인오류(fundamental attribution error)는 사건의 원인에 대해서 외적 요인을 간과하거나 무시하고 행위자의 내적 요인으로 귀인하려는 오류이다.

🗒 귀인(귀속)오류

성과＼행위자	본인	타인
높은 성과	내적 귀인	외적 귀인
낮은 성과	외적 귀인	내적 귀인

제4절 학습

1 의의

1. 개념

학습(learning)이란 반복적인 연습이나 경험을 통해 이루어진 지속적인 행동변화(relatively permanent behavioral change)를 의미한다. 일반적으로 학습은 유기체 내에서 일어나는 내재적인 변화과정을 의미하기 때문에 직접 관찰가능한 것이 아니라 수행(performance)으로 표현된다.

2. 구성요소

학습은 개인의 능력에 따라 차이점을 보이지만, 일반적으로 연습과 경험, 강화, 지속적인 행동변화로 구성되어 있다.

(1) 연습과 경험

자연적인 행동변화나 일시적 조작에 의한 행동변화가 아니라, 실제 연습과 경험에 의하여 이루어진 변화를 의미한다.

(2) 강화

연습이나 경험을 통해 지속적인 행동변화를 유발시키기 위해서는 연습이나 경험을 반복시키는 강화가 필요하다.

(3) 지속적인 행동변화

행동변화는 행동형성의 요인(성격, 지각, 태도, 동기 등)의 변화를 의미한다. 이러한 행동변화는 지속적인 성격을 지니고 있다는 점에서 개인이 임시적으로 취하는 적응행동과는 차이점을 보인다.

2 학습이론

1. 행동주의 학습이론

행동주의 학습이론 또는 자극 – 반응이론은 개인의 내적행동을 배제하고 외적행동만을 연구대상으로 삼아 학습을 자극(stimulus, S)과 반응(response, R)의 결합이라고 정의한다. 따라서 행동주의 학습이론의 관점에서 내면적 사고나 태도의 변화는 학습이 아니고 외형적인 행동의 변화만이 학습이 된다.

(1) 고전적 조건화

고전적 조건화(classical conditioning)는 조건자극을 무조건자극과 관련시켜 조건자극으로부터 새로운 반응(조건반응)을 얻어내는 과정을 말하며, 파블로프(Pavlov)가 주장한 개념이다. 파블로프는 무조건자극(고기)에 대하여 무조건반응(침 흘림)을 보이는 개를 준비하고 무조건자극(고기)과 중성자극(종소리)을 결합시켜 제시했을 때 개의 반응을 살펴본 결과, 무조건자극(고기)과 중성자극(종소리)은 상호 간의 결합이 이루어져 종소리(조건자극)만 울려도 조건반응(침흘림)을 보였다. 따라서 고전적 조건화는 인간의 본능적 또는 반사적 반응과 흡사하며, 본인의 의지와 상관없는 정서 또는 생리반응을 하게 만드는 학습의 한 형태이다.

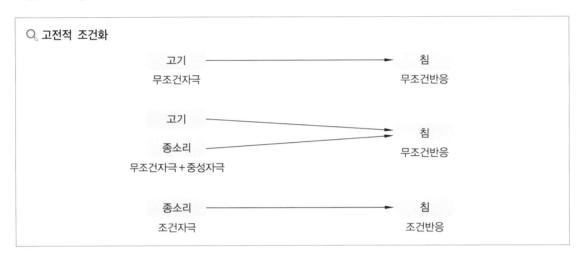

Q 고전적 조건화

(2) 시행착오설

시행착오설이란 인간은 비교적 막연한 가운데 시행착오를 되풀이하다가 우연히 개인이 원하는 목표에 도달하게 되면 나중에는 시행착오 없이 목표에 도달할 수 있다는 것으로 손다이크(Thorndike)가 주장한 개념이다. 따라서 학습은 시행착오의 과정을 통해 이루어지며, 효과의 법칙에 따라 실패반응은 약화되고 성공반응은 강화된다는 것이다. 손다이크가 주장하는 주요법칙으로는 연습의 법칙, 효과의 법칙, 준비성의 법칙 등이 있다[24].

① **연습의 법칙**: 연습의 횟수가 많을수록 결합은 강화된다는 법칙이다.

② **효과의 법칙**: 결과에 대한 만족감이 클수록 결합은 강화된다는 법칙이다. 즉 자기 행동에 대한 결과가 호의적인 경우에는 그 행동을 반복하게 되지만, 결과가 비호의적인 경우에는 그 행동과는 다른 형태의 행동을 취하게 될 것이다.

③ **준비성의 법칙**: 학습할 준비나 자세가 되어 있을수록 결합이 용이하다는 법칙이다.

---

24) 동인이론은 인간은 과거에 만족스러운 결과를 가져온 행동을 계속적으로 되풀이하는 경향이 높다는 손다이크(Thorndike)의 효과의 법칙에 이론적 근거를 두고 있는 이론이다. 즉 인간의 행동은 개인의 욕구결핍 정도를 나타내는 동인의 강도와 학습을 통해 얻어진 과거의 경험을 바탕으로 하여 자신에게 만족스러운 결과를 가져오기 위해 취해지는 것으로 보는 동기이론을 말한다. 또한, 인간의 본능과 관련된 기본적인 동인을 1차적 동인이라고 하고, 경험적으로 획득되는 동인을 2차적 동인이라고 한다.

(3) 조작적 조건화

조작적 조건화(operant conditioning)는 결과(보상 또는 벌)의 경험에 의하여 관찰가능한 행동의 빈도가 변화하는 학습과정을 말하며, 스키너(Skinner)가 주장한 개념이다. 스키너는 손다이크가 주장한 효과의 법칙을 절대적으로 신뢰하고 이에 대하여 좀 더 체계적으로 연구한 학자이다. 고전적 조건화는 단지 자극에 의해 유발되는 수동적인 반응행동만을 설명하고 있다면, 조작적 조건화는 학습이 반응행동으로부터의 바람직한 결과에 의하여 이루어진다는 것을 강조하였다.

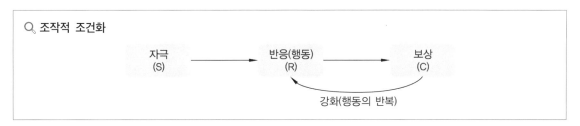

2. 강화이론

강화이론(reinforcement theory)은 행동주의 학습이론 중 조작적 조건화와 관련된 이론으로 손다이크에 의하여 그 기반이 형성되었고, 스키너에 의해 발전되었다. 여기서 강화란 행동을 발생하게 하거나 행동의 빈도 또는 강도를 증가시키는 절차를 말한다.

(1) 강화의 유형(강화전략)

강화는 바람직한 행동을 증가시키는 목적과 바람직하지 못한 행동을 감소시키는 목적을 가지고 있다. 따라서 바람직한 행동을 증가시키기 위한 강화전략에는 긍정적(적극적) 강화(positive reinforcement)와 부정적 강화(negative reinforcement)가 있고, 바람직하지 못한 행동을 감소시키기 위한 강화전략에는 소거(extinction)와 벌(punishment)이 있다.

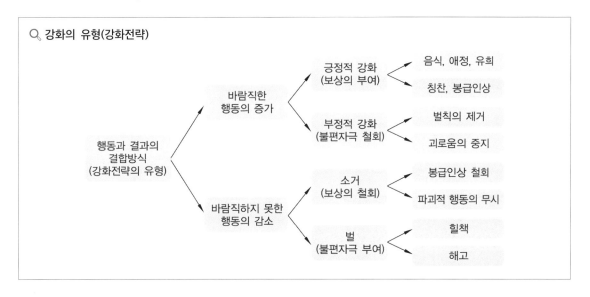

① **긍정적(적극적) 강화**: 바람직한 행동이 일어난 후에 긍정적 자극을 주어 그 행동을 반복시키는 강화전략을 의미한다. 즉 바람직한 행동이 발생했을 때 보상을 부여하는 것이다.

② **부정적 강화**: 바람직한 행동이 일어난 후에 부정적 자극을 제거하거나 감소시킴으로써 그 행동을 반복시키는 강화전략을 의미한다. 즉 바람직한 행동이 발생했을 때 불편자극을 철회하는 것이다.

③ **소거**: 바람직하지 않은 행동이 일어난 후에 긍정적 자극을 제거하거나 감소시킴으로써 그 행동을 감소시키는 강화전략을 의미한다. 즉 바람직하지 못한 행동이 발생했을 때 보상을 철회하는 것이다.

④ **벌**: 바람직하지 않은 행동이 일어난 후에 부정적 자극을 주어 그 행동을 감소시키는 강화전략을 의미한다. 즉 바람직하지 못한 행동이 발생했을 때 불편자극을 부여하는 것이다.

(2) 강화의 일정계획

강화의 일정계획은 행동에 따르는 강화요인 제공의 시점과 빈도를 조절함으로써 바라는 행동을 지속시키려는 것으로 그 적용방법에 따라 연속적 강화(continuous reinforcement schedule)와 단속적 강화(intermittent reinforcement schedule)로 구분할 수 있다.

① **연속적 강화**: 바람직한 반응행동이 작동될 때마다 강화요인을 적용하는 방법이다. 학습의 효과를 단기간 동안에 높일 수 있는 장점이 있으나 강화요인이 중단되면 작동행동도 반복되지 않음으로써 학습의 효과가 감소될 수 있다. 또한, 가장 이상적인 강화방법이기는 하지만 비용부담과 실현불가능으로 인하여 실무적인 부분에서는 사용하기 어렵다.

② **단속적 강화**: 바람직한 반응행동에 대하여 부분적으로 또는 불규칙적으로 강화요인을 적용하는 방법이다. 이러한 단속적 강화는 바람직한 행동에 대한 반응간격과 반응횟수를 고정하느냐 변동하느냐에 따라 고정간격법,[25] 변동간격법,[26] 고정비율법,[27] 변동비율법[28] 등으로 구분할 수 있다.

3. 인지적 학습이론

톨만(Tolman)은 고전적 조건화와 조작적 조건화 이론의 취약점을 수정하기 위해 개인은 외부환경으로부터 필요한 정보를 능동적으로 수집하여 인지함으로써 학습이 이루어진다는 인지적 학습이론(cognitive theory of learning)을 주장하였다. 따라서 학습은 어떤 문제를 해결할 수 있으리라는 인지적 단서(cognitive cues)와 그 결과로 어떤 보상을 얻게 되리라는 기대(expectation)의 관계에 의한 인지도(cognitive map)를 형성함으로 인하여 이루어진다.

---

25) 작동행동이 얼마나 많이 발생했든지 간에 어느 정도 일정한 기간을 간격으로 강화요인을 적용하는 방법이다. 시간급제나 일정한 기간에 지급하는 보너스나 연봉 등이 고정간격법에 해당한다. 일반적으로 강화의 효과가 가장 낮다.

26) 강화요인의 적용시기에 일정한 간격을 두지 않고 변동적인 간격으로 강화요인을 적용하는 방법이다. 이 방법은 강화작용에 대한 예측성이 낮으므로 고정간격법에 비하여 동기효과가 더 크다. 또한, 강력하고 지속적인 성과향상의 결과를 가져 오고, 소거에 대한 저항력도 강하다.

27) 작동행동의 일정한 비율에 의하여 강화요인을 적용하는 방법이다. 생산량에 기초하여 급여를 지급하는 성과급제도(piece-rate system)가 하나의 예가 될 수 있다.

28) 작동행동의 일정한 비율을 사용하지 않고 변동적인 비율을 사용하여 강화요인을 적용하는 방법이다. 이 방법은 강력하고 지속적인 행동을 유발하며, 소거에 대한 저항력도 강한 것으로 알려져 있다. 일반적으로 강화의 효과가 가장 높다.

4. 사회적 학습이론

톨만(Tolman)의 인지적 학습이론은 반두라(Bandura)의 사회적 학습이론으로 발전된다. 따라서 사회적 학습이론은 행동주의적 관점보다 인지적 측면을 강조하였으며, 학습은 개인의 인지와 행동 및 환경과의 지속적이고 복합적인 상호작용을 통해 이루어진다고 주장하였다. 이러한 사회적 학습은 크게 관찰학습과 인지학습으로 구분할 수 있으며, 각각 단독으로 이루어지지 않고 상호복합적인 관계에서 이루어진다.

(1) 관찰학습

타인의 행동을 모방하고 그 행위의 결과를 평가하여 그 평가가 긍정적인 경우에는 행위를 따라하고 부정적인 경우에는 회피하는 학습을 의미한다. 따라서 관찰학습은 모방(대리)학습(vicarious learning)[29]과 자아통제(self control)[30]의 과정을 포함한다.

(2) 인지학습

개인이 적절한 행동을 형성해 나가는 과정에서 숫자, 언어 또는 이미지상의 상징적 표상(symbolic representation)을 사용하여 새로운 행동을 형성해 나간다는 것을 말한다.

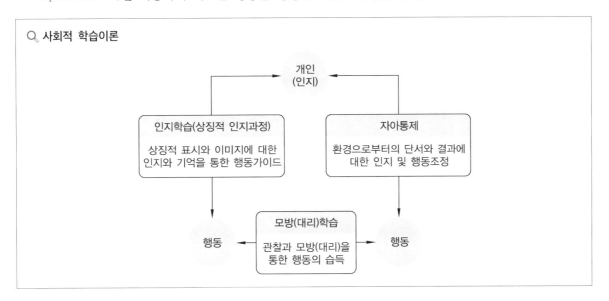

> **사회적 학습이론**

29) 사회적 상호작용에서 개인은 특히 복잡한 행동을 습득하는 데 있어서 바람직한 행동을 관찰하고 이를 모방하여 자신의 새로운 행동으로 습득해 나가는 경우가 많다. 이 과정에서 조건화이론의 강화작용은 모방된 행동을 반복시키는 데 도움을 줌으로써 바람직한 행동의 습득과정을 효율화시킬 수 있다.

30) 개인은 환경으로부터 자극에 단순히 기계적으로 반응만 하지 않고 자신의 인지체계를 통하여 자기의 환경상황을 통제 또는 조정해 나간다. 즉 개인은 자기가 원하는 운명을 개척해 나가는 과정에서 환경으로부터의 모든 단서와 환경으로부터 기대되는 결과에 대한 자신의 인지를 기반으로 자기 자신을 적절히 통제하면서 행동을 형성해 간다.

1 의의

1. 개념

태도(attitude)란 어떤 대상에 대해서 어느 정도 일관성 있게 반응하려는 준비상태를 말한다. 따라서 태도는 유전적인 것이 아니라 다른 사람들과 상호작용을 통해 형성되는 사회학습의 결과물이다. 또한, 태도는 개인의 선호와도 관련되어 있기 때문에 개인의 선택에 따라 행동으로 나타나기도 하고, 지속성과 변화가능성의 특징을 가진다. 태도는 인지적 요소(cognitive component), 정서적 요소(affective component), 행동적 요소(behavioral component)로 구성되어 있는데, 이러한 요소들은 균형을 유지하기도 하지만 그 중의 한 가지 요소가 우세하거나 결핍되는 경우도 있다. 그리고 인지적 요소, 정서적 요소, 행동적 요소는 긴밀하게 연결되어 있어 세 요소의 일관성이 높으면 강한 태도가 나타나고 일관성이 낮으면 약한 태도가 나타난다.

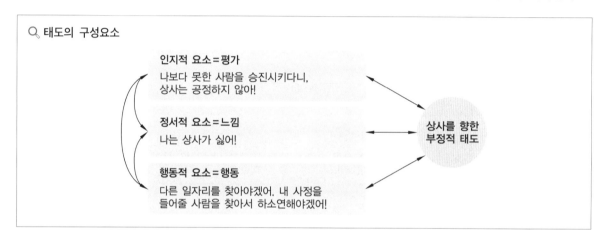

2. 가치관과 태도

태도가 구체적인 개념이라면 가치관은 태도에 비해 보다 광범위하고 포괄적인 개념이다. 일반적으로 가치관과 태도는 대개 조화를 이루지만 항상 그런 것은 아니다. 남을 도와주어야 한다는 가치관을 가진 경영자라고 하더라도 비도덕적인 동료를 돕는 것에 대해서는 부정적인 태도를 가질 수 있기 때문이다. 또한, 개인의 행동을 결정하는 데 있어 태도는 가치관보다 더 많은 영향을 행사한다. 가치관이 모든 상황에 있어서의 행위에 영향력을 미치는 광범위한 믿음이라면 태도는 특정의 대상이나 상황에 있어서 행위에 직접적으로 영향을 미친다. 가치관과 태도와의 구체적인 관계는 다음과 같다.

(1) 태도는 잠재되어 있는 가치관을 기반으로 형성된다.

(2) 하나의 가치관에서 비롯된 두 가지의 태도가 서로 상충될 수도 있다.

(3) 두 사람의 태도가 서로 같더라도 각각 다른 가치관에서 비롯될 수 있다.

(4) 태도나 가치관은 둘 다 장기간 지속되지만 가치관은 한 번 정립되면 좀처럼 변화하지 않는 반면에 태도는 작은 원인으로도 자주 변화한다.

(5) 어떤 가치관이 한 집단 안에서 대부분의 구성원들 사이에서 오랫동안 지속될 때 그것은 문화의 일부가 된다. 그러므로 한 집단의 문화는 사실 여러 가치관의 집합이라고 할 수 있으며, 각 가치관은 문화 안에서 보존되고 지속된다.

3. 태도변화의 관리

태도변화를 관리하기 위해서는 다양한 방법이 활용될 수 있는데, 그 중 가장 대표적인 방법은 다음과 같다.

(1) 설득

태도변화를 일으키기 위해 가장 널리 사용되는 방법으로 논리적인 주장과 사실의 확인을 통해 태도를 변화시키는 것을 의미한다.

(2) 공포유발 또는 공포감축

공포감 또는 위협감을 유발하거나 반대로 감축시킴으로써 개인으로 하여금 태도변화를 유발시킬 수 있다.

(3) 참여제도의 활용

개인들을 의사결정에 참여시키는 방법을 말한다. 조직이 조직구성원에게 자신의 직무와 관련된 결정에 참여할 수 있는 기회를 제공하게 되면 조직구성원들은 해당 직무에 대하여 부정적인 태도보다는 호의적인 태도를 형성하게 된다.

(4) 여론지도자(opinion leader)의 활용

여론지도자는 조직구성원의 태도와 행동 및 의사결정에 중요한 영향을 미치게 된다. 따라서 여론지도자를 통해서 전체 조직구성원의 태도변화를 쉽게 유도할 수 있다.

(5) 인지부조화 유발

인지의 일관성을 유지하려는 인간심리의 기본적 속성을 이용하여 태도변화를 일으키는 방법이다. 인간은 심리적으로 안정되지 못하거나 갈등상태에서는 불편함을 느끼기 때문에 이러한 불편함을 제거하고자 하는 과정에서 태도변화를 유발할 수 있다.

4. 조직몰입과 조직시민행동

(1) 조직몰입

조직몰입(organization commitment)이란 자신이 일하는 조직과 조직의 목표를 동일시하고 그 조직에서 지속적으로 소속되기를 원하는 것을 의미한다. 즉 개인이 특정 조직에 애착을 가짐으로써 그 조직에 남아 조직을 위해서 노력하면서 조직의 가치와 목표를 적극적으로 수용하게 되는 심리상태를 의미한다. 마이어와 알렌(Meyer & Allen)에 따르면 이러한 조직몰입은 정서적 몰입(affective commitment), 지속적 몰입(continuance commitment), 규범적 몰입(normative commitment)으로 이루어져 있다.

① 정서적 몰입: 조직에 대한 정서적 애착을 의미한다. 핵심요인은 조직을 자신의 확장이라고 생각하는 조직동일시(organization identification)[31]이다. 조직몰입이 높으면 조직에 대해서 긍정적 감정을 가지게 되며 다른 사람들이 자신이 속한 조직을 비판적으로 대하면 자신과 조직을 동일시하여 다른 사람들에 대하여 부정적인 감정을 갖게 된다.

---

31) 조직동일시는 조직구성원이 그가 속한 조직과 하나됨을 의미한다. 즉 조직동일시는 한 개인이 조직을 자신의 생각과 행동의 준거로 삼고 이를 모방하고자 시도하는 과정이나 자신의 일부분이라고 생각하는 조직이나 집단에 대하여 고착하는 과정이라고 할 수 있다.

② **지속적 몰입**: 조직에 잔류하고자 하는 의도를 의미한다. 이직에 대한 대안이 없으면 몰입은 증가하게 된다. 즉 조직에 절대적으로 만족하지 않지만 현재 자신의 처지에서 다른 조직으로 옮길 자신이 없다면 현재의 조직에 대한 몰입이 증가한다. 따라서 지속적 몰입은 다분히 거래적이며 경제적인 관점에서의 몰입이라고 할 수 있다.

③ **규범적 몰입**: 조직에 대해서 가지는 도덕적 또는 윤리적 의무감으로 조직에 남고자 하는 것을 의미한다.

(2) 조직시민행동

조직시민행동(organizational citizenship behavior)이란 조직구성원들이 조직 내에서 급여나 상여금 등의 공식적 보상을 받지 않더라도 조직의 발전을 위해서 희생하고 자발적으로 일을 하거나 다른 구성원들을 돕는 행동 및 조직 내의 갈등을 줄이려는 자발적 행동들을 의미한다. 즉 조직구성원 스스로가 조직을 위해 행하는 자발적인 행동으로, 직무기술서에 열거된 핵심적인 과업 이상으로 조직의 효율성 증진에 기여하는 행동을 말한다. 이러한 조직시민행동은 크게 이타주의(altruism), 성실성 또는 양심(conscientiousness), 시민의식(civil virtue), 예의(courtesy), 스포츠맨십(sportsmanship)의 구성요소를 가진다. 이들 다섯 가지 구성요소 중 이타주의와 예의는 조직 내 다른 구성원을 지향하므로 '조직시민행동-개인(OCB-I)'이라고 부르고, 성실성(양심), 시민의식, 스포츠맨십은 행동의 대상이 조직을 지향하기 때문에 '조직시민행동-조직(OCB-O)'이라고 부른다.

① **이타주의**: 직무상 필수적이지는 않지만, 한 구성원이 조직 내 업무나 문제에 대하여 다른 구성원들을 도와주려는 직접적이고 자발적인 조직 내 행동을 의미한다.

② **성실성(양심)**: 조직에서 요구하는 최저수준 이상의 역할을 수행하는 것을 의미한다. 성실성은 조직구성원들이 갈등상황에 처했을 때 더욱 나타나기 쉬운 것으로 알려져 있다.

③ **시민의식**: 조직에서 불의를 참지 못하고 조직을 긍정적으로 변화시키는 적극적 행동을 하는 것을 의미한다.

④ **예의**: 직무수행과 관련하여 타인들과의 사이에서 발생하는 문제나 갈등을 미리 막으려고 노력하는 행동을 의미한다.

⑤ **스포츠맨십**: 조직 내에서 어떠한 갈등이나 문제가 발생하더라도 그에 대하여 불평이나 비난을 하는 대신에 가능하면 조직생활의 고충이나 불편함을 스스로 해결하려는 행동을 의미한다.

5. 신뢰

(1) 의의

신뢰(trust)란 다른 사람들의 태도나 행동을 긍정적으로 생각하고 기꺼이 그들을 믿고자 하는 태도 또는 우리가 의존하고 있는 사람들이 우리에게 바라고 있는 기대를 저버리지 않을 것이라는 믿음(belief)을 의미한다. 조직에서의 상사나 동료에 대한 신뢰는 조직분위기와 관리방식이 어떠한지에 따라 다르게 형성될 수 있는데, 업무수행과정에서 발생하는 다양한 교환관계에 의하여 신뢰가 형성되기도 하고 조직의 윤리적인 분위기가 구성원 간의 상호신뢰를 부추기기도 한다. 신뢰는 다음과 같은 속성을 가지고 있다.

① 신뢰는 위험을 수반한다. 상대의 행동과 태도가 좋은 것이라는 생각이나 내게 도움이 될 것이라는 생각은 아직 사실로 드러난 현실이 아니기 때문에 실제로는 기대와 어긋날 수 있다.

② 신뢰는 만들어지기는 어렵지만 깨지기는 쉽다. 따라서 신뢰의 형성보다 신뢰유지에 더 큰 관심을 기울여야 한다.

③ 신뢰에는 개인 간 신뢰뿐만 아니라 집단 또는 조직 간 신뢰도 있다. 즉 조직과 조직 사이에도 신뢰관계가 형성될 수 있다.

④ 신뢰는 조직이 높은 성과를 낼 수 있도록 촉진한다.

⑤ 조직 내 신뢰관계가 구축되어 있을 경우에 조직구성원을 감독하는 데 소요되는 비용(대리인 비용)을 감소시킬 수 있다.

⑥ 신뢰는 조직구성원 간 일체감을 갖게 해 주어 제반 조직에서 발생한 문제해결에 구성원이 자발적으로 참여하게 한다.

⑦ 신뢰는 조직변화 관점에서 매우 긍정적인 역할을 한다.

(2) 심리적 계약

심리적 계약(psychological contract)이란 인간관계에서 상대방이 어떻게 행동할지를 예측하고 기대하는 것을 의미한다. 이러한 심리적 계약은 두 사람 간의 근본적 인간관계를 결정하고 지배하며, 한 쪽이라도 이러한 심리적 계약을 파기하면 관계는 이상해진다. 물론 심리적 계약은 공식적 문서계약이 아니기 때문에 서로의 예측이 다를 때가 있으며, 이로 인한 기대의 불일치가 인간관계를 곤란하게 만들기도 한다. 이러한 심리적 계약은 경제적·거래적 계약(economic or transactional contract)과 관계적 계약(relational contract)으로 구분할 수 있다.

① **경제적·거래적 계약**: 단기적이고 변경이 쉬우며, 내용도 자세하고 구체적인 심리적 계약이다.

② **관계적 계약**: 장기적이고 변경이 쉽지 않으며, 내용도 자세할 필요가 없는 심리적 계약이다.

📋 경제적·거래적 계약과 관계적 계약

기준	경제적·거래적 계약	관계적 계약
관심초점	경제적 이익	인간관계
지속성	제한적·단기적	장기적·무한적
관계범위	좁고 제한적	넓고 확산적
계약구체성	객관적이고 명확함	주관적이고 애매함

2 태도이론

1. 행동주의이론

행동주의이론은 강화이론을 태도변화에 적용한 것으로 학습원리에 의하여 개인의 태도변화가 가능하다는 이론을 말한다. 개인을 자극시키기 위해서는 설득이나 보상 등의 학습과정이 필요하고 학습의 반복을 통해 새로운 태도가 형성된다. 강화이론에 따른 태도변화는 개인의 욕구와 밀접한 관련이 있으며, 새로운 행동을 했을 때 그 결과가 자신에게 유리하다면 개인은 태도를 바꾸게 된다. 태도변화와 관련된 변수에는 관심, 이해, 수용의 세 가지 변수가 있다.

2. 장의 이론

(1) 의의

장의 이론(field theory)은 서로 상충관계에 있는 태도변화를 억제시키는 요인과 촉진시키는 요인에 의해서 태도가 균형을 유지한다는 이론으로 레빈(Lewin)이 주장하였다. 즉 태도 자체는 고정되거나 안정된 것이 아니기 때문에 조직에서 바라는 방향으로 구성원의 태도와 행동이 바뀌도록 유도하기 위해서는 태도변화를 촉진시키는 요인을 강화하면 된다는 것이다. 장의 이론은 집단의 힘으로 개인과 조직을 변화시키는 집단역학(group dynamics)의 발전을 촉진시켰다.

① **태도변화를 촉진시키는 요인**: 일을 좋아함, 효과적 감독, 보상, 강압적 방법 등

② **태도변화를 억제시키는 요인**: 피로, 집단의 작업규범, 적개심, 반발심 등

(2) 태도변화의 과정

레빈(Lewin)은 특정 태도형성을 동결상태로 가정했을 때 '해빙(unfreezing) → 변화(change) → 재동결 (refreezing)'이라는 과정을 거쳐 태도변화가 이루어진다고 주장하였다. 이러한 태도변화는 개인, 집단, 조직의 모든 수준에서 적용이 가능하다.

① **해빙**: 어떤 일을 하는 데 있어서 과거의 방식을 깨뜨림으로써 새로운 방식을 받아들일 준비태세를 갖도록 하는 과정을 말한다.

② **변화**: 새로운 방식으로의 변화를 위해 순응, 동일화, 내면화가 나타나는 과정을 말한다. 순응 (compliance)은 한 개인이 다른 사람이나 집단의 호의적인 반응을 얻거나 부정적인 반응을 회피하기 위해 그들의 영향력을 받아들이는 과정을 의미하고, 복종이라고도 한다. 동일화(identification)는 한 개인이 다른 사람이나 집단의 태도를 받아들여 자신의 일부로 인정하는 것을 의미하고, 내면화 (internalization)는 다른 사람이나 집단의 행위가 한 사람의 가치체계에 부합될 때 나타나는 과정을 말한다.

③ **재동결**: 새로 획득된 태도, 지식, 행위 등이 개인의 성격이나 정서에 통합되어 가는 과정을 말한다.

3. 인지반응이론

인지반응이론(cognitive response theory)[32]은 개인이 타인으로부터 어떤 설득메시지를 받으면 메시지 자체보다 다른 자극들에 대하여 인지적으로 분석하고 반응한다는 이론이다. 즉 메시지에 대해 능동적이고 적극적으로 분석한 다음에 그 메시지를 수용하든가 거부하든가 한다. 만약에 새로운 메시지를 수용한다면 기존의 태도가 변화하겠지만, 새로운 메시지를 거부한다면 태도변화는 없을 것이다. 메시지에 대한 수용여부의 판단은 마음 속에 수용의 증거와 거부의 증거 중 어느 쪽이 더 많으냐에 따라서 결정되며, 구체적인 요인은 전달자의 신뢰성, 메시지의 반복, 메시지의 난이도, 듣는 이의 몰입도 등이 있다.

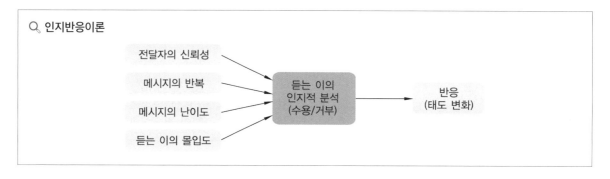

4. 균형이론

하이더(Heider)의 균형이론(balance theory)은 특정인(P), 타인(O), 특정대상(X)이 상호 간에 가지는 태도관계를 요소들 간의 삼각관계로 설명한 이론이다. 즉, 각 관계(PO, OX, PX)를 각각 +와 −로 분류하고 그 곱이 +의 값을 가지면 균형상태로 구분하고 −의 값을 가지면 불균형상태로 구분한다. 그리고 불균형상태가 발생하는 경우에 개인은 균형상태를 회복하기 위해 기존의 태도를 변화시킨다는 것이다.

---

32) 인지반응(cognitive response)이란 의사소통하는 동안에 나타나는 능동적인 사고과정의 결과를 말한다.

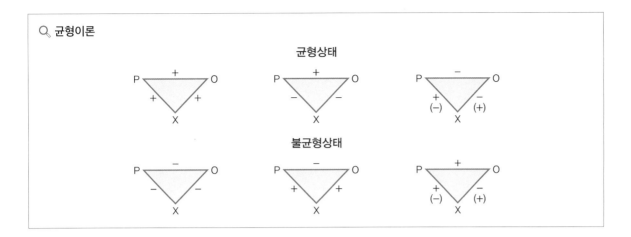

均衡이론

5. 인지부조화이론

페스팅거(Festinger)의 인지부조화이론(cognitive dissonance theory)은 인지부조화를 감소시키기 위해 개인의 태도변화가 유발된다는 이론이다. 따라서 인지부조화이론은 두 개의 인지가 심리적으로 불일치할 때 인간은 부조화(긴장)를 경험하게 되고 이러한 부조화를 제거함으로써 심리적 균형을 이루어 인지의 일관성을 유지하려는 인간의 본능을 강조하고 있으며, 동기부여이론 중에서 과정이론에 속하는 공정성이론의 근거가 되었다. 또한, 인간이 인지부조화를 감소시키고자 하는 욕구는 부조화가 생기게 된 상황의 중요성, 개인이 믿는 상황변화에 대한 영향력의 정도, 부조화에 수반된 비용 등에 의해서 결정된다. 일반적으로 인지부조화가 발생하는 대표적인 갈등은 다음과 같다.

(1) 접근 - 접근 갈등

긍정적 결과가 발생하는 두 개 이상의 대안에서 하나만을 선택해야 하는 상호배타적인 상황에서 발생하는 갈등을 말한다. 이런 형태의 갈등은 일시적으로는 불안감을 갖게 하지만 개인에게 악영향을 미치지는 않는다.

(2) 접근 - 회피 갈등

어떤 대안이 긍정적 결과와 부정적 결과를 모두 가지고 있는 때 발생하는 갈등을 말한다. 이러한 유형의 갈등이 개인에게 가장 강한 인지부조화를 유발시킨다.

(3) 회피 - 회피 갈등

부정적 결과가 발생하는 두 개 이상의 대안에서 하나를 선택해야 하는 상황에서 발생하는 갈등을 말한다.

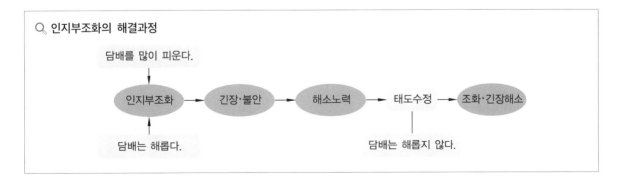

인지부조화의 해결과정

제6절 동기부여

1 의의

1. 개념

동기부여(motivation)란 개인으로 하여금 주어진 일을 수행하게 하는 힘을 의미한다. 동기부여는 목표를 추구하는 데 필요한 내적 충동상태라고 할 수 있는데, 일반적으로 개인행동의 동인이 되며 개인의 성과를 결정하는 중요한 요소이다.[33]

$$성과(performance) = 능력(ability) \times 동기부여(motivation)$$

2. 유형

동기부여는 그 원천의 위치에 따라 내재적 동기부여(intrinsic motivation)와 외재적 동기부여(extrinsic motivation)로 구분할 수 있다.

(1) 내재적 동기부여

자기 자신에게서 우러나오는 동기부여를 의미하고, 성취감, 도전감, 확신 등이 있다.

(2) 외재적 동기부여

자기 자신이 아닌 외부에 의하여 발생된 동기부여를 의미하고, 급여, 승진정책, 감독 등이 있다.

2 동기부여이론 – 내용이론

1. 의의

내용이론(content theory)이란 개인의 동기요인을 욕구(need)로 보고 어떤 욕구가 더 크게 동기부여에 기여하는지를 규명하고자 하는 이론을 말한다. 따라서 내용이론에서는 인간의 기본적인 욕구가 무엇인지를 중심으로 연구가 이루어졌으며, 주로 개인이 내면에 갖고 있는 욕구를 동기부여의 원천으로 보았다.

---

33) 동기부여(motivation)는 어떤 목적을 위해 개인의 행동을 일정한 방향으로 작동시키는 내적 심리상태를 의미하고, 욕구는 개인을 움직이는 심리적 동인을 의미한다. 개인이 특정행동을 하게 하는 목표지향성을 갖고 있지 않은 점이 동기부여와 구분된다.

2. 욕구단계이론

(1) 의의

매슬로우(Maslow)의 욕구단계이론(theory of need hierarchy)은 욕구의 단계를 통해 욕구와 동기부여의 관계를 밝히고자 하였으며, 개인행동이 자신의 욕구를 충족시키는 과정에서 형성된다는 전제하에 개인의 공통된 욕구와 욕구의 단계적 구조를 이론화시켰다. 매슬로우는 다섯 가지 욕구의 계층적 구조를 형성함으로써 욕구충족상의 순서적 중요성을 강조하였다. 즉 가장 하위욕구인 생리적 욕구가 어느 정도 충족되면 안전 욕구가 중요해지고, 이것이 어느 정도 충족되면 사회적(소속) 욕구, 존경(자존) 욕구, 자아실현 욕구가 순서대로 중요해지게 된다는 것이다. 그리고 충족되지 않은 욕구가 동기로 작용하는 욕구이다. 욕구충족이 되면 동기를 작동시키는 효력을 잃게 되는데, 인간에게는 욕구결핍이 항상 존재하고 있으며 이러한 욕구결핍으로 인하여 행동동기가 자극된다는 것이다. 그러나 매슬로우의 욕구단계이론은 욕구구분에 대한 이론적 근거가 불명확하며, 각 욕구의 동시발생가능성을 무시한 부분이 있다.

(2) 욕구구분

① **생리적 욕구(physiological needs)**: 개인이 자신의 생리적 균형을 유지하는데 요구되는 기본적인 의식주와 관련된 욕구이다. 생존을 위한 의식주, 성욕, 호흡 등에 대한 욕구가 여기에 해당한다.

② **안전 욕구(safety needs)**: 개인의 육체적 안전과 심리적 안정에 대한 욕구이다. 신체적 보호, 가족의 안전, 안정된 직업 등이 이러한 욕구에 해당된다.

③ **사회적 욕구(social needs)**: 대인관계에서 나타나는 욕구로 어느 한 부분에 소속되기를 원하는 욕구를 의미하며, 소속 욕구(belongingness needs)라고도 한다.

④ **존경(자존) 욕구(esteem needs)**: 타인으로부터 인정이나 존경을 받고자 하는 심리적 욕구를 의미한다.

⑤ **자아실현 욕구(self-actualization needs)**: 자기가치를 추구하여 좀 더 보람차고 가치가 있는 삶을 추구하는 욕구를 의미한다. 모든 욕구가 충족되었을 때 나타나는 욕구이다.

3. ERG이론

(1) 의의

알더퍼(Alderfer)의 ERG이론은 개인의 욕구동기를 보다 현실적으로 설명하기 위해 매슬로우의 욕구단계이론을 수정·보완하였다. 따라서 알더퍼는 매슬로우의 인간의 욕구구분이 너무 세분화되었다고 간주하고 인간의 욕구를 세 가지로 구분하였으며, 매슬로우가 강조한 각 욕구 간의 순서적 중요성을 수정·보완하였다. 즉 인간은 하위욕구에서 상위욕구로 올라가는 진행뿐만 아니라 특정욕구의 충족이 좌절되었을 때 그 하위욕구를 더욱 강화하는 좌절퇴행욕구도 가지기 때문에, 하위수준의 욕구가 충족될수록 상위욕구에 대한 강도가 더욱 강하게 나타날 뿐만 아니라 상위욕구가 충족되지 않을수록 하위욕구에 대한 강도도 더욱 강해진다는 것이다. 따라서 개인은 한 가지 이상의 욕구를 동시에 충족시킬 수 있게 된다.

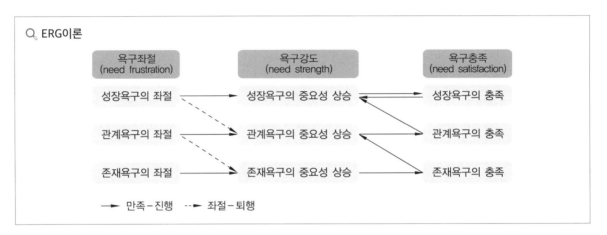

(2) 욕구구분

① **존재욕구(existence needs)**: 인간이 생존하기 위한 물질적이고 생리적인 욕구를 의미한다. 매슬로우가 주장한 욕구 중 생리적 욕구와 안전 욕구에 해당하는 욕구이며, 여기에는 급여, 육체적 작업에 대한 욕구, 물질적 욕구가 포함된다.

② **관계욕구(relatedness needs)**: 타인이나 사회집단과의 상호작용 관계에 있어서 바람직하고 아름다운 관계를 유지하려는 욕구이다. 매슬로우가 주장한 욕구 중 사회적(소속) 욕구와 존경(자존) 욕구에 해당하는 욕구이며, 생각이나 감정을 주변 사람들과 공유하게 될 때 관계욕구가 충족된다.

③ **성장욕구(growth needs)**: 개인적 성장 또는 창조적 성장을 위한 노력과 관계되는 모든 욕구이다. 매슬로우가 주장한 욕구 중 존경(자존) 욕구와 자아실현 욕구에 해당하는 욕구이며, 인간으로서 성장하고 자신의 능력을 잠재적 한계까지 발휘해보고 싶은 욕구이다.

4. 2요인이론

(1) 의의

허쯔버그(Herzberg)의 2요인이론(two factor theory)은 개인의 동기를 자극하는 요인은 위생요인과 동기요인이라는 두 가지가 있다는 것이며, 이 두 가지 요인은 인간의 만족과 불만족과 관련하여 각각 다른 차원에서 존재하고 있음을 강조하였다. 2요인이론은 기사(engineer)와 회계사 등과 같은 전문직업인들을 연구대상으로 하였기 때문에 이론 자체가 다른 직종의 구성원들에게도 일반적으로 적용되기는 힘들다.

🔍 2요인이론

전통적 관점

불만족 ──────→ 만족
　　　요인의 충족

허쯔버그의 관점

위생요인의 충족
불만족 ──────→ 불만족 없음
　　　　　　　중립상태
　　　　　　　만족 없음 ──────→ 만족
　　　　　　　　　　동기요인의 충족

(2) 욕구구분

① **위생요인(hygiene factor)**: 개인의 불만족을 방지해 주는 욕구로 불만족요인이라고도 한다. 위생요인은 충족되었다 하더라도 불만족이 생기는 것을 예방하는 역할만 할 뿐, 만족을 증가시키거나 일을 열심히 하고자 하는 동기를 유발시키는 것은 아니다. 위생요인에는 임금, 안정된 직업, 작업조건, 지위, 경영방침, 관리, 대인관계 등이 있는데, 이들은 직무 외적인 요인들이다.

② **동기요인(motivator)**: 개인의 만족을 증가시켜 주는 욕구로 만족요인이라고도 한다. 동기요인이 충족되면 개인은 만족을 느끼게 되지만, 충족되지 않으면 불만족이 아니라 무만족을 느끼게 된다. 동기요인에는 성취감, 인정, 책임감, 성장, 발전, 보람 있는 직무내용, 존경 등이 있는데, 이들은 직무 자체 또는 개인의 정신적·심리적 성장에 관련된 요인들이다.

5. 미성숙 - 성숙이론

(1) 의의

아지리스(Argyris)의 미성숙 - 성숙이론은 개인이 미성숙상태에서 성숙상태로 계속 발전하면서 조직의 목적에 공헌하기 위해 변화과정을 거친다는 것이다. 즉 개인이 미성숙상태에서 성숙상태로 변화한다는 가정하에서 조직이 구성원의 이러한 변화과정을 인식하고 이에 맞는 경영환경을 제시해 주어야 구성원과 조직 간의 갈등이 줄어든다는 것이다.

(2) 욕구구분

아지리스는 개인의 상태를 7가지 관점에서 미성숙상태와 성숙상태로 구분하였다. 조직구성원들의 미성숙상태는 조직의 경직성으로 인한 조직구성원의 생산력 저하를 의미하는데 이러한 미성숙상태를 방지하기 위해 조직은 경직성을 버리고 구성원의 사기를 높이는데 중점을 두어 구성원들을 다시 성숙상태로 변화하게 한다.

① **미성숙상태**: 수동적, 의존적, 단순한 행동, 변덕스럽고 얕은 관심, 단기적 전망, 종속적 지위, 자기자각의 결여 등과 같은 행동방식을 가지고 있다.

② **성숙상태**: 능동적, 독립적, 다양한 방식의 행동, 깊고 강한 관심, 장기적 전망, 동등 또는 상위의 지위, 자기자각 및 자기통제 등과 같은 행동방식을 가지고 있다.

📋 미성숙 - 성숙이론

미성숙상태		성숙상태
수동적(passive)	→	능동적(active)
의존적(dependence)	→	독립적(independence)
단순한 행동(limited behavior)	→	다양한 방식의 행동(diverse behavior)
변덕스럽고 얕은 관심(shallow interest)	→	깊고 강한 관심(deep interest)
단기적 전망(short-time perspective)	→	장기적 전망(long-time perspective)
종속적 지위(subordinate position)	→	동등 또는 상위의 지위(superordinate position)
자기자각의 결여(lack of self-awareness)	→	자기자각 및 자기통제(self-awareness & control)

6. 성취동기이론

(1) 의의

맥클리랜드(McClelland)의 성취동기이론(achievement motivation theory)은 개인과 환경이 상호작용하는 과정을 통해 학습이 일어나고, 이러한 학습을 통해 개인의 동기가 유발될 수 있다는 것이다. 즉 욕구는 학습된다는 것이다. 각 욕구에 대한 개인의 욕구수준은 성장 초기의 사회화 과정에서 남과 어울리고 공동생활을 하면서 경험을 통하여 학습된다. 이렇게 학습된 욕구는 평소에는 잠재되어 있다가 주변 상황이 적합해지면 표출되어 개인의 의식과 행동을 지배하면서 동기를 유발하게 된다. 또한, 인간의 욕구는 학습된 것이기 때문에 인간의 행동에 영향을 미치는 욕구의 서열은 사람마다 다르다고 주장하였으며, 성취욕구를 가장 강조하였다.

(2) 욕구구분

① **친교욕구(need for affiliation)**: 타인과 바람직한 또는 좋은 관계를 유지하여 협력을 얻으려는 욕구이다. 친교욕구가 강한 사람은 타인에 대하여 따뜻하고 친근한 관계유지에 관심이 있다. 친교욕구가 큰 사람의 단점으로는 갈등을 일으킬 만한 소지가 있는 조직 내 의사결정을 수행할 때 다른 사람과의 친화력으로 인하여 결정에 어려움을 겪을 수 있다는 것이다.

② **권력욕구(need for power)**: 환경을 지배하려는 욕구 또는 타인의 행동에 영향을 미치고자 하는 욕구이다. 강한 권력욕구를 가진 사람은 일반적으로 타인을 통제하거나 타인에게 지시하고자 하며 리더-부하의 관계를 유지하는데 관심을 둔다.

③ **성취욕구(need for achievement)**: 개인이 우수한 목표 또는 보다 높은 목표를 설정해 놓고 이를 달성하려는 욕구이다. 성취욕구가 강한 개인은 과업완수만을 생각하는 경향이 있기 때문에 수행하는 과업에 대한 해결책을 찾는데 몰두하고, 약간 어려운 목표를 설정하려는 경향이 있으며 수행한 업무에 대해서는 구체적인 피드백을 받고자 한다. 반대로 성취욕구가 약한 개인은 금전적인 보상이 주어지는 경우에만 동기부여되는 경향을 보인다.

3 동기부여이론 – 과정이론

1. 의의

과정이론(process theory)이란 동기유발의 과정을 중심으로 동기부여를 규명하고자 하는 이론을 말한다. 따라서 과정이론에서는 동기유발에 영향을 주는 변수들이 어떻게 서로 연관되어 있는가를 중심으로 분석하여 개인의 동기유발과 행동선택과정을 설명하였다.

2. 브룸의 기대이론

(1) 의의

브룸(V. Vroom)의 기대이론(expectancy theory)은 동기부여의 강도를 기대감, 수단성, 유의성의 곱으로 설명하였다. 즉 개인들은 자신들이 어떤 행동을 하며 그에 따라 특정 결과가 나타날 것이라는 기대감, 수단성, 유의성의 강도에 따라 상이하게 행동한다는 것이다. 이러한 기대이론은 곱셈모형이기 때문에 세 가지 요소 중에 어느 하나가 0이 된다면 동기부여 자체가 0이 될 수 있으며, 심지어 음(-)의 값을 가질 수도 있다. 또한, 개인의 욕구를 설명할 때 다른 사람들과의 관계를 배제하고 있으며, 개인이 의사결정을 할 때는 동기부여의 강도(motivation force)의 값이 가장 큰 대안을 선택한다고 설명하고 있다. 결국, 개인의 동기를 유발시키는 방법은 기대감, 수단성, 결과에 대한 유의성을 높여 주는 것이다.

동기부여의 강도 = 기대감 × 수단성 × 유의성

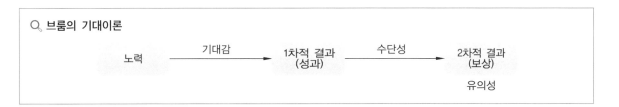

(2) 구성요소

① **기대감(expectancy)**: 개인이 노력했을 때 얼마나 1차적 결과를 달성할 수 있는가에 대한 가능성 또는 확률에 대한 확신($0 \leq e \leq 1$)을 의미한다. 기대감은 과거에 성공했거나 실패한 경험과 자신감 등의 영향을 받기 때문에 주관적인 속성을 가진다.

② **수단성(instrumentality)**: 개인이 지각하는 1차적 결과(성과)와 2차적 결과(보상) 사이의 상관관계($-1 \leq i \leq 1$)를 의미한다. 수단성을 강화하기 위해서는 1차적 결과와 2차적 결과와의 관련성을 명확히 해야 한다.

③ **유의성(valence)**: 각 개인들이 2차적 결과에 대해서 느끼는 중요성 또는 가치의 정도로 특정 보상에 대한 선호의 강도를 의미한다. 따라서 유의성은 개인의 욕구를 반영시키며, 보상, 승진, 인정과 같은 긍정적(적극적) 유의성(positive valence)과 과업과정에서의 압력과 벌 등의 부정적 유의성(negative valence)으로 구분된다.

3. 포터와 로울러의 기대이론

(1) 의의

포터(Porter)와 로울러(Lawler)의 기대이론(expectancy theory)은 단순하게 결과와 동기부여를 연결하는 데 그치지 않고 여러 변수들을 추가하여 브룸의 기대이론을 발전시켰다. 따라서 노력과 성과, 성과와 보상의 인과적인 설명방식을 사용한 브룸의 기대이론과 달리 포터와 로울러는 외부의 관찰가능한 행동에 의하여 노력 자체가 변화될 수 있다는 점을 강조하고 있다. 또한, 보상을 내재적 보상과 외재적 보상으로 구분하고, 공정성이론의 개념을 도입하여 보상과 만족 사이의 관계를 인지적인 관점에서 설명하였다.

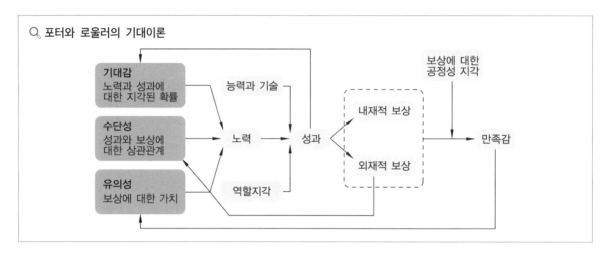

(2) 구성요소

포터와 로울러는 브룸의 기대이론에 능력과 기술, 역할지각, 외재적·내재적 보상, 보상에 대한 공정성 지각, 만족감 등의 변수를 추가하였다.
① 능력과 기술은 직무담당자가 보유한 능력과 기술을 의미하며, 직무성과는 이의 영향을 받을 수 있다.
② 역할지각은 역할에 대하여 올바르게 지각될 때 성과달성에 필요한 노력을 증가시키고 불필요한 노력을 줄일 수 있다.
③ 외재적·내재적 보상과 보상에 대한 공정성 지각은 보상이 성과에 영향을 준다는 것을 보여주며, 보상이 개인수준에 부합된다면 만족감이 나타나게 된다.

4. 공정성이론

(1) 의의

아담스(Adams)의 공정성이론(equity theory)은 특정인이 자신의 노력과 그 결과로 얻어지는 보상과의 관계를 다른 사람(비교대상 또는 준거인물)의 경우와 비교하여 자신이 느끼는 공정성[34]이 동기유발에 영향을 미친다는 것이다. 즉 개인은 보상의 크기와 공정성을 극대화시키는 데 초점을 두고, 자신의 공헌과 보상의 크기를 준거인물의 공헌과 보상의 크기와 비교하여 동기부여의 수준을 결정한다는 것이다. 그러나 개인이 준거인물을 어떻게 선정하는지에 대하여 구체적인 설명이 필요하며, 투입과 산출의 객관적 측정이 어렵기 때문에 투입 또는 결과를 인식하는 과정에 대한 심리적 과정의 보완이 필요하다.

---

[34] 공정성은 배분적(distributive), 절차적(procedural), 상호적(interactional) 공정성이라는 세 가지 측면을 가진다. 배분적 공정성은 조직의 자원을 구성원들 사이에 공평하게 분배했는지의 문제이며, 절차적 공정성은 구성원들에게 나누어 줄 분배량을 결정하는 절차(과정)가 공정했는지의 여부이다. 그리고 상호적 공정성은 자원분배가 아닌 인간관계에서 상하 간에 또는 조직과 구성원 간 공정한 관계를 가졌는지의 여부이다. 이 중 아담스(Adams)는 배분적 공정성에 초점을 맞추고 있다.

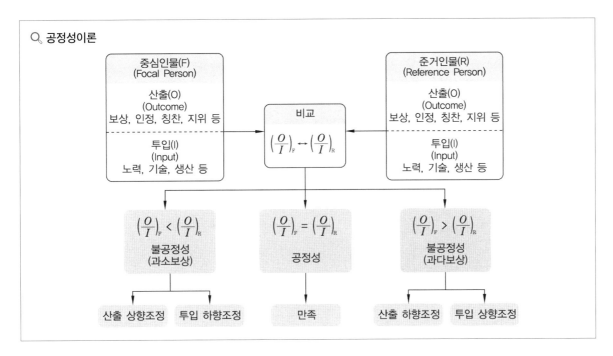

○ 공정성이론

중심인물(F)
(Focal Person)

산출(O)
(Outcome)
보상, 인정, 칭찬, 지위 등

투입(I)
(Input)
노력, 기술, 생산 등

준거인물(R)
(Reference Person)

산출(O)
(Outcome)
보상, 인정, 칭찬, 지위 등

투입(I)
(Input)
노력, 기술, 생산 등

비교
$$\left(\frac{O}{I}\right)_F \leftrightarrow \left(\frac{O}{I}\right)_R$$

$\left(\frac{O}{I}\right)_F < \left(\frac{O}{I}\right)_R$
불공정성
(과소보상)

산출 상향조정 　 투입 하향조정

$\left(\frac{O}{I}\right)_F = \left(\frac{O}{I}\right)_R$
공정성

만족

$\left(\frac{O}{I}\right)_F > \left(\frac{O}{I}\right)_R$
불공정성
(과다보상)

산출 하향조정 　 투입 상향조정

(2) 불공정성의 해소방법[35]

① **투입 또는 산출의 변경**: 투입 또는 산출을 증가시키거나 감소시킴으로써 타인과의 균형을 유지하려고 하는 것이다.

② **준거인물의 투입 또는 산출의 변경**: 준거인물의 투입 또는 산출을 변경하는 것은 자기 자신의 투입 또는 산출을 조정하는 것보다 훨씬 어려운 방법이다. 일반적으로 자기 자신의 투입과 산출의 조정방향과는 반대로 나타난다.

③ **투입과 산출의 인지적 왜곡**: 실제로 투입이나 산출을 변경시키지 않고 투입과 산출의 중요성에 대한 개념을 변경 또는 조정함으로써 준거인물의 비율과 균형을 맞추려고 노력한다.

④ **이직**: 극단적인 대처방안으로 아예 직장을 옮겨버림으로써 사회적 관계를 끊는 방법이다. 이러한 이유에서 공정성이론을 통해 이직이나 사직의 원인을 설명하기도 한다.

⑤ **준거인물의 변경**: 개인은 준거인물을 변경함으로써 불공정성을 해소시킬 수 있다.

5. 목표설정이론

(1) 의의

록크(Locke)의 목표설정이론(goal setting theory)은 개인의 목표가 개인의 동기유발에 직접적인 요인으로 작용한다는 전제하에 조직구성원의 의식적인 목표와 과업성과 간의 관계를 설명하였다. 즉 개인의 성과가 목표에 의하여 결정된다는 것이다. 일반적으로 목표는 다음과 같은 네 가지 측면에서 중요하다.

① 목표는 관심을 나타낸다. 즉 목표는 무엇이 적절하고 중요한지에 대한 종업원들의 관심에 초점을 두고 있다.

---

35) 공정성이론은 페스팅거(Festinger)의 인지부조화 개념에 근거하고 있다. 즉 각 개인은 상대방으로부터 자신의 공헌에 대한 정당하고 공평한 대가를 받아야 한다고 보는데 그 정당성 여부는 자기의 공헌·보상만 보고 판단하는 것이 아니라 남의 것과 비교한 후에 판단하며 덜 받은 것으로 판단되면 화를 내거나 더 받으면 죄책감을 느끼고 이 불공정성을 줄이려고 노력한다는 것이다.

② 목표는 노력을 조절한다. 목표는 우리들의 관심사를 말해줄 뿐만 아니라 그렇게 행동하도록 동기를 부여해 준다.

③ 목표는 지속성을 증가시킨다. 지속성은 일정기간 동안 일을 수행하기 위해 사용된 노력을 나타낸다. 지속성이 있는 사람들은 장애물을 극복할 수 있는 방법을 찾아내며, 만일 실패하더라도 변명을 하지는 않는다.

④ 목표는 전략과 실행프로그램 개발을 조장한다. 목표는 사람들로 하여금 목표를 달성할 수 있도록 해주는 전략과 실행프로그램을 개발하도록 도와준다.

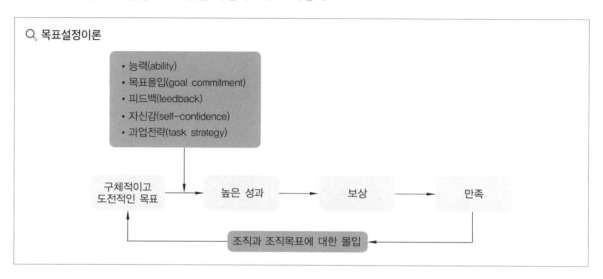

(2) 효과적인 목표의 특성

록크는 개인의 목표가 개인의 동기유발에 직접적인 요인으로 작용한다고 주장하였기 때문에 목표의 설정이 매우 중요한데, 효과적인 목표의 특성은 다음과 같다.

① **구체적인 목표**: 개인은 추상적인 목표를 설정하는 것보다 구체적인 목표가 설정되었을 때 동기유발이 더 잘 일어난다. 그리고 지시에 의하여 설정된 목표가 아니라 공동의 참여를 통해 목표를 설정하였을 때 개인의 목표에 대한 수용도를 높여주기 때문에 동기유발이 더 잘 일어난다.

② **목표의 난이도**: 개인은 달성하기 쉬운 목표보다는 도전적(적정한 수준의 난이도)인 목표가 설정되었을 때 동기유발이 더 잘 일어난다. 이러한 도전적인 목표는 목표달성이라는 성취감을 통해 개인의 성장욕구를 충족시켜 주기 때문이다. 그러나 달성가능성이 없는 목표수준에서는 구성원이 목표달성 노력을 포기하여 오히려 성과가 저하되는 경향이 있다.

(3) 필요요소

목표가 성과로 연결되기 위해서는 능력(ability), 목표몰입(goal commitment), 피드백(teedback), 자신감(self-confidence), 과업전략(task strategy)의 요소가 충족되어야 한다.

① **능력**: 개인이 가지고 있는 지식, 기술 등이다. 개인의 능력이 높으면 일반적으로 성과도 높아진다.

② **목표몰입**: 주어진 목표를 받아들이고 목표달성을 위해 노력하겠다고 결심하는 것이다.

③ **피드백**: 목표설정 측면에서 개인이 목표를 달성했는지, 현재 노력이 목표에 부합되는 것인지를 알 수 있게 해준다. 효과적인 목표설정을 위해 반드시 필요한 항목이다.

④ **자신감**: 주어진 과업을 성공리에 완수할 수 있으리라는 생각이다. 자신감이 높으면 설정된 목표를 달성하기 위해 노력할 가능성이 높아진다.

⑤ **과업전략**: 과업을 효율적으로 수행하는 방법과 노하우(know-how)이다. 효과저인 과업전략은 곧 효과적인 성과로 이어질 수 있다.

6. 자기결정이론

인지적 평가이론(cognitive evaluation theory)[36]은 자기결정이론으로 발전하였다. 자기결정이론(self-determination theory)은 사람들이 자기행동에 대해서는 자기 스스로 통제할 수 있기를 희망한다는 이론으로 자기 일은 자기가 결정하려 한다는 이론이다. 즉 자신이 스스로 결정한 일이 아니라 외재적 보상 때문에 의무감에서 행동하는 것이라면 사기가 줄어든다는 것이다. 따라서 자기결정이론은 개인행동의 통제원천이 내면에 있는지 또는 외부에 있는지에 초점을 맞추고, 개인들이 자발적으로 나서서 업무를 수행하는 과정에서 외부적으로 금전적 보상을 해주면 내부적 동기가 손상된다는 이론이다. 따라서 자기결정이론에 따르면 칭찬과 피드백 같은 형태의 외재적 보상은 개인의 내재적 동기를 개선시켜 주지만, 강제된 과업에 대한 보상은 동기유발을 줄이게 된다.

---

36) 데시(Deci)의 인지적 평가이론은 어떤 직무에 대하여 내재적 동기가 유발되어 있는 경우에 외재적 보상이 주어지면 내재적 동기가 감소된다는 이론이다.

01 ☐☐☐ 2021년 군무원 7급

성격과 가치관에 대한 설명으로 가장 옳지 않은 것은?

① 성격의 유형에서 내재론자(internals)와 외재론자(externals)는 통제의 위치(locus of control)에 따라 분류된다.
② 성격측정도구로는 MBTI와 빅파이브 모형이 있다.
③ 가치관은 개인의 판단기준으로 인간의 특성을 구분 짓는 요소 중 가장 상위개념으로 생각할 수 있다.
④ 로키치(Rokeach)는 가치관을 수단적 가치(instrumental value)와 궁극적 가치(terminalvalue)로 분류하고, 궁극적 가치로서 행동방식, 용기, 정직, 지성 등을 제시했다.

> **해설**
>
> 로키치(Rokeach)는 가치관을 수단적 가치(instrumental value)와 궁극적 가치(terminalvalue)로 분류하였는데, 행동방식, 용기, 정직, 지성 등은 수단적 가치에 해당한다. **정답 ④**

02 ☐☐☐ 2024년 군무원 9급

잠재적 창의성에 대한 설명으로 가장 적절하지 않은 것은?

① 창의적인 업무는 전문성이 기본이다.
② 똑똑한 사람은 복잡한 문제를 푸는 데 능숙하기 때문에 창의적이다.
③ 희망, 자기효과성, 긍정성은 개인의 창의성을 파악할 수 있는 요소이다.
④ 창의성은 바람직한 많은 개별적 특성과 관계가 있어 윤리와 상관관계가 높다.

> **해설**
>
> 창의성과 윤리와의 상관관계는 높지 않다. **정답 ④**

03 □□□ 2019년 군무원

자신의 문제를 말하기 껄끄러울 때 남의 이야기에 빗대어 말하는 방법을 무엇이라고 하는가?

① 프로빙(probing)
② 래더링(laddering)
③ 투사(projection)
④ 에스노그래피(ethnography)

해설

투사(projection) 또는 투영효과는 평가대상에 지각자의 감정을 귀속시키는 데서 발생하는 지각오류를 말한다. 다른 사람들도 나의 태도나 감정 등과 똑같을 것이라고 단정하는 경향으로 지각자가 처해 있는 주관적인 상황을 객관적인 상황으로 인식하는 지각오류이다. 따라서 자신의 문제를 말하기 껄끄러울 때 남의 이야기에 빗대어 말하는 방법은 투사에 해당한다.　　**정답 ③**

04 □□□ 2022년 국가직

감정노동(emotional labor)에 대한 설명으로 옳지 않은 것은?

① 감정노동이란 업무현장에서 근로자가 느끼는 감정에 맞추어 조직의 노동문화를 바꿔야 하는 노동을 의미한다.
② 감정부조화(emotional dissonance)는 근로자들이 조직에서 느끼는 감정과 조직에서 요구하는 감정이 다를 때 나타나는 내적 갈등 현상이다.
③ 감정부조화 발생 시, 근로자들은 표면연기(surface acting)와 심층연기(deep acting) 두 가지 전략으로 대응할 수 있다.
④ 표면연기는 실제 느끼는 감정과 상관없이 조직에서 요구하는 적합한 감정을 겉으로 표현하는 것이다.

해설

감정노동은 효과적인 직무수행을 위하여 개인이 실제로 경험하는 감정상태와 요구되는 감정의 표현 사이에 차이가 발생할 때 자신의 감정을 조절하고자 하는 노력을 의미한다. 따라서 감정노동이 업무현장에서 근로자가 느끼는 감정에 맞추어 조직의 노동문화를 바꿔야 하는 노동을 의미한다는 설명은 옳지 않다.　　**정답 ①**

05 ☐☐☐ 2021년 군무원 7급

지각과정과 지각이론에 대한 설명으로 옳지 않은 것은?

① 지각의 정보처리 과정은 게스탈트 과정(gestalt process)이라고도 하며, 선택, 조직화, 해석의 3가지 방법으로 이루어진다.

② 일관성은 개인이 일정하게 가지는 방법이나 태도에 관련된 것으로, 한번 형성을 하게 된다면 계속적으로 같은 습성을 유지하려 한다.

③ 켈리(Kelly)의 입방체 이론은 외적 귀인성을 일관성(consistency)이 높고, 일치성(consensus), 특이성(distinctiveness)이 낮은 경우로 설명했다.

④ 지각의 산출물은 개인의 정보처리 과정과 지각적 선택에 의해서 달라지는데 이는 개인의 심리적 특성과 연관이 있다.

해설

켈리(Kelly)의 입방체 이론은 외적 귀인성을 일관성(consistency)이 낮고, 일치성(consensus), 특이성(distinctiveness)이 높은 경우로 설명했다.

정답 ③

06 ☐☐☐ 2023년 국가직

귀인이론(attribution theory)에 대한 설명으로 옳은 것은?

① 자존적 귀인오류(self-serving bias)는 타인의 행동을 평가할 때 외재적 요인에 대해서 과소평가하고 내재적 요인에 대해서 과대평가하는 것이다.

② 행위자 – 관찰자 편견(actor-observer bias)은 어떤 행동에 대해 자기가 행한 행동에 대해서는 외재적 귀인을 하고 타인이 행한 행동에 대해서는 내재적 귀인을 하는 것이다.

③ 근본적 귀인오류(fundamental attribution error)는 자신의 성공에 대해서는 내재적 귀인을 하고 실패에 대해서는 외재적 귀인을 하는 것이다.

④ 관찰한 행동의 원인은 그 행동의 합의성(consensus)과 특이성(distinctiveness)이 높을 때 내재적 요인에 의해 귀인된다.

해설

① 자존적 귀인오류(self-serving bias) 또는 자존적 편견은 평가자가 자신의 자존심을 지키기 위하여 자신이 실패했을 때는 자신의 외부적 요인에서 원인을 찾고, 자신의 성공에 내해서는 내부적 요인에서 원인을 찾으려는 경향을 의미한다.

③ 근본적 귀인오류(fundamental attribution error)는 사건의 원인에 대해서 외적 요인을 간과하거나 무시하고 행위자의 내적 요인으로 귀인하려는 오류이다. 자신의 성공에 대해서는 내재적 귀인을 하고 실패에 대해서는 외재적 귀인을 하는 것은 자존적 귀인오류(편견)이다.

④ 관찰한 행동의 원인은 그 행동의 합의성(consensus)과 특이성(distinctiveness)이 높을 때 외재적 요인에 의해 귀인된다.

정답 ②

07 □□□ 2021년 군무원 5급

켈리(Kelly)의 귀인이론에 따르면 사람들은 타인행동의 원인을 알고 이에 대처하는 경향이 있다. 만일 다른 사람의 행동이 외부적 요인이라고 생각하면 사람들은 그 타인에 대해 너그러운 반응을 보인다. '사람들은 어떤 경우에 이런 행동을 하게 되는가'에 대한 설명으로 가장 옳은 것은?

① 타인행동의 높은 특이성　　　　　　　② 타인행동의 다른 사람과의 낮은 합의성
③ 타인행동의 높은 일관성　　　　　　　④ 타인행동의 높은 개연성

> **해설**
>
> 해당 사례는 외적 귀인에 해당하는 사례이다. 켈리(Kelly)의 귀인이론에 따르면 높은 합의성(일치성), 높은 특이성, 낮은 일관성을 보이는 경우에 외적귀인하게 된다.　　　　　정답 ①

08 □□□ 2024년 군무원 9급

개인이 사물, 사람, 사건에 대해 가지는 주관적인 경험을 나타내는 태도를 구성하는 요소가 아닌 것은?

① 정서적 요소　　　　　　　　　　　　② 인지적 요소
③ 관계적 요소　　　　　　　　　　　　④ 행위적 요소

> **해설**
>
> 태도는 인지적 요소, 정서적 요소, 행위적 요소로 구성되어 있다.　　　　　정답 ③

09 □□□ 2021년 군무원 7급

태도와 학습에 대한 설명으로 가장 옳지 않은 것은?

① 강화이론에서 부정적 강화(negative reinforcement)는 바람직하지 못한 행위를 소멸시키기 위한 강화방법이다.
② 단속적 강화 유형에서 빠른 시간 내에 안정적인 성과 달성을 하기 위해서는 고정비율법이 효과적이다.
③ 레빈(Lewin)은 태도의 변화과정을 해빙, 변화, 재동결의 과정을 거쳐 이루어진다고 했으며, 이러한 태도 변화는 개인수준 뿐만 아니라 집단, 조직 수준에서도 같은 방법으로 나타나게 된다.
④ 마이어와 알렌(Meyer & Allen)은 조직몰입(organization commitment)을 정서적(affective)몰입, 지속적(continuance)몰입, 규범적(normative)몰입으로 나누어 설명했다.

> **해설**
>
> 부정적 강화는 바람직한 행동이 일어난 후에 부정적 자극을 제거하거나 감소시킴으로써 그 행동을 반복시키는 강화전략을 의미한다. 즉 바람직한 행동이 발생했을 때 불편자극을 철회하는 것이다. 따라서 부정적 강화는 바람직한 행위를 증가시키기 위한 강화방법이다.　　　　　정답 ①

10 □□□ 2022년 군무원 5급

다음 중 조직 몰입(organizational commitment)에 대한 설명으로 가장 옳지 않은 것은?

① 조직 몰입은 조직에 대한, 그리고 조직의 목표에 대한 인식을 분명히 한 상태에서 그 조직에 남아 조직의 일원이 되고자 하는 바람의 정도이다.
② 감정적 조직 몰입은 조직에 남아 있는 이유가 조직에 대한 강한 애정일 때 나타난다.
③ 규범적 조직 몰입은 조직에 남아 있는 이유가 자신이 떠난 이후에 회사에 미칠 피해 등으로 인한 걱정, 도덕적, 윤리적 책임감 때문일 때 나타난다.
④ 재무적 조직 몰입은 조직에 남아 있는 이유가 생계, 경제적 가치를 위한 것일 때 나타난다.

해설

조직몰입에는 정서적(감정적) 몰입, 지속적 몰입, 규범적 몰입이 있다. 따라서 조직에 남아 있는 이유가 생계, 경제적 가치를 위한 것일 때 나타나는 조직몰입은 지속적 몰입이다.   **정답 ④**

11 □□□ 2023년 서울시

동기부여의 내용이론이 아닌 것은?

① 성취동기이론
② 2요인이론
③ 기대이론
④ ERG이론

해설

성취동기이론, 2요인이론, ERG이론은 내용이론에 해당하고, 기대이론은 과정이론에 해당한다.   **정답 ③**

12 □□□ 2019년 군무원

다음 중 매슬로우(Maslow)의 욕구에 해당하지 않은 것은?

① 자아실현 욕구
② 존경욕구
③ 성장욕구
④ 생리적 욕구

해설

성장욕구는 알더퍼(Alderfer)가 ERG이론에서 제시한 욕구에 해당한다.   **정답 ③**

13 □□□ 2017년 군무원

매슬로우(Maslow)의 욕구단계이론에서 욕구들을 낮은 단계에서부터 높은 단계의 순서대로 나열한 것으로 가장 옳은 것은?

ㄱ. 생리적 욕구	ㄴ. 안전 욕구
ㄷ. 사회적 욕구	ㄹ. 존경 욕구
ㅁ. 자아실현 욕구	

① ㄱ - ㄴ - ㄷ - ㄹ - ㅁ   ② ㄱ - ㄴ - ㄷ - ㅁ - ㄹ

③ ㄴ - ㄱ - ㄷ - ㅁ - ㄹ   ④ ㄴ - ㄷ - ㄱ - ㄹ - ㅁ

해설

매슬로우는 인간의 욕구를 생리적 욕구, 안전 욕구, 사회적(소속) 욕구, 존경(자존) 욕구, 자아실현 욕구로 구분하였다. 즉 가장 하위욕구인 생리적 욕구가 어느 정도 충족되면 안전 욕구가 중요해지고, 이것이 어느 정도 충족되면 사회적(소속) 욕구, 존경(자존) 욕구, 자아실현 욕구가 순서대로 중요해지게 된다는 것이다. **정답 ①**

14 □□□ 2018년 군무원

동기부여의 내용이론에 대한 다음 설명 중 가장 옳은 것은?

① 매슬로우(Maslow)의 욕구단계이론에서 인간의 욕구는 생리적욕구 - 사회적욕구 - 안전욕구 - 존경욕구 - 자아실현욕구의 순으로 동기부여가 이루어진다.

② ERG이론은 다수의 욕구가 동시에 충족될 수 없다고 보았다.

③ 허쯔버그(Herzberg)의 2요인이론에서 동기요인에는 성취감, 임금 등이 있다.

④ 맥클리랜드(McClelland)는 친교욕구, 권력욕구, 성취욕구 중 성취욕구를 가장 중요시하였다.

해설

맥클리랜드(McClelland)는 개인과 환경이 상호작용하는 과정을 통해 학습이 일어나고, 이러한 학습을 통해 개인의 동기가 유발될 수 있다고 주장하였다. 따라서 인간의 욕구는 학습된 것이기 때문에 인간의 행동에 영향을 미치는 욕구의 서열은 사람마다 다르다고 주장하였다. 또한, 맥클리랜드(McClelland)는 친교욕구, 권력욕구, 성취욕구 중 성취욕구를 가장 중요시하였다.

① 매슬로우(Maslow)의 욕구단계이론에서 인간의 욕구는 생리적 욕구 - 안전욕구 - 사회적 욕구 - 존경욕구 - 자아실현욕구의 순으로 동기부여가 이루어진다.

② ERG이론은 욕구들 간의 진행뿐만 아니라 좌절-퇴행도 가능하다고 보았기 때문에 상위욕구가 만족되지 않으면 하위욕구가 강화된다고 보았고, 이로 인해 다수의 욕구가 동시에 충족될 수 있다고 보았다.

③ 허쯔버그(Herzberg)의 2요인이론에서 동기요인에는 성취감, 인정, 책임감, 성장, 발전, 보람 있는 직무내용, 존경 등이 있고, 위생요인에는 임금, 안정된 직업, 작업조건, 지위, 경영방침, 관리, 대인관계 등이 있다. **정답 ④**

15 ☐☐☐ 2021년 군무원 5급

사랑에 실패한 사람들 중에는 갑자기 식욕이 느는 경우가 있다고 한다. 이 현상을 설명할 수 있는 이론으로 가장 적절한 것은?

① ERG(존재관계성장) 이론
② 2요인 이론
③ 욕구단계이론
④ XY이론

해설

사랑에 실패한 사람들 중에는 갑자기 식욕이 느는 경우는 좌절 - 퇴행에 해당한다. 따라서 이 현상을 설명할 수 있는 이론은 ERG(존재관계성장) 이론이 적절하다.

정답 ①

16 ☐☐☐ 2021년 국가직

허즈버그(F. Herzberg)의 동기 - 위생이론(two-factor theory: 2요인 이론)에 대한 설명으로 옳지 않은 것은?

① 동기요인은 직무만족 요인이며, 위생요인은 직무불만족 요인이다.
② 작업조건, 고용안정, 회사정책은 위생요인이다.
③ 직무의 불만족요인을 제거하고, 만족요인으로 동기를 유발해야 성과를 높일 수 있다.
④ 만족요인인 종업원의 임금 인상으로 성과를 높일 수 있다.

해설

종업원의 임금은 위생요인(불만족 요인)에 해당한다.

정답 ④

17 ☐☐☐ 2023년 군무원 9급

허츠버그(F. Herzberg)의 2요인이론(two-factor theory)에 대한 설명으로 가장 적절한 것은?

① 임금, 작업조건, 회사정책은 위생요인에 해당한다.
② 위생요인을 개선하면 만족이 증가한다.
③ 직장에서 타인으로부터 인정받지 못한 직원은 불만족하게 된다.
④ 불만족을 해소시키면 만족이 증가한다.

해설

② 위생요인을 개선하면 불만족이 감소하고, 만족과는 관련이 없다.
③ 직장에서 타인으로부터 인정받지 못한 직원은 만족이 감소하게 된다. 왜냐하면 인정은 동기요인에 해당하기 때문이다.
④ 불만족과 만족은 별개의 차원이다.

정답 ①

18 □□□ 2017년 군무원

허쯔버그(F. Herzberg)의 2요인이론에 대한 다음 설명 중 가장 옳은 것은?

① 위생요인의 관리를 통해 직원의 동기수준(만족도)을 높일 수 있다.
② 위생요인의 예로는 고용안정성, 업무조건, 회사정책, 성취감 등이 있다.
③ 허쯔버그는 불만족 원인의 제거를 통해 만족의 상승을 이끌어 낼 수 있다고 보았다.
④ 허쯔버그는 욕구와 관련된 요인을 불만족 해소와 만족 증진 차원으로 나누었다.

해설

허쯔버그(Herzberg)의 2요인이론(two factor theory)은 개인의 동기를 자극하는 요인은 위생요인과 동기요인이라는 두 가지가 있다는 것이며, 이 두 가지 요인은 인간의 만족과 불만족과 관련하여 각각 다른 차원에서 존재하고 있음을 강조하였다. **정답 ④**

19 □□□ 2024년 군무원 7급

다음은 동기부여 이론들 중 허즈버그(F. Herzberg)의 2요인 이론(two-factor theory)에 관한 설명들이다. 가장 적절하지 않은 것은?

① 2요인이란 직무만족과 관련되는 동기요인과 직무 불만족과 관련된 위생요인을 말한다.
② 직무 불만족과 관련된 외적 요인들을 위생요인(hygiene factory)이라 하며, 이들을 적절히 관리하면 불만을 갖지 않게 됨에 따라 동기부여 효과가 적극적으로 발생하게 된다.
③ 직무만족과 관련된 내적 요인들을 동기요인(motivator)이라 하며, 이들을 적절하게 관리하면 동기부여 효과가 발휘되게 된다.
④ 성취감, 인정감, 책임감 등은 동기요인에, 감독, 회사정책, 작업조건, 동료와의 관계 등은 위생요인에 해당한다.

해설

위생요인은 직무 불만족에만 관련되어 있기 때문에 위생요인이 충족되더라도 동기부여 효과가 발생하지는 않는다. **정답 ②**

20 □□□ 2013년 국가직

동기이론 중 허쯔버그(F. Herzberg)의 2요인이론(two factor theory)에 대한 설명으로 옳지 않은 것은?

① 임금, 작업조건, 동료관계 등은 동기유발요인에 해당된다.
② 동기유발요인은 만족요인, 위생요인은 불만족요인이라고 한다.
③ 만족과 불만족을 동일 차원의 양 극점이 아닌 별개의 차원으로 본다.
④ 직무불만족은 직무 상황과 관련되고, 직무만족은 직무 내용과 관련된다.

해설

임금, 작업조건, 동료관계 등은 위생요인에 해당된다. **정답 ①**

21 □□□ 2023년 국가직

동기부여에 대한 설명으로 옳지 않은 것은?

① 브룸(Vroom)의 기대이론에서 도구성(instrumentality)은 목표달성과 보상 간의 연결에 대해 개인이 지각하는 주관적 확률이다.
② 직무특성모형에서 피드백은 작업의 의미감을 주고, 공정성은 작업성과의 책임감을 경험하게 해 준다.
③ 앨더퍼(Alderfer)는 ERG 이론을 통해, 특정 욕구의 충족이 좌절되었을 때 하위 욕구를 추구하는 퇴행현상이 나타남을 제시하였다.
④ 허즈버그(Herzberg)의 2요인이론에서, 위생요인은 불만족의 방지 혹은 감소와 관계가 있다.

해설

직무특성모형에서 피드백은 작업활동의 결과에 대한 지식이 필요하고, 자율성은 작업성과의 책임감을 경험하게 해 준다.   **정답** ②

22 □□□ 2017년 국가직

브룸(V. Vroom)의 기대이론에 대한 설명으로 옳지 않은 것은?

① 자기효능감이 높고 목표의 난이도가 낮으면 기대가 커진다.
② 조직에 대한 신뢰가 낮고 의사결정이 조직정치에 의하여 좌우된다는 인식이 강할수록 수단성이 커진다.
③ 개인적 욕구와 가치관, 목표에 부합되는 보상이 주어지면 유의성이 커진다.
④ 유의성, 수단성, 기대감 중 어느 하나라도 0이 발생하면 동기는 일어나지 않는다.

해설

수단성이란 개인이 지각하는 1차적 결과(성과)와 2차적 결과(보상) 사이의 상관관계를 의미하는데, 수단성을 강화하기 위해서는 1차적 결과와 2차적 결과와의 관련성을 명확히 해야 한다. 따라서 조직에 대한 신뢰가 낮고 의사결정이 조직정치에 의하여 좌우된다는 인식이 강할수록 수단성이 작아진다.   **정답** ②

23 □□□ 2022년 군무원 7급

다음 동기부여 이론 중에서 빅터 브룸(Victor Vroom)의 기대이론(expectancy theory)에 대한 설명으로 가장 옳은 것은?

① 높은 수준의 노력이 좋은 성과를 가져오고 좋은 성과평가는 임금상승이나 조직적 보상으로 이어진다.
② 강화요인이 바람직한 행동을 반복할 가능성을 높이고 행동이 그 결과의 함수라고 주장하는 이론이다.
③ 직무만족을 가져오는 요인은 직무 불만족을 가져오는 요인과는 서로 분리되고 구별된다.
④ 자기효능감은 어떤 과업을 수행할 수 있다는 개인의 믿음을 의미하며, 자기 효능감이 높을수록 성공할 능력에 더 큰 확신을 가진다.

> **해설**
>
> 브룸(V. Vroom)의 기대이론(expectancy theory)은 동기부여의 강도를 기대감, 수단성, 유의성의 곱으로 설명하였다. 즉, 개인들은 자신들이 어떤 행동을 하며 그에 따라 특정 결과가 나타날 것이라는 기대감, 수단성, 유의성의 강도에 따라 상이하게 행동한다는 것이다. 따라서 기대이론에 대한 설명은 ①이다.
>
> **정답 ①**

24 □□□ 2018년 서울시

동기부여 이론에 대한 설명으로 가장 옳은 것은?

① 허즈버그(Herzberg)의 2요인 이론(dual factor theory)에 의하면 작업환경을 개선하면 종업원의 만족도가 높아진다.
② 애덤스(Adams)의 공정성이론(equity theory)에 의하면 개인의 지각보다는 임금 수준 그 자체가 만족도를 결정하는 핵심적인 요소가 된다.
③ 매슬로우(Maslow)의 욕구계층이론(hierarchy of needs theory)에 의하면 아래에서 네 번째 위치의 사회적 욕구는 존경 욕구 위에 존재한다.
④ 브룸(Vroom)의 기대이론(expectancy theory)에서 수단성(instrumentality)이란 개인행동의 성과가 보상으로 이어질 것이라는 믿음을 가리킨다.

> **해설**
>
> ① 작업환경은 위생요인에 해당하며 위생요인을 증가시켜도 불만족이 없어질 뿐 만족은 증가하지 않는다.
> ② 특정인이 자신의 노력과 그 결과로 얻어지는 보상과의 관계를 다른 사람의 경우와 비교하여 자신이 느끼는 공정성이 동기유발에 영향을 미친다는 것이다.
> ③ 가장 하위욕구인 생리적 욕구가 어느 정도 충족되면 안전 욕구가 중요해지고, 이것이 어느 정도 충족되면 사회적(소속) 욕구, 존경(자존) 욕구, 자아실현 욕구가 순서대로 중요해지게 된다.
>
> **정답 ④**

25 □□□ 2023년 군무원 7급

다음 중 동기부여 이론에 대한 설명으로 가장 적절하지 않은 것은?

① 알더퍼(C. Alderfer)의 ERG이론은 인간의 욕구를 친교욕구, 권력욕구, 성취욕구로 구분하였다.
② 아담스(J. Adams)의 공정성이론(equity theory)에 따르면 준거인과 비교할 때 자신이 과다보상을 받았다고 인식하는 직원은 불공정성을 해소하려는 동기가 유발된다.
③ 브룸(V. Vroom)의 기대이론(expectancy theory)에서 동기부여 강도를 설명하는 변수는 기대감, 수단성, 유의성이다.
④ 허츠버그(F. Herzberg)의 2요인이론(two - factor theory)에서 불만족과 관련된 요인을 위생요인이라고 한다.

해설
알더퍼(C. Alderfer)의 ERG이론은 인간의 욕구를 존재욕구, 관계욕구, 성장욕구로 구분하였다. 인간의 욕구를 친교욕구, 권력욕구, 성취욕구로 구분한 것은 맥클리랜드(McClelland)이다. **정답 ①**

26 □□□ 2018년 국가직

동기부여이론에 대한 설명으로 옳지 않은 것은?

① Y이론적 관점에 따르면 직원은 부정적 강화(Reinforcement)에 의하여 동기부여가 된다.
② 아담스(J. S. Adams)의 공정성이론에 따르면 사람은 자신의 일에 투입한 요소와 그로부터 받은 보상의 비율을 다른 사람의 그것과 비교한다.
③ 2요인이론에서 동기유발요인은 직무에 내재하는 요인들이다.
④ 기대이론에서 동기부여가 되는 정도는 노력과 성과 관련성, 성과와 결과 관련성, 결과와 개인의 욕구 사이의 관련성의 영향을 받는다.

해설
강화이론(reinforcement theory)은 행동주의 학습이론 중 조작적 조건화와 관련된 이론으로 손다이크에 의하여 그 기반이 형성되었고, 스키너에 의해 발전되었다. 여기서 강화란 행동을 발생하게 하거나 행동의 빈도 또는 강도를 증가시키는 절차를 말한다. 따라서 강화에 의하여 동기부여가 된다는 것은 X이론적 관점이다. **정답 ①**

27 □□□ 2022년 군무원 5급

다음은 동기부여에 관한 여러 이론들을 설명한 것이다. 이 중 가장 옳지 않은 것은?

① 공정성 이론(equity theory)에 따르면, 개인이 불공정성에 대한 지각에서 오는 긴장을 감소시키는 방법으로는 자신의 투입(input) 변경, 산출(output) 변경, 투입과 산출의 인지적 왜곡, 비교 대상의 변경 등이 있다.

② 기대이론(expectancy theory)은 개인의 동기수준을 기대감(expectancy), 수단성(instrumentality), 유의성(valence)의 곱으로 설명한다.

③ 허쯔버그(Herzberg)의 2요인 이론(two-factor theory)에서 봉급, 작업조건, 감독, 상급자와의 관계 등은 동기요인(motivator)에 해당하는 것으로, 위생요인(hygiene factor)이 충족되더라도 구성원을 동기화시키지 못하며, 성과향상을 위해서는 동기요인을 충족시켜야 한다고 주장한다.

④ 맥크리랜드(McClelland)의 성취동기 이론(achievement motive theory, three-needs theory)에 따르면, 소속 욕구(need for affiliation)가 높은 사람은 다른 사람의 인정을 받으려고 노력하고, 권력 욕구(need for power)가 높은 사람은 다른 사람을 지배하고 통제하기를 원한다.

해설

허쯔버그(Herzberg)의 2요인 이론(two-factor theory)에서 봉급, 작업조건, 감독, 상급자와의 관계 등은 위생요인(hygiene factor)에 해당하는 것이다.
정답 ③

28 □□□ 2016년 서울시

다음 동기부여 이론들에 대한 설명 중 가장 옳지 않은 것은?

① 매슬로우(Maslow)의 욕구계층이론에 따르면 인간은 하위단계의 욕구가 채워지면 순차적으로 상위단계의 욕구를 채우려 한다고 가정한다.

② 허즈버그(Herzberg)의 2요인이론에서 동기유발 요인은 급여, 작업조건, 고용안정 등 작업환경과 관련된 것을 의미한다.

③ 브룸(Vroom)의 기대이론에 의하면 동기부여는 기대, 보상의 가치, 수단성의 3요소에 의하여 영향을 받는다.

④ 애덤스(Adams)의 공정성이론은 개인의 투입과 산출에 대한 평가에 기초를 두고 있다.

해설

위생요인에는 임금, 안정된 직업, 작업조건, 지위, 경영방침, 관리, 대인관계 등이 있는데, 이들은 직무 외적인 요인들이다. 동기요인에는 성취감, 인정, 책임감, 성장, 발전, 보람 있는 직무내용, 존경 등이 있는데, 이들은 직무 자체 또는 개인의 정신적·심리적 성장에 관련된 요인들이다. 따라서 급여, 작업조건, 고용안정 등 작업환경과 관련된 것은 위생요인에 해당한다.
정답 ②

01 □□□

성격(personality)에 대한 다음 설명 중 가장 옳지 않은 것은?

① 개인의 성격은 환경이나 학습 등에 의하여 변화하기 전까지 일관되게 지속적으로 나타난다.
② 성격의 결정요인으로는 유전적 요인, 상황적 요인, 문화적 요인, 사회적 요인이 있다.
③ 내재론자(internals)는 일반적으로 맥그리거(McGregor)의 X이론적 성향을 가진다.
④ 인간이 가지고 있는 통제의 위치(locus of control)에 따라 내재론자(internals)와 외재론자(externals)로 구분된다.

해설

내재론자(internals)는 일반적으로 맥그리거(McGregor)의 Y이론적 성향을 가진다. **정답 ③**

02 □□□

성격의 분류 중 내재론자의 특징으로 가장 옳지 않은 것은?

① 문제의 원인은 자기 탓에 있다고 본다.
② 걱정이 외재론자보다 적다.
③ 문제해결 능력이 높다.
④ 노력은 외재론자보다 적게 한다.

해설

내재론자는 운명을 바꿀 수 있다고 생각하기 때문에 노력의 수준은 내재론자가 더 높다. **정답 ④**

03 □□□

자신의 목표를 달성하기 위해 다른 사람을 이용하거나 조작하려는 경향과 관련된 성격유형의 특성으로 가장 옳은 것은?

① 선택적 지각
② 마키아벨리적 성향
③ 인상형성
④ 상동적 태도

해설

마키아벨리적 성향(Machiavellianism)이란 실질적이고 비인간적이며 목적달성을 위해 수단방법을 가리지 않고, 권력을 확보하기 위해서 온갖 조작적 수단을 동원하는 권리지향적인 성격 또는 행동경향을 의미한다. **정답 ②**

04 ☐☐☐ 2021년 공인노무사 수정

마키아벨리즘(machiavelism)에 관한 설명으로 옳지 않은 것은?

① 마키아벨리즘은 자신의 이익을 위해 타인을 이용하고 조작하려는 성향이다.
② 마키아벨리즘이 높은 사람은 감정적 거리를 잘 유지한다.
③ 마키아벨리즘이 높은 사람은 남을 잘 설득하며 자신도 잘 설득된다.
④ 마키아벨리즘이 높은 사람은 최소한의 규정과 재량권이 있을 때 높은 성과를 보이는 경향이 있다.

해설

마키아벨리즘(Machiavellism)은 실질적이고 비인간적이며 목적달성을 위해 수단과 방법을 가리지 않는 행동경향을 의미한다. 즉 권력을 확보하기 위해서 온갖 조작적 수단을 동원하는 권력지향적인 성격을 말한다. 약한 마키아벨리즘의 소유자는 주변사람을 도덕적으로 또는 정직하게 대하며 누구를 이용하려 들지 않을 것이다. 그러나 강한 마키아벨리즘의 소유자는 타인을 이용하여 마음대로 구슬리고 냉정하게도 대하면서 수단을 가리지 않고 자신의 목적을 이루려 할 것이다. 실제연구에서도 마키아벨리즘이 높은 사람은 남을 더 설득해서 자기 마음에 들게 하려고 하고 남과의 협상에서 이기려고 더 노력하는 것으로 확인되었다. 따라서 마키아벨리즘이 높은 사람은 남을 잘 설득하지만, 자신도 잘 설득되는 것은 아니다. **정답 ③**

05 ☐☐☐

성격(personality)에 대한 다음 설명 중 가장 옳지 않은 것은?

① 개인차를 명백히 구분할 수 있는 인간행동요인이다.
② 성격의 결정요인으로 유전적인 요인도 있다.
③ B형 인간은 업무처리 속도가 빠르다.
④ 성격은 변화가능성과 지속성의 특징을 가진다.

해설

B형 인간은 덜 경쟁적인 유형으로 작업속도가 일정하며 시간에 얽매이지 않는다. **정답 ③**

06 ☐☐☐ 2021년 가맹거래사 수정

성격에 관한 설명으로 옳지 않은 것은?

① 자신에게 일어나는 일을 통제할 수 있다고 믿으면 내재론자(internal locus of control)라고 한다.
② 마키아벨리즘(machiavellism)은 자신의 목적을 위해 다른 사람을 이용하고 통제하려는 성향이다.
③ 나르시시즘(narcissism)은 위험을 감수하는 성향이다.
④ 자기관찰(self-monitoring)은 환경의 신호를 읽고 해석하여 자신의 행위를 환경요구에 맞춰 조절해가는 성향이다.

해설

나르시시즘(narcissism)은 자기자신에게 애착하는 성향이다. 즉 자기애를 의미한다. **정답 ③**

07 ☐☐☐ 2015년 공인노무사 수정

Big 5 모델에서 제시하는 다섯 가지 성격요소가 아닌 것은?

① 개방성(openness)
② 객관성(objectivity)
③ 외향성(extraversion)
④ 정서적 안정성(emotional stability)

해설

Big 5 모델에서 제시하는 다섯 가지 성격요소는 성실성(conscientiousness), 우호성(agreeableness), 개방성(openness), 외향성(extraversion), 신경증성향(neuroticism)/정서적 안정성(emotional stability)이다. **정답 ②**

08 ☐☐☐ 2023년 공인노무사 수정

성격의 Big 5 모형에 해당하지 않는 것은?

① 정서적 안정성
② 성실성
③ 친화성
④ 모험선호성

해설

성격의 Big 5 모형은 성실성, 우호성(친화성), 경험에 대한 개방성, 외향성, 신경증성향(정서적 안정성)의 5가지 성격요인들로 구성되어 있다. 5가지 요인을 영문 이니셜을 따서 NEOAC라고 부르기도 한다. **정답 ④**

09 ☐☐☐ 2024년 가맹거래사 수정

성격의 Big 5 모형의 요소로 옳은 것은?

① 친화성(agreeableness)
② 자존감(self-esteem)
③ 자기효능감(self-efficacy)
④ 자기관찰(self-monitoring)

해설

성격의 Big 5 모형의 요소에는 성실성, 친화성(우호성), 경험에 대한 개방성, 외향성, 신경증성향(정서적 안정성)이 있다. **정답 ①**

10 □□□

Big 5 모형에 대한 다음 설명 중 가장 옳지 않은 것은?

① 개방성(openness to experience): 호기심이 많고, 새로운 것에 많은 관심을 보이지만 변화는 두려워하는 경향을 보인다.
② 외향성(extraversion): 사교적이고, 명랑하며, 말이 많고, 자신감이 넘친다.
③ 성실성(conscientiousness): 소수의 한정된 목표에 초점과 관심을 집중시키는 정도를 나타낸다.
④ 우호성(agreeableness): 남에게 양보하는 정도를 나타내는 것이다.

해설

개방성은 호기심이 많고, 새로운 것에 관심을 보이며, 변화를 두려워하지 않고 새로운 것을 추구하는 혁신적 성향을 말한다.　　**정답 ①**

11 □□□ 2024년 공인노무사 수정

핵심자기평가(core self-evaluation)가 높은 사람들은 자신을 가능성 있고, 능력있고, 가치있는 사람으로 평가한다. 핵심자기평가의 구성요소를 모두 고른 것은?

ㄱ. 자존감	ㄴ. 관계성
ㄷ. 통제위치	ㄹ. 일반화된 자기효능감
ㅁ. 정서적 안정성	

① ㄱ, ㄴ, ㄷ
② ㄱ, ㄴ, ㅁ
③ ㄱ, ㄴ, ㄹ, ㅁ
④ ㄱ, ㄷ, ㄹ, ㅁ

해설

핵심자기평가(core self-evaluation)는 자신의 자존감을 측정하는 것이다. 핵심자기평가점수가 높은 사람들은 자기 스스로를 긍정적으로 생각하고, 반대로 점수가 낮은 사람들은 자기 스스로 부정적으로 인식하는 경향이 있다. 이러한 핵심자기평가의 척도에는 자존감(self-esteem), 통제위치(locus of control), 일반화된 자기효능감(generalized self-efficacy), 정서적 안정성 또는 신경증 성향(neuroticism)이 있다.　**정답 ④**

12 □□□

가치관(values)에 대한 다음 설명 중 가장 옳지 않은 것은?

① 개인의 생각을 내포하는 판단기준이 된다.
② 마키아벨리적 성향을 가지고 있는 개인은 일반적으로 사회중심적 가치관을 가지고 있다.
③ 개인의 가치체계는 가치관의 상대적 중요성에 따라 순위가 매겨져 있다.
④ 로키치(Rokeach)는 가치관을 최종적 가치와 수단적 가치로 구분하였다.

해설

마키아벨리적 성향을 가지고 있는 개인은 일반적으로 조작적 가치관을 가지고 있다.　　**정답 ②**

13 ☐☐☐ 2024년 가맹거래사 수정

로키치(M. Rokeach)의 수단가치(instrumental values)로 옳지 않은 것은?

① 야망(ambitious)
② 용기(courageous)
③ 청결(clean)
④ 자유(freedom)

해설

로키치(M. Rokeach)는 가치를 최종가치(terminal value)와 수단가치(instrumental values)로 구분하였는데, 최종가치는 개인이 궁극적으로 달성하고자 하는 최종의 목표를 말하고 수단가치는 최종가치를 달성하기 위해 개인적으로 선호되는 행동방식을 말한다. 따라서 주어진 보기 중에서 자유는 최종가치에 해당한다.

정답 ④

14 ☐☐☐

지각정보처리모형에 대한 다음 설명 중 가장 옳지 않은 것은?

① 선택(selection)이란 지각자가 관심이 있는 것은 지각을 하고 관심 밖에 있는 것은 지각하지 않는다는 것을 말한다.
② 조직화(organization)에는 집단화(grouping), 폐쇄화(closure), 단순화(simplification) 등의 방법이 있다.
③ 해석(interpretation)은 객관적이며 쉽게 왜곡될 수 없다.
④ 조직화(organization)란 지각이 된 대상이 분리된 형태로 존재할 수 없기 때문에 하나의 형태로 만들어가는 과정을 말한다.

해설

해석(interpretation)은 주관적이며 쉽게 왜곡될 수 있다.

정답 ③

15 ☐☐☐ 2016년 공인노무사 수정

다음 설명에 해당하는 지각오류는?

> 어떤 대상(개인)으로부터 얻은 일부 정보가 다른 부분의 여러 정보들을 해석할 때 영향을 미치는 것

① 자존적 편견
② 후광효과
③ 투사
④ 대조효과

해설

후광효과(halo effect)란 어떤 대상이 가지는 개인적 특성(지능, 사교성, 용모 등)으로 인하여 호의적인 인상이 만들어져 대상에 대한 평가에 좋은 영향을 주는 지각오류를 말한다.

정답 ②

16 ☐☐☐ 2018년 경영지도사 수정

타인에 대한 평가에 평가자 자신의 감정이나 특성을 귀속 또는 전가시키는 데서 발생하는 오류는?

① 후광효과

② 상동적 태도

③ 주관의 객관화

④ 선택적 지각

해설

투영효과 또는 투사(projection)란 평가대상에 지각자의 감정을 귀속시키는 데서 발생하는 지각오류를 말한다. 다른 사람들도 나의 태도나 감정 등과 똑같을 것이라고 단정하는 경향으로 지각자가 처해 있는 주관적인 상황을 객관적인 상황으로 인식하는 지각오류(주관의 객관화)이다.

정답 ③

17 ☐☐☐ 2016년 경영지도사 수정

평가자와 사람에 대한 경직된 고정관념이 평가에 영향을 미치는 인사고과의 오류는?

① 상동적 태도(stereotyping)

② 중심화 경향(central tendency)

③ 주관의 객관화(projection)

④ 최근효과(recency tendency)

해설

상동적 태도란 어떤 대상이 속한 집단(종족, 나이, 성별, 출신지역, 출신학교 등)에 대한 지각을 바탕으로 지각대상을 판단하는 지각오류를 말한다. 따라서 이는 평가자와 사람에 대한 경직된 고정관념이 평가에 영향을 미치는 인사고과의 오류에 해당한다.

정답 ①

18 ☐☐☐ 2021년 가맹거래사 수정

어떤 대상의 한 특성을 중심으로 다른 것까지 평가하는 현상은?

① 유사효과(similar-to-me effect)

② 후광효과(halo effect)

③ 관대화 경향(leniency tendency)

④ 투영효과(projection)

해설

어떤 대상의 한 특성을 중심으로 다른 것까지 평가하는 현상은 후광효과이다. 즉 후광효과는 어떤 대상의 특성이 다른 특성에 영향을 미치는 오류이다.

정답 ②

19 ☐☐☐

지각이론 중 인상형성이론(impression formation theory)에 대한 다음 설명 중 가장 옳지 않은 것은?

① 사람은 잘못된 인상형성을 할지라도 그것에 대하여 유지하려고 한다.
② 선택적 지각(selective perception)을 통해 획득된 지각대상이 주변특질이고 획득되지 못한 지각대상이 중심특질이 된다.
③ 합산원리는 전체인상이 지각된 특질들의 단순한 합계라는 것이다.
④ 평균원리는 모든 지각정보가 동시에 들어오고 그 정보의 무게가 같으면 단순평균의 형태로 평가가 이루어진다는 것이다.

해설
───
선택적 지각(selective perception)을 통해 획득된 지각대상이 중심특질이고 획득되지 못한 지각대상이 주변특질이 된다.   정답 ②

20 ☐☐☐

지각이론 중 귀인이론(attribution theory)에 대한 다음 설명 중 가장 옳지 않은 것은?

① 귀인의 판단기준 중 합의성(consensus)은 개인의 행동이 다른 사람의 행동과 얼마나 일치하느냐에 관한 것이다.
② 귀인의 판단기준 중 특이성(distinctiveness)은 개인의 특정과업에 대한 행동이 다른 과업에 대한 행동에 비해 얼마나 다른지에 관한 것이다.
③ 귀인의 판단기준 중 일관성(consistency)은 개인의 특정과업에 대한 성과가 일정기간 동안 얼마나 똑같이 나타나는가에 관한 것이다.
④ 일반적으로 합의성과 특이성이 높고, 일관성이 낮은 경우에 내적귀인을 한다.

해설
───
일반적으로 합의성과 특이성이 높고, 일관성이 낮은 경우에 외적 귀인을 한다.   정답 ④

21 □□□ 2023년 공인노무사 수정

켈리(H. Kelley)의 귀인이론에서 행동의 원인을 내적 또는 외적으로 판단하는데 활용하는 것을 모두 고른 것은?

ㄱ. 특이성(distinctiveness)	ㄴ. 형평성(equity)
ㄷ. 일관성(consistency)	ㄹ. 합의성(consensus)
ㅁ. 관계성(relationship)	

① ㄱ, ㄴ, ㄷ   ② ㄱ, ㄷ, ㄹ
③ ㄴ, ㄷ, ㅁ   ④ ㄴ, ㄹ, ㅁ

해설

켈리(H. Kelley)의 귀인이론에 따르면, 개인행동의 원인을 동료구성원, 과업, 시간의 세 가지 차원으로 분류하고 각각의 차원에 대한 귀인정도를 합의성(consensus), 특이성(distinctiveness), 일관성(consistency)의 세 가지 판단기준에 의해 결정한다. 일반적으로 개인은 지각과정에서 높은 합의성(일치성), 높은 특이성, 낮은 일관성을 지각할수록 외적 환경요인에 귀인하는 경향을 보이며, 낮은 합의성(일치성), 낮은 특이성, 높은 일관성을 지각할수록 내적 환경요인에 귀인하는 경향을 보인다.   **정답 ②**

22 □□□

다음 중 그 연결이 가장 옳지 않은 것은?

① 바람직한 행위의 증가: 적극적 강화   ② 바람직한 행위의 증가: 보상의 부여
③ 바람직하지 못한 행위의 감소: 부정적 강화   ④ 바람직하지 못한 행위의 감소: 불편한 자극의 부여

해설

바람직하지 못한 행위의 감소: 보상의 철회(소거), 불편자극의 부여(벌)   **정답 ③**

23 □□□ 2022년 가맹거래사 수정

스키너(B. Skinner)의 작동적 조건화 이론(operant conditioning theory)에 포함되지 않는 것은?

① 소거(extinction)   ② 처벌(punishment)
③ 대리적 강화(vicarious reinforcement)   ④ 긍정적 강화(positive reinforcement)

해설

강화는 바람직한 행동을 증가시키는 목적과 바람직하지 못한 행동을 감소시키는 목적을 가지고 있다. 따라서 바람직한 행동을 증가시키기 위한 강화전략에는 긍정적(적극적) 강화와 부정적 강화가 있고, 바람직하지 못한 행동을 감소시키기 위한 강화전략에는 소거와 벌이 있다. 따라서 대리적 강화는 스키너(B. Skinner)의 작동적 조건화 이론에 포함되지 않는다.   **정답 ③**

24 ☐☐☐ 2013년 공인노무사 수정

기존에 제공해 주던 긍정적 보상을 제공해 주지 않음으로써 어떤 행동을 줄이거나 중지하도록 하기 위한 강화(reinforcement) 방법은?

① 긍정적 강화
② 소거
③ 벌
④ 부정적 강화

해설

기존에 제공해 주던 긍정적 보상을 제공해 주지 않음으로써 어떤 행동을 줄이거나 중지하도록 하기 위한 강화 방법은 소거(extinction)이다.

정답 ②

25 ☐☐☐

강화이론에 대한 다음 설명 중 가장 옳지 않은 것은?

① 긍정적 강화는 보상을 이용한다.
② 부정적 강화는 바람직한 행동을 증가시키는 것을 목적으로 한다.
③ 소거는 바람직하지 않은 행동을 감소시키는 것을 목적으로 한다.
④ 부분강화법 중 간격법이 비율법보다 더 효과적이다.

해설

부분강화법 중 비율법이 간격법보다 더 효과적이다.

정답 ④

26 ☐☐☐ 2019년 공인노무사 수정

강화계획(schedules of reinforcement)에서 불규칙한 횟수의 바람직한 행동 후 강화요인을 제공하는 기법은?

① 고정간격법
② 변동간격법
③ 고정비율법
④ 변동비율법

해설

변동비율법은 작동행동의 일정한 비율을 사용하지 않고 변동적인 비율을 사용하여 강화요인을 적용하는 방법이다. 따라서 불규칙한 횟수의 바람직한 행동 후 강화요인을 제공하는 기법은 변동비율법에 해당하는 설명이다.
① 고정간격법은 작동행동이 얼마나 많이 발생했든지 간에 어느 정도 일정한 기간을 간격으로 강화요인을 적용하는 방법이다.
② 변동간격법은 강화요인의 적용시기에 일정한 간격을 두지 않고 변동적인 간격으로 강화요인을 적용하는 방법이다.
③ 고정비율법은 작동행동의 일정한 비율에 의하여 강화요인을 적용하는 방법이다.

정답 ④

27 □□□

단속적 강화유형에 대한 설명으로 가장 옳지 않은 것은?

① 단속적 강화는 바람직한 반응행동이 작동될 때마다 강화요인을 적용하는 방법이다.
② 고정간격법은 작동행동이 얼마나 많이 발생했든지 간에 어느 일정한 기간을 간격으로 강화요인을 적용하는 방법이다.
③ 변동간격법은 강화요인의 적용시기에 일정한 간격을 두지 않고 평균을 기준으로 변동적인 시간간격에 따라 강화요인을 적용하는 방법이다.
④ 고정비율법은 작동행동의 일정한 비율에 의하여 강화요인을 적용하는 방법이다.

해설

단속적 강화는 요구되는 행동이 나타날 때마다 연속적으로 강화요인을 주는 것이 아니라 부분적으로 또는 불규칙적으로 제공하는 방법이다.

정답 ①

28 □□□

학습이론(learning theory)에 관한 다음 설명 중 가장 적절하지 않은 것은?

① 고전적 조건화(classical conditioning)는 조건자극을 무조건자극과 관련시켜 조건자극으로부터 새로운 반응을 얻어내는 과정이다.
② 고전적 조건화(classical conditioning)는 단지 자극에 의하여 단순히 유발되는 수동적인 반응행동만을 설명하고 있다.
③ 조작적 조건화(operant conditioning)에 의한 학습은 반응행동으로부터의 바람직한 결과를 작동시킴에 따라서 이루어진다.
④ 반두라(Bandura)의 사회적 학습이론(social learning theory)은 고전적 조건화이론에 근거한 학습이론이다.

해설

반두라(Bandura)의 사회적 학습이론(social learning theory)은 조작적 조건화의 개념에 인간의 인지를 도입해 인간의 행위를 설명하는 이론이다.

정답 ④

29 □□□

다음 설명이 의미하는 것으로 가장 옳은 것은?

> 어떤 대상에 대하여 특별한 방식으로 감지하고 행동하는 지속적인 경향이라고 할 수 있는 것으로, 어떤 환경에 대하여 호의적 또는 비호의적인 방식으로 반응하고 행동하려는 학습된 경향이라고 할 수 있다.

① 지각
② 성격
③ 갈등
④ 태도

해설

태도에 대한 설명이다. 태도란 어떠한 대상에 대한 선호를 포함하고 있다.

정답 ④

30 □□□ 2019년 공인노무사 수정

상사 A에 대한 나의 태도를 기술한 것이다. 다음에 해당하는 태도의 구성요소를 옳게 연결한 것은?

> ㄱ. 나의 상사 A는 권위적이다.
> ㄴ. 나는 상사 A가 권위적이어서 좋아하지 않는다.
> ㄷ. 나는 권위적인 상사 A의 지시를 따르지 않겠다.

	ㄱ	ㄴ	ㄷ
①	감정적 요소	인지적 요소	행동적 요소
②	감정적 요소	행동적 요소	인지적 요소
③	인지적 요소	행동적 요소	감정적 요소
④	인지적 요소	감정적 요소	행동적 요소

해설

태도는 인지적 요소, 감정적(정서적) 요소, 행동적 요소로 구성되어 있는데, 인지적 요소는 개인이 어떤 대상에 대하여 가지고 있는 특성, 지식, 신념, 사고와 같은 정보를 의미하고, 감정적(정서적) 요소는 개인이 어떤 대상에 대하여 가지고 있는 선호정도에 대한 주관적인 느낌을 의미한다. 마지막으로 행동적 요소는 개인이 어떤 대상에 대하여 가지고 있는 특별한 방식의 행동경향을 의미한다.

정답 ④

31 ☐☐☐ 2019년 가맹거래사 수정

레빈(K. Lewin)의 3단계 변화모형에서 변화과정을 순서대로 나열한 것은?

① 각성(arousal) → 해빙(unfreezing) → 변화(changing)
② 각성(arousal) → 실행(commitment) → 재동결(refreezing)
③ 해빙(unfreezing) → 변화(changing) → 재동결(refreezing)
④ 해빙(unfreezing) → 실행(commitment) → 수용(acceptance)

해설

레빈(K. Lewin)의 3단계 변화모형에 의하면, 특정 태도형성을 동결상태로 가정했을 때 '해빙 → 변화 → 재동결'이라는 과정을 거쳐 태도변화가 이루어진다고 주장하였다.   정답 ③

32 ☐☐☐

태도이론에 대한 다음 설명 중 가장 옳지 않은 것은?

① 행동주의이론은 강화이론을 적용한 것으로 학습원리에 의하여 개인의 태도변화가 가능하다는 이론이다.
② 레빈(Lewin)에 의하면 태도변화를 억제하는 요인에는 일을 좋아함, 효과적 감독, 보상, 강압적 방법 등이 있다.
③ 하이더(Heider)는 개인의 태도 간에 불균형이 발생할 경우 균형을 회복하기 위해 기존의 태도를 변화시킨다고 하였다.
④ 페스팅거(Festinger)는 두 개의 인지가 심리적으로 불일치할 때 부조화를 제거함으로써 심리적 균형을 유지하려는 인간의 본능을 강조하고 있다.

해설

레빈(Lewin)에 의하면 태도변화를 촉진하는 힘에는 일을 좋아함, 효과적 감독, 보상, 강압적 방법 등이 있고, 억제하는 힘에는 피로, 집단의 작업규범, 적개심, 반발심 등이 있다.   정답 ②

33 ☐☐☐ 2022년 가맹거래사 수정

조직시민행동에서 조직생활에 관심을 가지고 적극적으로 참여하는 행동은?

① 예의행동(courtesy)
② 이타적 행동(altruism)
③ 공익적 행동(civic virtue)
④ 양심적 행동(conscientiousness)

해설

공익적 행동은 조직에서 불의를 참지 못하고 조직을 긍정적으로 변화시키는 적극적 행동을 하는 것을 의미한다. 따라서 조직시민행동에서 조직생활에 관심을 가지고 적극적으로 참여하는 행동은 공익적 행동이다.
① 예의행동은 직무수행과 관련하여 타인들과의 사이에서 발생하는 문제나 갈등을 미리 막으려고 노력하는 행동을 의미한다.
② 이타적 행동은 직무상 필수적이지는 않지만, 한 구성원이 조직 내 업무나 문제에 대하여 다른 구성원들을 도우려는 직접적이고 자발적인 조직 내 행동을 의미한다.
④ 양심적 행동은 조직에서 요구하는 최저수준 이상의 역할을 수행하는 것을 의미한다.   정답 ③

34 ☐☐☐ 2022년 공인노무사 수정

직무스트레스에 관한 설명으로 옳지 않은 것은?

① 직무스트레스의 잠재적 원인으로는 환경요인, 조직적 요인, 개인적 요인이 존재한다.
② 직무스트레스 원인과 경험된 스트레스 간에 조정변수가 존재한다.
③ 직무스트레스와 직무성과간의 관계는 U자형으로 나타난다.
④ 직무스트레스 결과로는 생리적 증상, 심리적 증상, 행동적 증상이 있다.

> **해설**
>
> 스트레스(stress)는 개인에게 부과된 요구들이 자신의 해결능력을 넘어선다고 생각될 때 나타나는 흥분, 걱정, 신체적 긴장상태이다. 즉 어떤 상황이나 사건이 주는 과다한 심리적, 신체적 요구(압력)에 대한 적응양식이다. 이러한 스트레스는 그 근원에 따라 직무스트레스와 생활스트레스로 구분할 수 있는데, 직무스트레스는 직무와 관련하여 구성원이 인지하는 압박감, 불안감, 걱정이라고 정의할 수 있다. 즉 직장에서 상사, 동료, 하급자 등으로부터 직무수행과 관련하여 받게 되는 스트레스이다. 일반적으로 직무스트레스는 직무나 상황의 요구에 대해서 개인이 자신을 지킬 수 없다고 느껴질 때, 상황특성이 개인특성과 일치하지 않을 때 발생한다. 따라서 직무스트레스는 조직구성원 개인과 다양한 환경요인 간의 상호작용을 통하여 나타난다. 그리고 직무스트레스는 긍정적인 측면과 부정적인 측면을 모두 가지고 있기 때문에 적정수준의 스트레스는 오히려 성과를 촉진시키고 업무의 성취감을 높일 수 있는 동기가 되지만, 스트레스를 극복하지 못할 경우에는 심한 우울증과 열등감을 느낄 수도 있다. 따라서 직무스트레스와 직무성과간의 관계는 역U자형으로 나타난다.
>
> 정답 ③

35 ☐☐☐ 2017년 경영지도사 수정

내재적으로 동기부여된 행동에 외재적 보상이 제공되면 오히려 내재적 동기가 감소하게 되는 현상을 설명하고 있는 이론은?

① 기대이론   ② 욕구단계이론
③ 인지평가이론   ④ ERG이론

> **해설**
>
> 내재적으로 동기부여된 행동에 외재적 보상이 제공되면 오히려 내재적 동기가 감소하게 되는 현상을 설명하고 있는 이론은 인지평가이론이다.
>
> 정답 ③

36 ☐☐☐ 2023년 경영지도사 수정

경영이론에 관한 연구자와 그 이론의 연결이 옳지 않은 것은?

① 메이요(E. Mayo) - ERG이론
② 맥그리거(D. McGregor) - X · Y이론
③ 아지리스(C. Argyris) - 미성숙 · 성숙이론
④ 매슬로우(A. Maslow) - 욕구단계론

> **해설**
>
> ERG이론은 알더퍼(Alderfer)가 주장한 이론이고, 메이요(E. Mayo)는 호손연구를 주도한 연구자이다.
>
> 정답 ①

37 □□□ 2018년 경영지도사 수정

동기부여(motivation) 내용이론에 속하지 않는 것은?

① 매슬로우(A. Maslow)의 욕구단계이론
② 아담스(J. Adams)의 공정성이론
③ 허쯔버그(F. Herzberg)의 2요인이론
④ 알더퍼(C. Alderfer)의 ERG이론

해설

아담스(J. Adams)의 공정성이론은 과정이론에 해당한다.

정답 ②

38 □□□ 2020년 가맹거래사 수정

동기부여의 과정이론에 해당하는 것은?

① 허즈버그(F. Herzberg)의 2요인이론
② 맥클리랜드(D. McClelland)의 성취동기이론
③ 알더퍼(C. Alderfer)의 ERG이론
④ 아담스(J. Adams)의 공정성이론

해설

동기부여이론 중 대표적인 내용이론에는 매슬로우(A. Maslow)의 욕구단계이론, 알더퍼(C. Alderger)의 ERG이론, 허즈버그(F. Herzberg)의 2요인이론, 아지리스(Argyris)의 미성숙-성숙이론, 맥클리랜드(D. McClelland)의 성취동기이론 등이 있다. 아담스(J. Adams)의 공정성이론은 과정이론에 해당한다.

정답 ④

39 □□□ 2019년 경영지도사 수정

모티베이션 이론 중 과정이론으로만 묶인 것은?

① 욕구단계이론, 성취동기이론
② 공정성이론, 목표설정이론
③ ERG이론, 기대이론
④ ERG이론, 2요인이론

해설

대표적인 내용이론에는 욕구단계이론(A. Maslow), ERG이론(C. Aldefer), 2요인이론(F. Herzberg), 미성숙-성숙이론(Agyris), 성취동기이론(D. McClelland) 등이 있고, 과정이론에는 기대이론(V. Vroom), 공정성이론(J. Adams), 목표설정이론(Locke) 등이 있다.

정답 ②

40 ☐☐☐ 2016년 경영지도사 수정

동기부여이론 중 과정이론에 해당하는 것은?

① 브룸(V. Vroom)의 기대이론   ② 매슬로우(A. Maslow)의 욕구단계이론

③ 아지리스(Argyris)의 성숙 · 미성숙이론   ④ 허쯔버그(F. Herzberg)의 2요인이론

해설 --

동기부여이론은 내용이론(content theory)과 과정이론으로 구분할 수 있는데, 대표적인 과정이론의 대표적인 연구로는 브룸(V. Vroom)의 기대이론, 포터와 로울러(Porter & Lawler)의 기대이론, 아담스(J. Adams)의 공정성이론, 록크(Locke)의 목표설정이론 등이 있다.   **정답 ①**

---

41 ☐☐☐ 2021년 가맹거래사 수정

매슬로우(A. Maslow)가 주장한 욕구단계이론의 5가지 욕구에 포함되지 않는 것은?

① 생리적 욕구(physiological needs)

② 안전 욕구(safety needs)

③ 소속 및 애정 욕구(belongingness and love needs)

④ 성장 욕구(growth needs)

해설 --

매슬로우(A. Maslow)가 주장한 욕구단계이론의 5가지 욕구는 생리적 욕구, 안전 욕구, 소속 및 애정 욕구, 존경 욕구, 자아실현 욕구이다.

    정답 ④

---

42 ☐☐☐ 2020년 가맹거래사 수정

매슬로우(A. Maslow)의 욕구단계이론에 관한 설명으로 옳지 않은 것은?

① 상위단계의 욕구 충족이 좌절되면 그 보다 하위단계의 욕구를 충족시키려 한다.

② 하위단계욕구가 충족되었을 때, 상위단계욕구가 발생하게 된다.

③ 욕구결핍상태가 발생하게 되면 그 욕구를 충족시키기 위해 노력하게 된다.

④ 계층싱 가징 상위단계의 욕구는 자아실현의 욕구이다.

해설 --

매슬로우의 욕구단계이론에서는 욕구들 간의 순서석 중요성을 강조하였기 때문에 욕구들에 대해서 진행은 가능하지만 좌질-퇴행은 불가능하다.

    정답 ①

43 □□□ 2019년 공인노무사 수정

매슬로우(A. Maslow)의 욕구단계이론에 관한 설명으로 옳지 않은 것은?

① 최하위 단계의 욕구는 생리적 욕구이다.
② 최상위 단계의 욕구는 자아실현 욕구이다.
③ 하위단계의 욕구가 충족되어야 상위단계의 욕구를 충족시키기 위한 동기부여가 된다.
④ 다른 사람으로부터 인정과 존경을 받고자 하는 욕구는 성장욕구에 속한다.

해설

매슬로우(A. Malsow)의 욕구단계이론에서 다른 사람으로부터 인정과 존경을 받고자 하는 욕구는 존경(자존)욕구에 속한다. 성장욕구는 알더퍼 (C. Alderfer)의 ERG이론에서 언급되는 욕구이다. **정답 ④**

44 □□□

매슬로우(A. Maslow)의 욕구단계이론에 대한 설명으로 가장 옳지 않은 것은?

① 상위욕구가 동기를 유발시키기 위해서는 반드시 하위욕구가 충족되어야 한다.
② 한 가지 이상의 욕구가 동시에 작용할 수 있다.
③ 인간의 욕구를 다섯 계층으로 분류하였다.
④ 각 단계의 욕구가 충족됨에 따라 전 단계의 욕구는 더 이상 동기유발의 역할을 수행하지 못한다.

해설

한 가지 이상의 욕구가 동시에 작용할 수 있다고 주장한 이론은 ERG 이론이며, 매슬로우(A. Maslow)는 한 가지 이상의 욕구가 동시에 충족될 수 없다고 하였다. **정답 ②**

45 □□□ 2016년 공인노무사 수정

매슬로우(A. Maslow)가 제시한 욕구단계이론의 내용이 아닌 것은?

① 권한위임에 대한 욕구　　　　　② 신체적 안전에 대한 욕구
③ 소속감이나 애정에 대한 욕구　　④ 의식주에 대한 욕구

해설

매슬로우(A. Maslow)는 인간의 욕구를 생리적 욕구(physiological needs), 안전 욕구(safety needs), 소속(사회적) 욕구(social needs), 존 경 욕구(esteem needs), 자아실현 욕구(self-actualization needs)로 구분하였다. **정답 ①**

46 ☐☐☐ 2019년 경영지도사 수정

매슬로우(A. Maslow)의 욕구단계이론과 알더퍼(C. Alderfer)의 ERG이론에 관한 설명으로 옳지 않은 것은?

① 욕구단계이론과 ERG이론은 하위욕구가 충족되면 상위욕구를 추구한다고 보는 공통점이 있다.
② ERG이론에서는 욕구의 좌절 - 퇴행 과정도 일어난다.
③ 욕구단계이론에서 자아실현의 욕구는 ERG이론에서 성장욕구에 해당한다.
④ 욕구단계이론에서는 한 시점에 낮은 단계와 높은 단계의 욕구가 동시에 발생한다.

해설

매슬로우(A. Maslow)의 욕구단계이론은 각 욕구의 동시발생가능성을 무시하였고, 알더퍼(C. Alderfer)의 ERG이론은 한 가지 이상의 욕구를 동시에 충족시킬 수 있다고 주장하였다. **정답 ④**

47 ☐☐☐ 2021년 공인노무사 수정

허츠버그(F. Herzberg)의 2요인이론에서 위생요인에 해당하는 것은?

① 성취감
② 도전감
③ 임금
④ 성장가능성

해설

위생요인에는 임금, 안정된 직업, 작업조건, 지위, 경영방침, 관리, 대인관계 등이 있는데, 이들은 직무 외적인 요인들에 해당한다. 동기요인에는 성취감, 인정, 책임감, 성장, 발전, 보람 있는 직무내용, 존경 등이 있는데, 이들은 직무 자체 또는 개인의 정신적 · 심리적 성장에 관련된 요인들에 해당한다. **정답 ③**

48 ☐☐☐ 2017년 경영지도사 수정

허쯔버그(F. Herzberg)의 2요인이론(dual factor theory)에 관한 설명으로 옳지 않은 것은?

① 만족에 영향을 미치는 요인과 불만족에 영향을 미치는 요인은 별도로 존재한다.
② 위생요인은 만속을 증가시킬시의 여부에 영향을 미치며, 불민족해소 여부에는 영향을 미치지 못한다.
③ 구성원의 만족도를 높이기 위해서는 위생요인보다 동기요인을 사용해야 한다.
④ 2요인이론에 의하면 불만족요인을 제거한다고 해서 반드시 만족수준이 높아지는 것은 아니다.

해설

위생요인(hygiene factor)은 개인의 불만족을 방지해 주는 욕구로 불만족요인이라고도 한다. 위생요인은 충족되었다 하더라도 불만족이 생기는 것을 예방하는 역할만 할 뿐, 만족을 증가시키거나 일을 열심히 하고자 하는 동기를 유발시키는 것은 아니다. 위생요인에는 임금, 안정된 직업, 작업조건, 지위, 경영방침, 관리, 대인관계 등이 있는데, 이들은 직무 외적인 요인들이다. **정답 ②**

49 □□□ 2020년 경영지도사 수정

허즈버그(F. Herzberg)의 2요인이론에서 위생요인에 해당하는 것은?

① 성취   ② 인정
③ 책임감   ④ 감독자

해설

성취, 인정, 책임감, 성장과 발전은 동기요인에 해당하고, 감독자가 위생요인에 해당한다.   정답 ④

50 □□□ 2016년 공인노무사 수정

허쯔버그(F. Herzberg)의 2요인이론에서 동기요인을 모두 고른 것은?

ㄱ. 상사와의 관계	ㄴ. 성취
ㄷ. 회사 정책 및 관리방침	ㄹ. 작업조건
ㅁ. 인정	

① ㄱ, ㄴ   ② ㄱ, ㅁ
③ ㄴ, ㄷ   ④ ㄴ, ㅁ

해설

성취와 인정이 동기요인에 해당하고, 상사와의 관계, 회사 정책 및 관리방침, 작업조건은 위생요인에 해당한다.   정답 ④

51 □□□ 2020년 공인노무사 수정

브룸(V. Vroom)이 제시한 기대이론의 작동순서로 올바른 것은?

① 기대감 → 수단성 → 유의성   ② 기대감 → 유의성 → 수단성
③ 수단성 → 유의성 → 기대감   ④ 유의성 → 수단성 → 기대감

해설

브룸(V. Vroom)의 기대이론은 동기부여의 강도를 기대감, 수단성, 유의성의 곱으로 설명하였다. 즉 개인들은 자신들이 어떤 행동을 하며 그에 따라 특정 결과가 나타날 것이라는 기대감, 수단성, 유의성의 강도에 따라 상이하게 행동한다는 것이다.   정답 ①

52 ☐☐☐ 2023년 가맹거래사 수정

브룸(V. Vroom)의 기대이론에서 동기부여를 나타내는 공식으로 (　　　)에 들어갈 내용으로 옳은 것은?

동기부여(M) = 기대(E) × 수단성(I) × (　　　)

① 욕구(Needs)
② 성격(Personality)
③ 역량(Competency)
④ 유의성(Valence)

해설

브룸(V. Vroom)의 기대이론(expectancy theory)은 동기부여의 강도를 기대감, 수단성, 유의성의 곱으로 설명하였다. 즉 개인들은 자신들이 어떤 행동을 하며 그에 따라 특정 결과가 나타날 것이라는 기대감, 수단성, 유의성의 강도에 따라 상이하게 행동한다는 것이다. 이러한 기대이론은 곱셈모형이기 때문에 세 가지 요소 중에 어느 하나가 0이 된다면 동기부여 자체가 0이 될 수 있으며, 심지어 음(-)의 값을 가질 수도 있다. 또한, 개인의 욕구를 설명할 때 다른 사람들과의 관계를 배제하고 있으며, 개인이 의사결정을 할 때는 동기부여의 강도(motivation force)의 값이 가장 큰 대안을 선택한다고 설명하고 있다. 결국, 개인의 동기를 유발시키는 방법은 기대감, 수단성, 결과에 대한 유의성을 높여 주는 것이다. 　　정답 ④

53 ☐☐☐

브룸(V. Vroom)의 기대이론(expectancy theory)에 대한 다음 설명 중 가장 옳지 않은 것은?

① 기대감(expectancy)은 노력했을 때 얼마나 성과를 달성할 수 있는가에 대한 가능성 또는 확률에 대한 객관적인 확신이다.
② 수단성(instrumentality)은 개인이 지각하는 1차적 결과와 2차적 결과와의 상관관계를 말한다.
③ 유의성(valence)은 각 개인들이 보상에 대하여 느끼는 중요성 또는 가치의 정도를 말한다.
④ 기대이론에 의하면 동기부여 자체가 0이 될 수 있다.

해설

기대감(expectancy)은 개인이 노력했을 때 얼마나 성과를 달성할 수 있는가에 대한 가능성 또는 확률에 대한 주관적인 확신이다. 　　정답 ①

54 ☐☐☐ 2017년 공인노무사 수정

기대이론에서 동기부여를 유발하는 요인에 관한 설명으로 옳지 않은 것은?

① 수단성이 높아야 동기부여가 된다.
② 기대가 높아야 동기부여가 된다.
③ 조직에 대한 신뢰가 클수록 수단성이 높아진다.
④ 종업원들은 주어진 보상에 대하여 동일한 유의성을 갖는다.

해설

기대이론에서 유의성(valence)은 각 개인들이 2차적 결과에 대해서 느끼는 중요성 또는 가치의 정도로 특정 보상에 대한 선호의 강도를 의미한다. 따라서 종업원들은 주어진 보상에 대하여 서로 다른 유의성을 갖는다. 　　정답 ④

55 □□□ 2015년 공인노무사 수정

수단성(instrumentality) 및 유의성(valence)을 포함한 동기부여이론은?

① 기대이론(expectancy theory)
② 2요인이론(two factor theory)
③ 인지평가이론(cognitive evaluation theory)
④ 목표설정이론(goal setting theory)

해설

브룸(V. Vroom)의 기대이론은 동기부여의 강도를 기대감, 수단성, 유의성의 곱으로 설명하였다.

정답 ①

56 □□□ 2024년 경영지도사 수정

브룸(V. Vroom)이 제시한 기대이론의 요소에 해당하지 않는 것은?

① 기대감
② 공정
③ 노력
④ 성과

해설

공정은 브룸(Vroom)의 기대이론이 아니라 아담스(Adams)의 공정성이론에 해당하는 요소이다.

정답 ②

57 □□□

다음 중 브룸(V. Vroom)의 기대이론에서 동기부여 강도를 측정하기 위해 활용한 변수끼리 짝지어진 것만을 모두 고르면?

ㄱ. 기대감(expectancy)	ㄴ. 수단성(instrumentality)
ㄷ. 유의성(valence)	ㄹ. 공정성(equity)

① ㄱ, ㄴ, ㄷ
② ㄱ, ㄴ, ㄹ
③ ㄱ, ㄷ, ㄹ
④ ㄴ, ㄷ, ㄹ

해설

브룸(V. Vroom)은 기대이론에서 동기부여의 강도를 기대감(expectancy), 수단성(instrumentality), 유의성(valence)의 곱으로 측정하였다.

정답 ①

58 ☐☐☐ 2020년 경영지도사 수정

동기부여에 관한 연구자와 그 이론의 연결이 옳지 않은 것은?

① 맥클리랜드(D. McClelland) - 성취동기이론
② 브룸(V. Vroom) - Z이론
③ 아담스(J. Adams) - 공정성이론
④ 알더퍼(C. Alderfer) - ERG이론

해설

브룸(V. Vroom)이 주장한 동기부여이론은 기대이론이다.

정답 ②

---

59 ☐☐☐ 2016년 경영지도사 수정

동기부여이론에 관한 설명으로 옳지 않은 것은?

① 매슬로우(A. Maslow)의 욕구단계이론에 의하면 자아실현이 최상위의 욕구이다.
② 허쯔버그(F. Herzberg)의 2요인이론에 의하면 금전적 보상은 위생요인에 속한다.
③ 알더퍼(C. Alderfer)의 ERG이론은 존재욕구, 관계욕구, 성장욕구로 구분하여 설명하였다.
④ 아담스(J. Adams)의 공정성이론은 인간의 욕구를 성취욕구, 권력욕구, 친교욕구로 구분하여 설명하였다.

해설

맥클리랜드(D. McClelland)는 인간의 욕구를 성취욕구, 권력욕구, 친교욕구로 구분하여 설명하였다.

정답 ④

---

60 ☐☐☐ 2019년 공인노무사 수정

아담스(J. Adams)의 공정성이론에서 조직구성원들이 개인적 불공정성을 시정(是正)하기 위한 방법에 해당하지 않는 것은?

① 투입의 변경
② 준거인물 유지
③ 투입과 산출의 인지적 왜곡
④ 장(場) 이탈

해설

아담스(J. Adams)의 공성성이론에서 불공정성을 해소하는 방법에는 투입 또는 산출의 변경, 준거인물의 투입 또는 산출의 변경, 투입과 산출의 인지적 왜곡, 이직, 준거인물의 변경 등이 있다. 따라서 준거인물 유지는 불공정성을 해소하는 방법에 해당하지 않는다.

정답 ②

61 □□□ 2019년 가맹거래사 수정

동기부여 이론 중 공정성이론(equity theory)에서 불공정성으로 인한 긴장을 해소할 수 있는 방법을 모두 고른 것은?

ㄱ. 투입의 변경	ㄴ. 산출의 변경
ㄷ. 준거대상의 변경	ㄹ. 현장 또는 조직으로부터 이탈

① ㄱ, ㄴ
② ㄱ, ㄴ, ㄷ
③ ㄱ, ㄷ, ㄹ
④ ㄱ, ㄴ, ㄷ, ㄹ

해설

공정성이론(equity theory)에서 불공정성으로 인한 긴장을 해소할 수 있는 방법에는 투입 또는 산출의 변경, 준거인물의 투입 또는 산출의 변경, 투입과 산출의 인지적 왜곡, 이직, 준거인물의 변경 등이 있다. 따라서 ㄱ, ㄴ, ㄷ, ㄹ 모두가 불공정성으로 인한 긴장을 해소할 수 있는 방법에 해당한다.

정답 ④

62 □□□

아담스(J. Adams)의 공정성이론(equity theory)에 대한 다음 설명 중 가장 옳지 않은 것은?

① 보상의 크기와 공정성을 극대화시키는데 초점을 둔다.
② 자신의 공헌과 보상의 크기를 준거인물의 공헌과 보상의 크기와 비교하여 동기부여의 수준을 결정한다.
③ 불공정을 결정하는 요인으로는 투입, 산출, 투입과 산출, 준거인물 등이 있다.
④ 페스팅거(Festinger)의 인지부조화 이론에 영향을 미쳤다.

해설

아담스(J. Adams)의 공정성이론(equity theory)은 페스팅거(Festinger)의 인지부조화 이론에 영향을 받았다.

정답 ④

63 □□□ 2022년 경영지도사 수정

동기부여에 관한 설명으로 옳지 않은 것은?

① 매슬로우(A. Maslow)의 욕구단계이론에서 자아실현욕구는 결핍-충족의 원리가 적용되지 않는다.
② 맥클리랜드(D. McClelland)의 성취동기이론에서 권력욕구가 강한 사람은 타인에게 영향력을 행사하고, 인정받는 것을 좋아한다.
③ 브룸(V. Vroom)의 기대이론에서 기대감, 수단성, 유의성 등이 중요한 동기부여 요소이다.
④ 스키너(B. Skinner)의 강화이론에서 비난, 징계 등과 같은 불쾌한 자극을 제거함으로써 바람직한 행동을 강화하는 것을 소거(extinction)라고 한다.

해설

스키너(B. Skinner)의 강화이론에서 비난, 징계 등과 같은 불쾌한 자극을 제거함으로써 바람직한 행동을 강화하는 것을 부정적 강화(negative reinforcement)라고 하고, 소거(extinction)는 바람직하지 않은 행동이 일어난 후에 긍정적 자극을 제거하거나 감소시킴으로써 그 행동을 감소시키는 강화전략을 의미한다.

정답 ④

64 □□□ 2018년 공인노무사 수정

다음 사례에서 A의 행동을 설명하는 동기부여이론은?

> 팀원 A는 작년도 목표 대비 업무실적을 100% 달성하였다. 이에 반해 같은 팀 동료 B는 동일 목표 대비 업무실적이 10% 부족하였지만 A와 동일한 인센티브를 받았다. 이 사실을 알게 된 A는 팀장에게 추가 인센티브를 요구하였으나 받아들여지지 않자 결국 이직하였다.

① 기대이론
② 공정성이론
③ 욕구단계이론
④ 목표설정이론

해설

팀원 A가 팀원 B와 비교하여 불공정성을 인식하여 불공정성을 해소하기 위한 방법으로 이직을 선택하였다. 이와 관련된 동기부여이론은 아담스(J. Adams)의 공정성이론이다.

정답 ②

65 □□□ 2024년 가맹거래사 수정

데시(E. Deci)는 내재적 동기에 의해 직무를 수행할 때 외재적 보상이 주어지면 내재적 동기가 낮아진다고 주장한다. 이 이론으로 옳은 것은?

① 목표설정이론
② 인지평가이론
③ 분배공정성이론
④ 기대이론

해설

데시(E. Deci)가 내재적 동기에 의해 직무를 수행할 때 외재적 보상이 주어지면 내재적 동기가 낮아진다고 주장한 이론은 인지평가이론(cognitive evaluation theory)이다.

정답 ②

CHAPTER 03 집단수준에서의 행동

제1절 집단행동

1 집단

1. 의의

집단(group)이란 특정의 공동목표를 달성하기 위해 상호작용하는 두 사람 이상의 집합체를 말한다. 집단에 소속된 구성원들 간에는 서로를 집단구성원으로 지각하고 인정함으로써 같은 집단에 소속되어 있다는 동일성(identity)을 가진다. 동일성을 인식한다는 것은 구성원들이 상호 간에 동조하는 규범과 서열관계를 인식하고 인정한다는 것을 의미한다. 이러한 집단과 관련하여 툭크만(Tuckman)은 집단발달의 단계를 집단의 형성과 발전의 관점에서 설명하면서, 집단발달은 '형성기(forming) → 격동기(storming) → 규범기(norming) → 성과수행기(performing) → 해체기(adjourning)'의 순으로 이루어진다고 하였다.

2. 유형

(1) 공식집단과 비공식집단

집단은 그 형태의 표출 유무에 따라 공식집단(formal group)과 비공식집단(informal group)으로 구분할 수 있다. 공식집단은 비공식집단보다 규모면에서 크며, 집단구성원에 대한 통제방식도 보다 명시적이며 직접적이고 강력하다. 일반적으로 하나의 공식집단에는 다수의 비공식집단의 존재도 가능하다.

① **공식집단**: 전체조직의 목표와 관련된 과업을 수행하기 위해 구성된 집단으로 그 형태가 겉으로 드러나는 집단을 의미한다. 권력 또는 권한, 책임, 의무 등이 명확하게 규정되어 있으며 의사소통경로도 뚜렷하다. 가장 대표적인 예에는 명령집단(command group) 또는 기능집단(functional group)이나 과업집단(task group)이 있다.

② **비공식집단**: 조직 내의 다른 조직구성원들과의 관계에서 각자의 욕구를 충족시키기 위해 자연발생적으로 형성된 집단으로 그 형태가 겉으로 드러나지 않는 집단을 의미한다. 비공식집단이 형성되기 위한 가장 중요한 요건에는 근접성(proximity), 친숙성(familiarity), 유사성(similarity) 등이 있다. 가장 대표적인 예에는 우호집단(friendship group) 또는 이익집단(interest group)이 있다.

📋 비공식집단의 장단점

장점	단점
• 협력의 조장 • 경영자 능력부족의 공백을 메움 • 작업집단의 만족도와 안정성 제공 • 의사소통의 증진	• 바람직하지 못한 소문의 양산 • 부정적인 태도의 조장 • 변화에 대한 저항 • 동조에 대한 압력의 조장

(2) 소속집단과 준거집단

소속집단(membership group)과 준거집단(reference group)은 일치할 수도 있고 일치하지 않을 수도 있지만, 일반적으로 소속집단과 준거집단이 일치하는 경우에 개인의 성과는 높아지게 된다.

① **소속집단**: 성원집단 또는 성원자격집단이라고도 하며 개인이 현재 소속되어 있는 상태의 집단을 의미한다.

② **준거집단**: 개인의 태도나 행동에 영향을 미치고 상호작용하는 집단을 말한다. 즉, 개인이 실제로 그 집단의 성원이 아니더라도 심리적 차원에서 소속되기를 바라는 집단 또는 자기가 어떤 행동상의 중요한 판단을 내리고자 할 때 그 판단기준의 근거로 삼는 집단을 의미한다.

(3) 1차집단과 2차집단

① **1차집단**: 서로 친밀하여 구성원들끼리 자주 접촉하기 때문에 개인의 행동에 가장 큰 영향을 미친다. 1차집단의 구성원들은 신념이나 행동 면에서 서로 유사성이 많기 때문에 상당한 응집력이 있다. 1차집단의 대표적인 예에는 가족, 친구 등이 있다.

② **2차집단**: 구성원들 간의 만남이 가끔 이루어지는 집단으로서, 1차집단에 비해 구성원의 생각과 행동에 미치는 영향력이 상대적으로 작다. 2차집단의 대표적인 예에는 지역단체, 업계 종사자들의 모임인 협회, 회사 등이 있다.

3. 구조

집단구조(group structure)란 집단의 분화된 부분들 사이에 이루어진 관계의 유형을 의미한다. 집단은 여러가지 차원으로 분화될 수 있기 때문에 역할, 규범, 지위 등에 따라서 집단구조는 다양하게 변하게 된다.

(1) 역할

역할(role)이란 집단구성원이 수행하여야 할 일을 의미하며 역할기대, 역할전달, 역할인식, 역할행동의 순서로 형성된다. 역할기대와 역할행동의 불일치로 인하여 역할갈등(role conflict)이 발생하는 경우가 종종 있는데, 역할갈등에는 역할모호성(role ambiguity), 역할무능력(role incapacity), 다각적 역할기대(role expectation), 역할마찰(role friction) 등이 있다.

① **역할모호성**: 역할형성과정에서 정보가 누락되어 구성원이 역할에 대한 충분한 정보가 주어지지 않았을 때 발생하는 역할갈등이다.

② **역할무능력**: 구성원의 능력, 자질, 성격이 적합하지 못해 역할기대에 부합하는 역할행동이 나타나지 않았을 때 발생하는 역할갈등이다.

③ **다각적 역할기대**: 구성원이 동시에 여러 가지 역할에 대한 역할기대가 있을 때 각 역할 간에 상충관계를 가지는 경우에 발생하는 역할갈등이다.

④ **역할마찰**: 구성원이 선호하는 역할과 실제 역할이 일치하지 않거나 구성원 간에 경쟁이 존재할 때 발생하는 역할갈등이다.

(2) 규범

규범(norm)이란 집단구성원들이 공유하고 있는 수용가능한 행동의 기준을 의미한다. 규범은 집단의 목적을 달성하고 구성원 간의 동일성을 유지하는 데 매우 중요하며, 집단을 유지하여 구성원의 욕구를 충족시켜 줄 수 있다. 그러나 구성원으로부터 동조적 행동을 요구함으로써 구성원 개인의 개성과 성장에 장애요인으로 작용할 수도 있다. 여기서 동조(conformity)란 형성된 규범에 대해 구성원 모두가 아무런 저항없이 따르는 현상을 의미한다. 대표적인 규범에는 집단의 목표달성을 위해 필수적으로 지켜야 하는 표준행동을 의미하는 중심규범(central norm) 또는 성과 규범(performance norm)과 집단의 목표달성과 직접 관련은 없으나 지켜야 하는 행동을 의미하는 주변규범(peripheral norm) 등이 있다.

(3) 지위

지위(status)란 집단에서 구성원이 차지하는 상대적 가치와 서열을 의미하고 신분이라고도 한다. 개인의 지위는 다양한 요소들이 복합되어 결정된다. 그러나 지위불일치가 발생하는 경우에는 집단성과에 부정적인 영향을 주기도 한다.

4. 팀

(1) 의의

집단과 유사한 개념으로 팀(team)이 있다. 팀은 공동목표에 몰입하며 공동책임의식이나 책무감을 갖는다는 관점에서 집단과는 다르다. 일이 잘못 되었을 때 구성원 중 누구 때문에 실패했는지 비난하기보다는 구성원 각자가 '내가 더 기여하지 못했다'고 책무감을 갖는다면 팀의 면모를 갖춘 것이다. 즉, 집단은 각 개인의 기여를 중시하지만, 팀은 구성원의 기여와 공동의 노력을 동시에 중시한다. 또한, 결과에 대한 책임에 대해서 집단은 개인 책임을 강조하지만, 팀은 팀원 공동의 책임과 책무감을 강조한다. 이러한 팀조직은 다음과 같은 장점을 가진다.

① 의사결정을 신속하게 할 수 있으며 부서를 융통성 있게 신설·확장·추가·해체할 수 있기 때문에 인력을 효율적으로 활용할 수 있고 조직 내 정보교환이 원활하다.

② 수평적인 계층구조로 구성원들의 창의적인 아이디어가 발굴되고, 의사결정에 참여시킴으로써 동기부여가 된다.

③ 이상적인 팀조직은 권한위임과 네트워크가 잘 되어 있는 정보공유의 조직, 소형으로 하나가 된 고객 중심의 자율적이고 수평적인 조직 등의 의미를 모두 포함하고 있다.

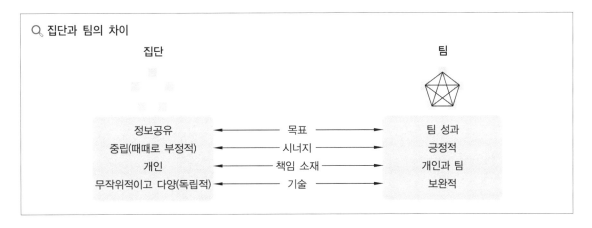

(2) 팀워크

팀워크(teamwork)란 팀 구성원들의 서로 다른 생각, 역량, 정서 등을 역동적으로 조합하여 개인들의 합을 뛰어넘는 팀 성과를 창출하는 과정을 의미한다. 팀워크가 강한 팀은 개인의 성과보다는 팀 성과 향상을 위해서 구성원들이 헌신하며 구성원들 간에 교류가 활발하여 팀 정신(team spirit)을 공유한다. 일반적으로 팀워크가 강한 팀은 팀 지향성, 팀 리더십, 의사소통, 모니터링, 피드백, 백업행동, 조정행위의 일곱 가지의 차원이 높게 나타난다.

(3) 팀의 유형

① **문제해결팀**: 이미 오래 전부터 기업에서는 문제해결팀을 통해 특수 프로젝트나 직면한 문제를 해결하기 위해 관련되는 사람들 몇 명이 주기적으로 또는 일정기간 동안 모여 정보와 의견들을 서로 나누면서 해결책을 찾아내곤 하였다. 품질분임조(quality circle, QC), 품질개선팀, 경영효율화팀, 시장홍보팀 등이 문제해결팀에 해당한다.

② **임시팀**: 구성원들이 평상시에는 기업의 여러 분야에서 각자의 일을 하다가 필요에 따라 임시로 팀을 구성한다. 즉, 팀이 만들어졌다가 해체되기를 반복하거나 핵심구성원이나 핵심기술만 유지한 채 필요에 따라 구성원을 모집하여 일을 완성하면 다시 원위치시키면서 돌발적으로 발생하는 문제들을 해결한다. 따라서 임시팀은 개인적인 분야의 정보들은 서로 잘 나누면서 팀 전체의 정보는 교류가 잘 안 된다는 단점이 있다.

③ **자율경영팀**: 상부로부터 권한을 위임받아 스스로 계획을 세워 실천하고, 통제와 감독까지 맡아 하는 형태이다. 자율경영 팀은 심지어 팀원의 선발과 평가도 팀 자율에 맡기기 때문에 종래의 관리자나 감독자는 역할이 줄어들거나 아예 없어지기도 한다.

④ **교차기능팀 또는 다기능팀**: 직무수행을 위해 각 방면에 소속되어 있던 서로 다른 기능을 가진 사람들이 모여서 팀 작업을 하는 것으로, 교차기능팀 또는 다기능팀은 좀 더 장기적이고 안정적인 이미지를 가진다.

2 집단역학[37]

1. 집단응집성

(1) 의의

집단응집성(group cohesiveness)이란 집단구성원들 간의 단결된 분위기 또는 서로에게 매력적으로 끌려 그 집단의 목표를 공유하는 정도를 의미한다. 일반적으로 집단응집성이 높아지면 집단의 성과가 높아지고, 집단의 목표와 조직의 목표가 일치하는 경우에는 집단의 성과가 높아지면 조직의 성과가 높아지게 된다.[38]

집단응집성을 증가시키는 요소	집단응집성을 감소시키는 요소
• 집단목표에 대한 수용	• 목표에 대한 배척
• 상호교류의 빈도 증가	• 거대한 집단 크기
• 개인적인 매력	• 불만족스러운 경험
• 집단 간 경쟁	• 집단 내 경쟁
• 호의적인 평가	• 비호의적인 평가

---

37) 집단역학(group dynamic)이란 일정한 사회적 상황에서 집단구성원들 사이에 존재하는 상호작용 또는 힘의 형성 및 관계를 의미한다. 즉, 집단의 발전, 집단과 개인, 집단과 집단, 집단과 조직과의 상호관계의 법칙에 대한 지식을 탐구하는 영역이라고 할 수 있다.

38) 높은 응집성이 항상 긍정적인 결과를 가져 오는 것은 아니다. 특히 구성원들이 뭉쳐서 리더에게 저항하며 집단파업을 일으킬 수 있다. 즉 목표달성의 열망이 별로 없다면 높은 응집성은 오히려 부정적으로 작용하여 구성원들이 일치단결하여 리더의 혁신의도와는 달리 복지부동의 자세를 취할 수 있다. 또한, 의사결정 시의 강한 응집성으로 인해 반대의견이나 건설적 비판 없이 만장일치 결론에 이르기도 하고, 집단이 비도덕적으로 행동하려 할 때 집단을 사수하려는 공동체 정신을 가지고 부정을 감싸 주고 외부의 비판에 방어적이 되기도 하며 집단을 더욱 비도덕적으로 치닫게 할 수도 있다. 이렇듯 응집성은 순기능과 역기능을 동시에 가지고 있다.

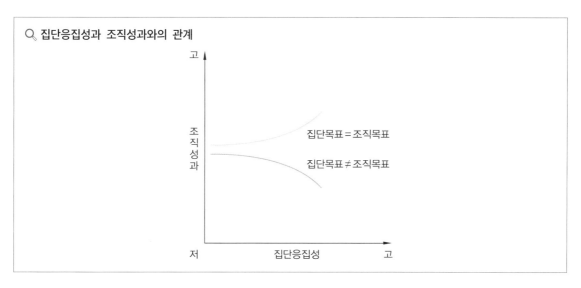

🔍 집단응집성과 조직성과와의 관계

(2) 응집성이 높은 집단의 특성

집단의 목표와 조직의 목표가 일치하는 경우에는 집단의 성과가 높아지면 조직의 성과가 높아지기 때문에 조직은 집단응집성을 높여야 한다. 따라서 조직은 집단응집성을 높이기 전에 응집성이 높은 집단이 가지는 특성을 파악하여야 한다.

① **목표일치**: 집단의 목표와 구성원의 목표가 서로 일치하고 구체화되어 있다.

② **카리스마 리더**: 카리스마 리더가 존재할 때 구성원들의 단결이 이루어지고 집단에게 주어진 과업을 성공적으로 달성할 수 있다.

③ **가치관의 공유**: 각 개인들이 가지고 있는 가치관을 구성원들 간에 공유하게 되면 서로에 대한 이해도를 높이고 서로 협조함으로써 개인들의 성장과 개발에 장애가 되는 요소들을 극복해 나갈 수 있다.

④ **소규모**: 일반적으로 다른 조건들이 동일하다면 규모가 큰 집단보다는 규모가 작은 집단의 응집력이 더 강하다. 이는 규모가 작은 집단이 규모가 큰 집단에 비해 구성원들 간의 신뢰가 높고 개방적인 관계를 통해 보다 많은 상호작용을 할 수 있기 때문이다.

(3) 집단응집성 조성방법

조직이 응집성이 높은 집단이 가지는 특성을 파악하고 나면 특정 집단에 대해서 여러 가지 방법을 통해 응집성을 조성하기 위한 노력을 하게 된다.

① **과업성과 강조**: 과업성과를 강조하여 집단구성원들로 하여금 과업달성에 집중하도록 한다.

② **참여적 관리**: 집단목표를 설정하는 과정에서 집단구성원들의 적극적인 참여를 유도한다면 집단구성원들의 목표에 대한 수용도가 높아져 집단목표를 달성하는 것이 쉬워진다.

③ **경쟁심 조성**: 다른 집단과의 경쟁심을 조성하면 집단의 응집성은 높아진다. 그러나 집단구성원들 간의 경쟁심을 조성하면 집단의 응집성은 오히려 낮아진다.

④ **집단의 재구성**: 현재 상태에서 집단응집성이 나타나지 않는다면 집단구성원을 교체하여 보다 높은 수준의 집단응집성 조성을 시도할 수 있다.

2. 갈등

(1) 의의

갈등(conflict)이란 개인이나 집단 간의 생각이나 태도 등이 충돌하는 것을 말한다. 집단구성원들 개개인의 성향차이 때문에 갈등이 발생하게 되는데, 갈등이 발생하는 원인에는 목표의 차이, 지각의 차이, 문화적 차이, 자원의 제한, 기간의 차이 등이 있다.

(2) 결과

갈등은 역기능적인 결과만을 나타내는 것이 아니라 순기능적인 결과도 나타나는 이중적인 성격을 가지고 있다. 일반적으로 갈등은 내부적으로는 순기능적인 결과를 나타내고 외부적으로는 역기능적인 결과를 나타낸다.

① **집단응집성의 강화**: 집단 간 갈등이 발생하면 집단구성원들은 의견이 일치되어 집단응집력이 강화된다.

② **카리스마 리더의 등장**: 집단구성원 간 갈등이 발생하면 그 집단은 약화되어 외부로부터 위협을 느끼게 되고, 이로 인해 집단구성원들은 보다 강력한 리더십을 요구한다.

③ **규범행동의 강화와 충성심 강조**: 집단 간 갈등이 발생하면 보다 과업지향적인 성격을 띠기 때문에 규범행동을 더욱 강조하게 되고 규범을 준수하는 것이 중요해지게 된다.

④ **왜곡된 지각**: 집단 간 또는 개인 간 갈등이 발생하면 상대방보다 자신이 더 중요하다고 지각하게 된다. 따라서 상대방에 대하여 무조건 부정적으로 판단하여 상대방의 역할과 기능은 과소평가하고 자신의 역할과 기능은 과대평가하게 된다.

⑤ **의사소통의 감소**: 집단 간 또는 개인 간 갈등이 발생하면 상호 간의 의사소통은 감소하게 되고 심지어는 단절되기도 한다. 따라서 문제해결이 어려워지고 성과향상보다 규정준수나 제도·절차에만 치중하여 목표와 수단이 전도되기도 한다.

(3) 갈등관리(조하리의 창)

갈등은 역기능적인 결과만을 나타내는 것이 아니라 순기능적인 결과도 나타나는 이중적인 성격을 가지고 있기 때문에 조직은 갈등수준을 무작정 높이거나 낮출 수 없다. 따라서 조직은 갈등을 관리해야 하는데, 갈등관리란 관련 비용의 총합을 최소화시키는 갈등수준을 유지하는 것을 의미한다. 이러한 갈등관리의 이론적 배경으로 조하리의 창(Johari window)이라는 개념이 있다. 조하리의 창은 조셉 루프트(Joseph Luft)와 해리 잉검(Harry Ingham)이 주장한 개념으로 자신과 타인에게 투영되는 자신의 모습을 통해 대인관계에 있어서의 갈등원인을 설명하고 해결방안을 제시해 준다.

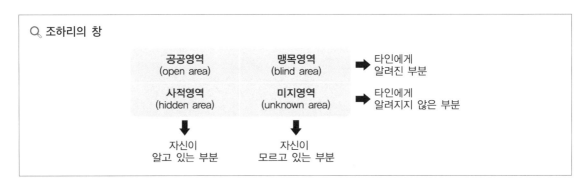

① **공공영역**: 자기 자신에 대하여 자신도 알고 있고 타인도 알고 있는 영역이다. 이 영역에서는 갈등을 일으킬 소지가 거의 없다. 인간관계와 의사소통에 제약이 없는 영역으로 영역이 커질수록 효과적인 의사소통과 인간관계가 이루어진다.

② **맹목영역**: 자기 자신에 대하여 타인에게는 잘 알려져 있지만 자신은 모르고 있는 영역이다. 이 영역에서는 갈등이 발생할 가능성이 잠재되어 있으며, 타인과 반드시 협동이 이루어져야 한다.

③ **사적영역**: 자기 자신에 대하여 타인은 모르고 자기 자신만이 알고 있는 영역이다. 이 영역에서는 갈등이 발생할 가능성이 잠재되어 있다.

④ **미지영역**: 자기 자신에 대하여 자기 자신도 모르고 타인도 모르는 영역이다. 이 영역에서는 상호 간에 오해가 발생하는 것이 거의 필연적이기 때문에 거의 항상 갈등이 발생한다.

(4) 갈등관리전략

토마스(Thomas)는 갈등관리전략을 자신에 대한 관심(concern for self)의 정도와 상대방에 대한 관심 (concern for other)의 정도에 따라 다섯 가지 유형으로 구분하였다. 갈등관리의 유형은 회피전략 (avoidant strategy), 경쟁(지배 또는 강압)전략(competitive strategy), 협력(통합)전략(collaborative strategy), 수용(배려)전략(accommodative strategy), 타협전략(compromising/sharing strategy)으로 나누어지는데, 이들 중 최선의 방법은 존재하지 않으며 각 유형은 나름대로의 장단점을 가지고 있다.

① **회피전략**: 직면한 문제들을 피하고자 하는 전략이다. 즉 갈등 상황에서 자신에 대한 관심뿐만 아니라 상대방에 대한 관심도 가지지 않는 전략이다.

② **경쟁(지배 또는 강압)전략**: 공식적인 권위를 사용하여 복종을 유도하며, 자신에 대한 관심은 지나친 반면에 상대방에 대하여 무관심한 사람은 자기중심적인 행동을 선호하는 전략(win-lose)이다.

③ **협력(통합)전략**: 자신과 상대방의 관심과 이해관계를 정확히 파악하여 문제해결을 위한 통합적 대안을 도출하는 전략이다. 즉 자신과 상대방이 원하는 것을 모두 충족시키는 전략(win-win)이다.

④ **수용(배려)전략**: 상대방의 관심부분을 충족시켜 주기 위해 자신의 관심부분을 양보 또는 포기하는 전략이다. 수용전략은 수용에 대한 대가를 받을 수 있을 때에는 매우 적절하지만, 복잡하거나 악화된 문제에 있어서는 부적합하다.

⑤ **타협전략**: 자신과 상대방의 공통된 관심분야를 서로 주고받는 전략이다. 즉 갈등상황에서 서로의 입장을 양보하여 서로의 관심사를 부분적으로 충족시키는 것이다.

3. 협상

협상(negotiation)은 쌍방이 서로 다른 입장에 있을 때 합의된 결정을 만들어 가는 과정을 의미한다. 이러한 협상은 상이한 이해관계를 가진 당사자 간에 서로 원하는 것을 충족시켜 나가면서 향후 원만한 관계의 기초가 되기도 하고 당사자 간의 긴장을 해소시키는 수단이 되기도 한다. 협상은 그 성격에 따라 분배적 협상 (distributive negotiation)과 통합적 협상(integrative negotiation)으로 구분할 수 있다.

(1) 분배적 협상

제한된 자원을 두고 누가 더 많은 부분을 차지할 것인가를 결정하는 협상이다. 이러한 협상은 각자의 입장에 따라 목표수준(얻고자 하는 수준)과 저항수준(양보가 불가능한 수준) 사이에서 합의가 이루어진다.

(2) 통합적 협상

서로가 모두 만족할 수 있는 선에서 상호승리를 추구하는 협상이다. 서로의 이해관계에 대한 파악과 정보공유를 통해 각자의 욕구가 모두 충족되는 수준에서 합의가 이루어진다.

▤ 분배적 협상과 통합적 협상

속성	분배적 협상	통합적 협상
목표	개인의 이익을 최대화하고 손실을 최소화	공동의 이익을 최대화
의미	제한된 자원하에서 한 쪽의 손실이 다른 쪽의 이익이 됨	상호노력에 따라 공동이익의 양을 증대시킴
관심사	서로 반대	서로 일치
정보공유	낮음 (정보를 공유하면 상대방이 이익을 차지함)	높음 (정보를 공유하면 서로의 이익을 만족시킬 수 있는 방법을 찾을 수 있음)
결과	Win-Lose	Win-Win
의사소통	정보탐색, 자료확보, 기만적인 폭로 등	정보공유, 욕구의 목적에 대한 정확한 공표
관계의 지속성	단기	장기

4. 사회적 태만

사회적 태만(social loafing) 또는 링겔만효과(Ringelmann effect)는 타인의 존재 또는 집단이 개인의 행동에 미치는 영향 중 하나로, 집단에 속한 사람들이 함께 일하는 상황에서 혼자 일할 때보다 노력을 덜 들여 개인의 수행이 떨어지는 경향을 뜻한다. 사회적 태만은 줄다리기 등과 같은 신체적 노력에서뿐만 아니라, 어떤 사항에 대한 평가 혹은 의견 개진 등과 같은 인지적 노력을 요하는 과제에서도 발생한다. 이러한 사회적 태만은 개인의 수행 정도를 평가할 수 없어 개개인의 수행이 집단에 묻힌다고 생각될 때 결과에 대한 책임이 전체 구성원에게 분산되어 사람들이 열심히 노력하지 않아 발생하는 현상이다. 그리고 사회적 태만은 과제 수행에 참여한 개개인의 기여도를 평가할 수 없을 때, 집단의 다른 구성원들이 능력이 충분함에도 불구하고 노력을 하지 않을 때, 집단 과제가 중요하지 않다고 지각되었을 경우에도 나타나기 쉽다. 또한, 집단이 목표를 달성할 것이라는 기대가 낮을수록 그리고 그 목표의 달성이 개인에게 중요하지 않을수록 사회적 태만이 나타나기 쉽다. 이러한 사회적 태만은 다음과 같은 방법을 통해 감소시킬 수 있다.

(1) 집단구성원들에게 집단의 공동목표를 개별적으로 할당해 주거나 공동목표 달성방법을 구체화해 준다.

(2) 절체절명의 집단공동목표가 있어야 한다. 즉 그 목표를 달성하지 못하면 집단의 존속 자체가 어려운 목표이어야 한다.

(3) 다른 집단과의 경쟁이 존재하여야 한다.

(4) 상급자 혼자서 집단구성원 전부를 평가하는 것이 아니라 다면평가제도와 같이 집단구성원들 간의 평가 기회가 존재하여야 한다.

(5) 모범적인 집단구성원이나 최고 성과자의 선발과 포상제도가 존재하여야 한다.

(6) 집단 내에서도 집단구성원 간의 업적에 따라서 보상하는 성과급, 연봉제 등이 이루어져야 한다.

1 의사소통

1. 의의

(1) 개념

의사소통(communication)이란 발신자와 수신자가 언어적 또는 비언어적 메시지(정보)를 교환하고 공유하려는 과정을 말한다. 의사소통은 개인 상호 간, 집단 상호 간, 개인과 집단 간에 이루어진다. 효율적인 의사소통을 위해서는 다음과 같은 원칙들이 지켜져야 한다.

① **명료성의 원칙**: 전달되는 내용이 명확하여 수신자가 올바른 내용을 정확하게 받아들일 수 있도록 해야 한다는 원칙이다. 이를 위해서는 체계적이고 논리적인 내용을 쉽게 이해할 수 있도록 메시지를 작성하여야 한다.

② **주의집중의 원칙**: 전달하고자 하는 내용을 이해하기 위해 수신하는 메시지에 충분한 주의를 기울여야 한다는 원칙이다. 명료성의 원칙이 준수된다 하더라도 메시지를 이해하지 못하면 의사소통은 완전히 수행되었다고 할 수 없다.

③ **통합성의 원칙**: 의사소통을 통해서 경영자는 기업의 목표를 달성하기 위해 구성원들의 협조를 확보하고 유지하여야 한다는 원칙이다.

④ **비공식조직의 전략적 활용원칙**: 비공식조직을 의사소통의 수단으로서 적극 활용해야 한다는 원칙이다. 비공식조직은 공식조직의 밖에 존재하면서 경영자의 승인여부와 상관없이 존재하며 기업에게 긍정적인 영향과 부정적인 영향을 동시에 미친다. 따라서 비공식조직을 무시하여서는 안 되며, 기업의 목표를 달성하기 위한 공식조직의 보완적인 수단으로 활용하여야 한다.

(2) 과정

의사소통이 존재하려면 우선 발신자와 수신자 사이에 전달해야 하는 메시지가 있어야 한다. 발신자가 메시지를 부호화(encoding)하여 그것을 경로(매체)를 통해 수신자에게 전달하면 수신자는 메시지를 받아서 해독(decoding)한다. 그 결과 메시지가 발신자에게서 수신자에게 전달되는 것이다. 이러한 과정은 순환(feedback)되어 의사소통은 정적(static)인 개념보다 동적(dynamic)인 개념으로 이해할 수 있다. 여기서 제일 중요한 것은 정확한 의사전달이 되는데, 이를 위해 소음을 최대한 줄여야 하며 정확한 부호화와 해독 및 올바른 경로(매체)의 선택이 필요하다. 그러나 실제 현실에서는 의사소통이 발신자와 수신자 사이에서 선형적으로 이루어지는 것이 아니라 의사소통 관련 요소를 둘러싸고 있는 많은 요소들과의 상호작용 속에서 존재한다. 그러므로 전체적인 시스템 속에서 여러 과정이 합해져서 하나의 의사소통이 이루어지는 것이다.

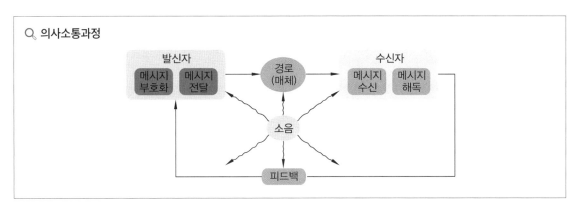

🔍 **의사소통과정**

(3) 의사소통의 장애요인

의사소통 문제가 발생하면 경영자의 업무수행 성과를 직접적으로 저하시키는 결과를 가져온다. 정보가 잘못 전달되거나 전달된 정보가 행동에 영향을 미치지 못한다면 경영자는 적절하게 계획과 통제를 할 수 없을 것이다. 따라서 의사소통의 장애요인에 대해서는 끊임없이 주의를 기울여야 하는데, 대표적인 의사소통의 장애요인은 다음과 같다.

① **준거틀**: 구성원들이 처한 상황이 서로 다르기 때문에 의사소통을 해독하는 경향도 달라질 수 있다. 그래서 정보전달자는 자신이 사용하는 언어로 수신자에게 전달하려고 하고, 그 메시지는 수신자 자신의 언어영역에서 받아들이므로 서로 갈등을 일으킬 수도 있다. 정보전달자나 정보수신자는 그들의 경험을 바탕으로 그 경험 내에서만 부호화 및 해독을 하기 때문에 그 결과로 의사소통이 왜곡될 수 있는데, 이는 각자의 준거틀이 서로 다른 데 그 원인이 있다.

② **매체해독의 오류**: 사용되는 매체(언어 또는 비언어)가 어려운 전문용어나 애매한 동작이었다면 수신자의 해독이 잘못될 수도 있다. 또한 수신자가 알아듣기 쉬운 말을 사용하였다고 하더라도 여러 가지 해석이 가능한 단어나 문구를 사용한 경우에는 어의상 문제로 인한 왜곡이 있을 수 있다.

③ **선택적 지각**: 발신자가 전달한 내용을 수신자가 100% 모두 지각하는 것이 아니라 일부만 지각할 수 있다.

④ **감정상태**: 인간은 이성적 동물이면서 동시에 감정의 동물이다. 따라서 감정이 격해지면 이성의 합리적 활동은 지장을 받기 마련이고 이러한 감정의 기복은 의사소통활동에 지장을 초래할 수 있다.

⑤ **정보량의 과다**: 효율적인 의사결정을 위해서는 정보가 필요하다. 그러나 많은 정보들 중에서 적절한 정보를 얻는 것은 쉬운 일이 아니며, 수신자는 전달받은 정보를 전부 수용하고 처리하는데 어려움이 따른다. 그러므로 조직 내 의사소통에서 정보가 많다는 것만으로 반드시 더 가치가 있는 것이 아니고, 오히려 장애요인이 되는 경우가 있다.

⑥ **매체 간의 불일치**: 의사소통 전달매체(media)는 다양하기 때문에 대개의 의사소통과정에서는 하나의 전달매체에만 의존하지 않고 여러 매체를 동시에 사용하면서 서로를 보완하고자 한다. 그러나 이때 복합적으로 사용되고 있는 매체들 간의 조화가 이루어지지 않게 되면 수신자는 혼동을 하게 되고 메시지의 정확성은 감소될 것이다.

2. 기능

(1) 정보전달 기능

의사소통은 의사결정에 필요한 여러 가지 대안을 마련하고 평가하는데 유용한 정보를 제공함으로써 최적의 대안을 결정하는데 중요한 역할을 한다.

(2) 동기유발 기능

의사소통을 통해 조직구성원들의 목표를 설정해 주고 그러한 목표달성을 위한 진행사항을 피드백하면서 활동을 조정하고 통합시킨다. 또한, 구성원들 간의 사회적 접촉을 가능하게 하고 자신의 감정을 표출함으로써 사회적 욕구를 충족시킨다.

(3) 조정 및 통제 기능

의사소통은 조직구성원들이 지시, 대화, 협의, 토론 등을 통하여 일정한 방향으로 행동하도록 조정하고 통제하는 기능을 수행한다.

3. 의사소통의 유형[39]

의사소통은 그 형태가 겉으로 드러나는 공식적 의사소통과 그 형태가 겉으로 드러나지 않는 비공식적 의사소통으로 구분할 수 있다.

(1) 공식적 의사소통

공식적 의사소통은 그 형태가 겉으로 드러나기 때문에 다양한 형태를 파악할 수 있는데, 대표적인 형태에는 원형(circle), 수레바퀴형(wheel), 사슬형(chain), Y형, 상호연결형(all channel) 등이 있다.

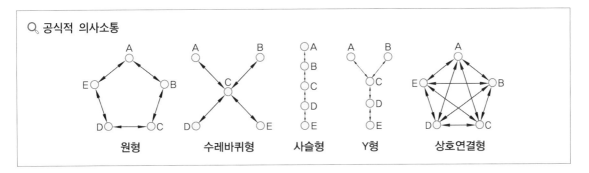

① **원형**: 집단구성원 간에 사회적인 서열이나 신분관계가 뚜렷하게 형성되지 않은 경우에 나타나는 유형이다. 중심인물이 없는 상태에서 구성원들 사이에 정보가 전달된다.

② **수레바퀴형**: 집단구성원들에게 있어 중심인물이 존재하고 있는 경우에 나타나는 유형이다. 주로 리더와 같은 중심인물에게 의사를 전달하게 되며 중심인물은 의견을 모아 다시 구성원들에게 의사를 전달한다.

③ **사슬형**: 구성원들 간의 의사소통이 연결되지 않은 유형이다. 일반적으로 정보가 단계적으로 최종인물에게 전달되는 수직적인 구조[40]와 정보의 전달방향에 따라서 중간에 위치한 구성원이 역할을 하는 수평적인 구조[41]로 나눌 수 있다.

④ **Y형**: 확고한 중심인물이 존재하지 않아도 대다수의 구성원들을 대표하는 중심인물과 비슷한 인물이 나타나는 유형이다. 수레바퀴형과 사슬형이 결합된 형태라고 볼 수 있다.

⑤ **상호연결형**: 완전연결형 또는 별형이라고도 하며, 가장 바람직한 유형으로 구성원들 사이의 정보교환이 완전히 이루어지는 유형이다. 구성원 중 누구라도 의사소통을 주도할 수 있기 때문에 민주적 형태라고 할 수 있다.

---

39) 의사소통은 수평적 의사소통과 수직적 의사소통으로도 구분할 수 있다. 즉 의사소통은 수평적이거나 수직적으로 흐르기 마련인데 수직적이라 함은 다시 상향적 흐름과 하향적 흐름으로 구분할 수 있다. 일반적으로 조직의 상황에 따라 의사소통의 흐름은 조직이나 집단마다 다르게 나타나며, 일반적으로는 어느 한 쪽으로 편중되어 있는 것이 보통이다. 그러나 상황에 맞게 편중되어 있으면 다행이지만 그렇지 않다면 그 조직은 비효율적인 조직이 된다. 또한, 과거와는 달리 현대적인 환경에서는 수직적인 흐름보다는 수평적 흐름을 요구하고 하향적 흐름보다는 상향적 흐름을 요구하게 되는데, 조직은 이와는 반대 방향으로 가려는 움직임이 더 크다는 어려움을 가지고 있다.

40) 이러한 상황에서는 구성원들 간에 뚜렷하고 엄격한 신분서열관계가 존재함으로써, 상위의 중심인물이 수레바퀴형과 같이 모든 정보를 종합하고 문제를 해결하므로 단순업무에서의 신속성과 효율성이 비교적 높다. 그러나 정보의 단계적 전달로 인하여 정보의 왜곡행동이 나타날 위험성이 있다.

41) 정보의 전달방향에 따라서 중간에 위치한 구성원이 중심적인 역할을 한다. 그러나 의사소통 효과에 있어서 정보수집과 문제해결이 비교적 느린 반면에, 중간에 위치한 구성원을 제외하고는 주변에 위치한 구성원들의 만족감은 비교적 낮은 경향이 있다.

(2) 비공식적 의사소통

비공식적 의사소통은 조직 내에서 자생적으로 형성된 의사소통체계를 의미한다. 포도덩굴을 닮았다고 하여 그레이프바인(grapevine)이라고 하며, 정보유통경로에 따라 단순형(single stand network), 한담형(gossip network), 확률형(probability network), 군집형(cluster chain network)으로 구분할 수 있다. 이 중에 가장 많이 사용되는 형태는 군집형이다.

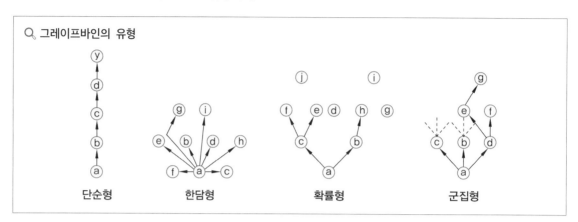

🔍 그레이프바인의 유형

① **단순형(일방형)**: 구성원들 사이에 단선적인 통로를 통해 정보가 전달되는 것이다. 정보전달의 정확성은 떨어지지만 처음부터 마지막까지 의사소통의 연결이 이루어진다.

② **한담형(잡담형)**: 한 사람이 정보를 습득하여 다른 모든 사람에게 전하는 형태이다. 직무와는 관계가 적지만 관심이 있는 정보에 대해서 발생한다.

③ **확률형**: 의사소통의 대상자가 사전에 선택되는 것이 아니라 수시로 변화하는 형태이다. 정보의 내용에 대한 관심은 있지만 중요하지 않은 경우에 발생한다.

④ **군집형**: 정보를 전달해야 할 사람에게만 선택적으로 의사소통이 이루어지는 형태이다. 한 사람이 정보를 몇 사람에게 전달하면 전달받은 사람이 다른 몇 사람에게 전달하는 형태이며, 조직에서 가장 빈번히 발생하는 유형이다.

2 집단의사결정

1. 의사결정모형

(1) 합리적(합리인) 의사결정모형

합리적(합리인) 의사결정모형 또는 규범적 의사결정모형이란 의사결정자는 완전한 합리성에 기초한 합리적인 경제인(rational economic man)이라고 가정하고 완전정보를 보유한 상황에서 가장 합리적인 의사결정행동을 하는 것을 의미한다. 따라서 합리적(합리인) 의사결정모형에서의 의사결정자는 합리적 의사결정(최적해), 완전정보, 완전대안, 완전선호체계, 효과계산의 무제한 등의 특징을 가진다.

(2) 관리인 의사결정모형

관리인 의사결정모형이란 제한된 합리성(bounded rationality)[42]을 가진 의사결정자가 조직 내의 적정한 만족수준(만족해)에서 의사결정을 하는 것을 의미한다. 즉 인간은 문제해결에 있어서 제한된 정보와 제한된 대안을 가지고 주어진 시간과 비용을 감안하여 합리적 선택을 하려고 노력한다는 것이다. 관리인 의사결정모형에서의 의사결정자는 정보가 불완전하고 동시에 처리할 수 있는 정보의 양에도 한계가 있기 때문에 모든 대안을 인식할 수 없으며 대안의 결과를 예측하는 것이 쉽지 않다. 따라서 객관적으로 최적의 대안을 선택하는 것이 아니라 개인적으로 만족스러운 수준의 대안을 선택하게 되고, 대안이나 해결책 모색에 있어 매우 제한적이며, 결과에 영향을 미치는 요소들을 통제할 수 없는 상황에서 충분한 정보도 없이 결정을 내리게 된다.

(3) 카네기 의사결정모형

카네기 의사결정모형(Carnegie decision model)은 제한된 합리성에 근거한 조직의사결정모형으로 조직에서의 의사결정은 많은 관리자들이 관여하기 때문에 최종적 의사결정은 이들 관리자들의 연합인 세력(연합)집단(coalition)에 의하여 이루어진다는 의사결정모형이다. 여기서 세력(연합)집단이란 조직의 이해관계자 집단으로서 문제해결과 대안선택에 여러 가지 관점에서 영향을 미치는 집단을 의미하는데, 이는 제한된 능력, 문제의 복잡성, 정보의 부족, 불확실성, 시간의 압박 등과 같이 합리적 의사결정을 방해하는 여러 제약요인이 존재할 때 형성된다. 따라서 카네기 모형은 이러한 요인들로 인하여 최적대안이 아니라 만족할 만한 대안을 선택할 수밖에 없다고 주장하였다. 특히, 제한된 합리성은 비정형적 의사결정에 적용될 수 있는데, 해결해야 할 문제가 새롭고 불명확하고 복잡하여 논리적인 절차를 이용할 수 없을 때에는 제한된 합리성 관점에서의 의사결정이 더 효과적이다. 즉 카네기 모형은 제한된 합리성 모형에서 만족해를 인정하고 있으며, 의사결정과정에 영향을 미치는 조직 내 세력(연합)집단의 존재를 중시한다. 결국 의사결정은 경영자가 조직목표와 이해관계의 달성을 위해 만든 규칙 속에서 이루어진다.

PART 02

조직행동론 해커스군무원 이인호 경영학 기본서

---

42) 바늘이론: 사이먼(Simon)은 기업의 의사소통이나 의사결정이 합리적으로 이루어지느냐의 문제가 조직관리의 핵심이라고 보고 의사결정을 중요한 조직행동으로 인식하였다. 관리자들이 의사결정을 하려면 자료수집의 어려움과 비용 때문에 비능률적이 되기 쉽고 그렇다고 아무렇게나 해서도 안 되기 때문에 제한된 합리성 안에서 의사결정을 하는 것이 가장 현실적이라는 것이다. 그는 건초더미 속에 묻힌 여러 개의 바늘 중 한 개를 선택(의사결정)하여 사용할 때, 가장 좋은 바늘을 찾기 위해 온종일 낭비해서도 안 되고 그렇다고 해서 아무거나 잡히는 대로 사용해도 안 된다는 것이다. 즉 몇 개의 바늘을 찾아보면서 그 중에서 그래도 가장 괜찮은 바늘을 선택하여 사용하는 것이 가장 좋은 방법이라는 것이다. 또한, 사이먼은 과학적 관리법의 경영자들이 절대적 합리성만을 추구하는 경제인(economic man)이라면, 제한된 합리성 내에서 현실적으로 의사결정을 해나가는 경영자들을 관리인(administrative man)이라고 하였다. 즉 여러 한계 속에서 경험과 분석력을 기초로 상황판단을 하면서 사용 가능한 정도의 좋은 바늘을 찾는 의사결정은 관리적 경험을 갖춘 훌륭한 경영자만이 가능하다고 생각했던 것이다.

(4) 직관적 의사결정모형

직관적 의사결정모형(intuitive decision model)은 의식적인 논리적 과정을 거치지 않고 의사결정을 하는 것을 의미한다. 여기서 직관은 이성이나 논리적 추론을 통하지 않고 사물을 인식하는 것을 말한다. 의사결정에 있어서 직관적 의사결정모형은 의사결정자가 조직에서 시간적 압박을 많이 받을 때, 불확실성이 높을 때, 의사결정과 관련된 조건들이 빨리 변화할 때, 현실적으로 정보가 너무 많거나 부족할 때, 의사결정이 가져다주는 결과가 가시적이고도 명확할 때 등에 적용된다. 이러한 직관적 의사결정은 의사결정이 신속하게 이루어지기 때문에 복잡하고 변화가 빠른 조직에 매우 유용하다는 장점을 가지지만, 합리적 의사결정모형과 비교할 때 오류가 발생할 가능성이 높다는 단점을 가진다. 또한, 의사결정자는 본인이 내린 의사결정에 대하여 타인에게 논리적으로 설명하는 것이 쉽지 않기 때문에 타인은 직관적 의사결정을 인정하기 보다는 무시하는 경향을 보일 수 있다. 대표적인 직관적 의사결정기법에는 휴리스틱(heuristics)이 있는데, 휴리스틱은 시간이나 정보가 불충분하여 합리적인 판단을 할 수 없거나, 굳이 체계적이고 합리적인 판단을 할 필요가 없는 상황에서 신속하게 사용하는 어림짐작의 기술을 의미한다. 즉, 평소 경험했던 사실을 머릿속에 정형화시켜 놓고 다음에 일어나는 유사한 상황에서 깊이 생각하지 않고 머릿속에 담겨 있던 평소의 믿음과 경험으로 즉각 결정해 버리는 방식이다.

(5) 쓰레기통모형

쓰레기통모형(garbage can model)이란 의사결정이 일정한 규칙에 따라 이루어지는 것이 아니라, 문제(problems)[43], 대안(solutions)[44], 의사결정자(participants)[45], 결정시점 또는 선택기회(choice opportunities)[46]의 독립적인 4가지 요소가 쓰레기통 속에서와 같이 뒤죽박죽 움직이다가 어떤 계기로 서로 만나게 될 때 이루어진다고 보는 것을 의미한다. 4가지 요소들이 의사결정상황에서 복잡하게 상호 작용하다가 최종안을 만들기 때문에 문제와 해결책 사이에 서로 관련이 없을 수 있다. 따라서 해결책이 존재하지 않는 문제에 대한 해답이 생길 수 있고, 우연한 아이디어가 좋은 해결책이 되기도 한다. 이러한 모습들은 의사결정이 복잡하고 어려운 과정이라는 것을 의미한다.

(6) 정치적 선택모형

정치적 선택모형이란 개인의 이익을 충족시키기 위해 의사결정과정에 개인의 욕구를 반영하여 의사결정을 하는 것을 의미한다. 개인의 이익을 만족시켜 주는 대안이 의사결정과정 초기에 결정되기 때문에 새로운 정보가 얻어지더라도 대안을 바꾸지 않으며, 이 과정에서 정보의 왜곡이나 속임수 등 비윤리적인 방법이 사용되는 경우도 있다.

---

43) 조직에는 해결해야 할 문제도 많고 새로 생기는 문제도 많다. 없던 것도 만들면 문제가 된다. 따라서 조직에는 해결되기를 기다리는 문제들이 항상 쌓여 있다.

44) 특정 문제를 해결하기 위해 강구한 해결책(대안)은 아니지만 조직에는 대안들이 많이 있다. 즉 아직 문제가 발생하지 않았더라도 또는 아직 필요성이 없더라도 대안은 이미 많이 존재하고 있으며 그 활용을 기다리고 있는 것이다.

45) 무슨 의사결정이든지 이루어지려면 의사결정자가 있어야 한다. 그러나 조직의 모든 사람들이 의사결정을 하는 것이 아니라 문제마다 의사결정을 책임지는 사람은 따로 있게 마련이다.

46) 의사결정이 이루어지는 때가 바로 해결책이 선택되는 순간이다. 문제, 대안, 의사결정자의 세 가지 요소가 쓰레기통 속에서 굴러다니다가 의사결정이 필요하다고 모두가 기대 또는 예측하는 순간이 되면 그 시점에 불꽃이 점화되듯이 의사결정이 일어난다.

(7) 점진적 의사결정모형

점진적 의사결정모형(incremental decision process model)이란 조직의 중요한 의사결정은 한 순간에 한 번으로 되는 것이 아니라 일련의 작은 결정들의 연속적인 조합으로 이루어진다는 것을 의미한다. 즉 조직의 중요한 의사결정은 한 번의 큰 결단으로 이루어지는 것이 아니라, 여러 개의 의사결정점을 통과하면서 장애물에 부딪치기도 하고 이전의 결정으로 다시 돌아가기도 하는 등 수많은 작은 결정에 의해 점진적으로 최종 해결책에 접근하는 것이다. 이러한 점진적 의사결정의 동태적인 과정은 다음과 같은 단계로 이루어진다.

① **확인단계**: 문제를 파악하고 의사결정을 해야 한다는 필요성을 인식하는 단계이다. 또한, 이 단계에서는 의사결정을 위한 정보수집이 아니라 문제를 정확하게 분석하여 의사결정이 필요한 상황인지 아닌지를 파악하는 데 필요한 정보수집이 요구된다.

② **개발단계**: 확인단계에서 확인된 문제에 대한 해결책을 찾는 단계이다. 해결책을 찾는 방법에는 기존에 해결했던 방식을 검토하는 방법과 새로운 해결책을 설계해보는 방법이다.

③ **선택단계**: 여러 가지 대안 중에서 평가를 거쳐 하나의 대안을 선택하는 단계이다.

2. 의의

집단의사결정(group decision making)이란 경영의 제반 의사결정과 관련된 사람들이 참여하여 충분한 의견수렴과정을 통해 의사결정을 내리는 형태를 의미한다. 의사결정은 집단의 성과와 효율성을 결정하는 가장 근본적인 요소로서 조직과 집단의 생명과정(life process)이라고도 불린다. 집단구성원들은 집단의 목적을 달성하고 자기의 역할을 수행하는 과정에서 여러 가지 문제에 봉착하게 된다. 즉 집단의 과업목표를 비롯하여 구성원들의 규범과 업무분담, 역할갈등, 작업조건 등 문제가 발생한다. 이러한 문제들을 어떻게 해결하느냐에 따라서 집단의 효율성과 성과가 달라진다. 따라서 집단의사결정은 구성원들의 상호작용이 매우 중요한 측면을 차지한다.

(1) 장점

① **지식과 정보의 다양성**: 개인이 가지고 있는 정보의 양은 제한적이지만 집단이 얻을 수 있는 정보는 다양하다.

② **문제접근의 다양성**: 개인이 가지고 있는 경험이 다르기 때문에 문제를 접근하는 방식이 다양하다.

③ **참여를 통한 동기부여 및 교육적 효과**: 의사결정과정에 참여함으로 인하여 결정에 대한 실행과정에서 동기부여가 쉽게 일어나고 결정내용에 대해서 별도로 구성원들에게 전달할 필요가 없다.

④ **응집력 강화**: 구성원 간의 원활한 의사소통을 통해 응집력이 강화된다.

⑤ **합법성과 정당성의 증대**: 공동결정으로 인해 소수의 의견이 아닌 다수의 의견이라는 합법성과 정당성을 확보할 수 있다.

(2) 단점

① **시간과 비용의 발생**: 상호작용을 위해 장시간 회의나 다수의 회의를 하기 때문에 추가적인 시간과 비용이 발생한다.

② **정치적 힘의 작용**: 다수의 의견을 반영하기 때문에 소수라는 이유로 반대의견을 억누르고 다수의 의견에 동조하도록 압력을 가하는 경우가 있다.

③ **특정인의 지배**: 집단파벌의 영향으로 인하여 자유로운 의견표현이 어려울 수 있으며, 특정인의 의견에 지배되는 경향이 나타날 수 있다.

④ **타협하는 경향**: 최선안을 알고 있음에도 불구하고 의견대립을 회피하기 위해 타협할 수 있다.

⑤ **의견불일치에 의한 갈등유발**: 구성원 전체의 의견을 반영하는 것이 쉽지 않기 때문에 구성원 간의 의견불일치로 인하여 갈등이 발생할 수 있다.

3. 집단의사결정기법

집단의사결정기법에는 브레인스토밍, 고든법, 델파이법, 명목집단법 등이 있으며, 집단의사결정과정에서 발생할 수 있는 집단사고를 방지하기 위한 방법으로 지명반론자법이 있다.

(1) 브레인스토밍

브레인스토밍(brainstorming)이란 특정한 문제나 주제에 대하여 두뇌에서 폭풍이 몰아치듯 생각나는 아이디어를 가능한 한 많이 산출하도록 하는 방법을 말한다. 즉 구성원의 자유발언을 통한 아이디어의 제시를 요구하여 발상을 찾아내려는 집단토의의 일종으로 오스번(Osborn)에 의하여 제안되었다. 브레인스토밍에서는 어떠한 내용의 발언이라도 그에 대한 비판을 금지하며, 여러 사람들이 자유롭게 제시한 창의적인 아이디어를 종합하여 합리적인 해결책을 모색해야 한다. 이를테면, 일종의 자유연상법이라고도 할 수 있다.

(2) 고든법

고든법(Gordon method)은 분석하는 대상의 상위 개념을 제시하여 그것을 바탕으로 연상에 의하여 새로운 아이디어를 찾아내는 방법이다. 브레인스토밍과 마찬가지로 집단적으로 발상을 전개하는 것인데, 브레인스토밍은 양을 중시하지만 고든법은 질을 중시한다.

(3) 델파이법

델파이법(Delphi method)이란 전문가집단의 의견과 판단을 추출하고 종합하기 위하여 동일한 전문가집단에게 설문조사를 실시하여 집단의 의견을 종합하고 정리하는 방법으로 순환적 집단의사결정과정이라고 할 수 있다. 개인들은 직접 대면하지 않기 때문에 익명을 보장받을 수 있어 쉽게 반성적 사고를 하게 되며, 새로운 의견이나 사상에 대하여 솔직해질 수 있다. 델파이법은 많은 시간이 필요하기 때문에 신속한 의사결정을 필요로 하는 경우에는 사용할 수 없지만, 의사결정의 범위가 넓거나 장기적인 문제를 해결하는데 유용한 방법이다.

(4) 명목집단법

명목집단법(nominal group techniques)이란 브레인스토밍과 델파이법을 조합하여 변형시킨 방법을 말한다. 여기서 명목이란 이름만으로 집단을 구성하고 구성원 간의 직접 의사소통은 하지 않는다는 것을 의미한다. 명목집단법은 구성원들이 대면한다는 사실만 제외하고는 델파이법과 어느 정도 유사하다. 또한, 제출된 아이디어에 대한 평가기능을 가지고 있어 아이디어의 질(quality)에 대한 인식 측면에서 브레인스토밍기법보다 우수하고, 투표라는 객관적인 방법을 동원하여 아이디어의 우선순위를 매기기 때문에 그 결과에 대한 구성원들의 수용성이 높다. 다만, 명목집단법이 성공을 거두기 위해서는 회의에 참가하는 구성원들이 문제에 대한 사전 지식과 관련 자료를 충분히 가지고 있어야 효과적이다. 명목집단법의 순서는 '인원구성 → 아이디어를 종이에 기록 → 발표 → 기록 → 토의 및 질문 → 투표 → 정리'의 순으로 이루어진다. 명목집단법은 의사결정에 참여한 모든 구성원들이 각자 타인의 영향을 받지 않고 자신의 의사를 개진할 수 있기 때문에 의사결정을 방해하는 타인의 영향력을 줄일 수 있고 의사결정에 도달하는 데 델파이법에 비해 시간소요가 많지 않다는 장점을 가지지만, 이를 이끌어 나가는 리더가 자질과 훈련을 갖추고 있어야 한다는 점과 한 번에 한 문제만 처리할 수 있다는 단점을 가진다.

(5) 지명반론자법

지명반론자법(devil's advocate method)이란 의사결정에 참여한 구성원들 중 일부를 지명하여 집단의 사결정 안에 대한 반론을 제기하도록 하는 방법(좁은 의미에서의 지명반론자법) 또는 집단을 둘로 나누어서 한 집단이 제시한 의견에 대하여 상대편 반론 그룹으로 임명된 집단의 비판을 들으면서 본래의 안을 수정하고 보완하는 방법(변증법적 토의)을 의미한다. 이러한 방법은 결정안에 대하여 다시 한 번 생각할 수 있는 기회를 제공해 주기 때문에 집단사고(group think)의 위험을 감소시켜 준다. 그러나 문제점을 계속 지적하다 보면 완벽한 대안을 찾는 것이 불가능하고 보수적인 결론이 도출될 가능성이 있다.

집단의사결정기법의 장단점

기법	장점	단점
브레인스토밍	• 많은 아이디어를 생성 • 단순한 문제해결에 적합	• 자유로운 분위기조성이 어려움 • 올바른 결론보다 합의 중시 • 아이디어의 구조화가 힘듦
델파이법	• 불확실한 미래현상 예측 • 심층적 단계를 통한 개선의견 도출 가능	시간이 많이 소요
명목집단법	• 다른 사람의 영향을 받지 않음 • 자신의 의견을 자유롭게 제시	• 융통성이 적어 수정이 어려움 • 사용방법이 어려움
지명반론자법	• 현실성이 높은 대안 도출 • 철저한 심의과정을 거치므로 오류의 최소화	시간이 많이 소요

4. 집단의사결정의 오류

(1) 집단사고

집단사고(group think)[47]란 지나치게 동질적인 집단이 그 동질성으로 인해 지나치게 비합리적인 의사결정을 하는 경우를 말한다. 즉, 개인의 생각은 사라지고 집단이라는 새로운 의사결정단위가 의사결정을 수행하는 것이다. 왜냐하면, 집단 속의 개인에게는 집단의 압력이 작용하는데, 그 실체로서 다수의 의견에 동조하게 하고 비판이나 평가를 하지 못하도록 하는 규범이 존재하기 때문이다. 집단사고는 집단구성원들이 당면한 문제에 대하여 독창적인 해결책을 찾아내기 보다는 오히려 다른 구성원들의 동의를 얻는 일에만 크게 관심을 갖기 때문에 개개인의 독창성과 새로운 아이디어를 억제할 우려가 있으며, 반대 정보를 차단하거나 문제점을 고려하지 않고서 만장일치를 추구하는 결과가 나타나게 된다. 일반적으로 집단사고는 집단의식 강조, 지시적 리더십, 고립된 집단, 다양한 의사결정방법의 활용 결여, 시간적 압박, 높은 구성원의 동질성 등으로 인해 발생한다. 이러한 집단사고를 줄이는 방법으로는 집단지성을 높이는 방법이 있다. 집단지성(collective intelligence)이란 다수의 개체들이 서로 협력하여 지적 능력의 결과물을 얻는 것을 말한다. 즉, 전문가집단이 아니더라도 다수의 일반인들이 다양한 의견을 낼 경우 전문가들의 의사결정보다 훨씬 더 값진 의견을 구성할 수 있는 것도 바로 집단지성 때문이라는 것이다.

(2) 집단극화

집단극화(group polarization)란 집단의사결정과정에서 집단구성원이 처음의 관점을 과장하려는 경향을 의미한다. 집단극화에는 개인의 의사결정 때보다 더 모험적인 방향으로 의사결정이 이루어지는 모험이행(risk shift)과 보수적으로 의사결정이 이루어지는 보수이행(cautious shift)이 있다.

---

47) 집단의 규모가 너무 커지면 집단사고가 증가할 수 있다. 이는 집단 속에서 책임분산(diffusion of responsibility)이 가속화되기 때문인데, 책임분산현상은 집단이 커질수록 책임지지 않고 구경만 하는 방관자효과(bystander's effect)를 더 증가시킨다.

(3) 애쉬효과와 스놉효과

애쉬효과(Asch effect)란 집단 내 다수의 틀린 의사결정이 자신의 정확한 의사결정에도 영향을 미칠 수 있다는 것을 의미하고, 편승효과(bandwagon effect)라고도 한다. 이러한 애쉬효과와 상반되는 효과로 스놉효과가 있다. 스놉효과(snob effect)란 다른 사람들이 소비하면 그 상품에 대한 수요량이 오히려 감소하는 효과를 의미하고, 백로효과라고도 한다.

(4) 결정의 지속성(몰입상승)

결정의 지속성 또는 몰입상승(escalation of commitment)이란 일의 비효율적인 진행을 계속하려는 경향(ineffective course of action)을 의미한다. 사람들은 어떤 결정을 실천해 갈수록 잘 되든 못 되든 점점 더 깊이 빠지는 경향이 있다.

(5) 기타 오류들

① **과도한 모험**: 예로부터 용감한 사람은 족장으로 추대되고 그렇지 못한 사람은 비겁하든지 사내답지 못하다고 천시하는 '모험선호사상'이 사회를 지배해 왔다. 따라서 사람들은 혼자 있을 때보다 회의석상에서 용감하고 유능하게 보이려고 더 높은 위험을 택하려 한다. 또한, 혼자 결정하면 실패책임을 혼자서 지지만 집단으로 결정하면 책임의 분산(diffusion of responsibility)이 발생하므로 부담 없이 위험을 택한다.

② **과도한 정당화**: 의사결정을 번복하면 과거의 의사결정이 잘못이라는 것을 인정하는 것이 되기 때문에 집단 속에서 다른 사람에게 대안을 먼저 공개해놓으면 더 좋은 대안이 발견되더라도 좀처럼 당초의 의견을 굽히려 하지 않는다.

③ **도덕적 환상**: 사람들은 개인의 행동에 대해서는 도덕성이나 양심에 대해서 신랄하게 비판하지만, 집단이 한 행동이나 의견에 대해서는 당연히 도덕적일 것이라는 환상(illusion of morality)을 가지고 있다.

④ **만장일치 환상**: 사람들은 대개 자기집단의 견해에 반대하기 보다는 동조(conformity)하려는 경향이 있다. 동조의 부담과 압력은 집단으로부터 따돌림을 당하지 않으려는 인간의 소속욕구와 자기가 가진 정보가 불확실할 때 다수의 의견에 의존하려는 성향에 기인한다. 따라서 일부 구성원들의 침묵은 반대가 아니라고 판단하여 만장일치를 내세우며, 구성원들은 서로 강하게 소속되어 있다는 긍정적 감정에 사로잡힌다. 특히, 과정보다 목표달성과 업적에만 매달리는 집단이라면 더욱더 소수의 의견을 무시하고 다수의 의견에 휩쓸리기 쉽다.

제3절 리더십

1 의의

1. 개념

리더십(leadership)이란 일정한 상황에서 목표달성을 위해 리더가 개인이나 집단의 행동에 권력을 행사하는 과정이나 능력을 의미한다. 리더십은 목표를 달성하려는 목표지향적인 행동이기 때문에 그 결과는 리더와 부하 간의 영향과정에 의존한다. 이러한 영향과정에 의하여 부하의 행동과 성과의 달성여부가 결정되고 나아가서는 부하의 만족도도 결정된다.

2. 권력의 유형

권력이란 다른 구성원들의 행동에 영향을 줄 수 있는 잠재능력을 의미한다. 따라서 권력은 둘 이상의 사람들 또는 집단 간의 관계를 전제로 하며, 쌍방성, 상대성, 가변성 등의 속성을 가진다. 프렌치(French)와 레이븐(Raven)은 다양한 원천에 따라 권력을 강압적 권력(coercive power), 보상적 권력(reward power), 합법적 권력(legitimate power), 준거적 권력(reference power), 전문적 권력(expert power)으로 구분하였으며, 이 중에 강압적 권력, 보상적 권력, 합법적 권력은 조직의 공식적 지위와 관련되어 있지만 준거적 권력과 전문적 권력은 개인이 원래 가지고 있는 특성과 관련되어 있다.

(1) 강압적 권력

처벌이나 위협을 전제로 하여 권력 수용자에게 벌을 줄 수 있는 능력을 원천으로 하는 권력이다. 권력 수용자는 두려움 때문에 권력 행사자의 의도대로 행동하게 된다. 가장 많이 사용되는 권력이고 남용되는 경우도 많지만, 가장 통제하기 힘든 권력의 유형이다.

(2) 보상적 권력

권력 수용자에게 원하는 보상을 해줄 수 있는 능력을 원천으로 하는 권력이다. 보상에는 임금, 보너스 등과 같은 경제적 보상과 승진의 지원, 직무성과의 인정·칭찬, 인기직무의 배정 등과 같은 정신적 보상이 있다.

(3) 합법적 권력

권력행사에 대한 정당한 권리를 전제로 하여 조직의 규범을 원천으로 하는 권력이다. 권한(authority)[48]이라고도 하는데, 이러한 권력은 조직으로부터 정당성을 부여받은 권력이기 때문에 권력 수용자로부터 순종을 강요할 수 있는 권력 행사자의 공식적인 통제권리이다. 일반적으로 강압적 권력이나 보상적 권력의 행사가 지나치면 부하들은 저항하지만, 합법적 권력은 공동체가 약속한 것이기 때문에 무조건 따라야 한다고 믿는 경향이 있다.

(4) 준거적 권력

권력 수용자의 행동기준을 권력 행사자가 제시하는 것을 원천으로 하는 권력이다. 일반적으로 부하의 존경심이 유발된다. 이러한 준거적 권력은 태도의 변화 중 동일화(identification)와 관계가 있다.

(5) 전문적 권력

권력 행사자의 전문기술 또는 독점적 정보를 원천으로 하는 권력이다. 이러한 전문적 권력은 리더의 요구와 부하의 가치가 일치하는 경우에 해당하기 때문에 태도의 변화 중 내면화(internalization)와 관계가 있다.

3. 권력수준의 결정요인

(1) 불확실성의 대처능력

한 주체의 권력수준은 그 주체가 조직운영과정에서 발생하는 예기치 못한 문제나 사건을 성공적으로 처리할 수 있는 능력을 얼마나 가지고 있는가에 따라 결정된다. 불확실성의 대처능력이 높을수록 권력수준은 커진다.

---

48) 권한은 한 개인이 조직 내에서 차지하고 있는 위치로 인하여 가지게 되는 공식적인 힘을 말한다. 따라서 권한은 권력의 한 요소이며 합법성이 강조된다. 권한은 일반적으로 볼 때 하향적인 권한을 의미하지만, 하급자들이 상급자의 권한을 인정하고 받아들일 경우에 비로소 상급자의 권한이 효력을 발휘하기 때문에 상향적인 영향력도 포함한다. 이러한 권한은 개인보다는 개인의 직위를 바탕으로 하고, 하급자에 의해 받아들여져야 하며, 위에서 아래로의 수직적인 흐름이라는 특징을 가진다.

(2) 자원의 조달 및 통제능력

다른 주체가 필요로 하는 자원에 대한 조달 및 통제능력을 많이 가지고 있을수록 다른 주체에 대한 권력은 커진다.

(3) 중심성(핵심적 위치)

한 주체의 중심성(centrality)은 한 부서나 다른 주체의 직무 수행결과가 전체 조직의 최종 산출물에 미치는 효과의 정도를 의미한다. 업무흐름상 보다 중심적(핵심적) 위치에 있는 부서나 주체들이 더 큰 권력을 가지게 된다. 한 부서의 직무수행이 다른 부서에 보다 즉각적인 영향을 미치는 경우에도 권력의 수준은 커진다.

(4) 대체가능성(희소성)

대체가능성은 다른 주체들이 특정 주체의 직무를 대신할 수 있는 정도를 의미한다. 어느 한 부서가 하는 일을 많은 부서가 동일한 수준에서 할 수 있다면 그 부서는 대체가능성이 높은 부서이고 그에 따라 부서의 권력수준도 낮아진다. 그러나 한 부서가 독점적 능력(희소성)을 가지게 되면 그 부서의 대체가능성은 낮아지고 권력은 커진다.

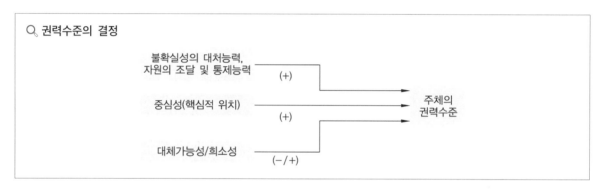

4. 조직정치와 임파워먼트

(1) 조직정치

조직정치(organization politics)란 개인이나 집단이 원하는 결과를 얻는 데 필요하다고 판단되는 권력을 획득하거나 이를 증가시키기 위해 하는 행동을 의미하고, 이러한 행동은 합법적일 수도 있고 비합법적일 수도 있다. 이러한 조직정치가 발생하는 원인은 자원의 필요성과 희소성, 불확실한 의사결정과정이나 장기적인 의사결정, 목표의 불확실성, 기술의 복잡성, 조직의 변화, 신뢰감의 미형성, 불명확한 조직구성원들의 역할 등이 있다.

(2) 임파워먼트

임파워먼트(empowerment)는 조직구성원들에게 자신이 조직을 위해서 많은 일을 할 수 있는 권력, 힘, 능력 등을 가지고 있다는 확신을 심어주는 과정을 의미한다. 그러한 확신을 심어주기 위해서는 영향력을 체험하게 하는 일이 전제되어야 하는데, 임파워먼트의 개념은 조직 내 권력의 분배문제를 뛰어넘어 권력의 증대 문제에 초점을 두고 있다. 이러한 임파워먼트는 의미감(meaning), 역량감(competence), 자기결정력(self-determination), 영향력(impact)의 4가지 차원으로 구성되어 있다.

2 특성이론

1. 의의

특성이론은 리더와 일반인을 구분하는 특성이 존재한다는 생각에 근거한다. 과거에는 사회적으로 명성이 높은 지도자들을 중심으로 그들의 공통적인 특성을 연구하는 위인이론(great man theory)에 치중하다가 점점 조직의 경영자를 대상으로 성공적인 리더의 특성을 연구하게 되었다. 특성이론은 리더의 다양한 특성을 연구하게 되는데, 특성이론에서 중시한 리더의 특성은 다음과 같다.

(1) 신체적 특성

연령, 체중, 신장, 외모 등과 같은 신체적 특성이 리더십의 발휘와 밀접한 관계가 있다.

(2) 사회적 배경

교육의 수준, 사회적 지위, 가정배경 등과 같은 사회적 배경에 따라 리더의 지위에 영향을 준다.

(3) 지능과 능력

판단력, 결단력, 설득력 등은 리더십 효과에 긍정적인 영향을 미친다.

(4) 성격특성

독립심, 지배력, 자신감, 적극성 등과 같은 성격특성은 리더십의 유효성에 많은 영향을 미친다.

(5) 과업수행특성

유능한 리더는 성취욕구 및 책임감이 강하고 과업지향적이며 좌절하지 않고 목표를 추구한다.

(6) 인간관계능력

타인과 원만한 관계를 유지하는 탁월한 인간관계능력을 가진다.

2. 한계점

(1) 성공적인 리더의 특성을 연구할수록 리더의 특성은 무한정 증가하게 된다.

(2) 리더의 특성을 몇 가지로 정의할 수 없기 때문에 이론적으로 증명하는 것이 쉽지 않다.

(3) 리더의 특성과 리더십 효율성과의 관계에 대한 연구결과의 일관성이 결여되어 있다.

(4) 리더십의 효율성은 리더의 특성뿐만 아니라 부하의 특성, 과업의 성격 등과 같은 다양한 상황적 요소에 의해서 결정되기 때문에 리더의 특성만으로 리더십을 설명하는 것이 쉽지 않다.

3 행동이론

1. 아이오와 대학의 연구

아이오와(Iowa) 대학의 레빈(Lewin), 화이트(White), 리피트(Lippitt)는 10세의 소년들로 구성되어 있는 한 집단을 대상으로 리더십 유형이 변화함에 따라 소년들이 어떤 행동을 보이는가에 대한 실험을 통해 리더십을 권위형(authoritarian), 민주형(democratic), 자유방임형(laissez faire)으로 구분하였다.

(1) 권위형 리더

리더 자신이 조직의 기능을 독점하고자 하기 때문에 부하의 의견을 들으려 하지 않고 조직목표와 운영 방침 및 상벌을 리더가 독단적으로 결정한다.

(2) 민주형 리더

조직계획과 운영방침을 조직구성원의 토의를 거쳐 결정한다. 업적평가 및 상벌은 객관적 근거에 의하여 시행한다.

(3) 자유방임형 리더

조직계획이나 운영상의 결정에 관여하지 않고 수동적 입장에서 행동한다.

2. 탄넨바움과 슈미트의 연구

탄넨바움(Tannenbaum)과 슈미트(Schmidt)는 의사결정과정에서 리더의 권한영역과 부하의 자유재량영역이 어느 정도인가에 따라 리더를 경영자 중심의 리더십을 갖춘 전제적 리더와 종업원 중심의 리더십을 갖춘 민주적 리더로 구분하였다.

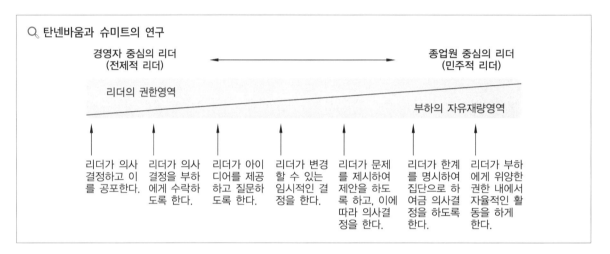

3. 오하이오 대학의 연구

오하이오(Ohio) 대학에서는 리더십의 행동유형과 이에 따른 집단성과 및 구성원의 만족감 간의 상호관계를 분석할 목적으로 리더십 유형을 측정하였다. 측정도구로는 리더행동기술설문서(leader behavior description questionnaire)와 리더의견설문서(leader opinion questionnaire)를 사용하였고, 구조주도(initiating structure)와 배려(consideration)라는 두 가지 기준을 가지고 리더의 유형을 구분하였다. 구조주도와 배려가 높은 리더행동이 일반적으로 집단성과와 만족감을 높게 가져오지만, 일부 연구결과에서는 높은 결근율과 고충처리율 등의 부정적 효과도 나타났다.

(1) 구조주도

과업환경의 구조화된 정도를 의미한다. 구조화 정도가 클수록 과업과 목표기 뚜렷히며 지시적 리더십을 발휘한다. 높은 구조주도형 리더는 일반적으로 집단의 목표와 결과에 중점을 둔다.

(2) 배려

부하와의 인간관계를 중시하는 정도를 의미한다. 배려가 높을수록 우정, 신뢰, 상호존중, 온정, 상호협력의 정도가 크다. 또한 부하에게 후원적이고 자유로운 의사소통과 참여를 지원한다.

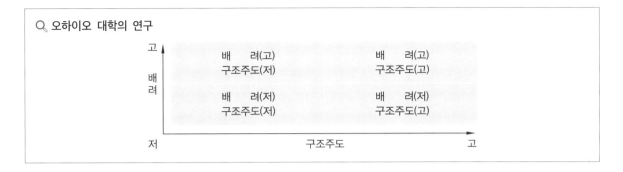

오하이오 대학의 연구

고

배
려

배   려(고)
구조주도(저)

배   려(고)
구조주도(고)

배   려(저)
구조주도(저)

배   려(저)
구조주도(고)

저 구조주도 고

4. 관리격자이론

(1) 의의

블레이크(Blake)와 모튼(Mouton)의 관리격자이론은 오하이오 대학의 리더십 개념을 연장시켜 생산에 대한 관심(production concern)과 인간에 대한 관심(people concern)을 기준으로 관리격자(grid)로 계량화하여 리더의 유형을 구분하였다. 오하이오 대학의 리더 유형은 부하나 동료가 리더를 평가한 태도의 분류인데 반해 관리격자이론의 리더 유형은 리더가 자기 자신을 어떤 리더라고 생각하는지에 대한 태도의 분류라는 점에서 차이가 있다.

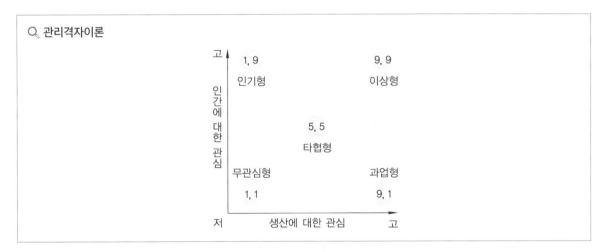

관리격자이론

고

인
간
에
대
한
관
심

1, 9
인기형

9, 9
이상형

5, 5
타협형

무관심형
1, 1

과업형
9, 1

저 생산에 대한 관심 고

(2) 리더의 유형

생산에 대한 관심을 보이는 직무중심적 리더는 생산과업을 중요시하고 생산방법과 절차 등 세부적인 사항에 관심을 가지며, 공식적인 권한에 비교적 많이 의존하면서 부하들을 치밀하게 감독하는 유형의 리더이다. 인간에 대한 관심을 보이는 부하중심적 리더는 부하와의 관계를 중요시하고 부하에게 권한을 위임하며, 지원적 업무환경을 조성하여 부하의 개인적 발전에 관심을 가지는 유형의 리더이다. 관리격자이론의 대표적인 리더 유형은 다음과 같다.

① (1, 1): 무관심형 리더(impoverished leader)로 생산에 대한 관심과 인간에 대한 관심이 모두 낮은 유형이다. 자신의 직분을 유지하는데 필요한 최소한의 노력만을 투입하는 리더이다.

② (1, 9): 인기형 리더(country club leader)로 인간에 대한 관심은 매우 높으나 생산에 대한 관심은 매우 낮은 유형이다. 구성원과의 친밀한 분위기를 조성하는데 중점을 두는 리더이다.

③ (9, 1): 과업형 리더(task leader)로 생산에 대한 관심은 매우 높으나 인간에 대한 관심은 매우 낮은 유형이다. 인간적인 요소보다는 과업수행상의 능력을 최고로 중요시하는 리더이다.

④ **(5, 5):** 타협형 리더(middle of the road leader)로 과업의 능률과 인간적 요소를 절충하여 적당한 수준의 성과를 지향하는 리더이다.

⑤ **(9, 9):** 이상형(팀형) 리더(team leader)로 구성원들과 조직의 공동목표 및 상호 의존관계를 강조한다. 상호신뢰적이고 상호존중적인 관계에서 구성원들의 몰입을 통해 과업을 달성하는 리더로 가장 성과가 높다.

5. PM이론

미스미(Misumi)와 피터슨(Peterson)의 PM이론은 리더의 구조주도행동과 배려행동을 각각 성과(performance)와 관계(maintenance)로 간주하고 리더의 유형을 구분하였다. 각각이 높으면 대문자로 표시하고 낮으면 소문자로 표시하여 리더를 PM, Pm, pM, pm으로 구분하였다.

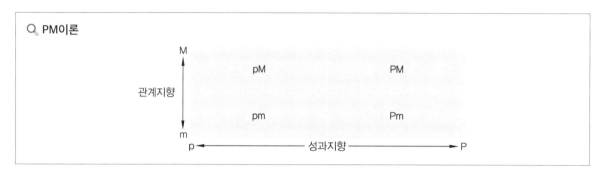

4 상황이론

1. 의의

상황이론이란 리더에게 주어진 상황에서 가장 적합한 리더의 특성, 기능, 행동과 같은 요소에 관심을 둔 이론이다. 따라서 상황이론은 상황이 리더십과 어떻게 연관되며 리더십 과정에서 어느 정도 효과를 나타내는지를 연구하였으며, 여러 상황요소를 고려하고 있어 특성이론과 행동이론 모두를 결합시키는 기틀을 마련하였다.

상황이론의 개요

연구자	리더의 유형	상황적 요소	
피들러	• 과업지향적 • 관계지향적	• 리더 – 구성원 관계 • 과업구조 • 리더의 직위권력	
하우스	• 지시적 • 후원적 • 참여적 • 성취지향적	부하의 특성	부하의 능력, 통제위치, 욕구와 동기 등
		과업환경요소	과업의 난이도, 목표의 수준, 리더의 권한, 집단의 성격, 조직요소 등
허시 블랜차드	지시형 → 설득형 → 참여형 → 위임형	부하의 성숙도	

2. 피들러의 상황적합이론

(1) 의의

피들러(Fiedler)의 상황적합이론은 리더십의 중요상황요소를 토대로 하여 리더십 상황에 적합하고 효과적인 리더십행동을 개념화한 이론이다. 따라서 집단성과는 부하와 상호작용하는 리더의 유형, 상황이 리더에게 주는 영향력, 통제의 범위 간의 적합성에 달려 있다고 본다.

(2) 리더의 유형

리더의 유형을 과업지향적 리더와 관계지향적 리더로 구분하였다. 리더의 유형을 측정하는 방법으로는 리더가 자신이 가장 싫어하는 동료들을 대상으로 평가하는 설문지인 LPC 설문지(least preferred coworker questionnaire)를 사용하였다. LPC 점수가 높으면 대인관계를 통해 높은 수준의 만족감을 얻는 성향의 관계지향적인 리더이고, LPC 점수가 낮으면 과업성과에서 보다 높은 수준의 만족감을 얻으려는 과업지향적 리더이다.

(3) 상황변수

리더십 상황을 상황의 호의성이라는 관점에서 설명하기 위해 리더-구성원 관계, 과업구조, 리더의 직위권력이라는 변수를 사용하여 총 8가지의 상황을 도출하였다.

① **리더 - 구성원 관계**: 집단의 분위기와 구성원들의 태도를 의미한다. 리더가 구성원들과 좋은 관계를 유지하는지 나쁜 관계를 유지하는지에 따라 상황이 리더에게 호의적일 수도 있고 그렇지 못할 수도 있다.

② **과업구조**: 과업의 구조화 정도를 의미한다. 과업목표의 명확성, 목표달성과정의 복잡성, 의사결정의 변동성 및 구체성에 따라 리더십 상황이 결정된다. 일반적으로 과업의 구조화 정도가 높으면 리더가 부하의 과업행동을 감독하고 영향력을 행사하는 것이 수월하다.

③ **리더의 직위권력**: 리더가 부하들에 대하여 가지는 공식적인 권위의 정도를 의미한다. 리더가 직위권력을 가지고 있을 때에는 리더의 정책 및 통제에 부하가 순응할 수 있도록 보상과 벌을 조정할 수 있다.

(4) 상황적합

리더십 상황이 리더에게 호의적이거나 비호의적인 경우에는 과업지향적 리더가 적합하고, 리더십 상황이 리더에게 호의적이지도 않고 비호의적이지도 않은 경우에는 관계지향적 리더가 적합하다.

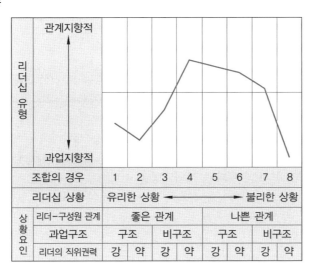

🔍 **피들러의 상황적합이론**

상황요인		좋은 관계				나쁜 관계			
조합의 경우		1	2	3	4	5	6	7	8
리더십 상황		유리한 상황 ←						→ 불리한 상황	
리더-구성원 관계		좋은 관계				나쁜 관계			
과업구조		구조		비구조		구조		비구조	
리더의 직위권력		강	약	강	약	강	약	강	약

3. 경로목표이론

(1) 의의

하우스(House)의 경로목표이론(path-goal theory)은 리더의 행동이 부하들의 기대감에 영향을 미치는 정도에 따라 동기가 유발된다는 리더십이론을 말한다. 즉 리더는 부하가 바라는 보상(목표)을 받게 해줄 수 있는 행동(경로)이 무엇인가를 명확히 해줌으로써 성과를 높일 수 있다는 것이다. 따라서 경로목표이론은 동기부여이론 중 브룸(V. Vroom)의 기대이론에 이론적 기반을 두고 있으며, 다음의 두 가지 핵심사항을 가지고 있다.

① 리더는 부하에게 뚜렷한 목표와 목표를 달성하는 과정과 경로를 제시해 주어야 한다.

② 목표가 달성되어 감에 따라 경로가 변하는데 그 진행에 따라 리더십의 형태도 계속 변해야 한다.

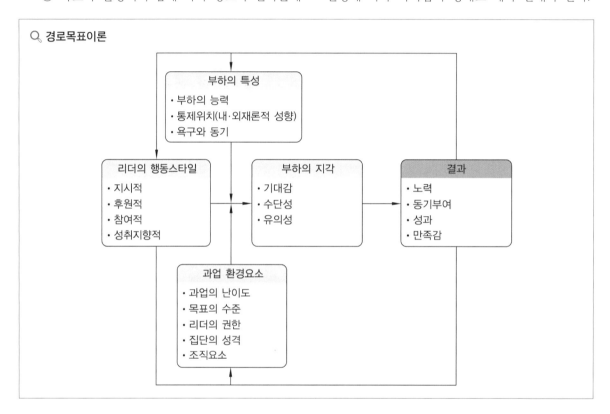

(2) 리더의 유형

오하이오 대학의 리더십 연구를 활용하여 리더의 유형을 지시적 리더(instrumental leader), 후원적 리더(supportive leader), 참여적 리더(participative leader), 성취지향적 리더(achievement oriented leader)로 구분하였다.

① **지시적 리더**: 구조주도적 측면을 강조하여 부하들의 과업을 계획하고 구체화하여 그들을 적극적으로 지시 또는 조정해 나가는 리더이다. 도구적 리더십(instrumental leadership)이라고도 하는데, 규정을 마련하여 준수하도록 하고 부과된 작업일정을 수립하든가, 직무를 명확히 해주는 리더이다.

② **후원적 리더**: 배려 측면을 강조하여 온정적이면서 부하들의 욕구와 친밀한 집단분위기에 많은 관심을 보이는 리더이다. 부하들의 욕구와 복지에 관심을 보이고 언제든지 친구처럼 대해 주며, 동지적 관계를 중시하는 리더이다.

③ **참여적 리더**: 집단 중심의 관리를 중요시하고, 부하들과 정보를 공유하여 부하들의 의견을 의사결정에 많이 반영시키는 리더이다.

④ **성취지향적 리더**: 부하들의 의욕적인 성취동기행동을 기대하고, 높은 수준의 목표설정과 의욕적인 목표달성행동을 강조하면서 부하들의 능력을 믿는 리더이다. 도전적 목표를 수립하고 최선을 지향하며 자신의 능력에 자신감을 갖도록 함으로써 부하들이 최고의 성과를 달성할 수 있도록 하는 리더이다.

(3) 상황변수

리더십 과정에서 작용하는 중요한 상황적 요소들을 부하의 특성과 과업환경요소로 구분하였다. 부하의 특성은 리더의 태도형성에 많은 영향을 주며 과업환경요소는 리더십 과정에 중요한 영향을 준다.

① **부하의 특성**: 부하의 능력, 통제위치(내·외재론적 성향), 욕구와 동기 등

② **과업환경요소**: 과업의 난이도, 목표의 수준, 리더의 권한, 집단의 성격, 조직요소 등

(4) 상황적합

리더의 역할은 부하가 목적지(goal)에 이르도록 경로(path)와 방향을 계속 인도하면서 코치해 주며 도와주는 것이다. 그 과정에서 부하의 특성이 변화하기도 하고 과업환경요소의 변화(과업의 진행단계)에 따라 요구되는 부하의 업무행동과 능력수준이 달라질 수도 있다. 따라서 진행단계별로 리더십 형태도 변화해야 한다는 것이다. 따라서 과업환경요소의 변화(과업의 진행단계)에 따라 리더십 유형이 순차적으로 모두 필요하고, 리더는 매우 융통성이 있기 때문에 네 가지 유형을 상황에 따라 수시로 바꾸어 가며 행사해야만 효율적 리더가 된다. 일반적으로 비구조적인 상황에서는 지시적 리더가 적합하고, 일상적이고 구조적인 과업상황에서는 후원적 리더가 적합하다. 또한, 외재론자는 지시적 리더가 적합하고, 내재론자는 참여적 리더가 적합하다.

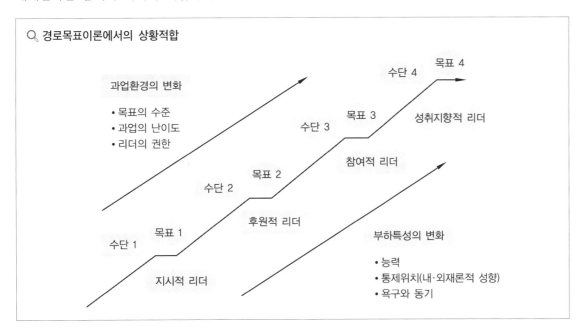

🔍 **경로목표이론에서의 상황적합**

4. 수명주기이론

(1) 의의

허쉬(Hersey)와 블랜차드(Blanchard)의 수명주기이론은 아지리스(Argyris)의 미성숙 - 성숙이론과 맥클리랜드(McClelland)의 성취동기이론에서 발전된 이론으로 궁극적으로 리더의 역할은 부하의 성숙도를 높이는 것이라고 설명하고 있다. 효과적인 리더십은 부하의 욕구를 얼마나 잘 충족시키느냐에 달려있다는 전제하에 리더와 부하 간의 상호관계를 중시하였다.

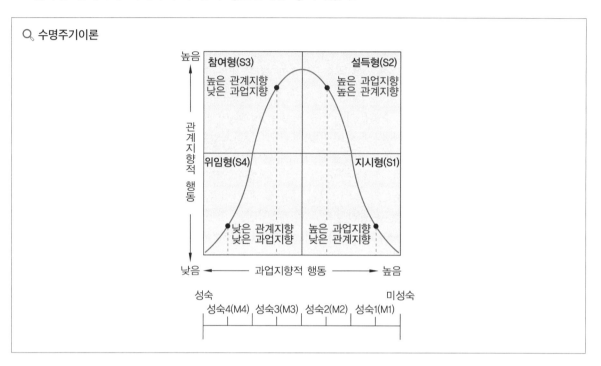

(2) 리더의 유형

과업지향적 행동과 관계지향적 행동을 기준으로 리더의 유형을 지시형(directing 또는 telling), 설득형(coaching 또는 selling), 참여형(participating), 위임형(delegating)으로 구분하였다.

① **지시형(S1):** 과업지향적 행동이 높고 관계지향적 행동이 낮은 리더이다. 지시형 리더는 자세한 지시를 하여 부하의 과업행동을 엄격히 감독한다. 부하가 일할 의욕이 없고 일의 방식을 모르는 경우에 적합하다.

② **설득형(S2):** 과업지향적 행동이 높고 관계지향적 행동이 높은 리더이다. 설득형 리더는 부하에게 기대하는 것에 대해서 설명하고 질문을 받는다. 부하가 일할 의욕은 있으나 일의 방식을 모르는 경우에 적합하다.

③ **참여형(S3):** 과업지향적 행동이 낮고 관계지향적 행동이 높은 리더이다. 참여형 리더는 부하와 의견교환을 하며 의사결정에 부하를 참여시킨다. 부하가 일할 의욕은 없으나 일의 방식을 알고 있는 경우에 적합하다.

④ **위임형(S4):** 과업지향적 행동이 낮고 관계지향적 행동이 낮은 리더이다. 위임형 리더는 의사결정과 일을 진행시키는 방법을 부하에게 전부 맡긴다. 부하가 일할 의욕이 있고 일의 방식도 알고 있는 경우에 적합하다.

(3) 상황변수와 상황적합

부하의 성숙도[49]를 상황변수로 하여 부하의 성숙도가 미성숙에서 성숙으로 발전됨에 따라 적합한 리더의 유형은 지시형, 설득형, 참여형, 위임형의 순서대로 변화한다.

5 현대적 리더십이론

1. 리더 – 부하 교환이론

(1) 의의

리더 – 부하 교환이론(leader-member exchange, LMX)이란 전통적인 관점인 수직쌍 연결이론(vertical dyad linkage, VDL)에서 발전하여 리더와 부하 사이의 역할형성과정을 통해 시간이 지남에 따라 리더가 부하와의 교환관계를 어떻게 발전시켜 나가는가를 연구한 이론을 말한다. 여기서 리더와 부하의 관계는 리더가 부하 각각에 대하여 개별적인 관계를 형성하기 때문에 리더와 부하 전체와의 관계가 아닌 부하 한 사람 한 사람과의 일대일 관계라고 할 수 있다. 부하와 낮은 수준의 교환관계를 가지고 있을 때에는 리더는 부하가 공식적인 역할요건(의무, 규칙, 표준절차, 리더의 적합한 지시 등)에만 따르도록 하면 된다. 그러나 부하와 높은 수준의 교환관계를 가지는 것은 부하들의 직무몰입, 조직몰입, 리더에 대한 충성도 등을 높여 주기 때문에 정보의 공유, 개인적 지원과 승인, 부하 경력의 촉진 등을 통해 교환관계 수준을 높여 주어야 한다.

(2) 내집단과 외집단

리더 – 부하 교환이론에서는 리더가 자신의 부하와 가지는 교환관계의 유형에 따라 내집단(in-group)과 외집단(out-group)으로 구분하고, 두 집단에 대하여 각기 다른 관계를 발전시켜 나간다.

① **내집단**: 부하들은 리더와 높은 수준의 교환관계를 가지기 때문에 조직에 대한 충성심이 매우 높고 리더에게 신뢰를 받는다. 따라서 부하는 리더가 원하는 조직목표에 더 몰입하고 리더의 관리감독 임무까지 도와주려고 할 것이다.

② **외집단**: 부하들은 리더와 낮은 수준의 교환관계를 가지기 때문에 조직에 대한 충성심과 리더의 신뢰가 낮다. 낮은 수준의 교환관계는 경제적·거래적 계약관계의 특징을 가지며, 리더와 부하의 상호 영향력이 상대적으로 낮아 리더가 부하에게 미치는 영향력도 약하고 부하도 리더에 대한 충성과 헌신이 약하다.

2. 카리스마 리더십

카리스마 리더십(charismatic leadership)이란 리더가 높은 수준의 전문성을 갖추고 있다고 지각하게 함으로써 부하들이 따라오게 하는 리더십을 말한다. 리더가 이상적 목표를 달성하기 위해 기존의 방식을 과감히 탈피한 방법을 사용하게 되면 부하는 리더가 카리스마적 기질을 가지고 있다고 여기게 된다. 이러한 카리스마 리더십은 자기확신·환경민감성(sensitivity to environment), 이미지관리·욕구민감성(sensitivity to member's needs), 전략적 비전 제시(strategic vision articulation), 솔선수범·개인위험 감수(personal risk), 감정적 호소·비정형적 행동(unconventional behavior)의 다섯 가지 행동요인들로 구성된다.

---

49) 성숙도는 직무상의 성숙도와 심리상의 성숙도로 구성되어 있다. 직무상의 성숙도는 해당 직무를 수행하는 데 필요한 역량(기능 및 지식)을 보유하고 있는 정도를 의미하고, 심리상의 성숙도는 자신감, 몰입의 정도, 일하고자 하는 의지(willingness) 등을 의미한다. 이러한 두 가지 측면을 고려하여 부하의 성숙도를 4단계로 구분하는데, 첫 단계(M1)는 역량과 의지 모두 매우 낮은 단계이고, 두 번째 단계(M2)는 역량은 낮지만 의지가 높은 단계이다. 세 번째 단계(M3)는 역량은 높지만 의지가 낮은 단계이고, 네 번째 단계(M4)는 역량과 의지 모두 높은 단계이다.

3. 변혁적 리더십

변혁적 리더십(transformational leadership)이란 리더가 업무에 대한 새로운 시각을 제시하여 부하들의 행동에 변화를 일으키는 리더십을 말한다. 따라서 변혁적 리더십은 리더가 부하들의 사기를 진작시키기 위해 미래의 비전과 공동체적 사명감을 강조하고 이를 통해 조직의 장기적인 목표를 달성하는 것이 핵심이기 때문에 단기적인 성과를 강조하고 보상으로 부하의 동기를 유발하려는 거래적 리더십과는 차이가 있다. 여기서 거래적 리더십(transactional leadership)은 전통적 리더십이론들의 통칭으로 사용되는 용어로서 리더가 상황에 따른 보상에 기초하여 부하들에게 영향력을 행사하는 과정으로 정의할 수 있으며, 조건적 보상50)과 예외에 의한 관리(management by exception)51)가 대표적인 구성요소가 된다. 변혁적 리더십의 구성요소는 카리스마, 개별적 배려, 지적 자극, 영감적 동기 등이 있다.

(1) 카리스마(charisma)

부하들에게 비전과 사명감을 부여하고, 사기와 자긍심을 고양시키며, 부하들로부터 존경과 신뢰를 획득한다. 즉 부하의 관계에서 상호 원-원(win-win)하는 권한관계를 형성하여 조직 내 자신뿐만 아니라 부하의 업무에 대한 권한의 양도 증가시켜 주게 된다. 이러한 리더의 모습은 부하들에게 심리적 편안함을 제공하고 모든 부하들의 미래 모델상이며 마음 속에 성공의 상징으로 여겨지게 된다.

(2) 개별적 배려(individualized consideration)

부하들의 개인문제에도 관심을 갖는 등 개별적으로 배려한다. 즉 부하들을 모두 획일적인 기준으로 생각하는 것이 아니라 개인 한 사람 한 사람의 감정과 관심 그리고 욕구에 대해 존중함으로써 부하들을 동기유발시키는 것이다. 이러한 리더는 종업원 개개인들이 가지고 있는 특성이나 상이한 점을 항상 파악하고 있으며, 세심한 주의를 기울이는 특성이 있다.

(3) 지적 자극(intellectual stimulation)

지능, 합리성, 신중한 문제해결을 촉진한다. 즉 과거의 구태의연한 사고방식과 업무관습에서 벗어나 항상 새로운 업무방식으로 부하들을 동기유발 시키는 것이다.

(4) 영감적 동기(inspiration motivation)

높은 기대를 전달하고, 부하들의 노력을 촉진시키기 위한 상징을 활용하며, 중요한 목적을 간단명료하게 표현하는 것이다.

▦ 거래적 리더십과 변혁적 리더십

속성	거래적 리더십	변혁적 리더십
목표달성	현재상태와 비슷한 수준의 목표를 설정하여 현재상태를 유지	현재상태보다 높은 수준의 목표를 설정하여 현재상태를 변화
시각	단기적 전망	장기적 전망
초점	하위 경영자	최고 경영자
문제해결	반응적 관리(사후 해결)	선행적 관리(사전 예방)

---

50) 조건적 보상은 일정한 조건이 충족되면 보상을 지급하는 것이다. 여기서 보상은 긍정적 보상과 부정적 보상으로 나눌 수 있는데, 긍정적 보상은 급여인상, 직위향상, 독려 등이고 부정적 보상은 합의된 표준 이하의 성과가 얻어질 때 가해지는 부정적 피드백, 벌금, 무급정직, 지원의 중단 등이다.

51) 예외에 의한 관리는 문제(예외)가 발생하면 그 문제(예외)를 해결하기 위한 조치를 내리거나 단편적 처방을 시행하는 것이다. 반응적 관리라고도 한다. 또한, 예외에 의한 관리는 평소에는 리더가 부하에 대해서 크게 관심을 가지지 않기 때문에 자유방임도 거래적 리더십의 구성요소로 볼 수 있다.

4. 서번트 리더십

서번트 리더십(servant leadership)이란 타인을 위한 봉사에 초점을 두고, 부하와 고객을 우선으로 그들의 욕구를 만족시키기 위해 헌신하는 리더십을 말한다. 즉 인간존중을 바탕으로 부하들이 잠재력을 발휘할 수 있도록 앞에서 이끌어주는 리더십이라 할 수 있으며, 그린리프(Greenleaf)가 정립한 리더십이다.

5. 임파워링 리더십과 수퍼 리더십

임파워링 리더십(empowering leadership)이란 부하에게 권한을 위임하고 책임을 부여함으로써 그들이 각자의 직무에 대하여 주인의식과 통제감을 경험하도록 하는 리더십을 말한다. 이러한 임파워링 리더십은 일반적으로 수퍼 리더십으로 발전하게 되는데, 수퍼 리더십(super leadership)이란 지시와 통제에 의해서가 아니라 부하가 자발적으로 리더십을 발휘하도록 여건을 조성하는 리더십을 의미한다. 즉, 부하를 셀프리더(self leader)로 만들어 주는 리더십으로 부하의 주체적 존재를 인정하고 그 역량발휘를 지원한다.

6. 윤리적 리더십과 진정성 리더십

(1) 윤리적 리더십

윤리적 리더십(ethical leadership)이란 리더가 도덕성을 갖추어야 한다거나 기업이 사회적 책임을 다해야 한다는 리더십을 말한다. 윤리적 리더십은 최근 들어 리더십에 윤리성(ethics)을 추가해야 한다는 주장이 대두되면서 등장한 개념으로 기업윤리나 기업의 사회적 책임이 강조되고 있는 사회분위기와 무관하지 않다.

(2) 진정성 리더십

진정성 리더십(authentic leadership)이란 평소에 자신이 가지고 있는 핵심가치, 정체성, 감정 등에서 벗어나지 않고 이를 근거로 하여 타인과 상호작용하는 리더십을 말한다. 여기서 진정성은 순수하고, 투명하고, 믿을 수 있고, 가치 있고, 가식이 없으며 무엇보다도 진실한 것이다. 진정성 리더십은 개인차원의 긍정심리자본(자기효능감, 희망, 낙관주의, 복원력)과 조직차원의 긍정적 조직맥락(참여적 조직문화 등)으로부터 자아인식이 형성되고 이것이 리더의 자기규제적 행동[52]으로 이어진 결과로 나타난다. 진정성 리더십에서 주목할 만한 사실은 이러한 리더십을 발휘하는 리더의 특성이 주어진 것이라기보다는 개발가능하다는 것이다.

7. 리더십 귀속이론

리더십 귀속이론(attribution theory of leadership)은 리더가 가진 특성이 중요하기는 하지만 그러한 특성들이 바로 리더십 유형으로 나타나는 것이 아니라 부하들이 그것을 어떻게 지각했는지에 따라 리더십 유형이 결정된다는 이론이다. 즉 리더의 독재행동, 배려행동, 과업중심행동 등의 모든 행동은 부하에게 그대로 인식되는 것이 아니라 부하가 리더행동의 원인을 어디에 귀속시키느냐에 따라서 리더십 유형이 결정된다는 것이다. 따라서 리더의 행동 자체가 아닌 리더에 대한 부하의 인식 또는 이미지가 리더십 유형으로 판단되게 되어 극단적으로 리더십 유형은 리더가 결정하는 것이 아니라 부하가 결정하는 꼴이 되고 만다. 그렇다면 리더가 아무리 좋은 리더십행동을 하더라도 부하가 귀속을 나쁘게 하여 나쁜 리더십으로 인식하면 그만이다. 이런 의미에서 리더십 귀속이론은 리더십 이미지이론과 일맥상통한다. 리더에 대한 부하의 이미지는 리더의 행동에 의하여 형성되기보다 부하가 예측하는 대로(귀속하는 대로) 형성된다. 즉 좋은 리더십을 발휘했지만 외부환경 때문에 조직이 잘못되면 리더에 대한 이미지는 손상된다.

---

52) 자기규제적 행동이란 자신의 행동을 자아개념과 일치시키려는 노력을 말한다. 계산적으로 기대되는 보상에 의해서라기보다 자신의 가치와 정체성에 일치되는 행동을 하는 것이다.

군무원 및 공무원 기출문제

01 □□□ 2016년 국가직

직무만족 및 불만족에 대한 설명으로 옳은 것은?

① 직무불만족을 증가시키는 개인적 성향은 긍정적 정서와 긍정적 자기평가이다.
② 역할 모호성, 역할 갈등, 역할 과다를 경험한 사람들의 직무만족이 높다.
③ 직무만족이란 직무를 통해 그 가치를 느끼고 업무 성취감을 느끼는 긍정적 감정 상태를 말한다.
④ 종업원과 상사 사이의 공유된 가치관은 직무만족을 감소시킨다.

해설

① 직무만족을 증가시키는 개인적 성향은 긍정적 정서와 긍정적 자기평가이다.
② 역할 모호성, 역할 갈등, 역할 과다를 경험한 사람들의 직무만족이 낮다.
④ 종업원과 상사 사이의 공유된 가치관은 직무만족을 증가시킨다.

정답 ③

02 □□□ 2021년 군무원 9급

다음 중 생산성이 저하될 위험이 가장 큰 상황에 해당되는 것은?

① 집단 응집력이 높고 집단과 조직목표가 일치하는 경우
② 집단 응집력이 높지만 집단과 조직목표가 일치하지 않는 경우
③ 집단 응집력이 낮지만 집단과 조직목표가 일치하는 경우
④ 집단 응집력이 낮고 집단과 조직목표가 일치하지 않는 경우

해설

일반적으로 집단 응집력이 높아지면 집단성과가 높게 나타나고 집단성과가 높게 나타나면 집단목표와 조직목표가 일치하는 경우에 조직성과가 높게 나타난다. 따라서 집단 응집력이 높음에도 불구하고 집단목표와 조직목표가 일치하지 않는 경우에는 생산성이 저하될 위험이 가장 크다.

정답 ②

03 ☐☐☐ 2015년 국가직

루블(Ruble)과 토마스(Thomas)의 갈등관리(갈등해결) 전략유형에 대한 설명으로 옳지 않은 것은?

① 강요(competing)전략은 위기 상황이나 권력 차이가 큰 경우에 이용한다.
② 회피(avoiding)전략은 갈등 당사자 간 협동을 강요하지 않으며 당사자 한쪽의 이익을 우선시 하지도 않는다.
③ 조화(accommodating)전략은 사회적 신뢰가 중요하지 않은 사소한 문제에서 주로 이용된다.
④ 타협(compromising)전략은 갈등 당사자의 협동과 서로 이익을 절충하는 것으로 서로의 부분적 이익 만족을 추구한다.

해설

조화전략(수용전략)은 상대방의 관심부분을 충족시켜 주기 위해 자신의 관심부분을 양보 또는 포기하는 전략이다. 수용전략은 수용에 대한 대가를 받을 수 있을 때에는 매우 적절하지만, 복잡하거나 악화된 문제에 있어서는 부적합하다. **정답 ③**

04 ☐☐☐ 2022년 국가직

갈등에 대한 설명으로 옳지 않은 것은?

① 조직 내 갈등에 직무갈등, 관계갈등, 과정갈등이 있다.
② 갈등을 통해 개인의 욕구불만을 해소할 수 있다.
③ 갈등의 대처방식으로 협조(collaboration)는 서로 양보하여 약간씩만 자기만족을 꾀하는 방식이다.
④ 협상의 기술에는 배분적 협상과 통합적 협상이 있다.

해설

갈등의 대처방식으로 서로 양보하여 약간씩만 자기만족을 꾀하는 방식은 타협이다. 협조(협력 또는 통합)는 자신과 상대방의 관심과 이해관계를 정확히 파악하여 문제해결을 위한 통합적 대안을 도출하는 전략이다. 즉 자신과 상대방이 원하는 것을 모두 충족시키는 전략(win-win)이다. **정답 ③**

05 ☐☐☐ 2021년 서울시

상황에 따른 갈등 해결의 방법을 짝지은 것 중 가장 옳지 않은 것은?

① 이슈가 사소한 것이거나 자기의 의견이 관철될 가능성이 매우 낮을 때 – 철수/회피
② 나중을 위하여 신용을 얻고자 할 때 – 양보/수용
③ 목표는 중요하나 더 이상 설득이 힘들 때 – 타협
④ 비슷한 파워를 가진 집단들끼리의 갈등일 때 – 강요

해설

비슷한 파워를 가진 집단들끼리의 갈등일 때는 타협이 적절한 갈등 해결의 방법이 된다. **정답 ④**

피셔-유리가 제시한 협상전략으로 가장 옳지 않은 것은?

① 사람을 문제와 분리시킨다.
② 상황보다 이익에 집중한다.
③ 상대방의 체면을 살려준다.
④ 둘 다 이익을 볼 수 있는 합의점을 찾는다.

해설

로저스 피셔(Rogers Fisher)와 윌리엄 유리(William Ury)의 『Yes를 이끌어내는 협상법』이라는 책을 통해 윈윈전략을 통한 상생의 협상문화를 전 세계에 널리 알렸다. 이들은 성공적인 협상전략을 위한 5계명은 다음과 같다.

> 1) 입장을 근거로 거래하지 말라.
> 2) 사람과 문제를 분리하라.
> 3) 입장이 아닌 이해관계에 초점을 맞추라.
> 4) 상호 이익이 되는 옵션을 개발하라.
> 5) 객관적 기준을 사용할 것을 주장하라.

정답 ②

사회적 태만(social loafing) 또는 무임승차는 개인이 혼자 일할 때보다 집단으로 일하면 노력을 덜 하려는 경향을 일컫는다. 이러한 현상을 줄이기 위한 방안으로 가장 옳지 않은 것은?

① 개인별 성과를 측정하여 비교할 수 있게 한다.
② 과업을 전문화시켜 책임소재를 분명하게 한다.
③ 팀의 규모를 늘려서 공동의 업무를 증가시킨다.
④ 직무충실화를 통해 직무에서 흥미와 동기가 유발되도록 한다.

해설

팀의 규모를 늘려서 공동의 업무를 증가시키면 사회적 태만이나 무임승차 현상이 발생할 가능성이 높아진다.

정답 ③

08 □□□ 2019년 군무원

다음 중 의사소통의 유형에 대한 설명으로 옳지 않은 것은?

① 집단 내에 강력한 리더가 소통의 중심에 서는 유형으로 특정 리더가 모든 정보의 전달을 감독하기 때문에 조직 내의 정보 역시 리더에게 집중되는 유형은 수레바퀴형이다.
② 라인조직과 스텝조직이 혼합된 조직에 적합한 유형은 Y형이다.
③ 사슬형은 구성원들 간의 의사소통이 연결되지 않은 유형이다.
④ 의사소통에 있어서 만족도는 사슬형과 원형에서 가장 높다.

해설

의사소통에 있어서 만족도는 상호연결형(all channel)에서 가장 높다.　　　　　　　　　　　　　　　　　**정답 ④**

09 □□□ 2021년 서울시

집단 내에서 지위의 차이에 의해 의사소통경로가 엄격하게 정해져 있어 지위를 따라 상사와 부하 간에 직접적으로 의사소통이 이루어지는 의사소통 네트워크는?

① 연쇄형(사슬형)
② Y자형
③ 원형
④ 바퀴형(수레바퀴형)

해설

집단 내에서 지위의 차이에 의해 의사소통경로가 엄격하게 정해져 있어 지위를 따라 상사와 부하 간에 직접적으로 의사소통이 이루어지는 의사소통 네트워크는 연쇄형(사슬형)이다.　　　　　　　　　　　　　　　　　**정답 ①**

10 □□□ 2020년 서울시

정보 수집과 분석에 대한 인간의 능력 한계로 인하여 객관적인 효용의 극대화가 아닌 충분히 만족스럽다고 판단되는 차선의 대안 중 하나를 선택한다는 관점을 가진 의사결정 모형은?

① 정치적 의사결정 모형
② 합리적 의사결정 모형
③ 직관적 의사결정 모형
④ 제한된 합리성 모형

해설

① 정치적 의사결정 모형은 개인의 이익을 충족시키기 위해 의사결정과정에 개인의 욕구를 반영하여 의사결정을 하는 것을 말한다.
② 합리적 의사결정 모형은 의사결정자를 완전한 합리성에 기초한 합리적인 경제인(rational economic man)이라고 가정하고 완전정보를 보유한 상황에서 가장 합리적인 의사결정행동을 하는 것을 의미한다.
③ 직관적 의사결정 모형은 의식적인 논리적 과정을 거치지 않고 의사결정을 하는 것을 의미한다.　　　　　　**정답 ④**

11 ☐☐☐ 2020년 국가직

허버트 사이먼(Herbert Simon)이 주장한 제한된 합리성(bounded rationality)에 대한 설명으로 옳지 않은 것은?

① 과학적 관리법을 추종하며 절대적 합리성만을 추구하는 경영자들이 '경제인'이라면 제한된 합리성 내에서 현실적으로 의사결정을 하는 경영자들은 '관리인'이다.
② 제한된 합리성 때문에 사람들은 '만족하기에 충분한' 또는 '최소한의 필요조건을 충족시키는' 선택을 한다.
③ 조직이 겪는 상황은 무정부 상태와 같이 불확실하며, 이러한 상황에서 인간의 의사결정은 비합리적으로 이루어진다.
④ 문제해결의 대안을 선택할 때 최선책을 찾으려고 하지 않고, 설정해 놓은 적절한 기준을 통과하는 대안 중에서 먼저 발견되는 것을 선택한다.

해설

사이먼(Simon)은 기업의 의사소통이나 의사결정이 합리적으로 이루어지느냐의 문제가 조직관리의 핵심이라고 보고 의사결정을 중요한 조직행동으로 인식하였다. 관리자들이 의사결정을 하려면 자료수집의 어려움과 비용 때문에 비능률적이 되기 쉽고 그렇다고 아무렇게나 해서도 안 되기 때문에 제한된 합리성 안에서 의사결정을 하는 것이 가장 현실적이라는 것이다. 따라서 조직이 겪는 상황은 무정부 상태와 같이 불확실하며, 이러한 상황에서 인간의 의사결정은 비합리적으로 이루어진다는 것은 사이먼(Simon)의 주장에 해당하지 않는다. **정답 ③**

12 ☐☐☐ 2024년 군무원 9급

경영자의 의사결정 접근법 중 합리성 모델에 대한 주장으로 옳지 않은 것은?

① 목적 지향적이고 논리적이다.
② 만족할 만한 대안을 해결안으로 받아들인다.
③ 조직의 이해를 최대한 반영한다.
④ 문제가 명확하고, 모호하지 않다.

해설

경영자의 의사결정 접근법 중 합리성 모델은 최적해를 추구하고, 관리인 모델은 만족해를 추구한다. **정답 ②**

13 □□□ 2021년 군무원 5급

조직에서 많이 활용되는 집단의사결정기법(group decision making technique)에 대한 설명으로 가장 옳지 않은 것은?

① 브레인스토밍(brainstorming)이란 특정한 문제나 주제에 대하여 두뇌에서 폭풍이 몰아치듯 생각나는 아이디어를 가능한 한 많이 산출하도록 유도하는 방법을 의미한다.

② 고든법(Gordon method)에서는 분석하는 대상의 상위 개념을 제시하여 그것을 바탕으로 연상에 의해 새로운 아이디어를 찾아내는 방법으로서 브레인스토밍에 비해 상대적으로 아이디어의 질을 중시한다.

③ 델파이법(Delphi method)에서는 전문가 집단의 의견과 판단을 추출하고 종합하기 위하여 동일한 전문가 집단에게 설문조사를 실시하여 집단의 의견을 종합하고 정리하는 방식의 순환적 집단의사결정과정을 중요하게 인식한다.

④ 명목집단법(nominal group techniques)이란 의사결정에 참여한 구성원 집단을 둘로 나누어서 한 집단이 제시한 의견에 대하여 반론 집단의 비판을 들으면서 본래의 의사결정대안을 수정하고 보완하는 방법이다.

> **해설**
>
> 명목집단법(nominal group techniques)이란 브레인스토밍과 델파이법을 조합하여 변형시킨 방법을 말한다. 여기서 명목이란 이름만으로 집단을 구성하고 구성원 간의 직접 의사소통은 하지 않는다는 것을 의미한다. 명목집단법은 구성원들이 대면한다는 사실만 제외하고는 델파이법과 어느 정도 유사하다. 그리고 의사결정에 참여한 구성원 집단을 둘로 나누어서 한 집단이 제시한 의견에 대하여 반론 집단의 비판을 들으면서 본래의 의사결정대안을 수정하고 보완하는 방법은 변증법적 토의이다.   **정답 ④**

14 □□□ 2018년 국가직

조직에서의 집단의사결정에 대한 설명으로 옳지 않은 것은?

① 집단의사결정은 개인의사결정보다 다양한 관점을 고려할 수 있다.
② 집단의사결정은 구성원의 참여의식을 높여 구성원에게 만족감을 줄 수 있다.
③ 집단의사결정은 집단사고를 통해 합리적이고 합법적인 최선의 의사결정을 도출해 낼 수 있다.
④ 집단의사결정 기법에는 명목집단법, 델파이법, 변증법적 토의법 등이 있다.

> **해설**
>
> 집단사고(group think)는 지나치게 동질적인 집단이 그 동질성으로 인하여 지나치게 비합리적인 의사결정을 하는 경우를 말한다. 따라서 집단사고가 발생하는 경우에는 합리적이고 합법적인 최선의 의사결정을 도출해 낼 수 없다.   **정답 ③**

15 □□□ 2023년 국가직

집단의사결정 방법 중 델파이법(Delphi technique)에 대한 설명으로 옳은 것은?

① 의사결정에 참여한 구성원 각자는 다른 사람이 제출한 의견을 인지할 수 있다.
② 긴박성이 요구되는 문제해결에 적합하다.
③ 참여자의 익명성이 보장되지 않는다.
④ 제시된 의견들의 우선순위를 비밀투표에 부쳐 최종안을 선택한다.

해설

델파이법은 전문가 집단의 의견과 판단을 추출하고 종합하기 위하여 동일한 전문가 집단에게 설문조사를 실시하여 집단의 의견을 종합하고 정리하는 방법으로 순환적 집단의사결정과정이다. 그리고 개인들은 직접 대면하지 않기 때문에 익명을 보장받을 수 있어 쉽게 반성적 사고를 하게 되며, 새로운 의견이나 사상에 대해 솔직해질 수 있다. 따라서 의사결정에 참여한 구성원 각자는 간접적으로 다른 사람이 제출한 의견을 인지할 수 있다.
② 델파이법은 장기적인 문제를 해결하는데 유용한 방법이기 때문에 긴박성이 요구되는 문제해결에 적합하지 않다.
③ 델파이법은 참여자의 익명성이 보장된다.
④ 제시된 의견들의 우선순위를 비밀투표에 부쳐 최종안을 선택하는 방법은 명목집단법이다.   **정답 ①**

16 □□□ 2021년 군무원 9급

경영자들이 내리는 의사결정에는 다양한 오류들이 존재한다. 다음 중 매몰비용 오류에 해당하는 것은?

① 선별적으로 정보를 구성하고 선택하는 오류
② 과거의 선택과 부합되는 정보만을 선택하는 오류
③ 실패 원인을 내부가 아닌 외부에서만 찾는 오류
④ 과거의 선택에 매달리고 집착하는 오류

해설

매몰비용(sunk cost)은 이미 지불하거나 이미 지불해야 할 책임이 발생한 비용을 말한다. 따라서 과거의 선택에 매달리고 집착하는 오류가 매몰비용 오류에 해당한다.   **정답 ④**

17 □□□ 2016년 국가직

조직 내에서 권한(authority)과 권력(power)에 대한 설명으로 옳지 않은 것은?

① 권한은 조직 내 직위에서 비롯된 합법적인 권리를 말한다.
② 권력을 휘두르기 위해서 반드시 많은 권한을 가질 필요는 없다.
③ 관리자는 종업원에게 권한을 이양할 때, 그에 상응하는 책임을 부여하여 권한이 남용되지 않도록 해야 한다.
④ 사장이 누구를 만날지, 언제 만날지를 결정할 수 있는 비서는 권력은 작으나 권한은 크다.

해설
권력은 다른 구성원들의 행동에 영향을 줄 수 있는 잠재능력을 의미하며, 권한은 이러한 권력의 다양한 형태(강압적 권력, 보상적 권력, 합법적 권력, 준거적 권력, 전문적 권력) 중 합법적 권력을 의미한다. 따라서 권력이 권한보다 더 포괄적인 개념이기 때문에 권력이 작으면서 권한이 클 수는 없다.

정답 ④

18 □□□ 2024년 군무원 7급

종업원들에게 자존감과 업무 몰입도를 높이기 위해 요구되는 심리적 강화 요인을 임파워먼트(empowerment) 라 한다. 다음에 제시된 항목들 중 임파워먼트의 구성요소에 해당하는 것들만 가장 적절하게 묶인 것은?

ㄱ. 의미감(meaning)	ㄴ. 능력(competence)
ㄷ. 자기결정력(self-determination)	ㄹ. 영향력(impact)

① ㄱ, ㄷ
③ ㄴ, ㄷ, ㄹ
② ㄱ, ㄴ, ㄷ
④ ㄱ, ㄴ, ㄷ, ㄹ

해설
임파워먼트(empowerment)는 조직구성원들에게 자신이 조직을 위해서 많은 일을 할 수 있는 권력, 힘, 능력 등을 가지고 있다는 확신을 심어주는 과정을 의미한다. 그러한 확신을 심어주기 위해서는 영향력을 체험하게 하는 일이 전제되어야 하는데, 임파워먼트의 개념은 조직 내 권력의 분배문제를 뛰어넘어 권력의 증대 문제에 초점을 두고 있다. 이러한 임파워먼트는 의미감(meaning), 역량감(competence), 자기결정력(self-determination), 영향력(impact)의 4가지 차원으로 구성되어 있다.

정답 ④

19 □□□ 2021년 군무원 9급

개인적 권력에 해당하는 것은?

① 부하 직원의 휴가 요청을 받아들이지 않을 수 있는 영향력
② 다른 직원에게 보너스를 제공하는 것을 결정할 수 있는 영향력
③ 높은 지위로 인해 다른 직원에게 작업 지시를 내릴 수 있는 영향력
④ 다른 직원에게 전문지식을 제공하여 발생하는 영향력

해설

강압적 권력, 보상적 권력, 합법적 권력은 조직의 공식적 지위와 관련되어 있지만 준거적 권력과 전문적 권력은 개인이 원래 가지고 있는 특성과 관련되어 있다. ①번과 ②번은 보상적 권력, ③번은 합법적 권력, ④번은 전문적 권력에 해당한다.   **정답 ④**

20 □□□ 2019년 군무원

다음 중 리더십 이론이 아닌 것은?

① 특성이론(trait theory)
② ERG이론
③ PM이론
④ 상황이론(contingency theory)

해설

ERG이론은 알더퍼(Alderfer)가 주장한 이론으로 동기부여이론 중 내용이론에 해당한다.   **정답 ②**

21 □□□ 2022년 군무원 9급

다음 중에서 리더십의 관점이 아닌 것은?

① 전술이론
② 특성이론
③ 행동이론
④ 상황이론

해설

리더십이론은 특성이론, 행동이론, 상황이론 등으로 구성되어 있다. 따라서 전술이론은 리더십의 관점에 해당하지 않는다.   **정답 ①**

22 ☐☐☐ 2023년 군무원 7급

블레이크(R. Blake)와 머튼(J. Mouton)의 관리격자(managerial grid)에 대한 설명으로 가장 적절하지 않은 것은?

① 생산에 대한 관심과 인간에 대한 관심 정도에 따라 리더의 유형을 분류한다.
② 중간형은 생산에 대한 관심과 인간에 대한 관심 모두 보통인 유형이다.
③ 컨트리클럽형은 근로자의 사기 증진을 강조하여 조직의 분위기를 편안하게 이끌어 나가지만 작업수행과 임무는 소홀히 하는 경향이 있다.
④ 과업형 리더에게는 생산에 대한 관심을 높일 수 있는 훈련을 통해 이상형 리더로 발전시켜야 한다.

해설

과업형 리더는 이미 생산에 대한 관심이 높은 리더이기 때문에 생산에 대한 관심을 높일 수 있는 훈련이 필요하지 않다. 오히려 생산에 대한 관심을 높일 수 있는 훈련을 통해 이상형 리더로 발전시켜야 하는 것은 컨트리클럽형 리더이다. **정답 ④**

23 ☐☐☐ 2022년 국가직

리더십 이론에 대한 설명으로 옳지 않은 것은?

① 경로 – 목표 모형에 의하면, 리더가 목표를 정해주고 역할을 분담시키며 일의 순서를 정해 주면 성실한 작업자는 성과를 올리지만 그렇지 않은 작업자는 정서적 피로감이 유발된다.
② 허쉬(P. Hersey)와 블랜차드(K. Blanchard)에 의하면, 리더는 부하들의 태도와 행동으로 자질 및 동기를 파악하고 그들의 자율의식, 책임의식, 자신감 등을 고려하여 인간중심 또는 과업중심의 리더십을 발휘해야 한다.
③ 블레이크(R. Blake)와 머튼(J. Mouton)의 관리격자 이론에 의하면, 과업형은 리더 혼자 계획하고 통제하며 부하를 생산도구로 여기는 유형이다.
④ 피들러(F. Fiedler)의 상황이론에 의하면, 리더와 부하의 신뢰 정도가 아주 강한 경우에는 과업 지향적 리더십이 더 효과적이고 중간 혹은 아주 약한 경우에는 관계 지향적 리더십이 더 효과적이다.

해설

피들러(F. Fiedler)의 상황이론에 의하면, 리더와 부하의 신뢰 정도가 아주 강하거나 아주 약한 경우에는 과업 지향적 리더십이 더 효과적이고 중간인 경우에는 관계 지향적 리더십이 더 효과적이다. **정답 ④**

24 ☐☐☐ 2023년 서울시

은행 창구 직원들이 관리자와 직원들은 좋은 관계성을 유지하고 있고, 직원들의 직무수행 절차가 잘 구조화되어 있으며, 관리자의 직위권력이 강할 때 피들러의 상황모델(Fiedler contingency model) 중 가장 효과적인 리더십 스타일은?

① 관계지향 리더십   ② 과업지향 리더십
③ 팀지향 리더십   ④ 성취지향 리더십

해설

피들러의 상황모델(Fiedler contingency model)에 의하면 리더십 상황이 리더에게 호의적이거나 비호의적인 경우에는 과업지향적 리더가 적합하고, 리더십 상황이 리더에게 호의적이지도 않고 비호의적이지도 않은 경우에는 관계지향적 리더가 적합하다. 따라서 은행 창구 직원들이 관리자와 직원들은 좋은 관계성을 유지하고 있고, 직원들의 직무수행 절차가 잘 구조화되어 있으며, 관리자의 직위권력이 강할 때는 리더십 상황이 호의적인 상황에 해당하기 때문에 과업지향 리더십이 효과적이다.

정답 ②

25 ☐☐☐ 2023년 군무원 7급

하우스(House)와 미첼(Mitchell)이 제시한 리더십 상황이론인 경로목표이론(path-goal theory)에서 제시된 리더십 행동 유형에 대한 설명 중 가장 적절하지 못한 것은?

① 지시적 리더(directive leader) - 하급자가 어떤 일정에 따라 무슨 일을 해야 할지 스스로 결정하여 추진하도록 지시하는 유형
② 지원적 리더(supportive leader) - 하급자의 복지와 안녕 및 그들의 욕구에 관심을 기울이고 구성원 간에 상호 만족스러운 인간관계를 조성하는 유형
③ 참여적 리더(participative leader) - 하급자들을 주요 의사결정에 참여시키고 그들의 의견 및 제안을 적극 고려하는 유형
④ 성취지향적 리더(achievement-oriented leader) - 도전적인 목표를 설정하고 성과향상을 추구하며 하급자들의 능력 발휘에 대해 높은 기대를 설정하는 유형

해설

지시적 리더는 구조주도적 측면을 강조하여 부하들의 과업을 계획하고 구체화하여 그들을 적극적으로 지시 또는 조정해 나가는 리더이다.

정답 ①

26 ☐☐☐ 2021년 군무원 5급

허시(P. Hersey)와 블랜차드(K. Blanchard)가 제시한 상황적 리더십 이론(Situational Leadership Theory, SLT)에서 아래의 리더십 유형(leadership style)별로 리더의 과업지향적 행위(directive behavior)와 관계지향적 행위(supportive behavior)의 수준을 설명한 것 중 가장 옳은 것은?

① 지시형(directing): 높은 과업지향적 행위, 높은 관계지향적 행위
② 코치형(coaching): 낮은 과업지향적 행위, 높은 관계지향적 행위
③ 지원형(supporting): 높은 과업지향적 행위, 낮은 관계지향적 행위
④ 위임형(delegating): 낮은 과업지향적 행위, 낮은 관계지향적 행위

해설
① 지시형은 높은 과업지향적 행위와 낮은 관계지향적 행위를 보이는 리더이다.
② 코치형(설득형)은 높은 과업지향적 행위와 높은 관계지향적 행위를 보이는 리더이다.
③ 지원형(참여형)은 낮은 과업지향적 행위와 높은 관계지향적 행위를 보이는 리더이다.

정답 ④

27 ☐☐☐ 2018년 서울시

리더십이론에 대한 설명 중 가장 옳은 것은?

① 허시와 블랜차드(Hersey and Blanchard)의 리더십 상황 이론에서는 LPC(Least Preferred Coworker)척도를 이용하여 리더의 유형을 나누었다.
② 서번트 리더십(servant leadership)은 개인화된 배려, 지적 자극, 영감에 의한 동기유발 등을 통해 부하를 이끄는 리더십이다.
③ 블레이크(Blake)와 머튼(Mouton)의 관리격자모형(managerial grid model)에서는 상황의 특성과 관계없이 인간관계와 생산에 모두 높은 관심을 가지는 팀형(9,9)을 가장 좋은 리더십 스타일로 삼았다.
④ 거래적 리더십 스타일을 지닌 리더는 카리스마를 포함한다.

해설
① LPC척도를 이용하여 리더의 유형을 나눈 사람은 피들러(Fiedler)이다.
② 서번트 리더십이란 타인을 위한 봉사에 초점을 두고, 부하와 고객을 우선으로 그들의 욕구를 만족시키기 위해 헌신하는 리더십을 말한다. 개인화된 배려, 지적 자극, 영감에 의한 동기유발 등을 통해 부하를 이끄는 리더십은 변혁적 리더십이다.
④ 거래적 리더십은 전통적 리더십이론들의 통칭으로 사용되는 용어로서 리더가 상황에 따른 보상에 기초하여 부하들에게 영향력을 행사하는 과정으로 정의할 수 있으며, 조건적 보상과 예외에 의한 관리가 대표적인 구성요소가 된다. 카리스마를 포함하는 것은 변혁적 리더십이다.

정답 ③

28 □□□ 2021년 서울시

리더십 이론에 대한 설명으로 가장 옳은 것은?

① 오하이오 주립대학교의 리더십 연구는 리더가 갖는 두 개의 관심, 즉 생산과 인간에 대한 관심을 각각 X축과 Y축으로 하고, 그 정도를 1부터 9까지로 한 관리망 모형을 개발해 다섯 가지의 리더십 유형을 제시하였다.

② 피들러(Fiedler)의 상황 이론은 LPC(Least Preferred Co-worker)점수를 상황의 호의성과 함께 고려하여 효과적인 리더십 스타일을 도출할 수 있다고 제안한다.

③ 하우스(House)의 경로-목표이론(path-goal theory)은 리더십의 유형을 지시적, 후원적, 참여적, 과업지향적 리더십으로 구분하였다.

④ 허시와 블랜차드(Hersey & Blanchard)의 상황이론은 리더를 과업지향적 행동의 정도와 관계지향적 행동의 정도에 따라 배려형 리더와 구조주도형 리더로 구분하였다.

해설

① 리더가 갖는 두 개의 관심, 즉 생산과 인간에 대한 관심을 각각 X축과 Y축으로 하고, 그 정도를 1부터 9까지로 한 관리망 모형을 개발해 다섯 가지의 리더십 유형을 제시한 것은 블레이크와 모튼(Blake & Mouton)의 관리격자이론이다.

③ 하우스(House)의 경로-목표이론(path-goal theory)은 리더십의 유형을 지시적, 후원적, 참여적, 성취지향적 리더십으로 구분하였다.

④ 허시와 블랜차드(Hersey & Blanchard)의 상황이론은 리더를 과업지향적 행동의 정도와 관계지향적 행동의 정도에 따라 지시형, 설득형, 참여형, 위임형으로 구분하였다. 배려형 리더와 구조주도형 리더로 구분한 것은 오하이오 주립대학교의 리더십 연구이다. **정답 ②**

---

29 □□□ 2017년 군무원

리더십에 대한 다음 설명 중 가장 옳은 것은?

① 변혁적 리더십은 감정에 호소하여 의사나 가치관을 변혁시킨다.

② 변혁적 리더십은 부하가 미래에 비전을 받아들이고 추구하도록 격려한다.

③ 거래적 리더십에서 리더는 부하들이 자기통제에 의하여 자신을 스스로 이끌어 나가도록 역할모델이 된다.

④ 윤리적 리더십은 리더가 높은 수준의 전문성을 갖추고 있다고 지각하게 함으로써 부하들이 따라오게 하는 리더십이다.

해설

변혁적 리더십(transformational leadership)이란 리더가 업무에 대한 새로운 시각을 제시하여 부하들의 행동에 변화를 일으키는 리더십을 말한다. 따라서 변혁적 리더십은 리더가 부하들의 사기를 진작시키기 위해 미래의 비전과 공동체적 사명감을 강조하고 이를 통해 조직의 장기적인 목표를 달성하는 것이 핵심이다. 거래적 리더십은 리더가 상황에 따른 보상에 기초하여 부하들에게 영향력을 행사하는 과정이며, 윤리적 리더십은 리더가 도덕성을 갖추어야 한다거나 기업이 사회적 책임을 다해야 한다는 리더십이다. **정답 ②**

30 ☐☐☐ 2019년 국가직

변혁적 리더십(transformational leadership)에 대한 설명으로 옳지 않은 것은?

① 변혁적 리더십과 거래적 리더십은 상호 보완적이지만 변혁적 리더십이 리더와 부하직원들의 더 높은 수준의 노력과 성과를 이끌어내기에 적합할 수 있다.
② 변혁적 리더십은 리더가 부하직원의 성과와 욕구충족을 명확히 인식하고 노력에 대한 보상을 약속하여 기대되는 역할을 수행하게 만든다는 것이다.
③ 변혁적 리더십은 리더와 부하직원 간의 교환관계에 기초한 거래적 리더십에 대한 비판으로부터 발전하였다.
④ 배스(Bass)는 카리스마, 지적 자극, 개별적 배려를 변혁적 리더십의 구성요소로 제시하였다.

해설 ┄┄

변혁적 리더십은 카리스마, 개별적 배려, 지적 자극, 영감적 동기의 구성요소를 가지며, 거래적 리더십은 조건적 보상, 예외에 의한 관리의 구성요소를 가진다. 그런데 리더가 부하직원의 성과와 욕구충족을 명확히 인식하고 노력에 대한 보상을 약속하여 기대되는 역할을 수행하게 만든다는 것은 조건적 보상에 해당하기 때문에 ②번은 변혁적 리더십이 아니라 거래적 리더십에 대한 설명에 해당한다. **정답 ②**

31 ☐☐☐ 2022년 군무원 7급

다음 중 변혁적 리더십(transformational leadership)의 특징에 대한 설명으로 가장 옳지 않은 것은?

① 부하들의 관심사와 욕구 등에 관하여 개별적인 관심을 보여준다.
② 부하들에게 즉각적이고 가시적인 보상으로 동기 부여한다.
③ 부하들에게 칭찬과 격려를 함으로써 부하들의 사기를 진작시켜 업무를 추진한다.
④ 부하들이 모두 공감할 수 있는 바람직한 목표를 위해 노력하도록 동기 부여한다.

해설 ┄┄

부하들에게 즉각적이고 가시적인 보상으로 동기 부여하는 것은 거래적 리더십의 특징에 해당한다. **정답 ②**

32 ☐☐☐ 2023년 군무원 9급

번스(J. Burns)의 변혁적 리더십(transformational leadership)의 하부 요인으로 가장 적절하지 않은 것은?

① 카리스마
② 지적 자극
③ 자기 통제
④ 영감적 동기화

해설 ┄┄

변혁적 리더십의 구성요소는 카리스마, 개별적 배려, 지적 자극, 영감적 동기화 등이 있다. 따라서 자기 통제는 변혁적 리더십의 하부 요인으로 적절하지 않다. **정답 ③**

33 □□□ 2014년 국가직

리더십 유형을 크게 거래적 리더십과 변혁적 리더십으로 구분할 때, 변혁적 리더십 유형의 설명으로 옳은 것은?

① 알기 쉬운 방법으로 중요한 목표를 설명하고 자긍심을 고취한다.
② 노력에 대한 보상을 약속하고 성과에 따라 보상한다.
③ 부하들이 조직의 규칙과 관습을 따르도록 한다.
④ 부하들의 문제를 해결해 주거나 해답이 있는 곳을 알려준다.

해설

거래적 리더십은 조건적 보상과 예외에 의한 관리를 기본 개념으로 가지고 있다. 따라서 ①번을 제외한 내용은 모두 거래적 리더십에 해당한다.

정답 ①

34 □□□ 2023년 국가직

리더십 이론에 대한 설명으로 옳은 것은?

① 허시(Hersey)와 블랜차드(Blanchard)는 부하의 성숙도가 가장 높을 때는 위임형(delegating) 리더십이 효과적이고, 부하의 성숙도가 가장 낮을 때는 지도형(coaching) 리더십이 효과적이라고 주장하였다.
② 피들러(Fiedler)의 상황이론에 따르면 리더-멤버 사이의 관계가 좋고, 과업이 구조화되어 있고, 리더의 권한이 강한 상황에서는 관계지향형 리더가 과업지향형 리더보다 효과적이다.
③ 슈퍼리더십(super leadership)은 과업구조가 명확하지 않거나 조직이 불안정한 상황에서 효과적이기 때문에 부하의 지도 및 통제에 역점을 두고 있다.
④ 개별적 배려와 지적 자극은 변혁적(transformational) 리더의 특성이고, 예외에 의한 관리는 거래적(transactional) 리더의 특성이다.

해설

① 허시(Hersey)와 블랜차드(Blanchard)는 부하의 성숙도가 가장 높을 때는 위임형(delegating) 리더십이 효과적이고, 부하의 성숙도가 가장 낮을 때는 지시형(telling) 리더십이 효과적이라고 주장하였다.
② 피들러(Fiedler)의 상황이론에 따르면 리더-멤버 사이의 관계가 좋고, 과업이 구조화되어 있고, 리더의 권한이 강한 상황에서는 과업지향형 리더가 관계지향형 리더보다 효과적이다.
③ 슈퍼리더십(super leadership)은 지시와 통제에 의해서가 아니라 부하가 자발적으로 리더십을 발휘하도록 여건을 조성하는 리더십을 의미한다. 즉 부하를 셀프리더(self leader)로 만들어 주는 리더십으로 부하의 주체적 존재를 인정하고 그 역량발휘를 지원하는 리더십이다. 따라서 슈퍼리더십이 부하의 지도 및 통제에 역점을 두고 있다는 설명은 옳지 않다.

정답 ④

35 ☐☐☐ 2024년 군무원 7급

다음은 리더십 이론에 관한 여러 설명들이다. 이들 중 가장 적절하지 않은 것은?

① 블레이크와 머튼(Blake and Mouton)의 관리격자 모형(Managerial Grid Model)에서는 상황의 특성과 관계없이 생산과 인간 모두에 높은 관심을 가지는 '팀형(9, 9) 리더십' 스타일을 가장 이상적인 유형으로 본다.

② 허쉬와 블랜차드(Hersey and Blanchard)의 상황적 리더십 이론은 리더십 스타일을 지시형(telling), 지도형(selling), 참여형(participating), 위임형(delegating)으로 구분한다.

③ 하우스(House)의 경로-목표 이론에 의하면, 외재적 통제위치를 갖고 있는 부하에게는 참여적 리더십이 적합하다.

④ 오하이오 주립대학의 리더십 행동 연구에서는 리더십을 구조주도(initiating structure)와 배려(consideration)의 두 차원으로 나누었다.

해설

하우스(House)의 경로-목표 이론에 의하면, 외재적 통제위치를 갖고 있는 부하에게는 지시적 리더십이 적합하고, 내재적 통제위치를 갖고 있는 부하에게는 참여적 리더십이 적합하다.

정답 ③

36 ☐☐☐ 2021년 군무원 9급

진성 리더십(authentic leadership)의 내용과 관련이 없는 것은?

① 명확한 비전제시
② 리더의 자아인식
③ 내재화된 도덕적 신념
④ 관계의 투명성

해설

진성 리더십(authentic leadership)이란 평소에 자신이 가지고 있는 핵심가치, 정체성, 감정 등에서 벗어나지 않고 이를 근거로 하여 타인과 상호작용하는 리더십을 말한다. 여기서 진성은 순수하고, 투명하고, 믿을 수 있고, 가치 있고, 가식이 없으며 무엇보다도 진실한 것이다. 진성 리더십은 개인차원의 긍정심리자본(자기효능감, 희망, 낙관주의, 복원력)과 조직차원의 긍정적 조직맥락(참여적 조직문화 등)으로부터 자아인식이 형성되고 이것이 리더의 자기규제적 행동으로 이어진 결과로 나타난다. 진성 리더십에서 주목할 만한 사실은 이러한 리더십을 발휘하는 리더의 특성이 주어진 것이라기 보다는 개발가능하다는 것이다. 따라서 명확한 비전제시는 진성 리더십의 내용과 관련이 없으며, 카리스마 리더십의 구성요소에 해당한다.

정답 ①

37 □□□ 2021년 군무원 5급

기업 간 경쟁이 심화되고 소비자의 욕구가 빠르게 변화할수록 기업은 이러한 상황에 재빠르게 대응하고 해당 현장에서 즉각적 문제해결이 가능하도록 하기 위한 리더십이 필요하다. 이러한 상황에 가장 효과적으로 대응할 수 있는 리더십으로 옳은 것은?

① 셀프(자기) 리더십
② 변혁적 리더십
③ 과업지향형 리더십
④ 카리스마 리더십

해설

셀프(자기) 리더십은 수퍼 리더십을 의미하는데, 수퍼 리더십은 지시와 통제에 의해서가 아니라 부하가 자발적으로 리더십을 발휘하도록 여건을 조성하는 리더십을 의미한다. 즉 부하를 셀프리더(self leader)로 만들어 주는 리더십으로 부하의 주체적 존재를 인정하고 그 역량발휘를 지원한다.

정답 ①

38 □□□ 2013년 국가직

리더십 이론에 대한 설명으로 옳지 않은 것은?

① 특성이론은 리더가 지녀야 할 공통적인 특성을 규명하고자 한다.
② 상황이론에서는 상황에 따라 적합한 리더십 유형이 달라진다고 주장한다.
③ 배려(consideration)와 구조 주도(initiating structure)에 따라 리더십 유형을 분류한 연구는 행동이론에 속한다.
④ 변혁적 리더십은 명확한 역할 및 과업 요건을 제시하여 목표달성을 위해 부하들을 동기부여하는 리더십이다.

해설

변혁적 리더십은 리더가 업무에 대한 새로운 시각을 제시하여 부하들의 행동에 변화를 일으키는 리더십이다.

정답 ④

다음 중 리더십에 관련된 이론에 대한 설명으로 가장 옳지 않은 것은?

① 하우스(House)의 경로목표이론에서 상황적 변수는 집단의 과업내용, 부하의 경험과 능력, 부하의 성취욕구이다.

② 거래적 리더십(transaction leadership)은 장기적인 목표를 강조해 부하들이 창의적 성과를 낼 수 있게 환경을 만들어 주며, 새로운 변화와 시도를 추구하게 된다.

③ 변혁적 리더십(transformational leadership)은 영감적동기와 지적자극과 같은 방법을 통해서 부하들의 행동에 변화를 일으키는 리더십이다.

④ 리더 - 멤버 교환이론(LMX)이론에서 내집단(in-group)은 리더와 부하와의 교환관계가 높은 집단으로 승진의 기회가 생기면 리더는 내집단을 먼저 고려하게 된다.

해설

거래적 리더십은 리더가 상황에 따른 보상에 기초하여 부하들에게 영향력을 행사하는 과정으로 정의할 수 있으며, 조건적 보상과 예외에 의한 관리가 대표적인 구성요소가 된다.

정답 ②

01 □□□ 2013년 공인노무사 수정

조직행동의 집단수준 변수에 해당하는 것은?

① 학습
② 지각
③ 태도
④ 협상

해설

학습, 지각, 태도, 성격은 개인수준 변수에 해당하며, 협상은 집단수준 변수에 해당한다고 할 수 있다.

정답 ④

02 □□□

집단에 대한 다음 설명 중 가장 옳지 않은 것은?

① 집단은 공식집단과 비공식집단으로 구분할 수 있다.
② 툭크만(Tuckman)에 따르면 집단은 형성기 → 격동기 → 규범기 → 성과수행기 → 해체기의 단계를 거친다.
③ 집단의 응집성이 높으면 조직의 성과는 항상 높아진다.
④ 소속집단과 준거집단이 일치하면 개인의 성과는 높아진다.

해설

집단의 응집성이 높아도 조직의 성과는 높아지지 않을 수 있다.

정답 ③

03 □□□ 2019년 가맹거래사 수정

집단 발달의 5단계 모형에서 집단구성원들 간에 집단의 목표와 수단에 대해 합의가 이루어지고 응집력이 높아지며, 구성원들의 역할과 권한관계가 정해지는 단계는?

① 형성기(forming)
② 폭풍기(storming)
③ 규범기(norming)
④ 성과달성기(performing)

해설

집단 발달의 5단계 모형에서 집단구성원들 간에 집단의 목표와 수단에 대해 합의가 이루어지고 응집력이 높아지며, 구성원들의 역할과 권한관계가 정해지는 단계는 규범기이다. 형성기는 집단구성원들이 서로를 인지하고 기초적인 규범을 만드는 단계이고, 폭풍기(격동기)는 집단구성원들이 리더의 통제에 저항하고 적대감을 보이는 단계이다. 성과달성기는 집단구성원들이 각자에게 주어진 역할을 충실히 수행하면서 집단의 목표를 함께 수행하여 실제로 목표달성을 위한 업적을 많이 내는 단계이고, 해체기는 집단의 목표가 달성되어 집단구성원들이 집단을 이탈하고 집단이 해체되는 단계이다.

정답 ③

04 ☐☐☐

공식집단(formal group)과 비공식집단(informal group)에 대한 다음 설명 중 가장 옳지 않은 것은?

		공식집단	비공식집단
①	가입동기	자발적	지명 또는 선발
②	구조	안정적	유기적
③	지도·통제	투표 또는 공식지명	자연적 지도자
④	과업	공식화	다양함

해설

공식집단은 그 가입동기가 지명 또는 선발에 의하고, 비공식집단은 자발적이다.

정답 ①

05 ☐☐☐ 2023년 가맹거래사 수정

집단응집성의 증대요인으로 옳지 않은 것은?

① 구성원의 동질성   ② 집단 내 경쟁
③ 성공적인 목표달성   ④ 집단 간 경쟁

해설

집단 내 경쟁은 집단응집성의 감소요인에 해당한다.

정답 ②

06 ☐☐☐

응집성이 높은 집단이 가지는 특성으로 가장 옳지 않은 것은?

① 집단의 목표와 집단구성원의 목표가 서로 일치한다.
② 집단의 규모가 작다.
③ 민주적 리더가 등장한다.
④ 목표가 명백히 구체화되어 있다.

해설

응집성이 높은 집단은 일반적으로 카리스마 리더가 나타난다.

정답 ③

07 □□□

조하리의 창(Johari window)에 대한 다음 설명 중 가장 옳지 않은 것은?

① 자신과 타인에게 투영되는 각자의 모습을 통하여 대인관계에서의 갈등원인을 설명해 준다.
② 공공영역(open area)이 커질수록 효과적인 의사소통과 인간관계가 이루어진다.
③ 사적영역(hidden area)은 자기 자신에 대해서 타인은 모르고 자기 자신만이 알고 있는 자신의 은밀한 영역이다.
④ 미지영역(unknown area)에서는 거의 항상 갈등이 발생한다.

해설

자신과 타인에게 투영되는 자신의 모습을 통하여 대인관계에서의 갈등원인을 설명해 준다. 　　　　　　　　**정답 ①**

08 □□□ 2022년 가맹거래사 수정

갈등 상황에서 자신이 원하는 것을 포기하고 상대방이 원하는 것을 충족시키는 토마스(K. Thomas)의 갈등해결전략은?

① 회피전략　　　　　　　　　　　　　② 수용전략
③ 경쟁전략　　　　　　　　　　　　　④ 통합전략

해설

수용(배려)전략은 상대방의 관심부분을 충족시켜 주기 위해 자신의 관심부분을 양보 또는 포기하는 전략이다. 갈등 상황에서 자신이 원하는 것을 포기하고 상대방이 원하는 것을 충족시키는 토마스(K. Thomas)의 갈등해결전략은 수용전략이다.
① 회피전략은 갈등 상황에서 자신에 대한 관심뿐만 아니라 상대방에 대한 관심도 가지지 않는 전략이다.
③ 경쟁(지배 또는 강압)전략은 공식적인 권위를 사용하여 복종을 유도하며, 자신에 대한 관심은 지나친 반면에 상대방에 대하여 무관심한 사람은 자기중심적인 행동을 선호하는 전략(win-lose)이다.
④ 통합(협력)전략은 자신과 상대방의 관심과 이해관계를 정확히 파악하여 문제해결을 위한 통합적 대안을 도출하는 전략이다. 즉 자신과 상대방이 원하는 것을 모두 충족시키는 전략(win-win)이다. 　　　　　　　　**정답 ②**

09 □□□ 2024년 공인노무사 수정

킬만(I. Kilmann)의 갈등관리 유형 중 목석달성을 위해 비협소적으로 사기 관심사만을 만족시키려는 유형은?

① 협력형　　　　　　　　　　　　　② 수용형
③ 회피형　　　　　　　　　　　　　④ 경쟁형

해설

토마스(Thomas)와 킬만(Kilmann)은 갈등관리전략을 자신에 대한 관심(concern for self)의 정도와 상대방에 대한 관심(concern for other)의 정도에 따라 갈등관리의 유형을 다섯 가지로 구분하였다. 갈등관리의 유형은 회피전략(avoidant strategy), 경쟁(지배 또는 강압)전략(competitive strategy), 협력(통합)전략(collaborative strategy), 수용(배려)전략(accommodative strategy), 타협전략(compromising /sharing strategy)으로 나누어지는데, 목적달성을 위해 비협조적으로 자기 관심사만을 만족시키려는 유형은 경쟁전략이다. 　　　　　　　　**정답 ④**

10 □□□ 2014년 공인노무사 수정

분배적 교섭의 특성에 해당되는 것은?

① 나도 이기고 상대도 이긴다.
② 장기적 관계를 형성한다.
③ 정보공유를 통해 각 당사자의 관심을 충족시킨다.
④ 당사자 사이의 이해관계보다 각 당사자의 입장에 초점을 맞춘다.

해설

교섭에는 분배적 교섭과 통합적 교섭이 있는데, 분배적 교섭은 제한된 자원을 두고 누가 더 많은 부분을 차지할 것인가를 결정하는 협상이고, 통합적 교섭은 서로가 모두 만족할 수 있는 선에서 상호승리를 추구하는 협상이다. 일반적으로 분배적 교섭은 각자의 입장에 따라 목표수준(얻고자 하는 수준)과 저항수준(양보가 불가능한 수준) 사이에서 타결이 이루어지고, 통합적 교섭은 서로의 이해관계에 대한 파악과 정보공유를 통해 각자의 요구가 모두 충족되는 선에서 타결이 이루어진다. **정답 ④**

11 □□□ 2016년 경영지도사 수정

의사소통(communication) 과정이 옳은 것은?

ㄱ. 발신자	ㄴ. 메시지
ㄷ. 매체	ㄹ. 수신자
ㅁ. 피드백	

① ㄱ → ㄴ → ㄷ → ㄹ → ㅁ
② ㄱ → ㄷ → ㄴ → ㄹ → ㅁ
③ ㄱ → ㄹ → ㄴ → ㄷ → ㅁ
④ ㄴ → ㄱ → ㄷ → ㅁ → ㄹ

해설

의사소통(communication)이란 발신자와 수신자가 언어적 또는 비언어적 메시지(정보)를 교환하고 공유하려는 과정을 말한다. **정답 ①**

12 □□□ 2015년 공인노무사 수정

의사소통(Communication)에서 전달된 메시지를 자신에게 주는 의미로 변환시키는 사고과정은?

① 잡음(noise)
② 해독(decoding)
③ 반응(response)
④ 부호화(encoding)

해설

의사소통(Communication)에서 전달된 메시지를 자신에게 주는 의미로 변환시키는 사고과정은 해독이다. **정답 ②**

13 □□□

의사소통(communication)에 대한 다음 설명 중 가장 옳지 않은 것은?

① 일반적으로 직접의사소통이 간접의사소통보다 정확성이 높다.
② 공식적 의사소통의 유형 중 가장 이상적인 유형은 완전연결형(all channel)이다.
③ 그레이프 바인(grape vine)은 비공식적 의사소통에 해당한다.
④ 공식적 의사소통의 유형 중 중심인물이 가장 뚜렷한 유형은 원형(circle)이다.

해설

공식적 의사소통의 유형 중 중심인물이 가장 뚜렷한 유형은 수레바퀴형(wheel)이다.　　**정답 ④**

14 □□□ 2020년 공인노무사 수정

구성원들 간 의사소통이 강력한 특정 리더에게 집중되는 유형은?

① 원형　　　　　　　　　　　② Y자형
③ 수레바퀴형　　　　　　　　④ 사슬형

해설

수레바퀴형은 집단구성원들에게 있어 중심인물이 존재하고 있는 경우에 나타나는 유형이다. 주로 리더와 같은 중심인물에게 의사를 전달하게 되며 중심인물은 의견을 모아 다시 구성원들에게 의사를 전달한다.
① 원형은 집단구성원 간에 사회적인 서열이나 신분관계가 뚜렷하게 형성되지 않은 경우에 나타나는 유형이다.
② Y자형은 확고한 중심인물이 존재하지 않아도 대다수의 구성원들을 대표하는 중심인물과 비슷한 인물이 나타나는 유형이다. 수레바퀴형과 사슬형이 결합된 형태라고 볼 수 있다.
④ 사슬형은 구성원들 간의 의사소통이 연결되지 않은 유형이다. 일반적으로 정보가 단계적으로 최종인물에게 전달되는 수직적인 구조와 정보의 전달방향에 따라서 중간에 위치한 구성원이 역할을 하는 수평적인 구조로 나눌 수 있다.　　**정답 ③**

15 □□□ 2018년 경영지도사 수정

집단 내에 중심적인 인물 또는 리더가 존재하여 구성원들 간의 정보전달이 그 한 사람에게 집중되는 커뮤니케이션 네트워크 유형은?

① 연쇄형　　　　　　　　　　② 수레바퀴형
③ Y형　　　　　　　　　　　④ 완전연결형

해설

집단 내에 중심적인 인물 또는 리더가 존재하여 구성원들 간의 정보전달이 그 한 사람에게 집중되는 커뮤니케이션 네트워크 유형은 수레바퀴형이다.
　　정답 ②

16 □□□ 2023년 가맹거래사 수정

효과적인 커뮤니케이션의 장애요인에 해당하는 것을 모두 고른 것은?

ㄱ. 정보과중	ㄴ. 적극적 경청
ㄷ. 선택적 지각	ㄹ. 피드백의 활용
ㅁ. 필터링(filtering)	

① ㄱ, ㄴ, ㄹ   ② ㄱ, ㄷ, ㅁ
③ ㄴ, ㄷ, ㄹ   ④ ㄷ, ㄹ, ㅁ

해설

ㄱ, ㄷ, ㅁ은 효과적인 커뮤니케이션의 장애요인에 해당하고, ㄴ과 ㄹ은 효과적인 커뮤니케이션을 가능하게 하는 요인에 해당한다.   **정답 ②**

17 □□□ 2024년 공인노무사 수정

효과적인 의사소통을 방해하는 요인 중 발신자와 관련된 요인이 아닌 것은?

① 의사소통 기술의 부족   ② 준거체계의 차이
③ 의사소통 목적의 결여   ④ 정보의 과부하

해설

정보의 과부하는 발신자가 아니라 수신자와 관련된 효과적인 의사소통을 방해하는 요인에 해당한다.   **정답 ④**

18 □□□ 2019년 경영지도사 수정

경영의사결정에 관한 설명으로 옳지 않은 것은?

① 합리적 의사결정모형은 완전한 정보를 가진 가장 합리적인 의사결정행동을 모형화하고 있다.
② 명목집단법은 문제와 답에 대한 익명성을 보장하고, 반대논쟁을 극소화하는 방식으로 문제해결을 시도하는 방법이다.
③ 브레인스토밍은 타인의 의견에 대한 비판을 통해 대안을 찾는 방법이다.
④ 집단응집력을 낮춤으로써 의사결정과정에서의 집단사고 경향을 낮출 수 있다.

해설

브레인스토밍은 질보다 양을 추구하는 방법이기 때문에 어떠한 내용의 발언이라도 그에 대한 비판을 해서는 안 된다.   **정답 ③**

19 □□□ 2020년 경영지도사 수정

사이먼(H. Simon)이 주장한 의사결정의 제한된 합리성 모델(bounded rationality model)의 내용에 해당하지 않는 것은?

① 규범적 모델
② 모든 가능한 대안을 고려하지 못함
③ 불완전하고 부정확한 정보사용
④ 만족해(satisficing solution)를 선택

해설

사이먼(H. Simon)에 의하면 인간은 문제해결에 있어서 제한된 정보와 제한된 대안을 가지고 주어진 시간과 비용을 감안하여 합리적 선택(만족해)을 하려고 노력한다. 따라서 규범적 모델은 제한된 합리성 모델이 아니라 합리인 모델에 해당하는 내용이다.

정답 ①

20 □□□ 2022년 경영지도사 수정

사이먼(H. Simon)의 제한된 합리성 모델(bounded rationality model)의 특성으로 옳은 것은?

① 만족해 선택
② 대안에 대한 완벽한 정보
③ 우선순위 불변
④ 경제적 인간 가정

해설

사이먼(H. Simon)의 제한된 합리성 모델은 제한된 합리성을 가진 의사결정자가 조직 내의 적정한 만족수준(만족해)에서 의사결정을 하는 것을 의미한다. 따라서 주어진 보기 중 제한된 합리성 모델에 해당하는 것은 ①번이고, 나머지는 합리적(합리인) 의사결정모델의 특성에 해당한다.

정답 ①

21 □□□ 2018년 경영지도사 수정

인간두뇌의 한계와 정보부족 등으로 인해 완전한 합리성은 불가능하므로 제한된 합리성에 근거하여 의사결정을 하게 된다는 모형은?

① 경제인모형
② 만족모형
③ 점증모형
④ 최적모형

해설

제한된 합리성을 근거하여 의사결정을 하게 된다는 모형은 관리인 의사결정모형이다. 관리인 의사결정모형은 최적해를 추구하는 것이 아니라 만족해를 추구하기 때문에 만족모형이라고도 한다.

정답 ②

22 □□□ 2017년 공인노무사 수정

다음이 설명하는 기법은?

- 비구조적인 문제를 다루는데 유용하다.
- 경험을 체계화하고 정형화하여 해결책을 발견한다.

① 팀 빌딩
② 휴리스틱
③ 군집분석
④ 회귀분석

해설

휴리스틱(heuristic)은 제한된 정보와 시간상 제약 등으로 인하여 현실적 상황하에서 체계적이고 합리적인 의사결정을 하기 보다는 즉각적이고 바로 실현가능한 의사결정을 위해 대충 어림짐작하는 것을 말한다. 따라서 가장 이상적인 답을 찾기보다는 현실적으로 만족할 수 있는 답을 찾기 위한 방법이다. 군집분석, 회귀분석, 선형계획법 등은 수리적인 기법에 해당하는 방법이기 때문에 구조적인 문제를 다루는데 유용한 방법이라고 할 수 있으며, 팀 빌딩은 조직 내의 여러 작업집단을 개선하고 그 집단의 효율성을 높이려는 기법이다. **정답②**

23 □□□ 2019년 공인노무사 수정

집단의사결정의 특징에 관한 설명으로 옳지 않은 것은?

① 서로의 의견에 비판없이 동의하는 경향이 있다.
② 의사결정에 참여한 구성원들의 교육효과가 높게 나타난다.
③ 구성원의 합의에 의한 것이므로 수용도와 응집력이 높아진다.
④ 차선책을 채택하는 오류가 발생하지 않는다.

해설

집단의사결정은 최선안을 알고 있음에도 불구하고 의견대립을 회피하기 위해 타협할 수 있기 때문에 차선책을 채택하는 오류가 발생할 수 있다. **정답④**

24 □□□ 2016년 경영지도사 수정

집단의사결정의 특징이 아닌 것은?

① 개인의사결정에 비해 보다 정확한 경향이 있다.
② 개인의사결정에 비해 책임소재가 더 명확하다.
③ 개인의사결정에 비해 더 많은 대안을 생성할 수 있다.
④ 소수의 아이디어를 무시하는 경향이 일어날 수 있다.

해설

책임소재라는 관점에서는 집단의사결정보다 개인의사결정이 더 명확하다. **정답②**

25 ☐☐☐ 2021년 공인노무사 수정

다음 설명에 해당하는 의사결정기법은?

- 자유롭게 아이디어를 제시할 수 있다.
- 타인이 제시한 아이디어에 대해 비판은 금지된다.
- 아이디어의 질보다 양을 강조한다.

① 브레인스토밍(brainstorming)
② 명목집단법(nominal group technique)
③ 프리모텀법(premortem)
④ 지명반론자법(devil's advocacy)

해설

문제에서 주어진 내용은 브레인스토밍에 대한 설명이다. 프리모텀법(premortem)은 사전에 최악의 상황을 가정하고 문제점을 도출하는 편향극복 기법이다. **정답 ①**

26 ☐☐☐ 2021년 경영지도사 수정

집단의사결정기법에서 변증법적 토의법에 관한 설명으로 옳은 것은?

① 집단구성원들이 한 가지 문제를 두고 각자의 아이디어를 무작위로 개진하여 최선책을 찾아가는 의사결정 기법
② 집단구성원들이 회의에 참석하지만 각자 익명의 서면으로 의견을 제출하고 간략한 견해를 피력하는 개별 토의 후에 표결로 의사결정하는 기법
③ 집단구성원들을 절반으로 나누어 반대 의견을 개진하면서 토론을 거쳐 의사결정하는 기법
④ 전문가 의견을 독립적으로 수집하여 그들의 의견을 보고 수정된 의견을 제시하는 일련의 반복과정으로 의사결정하는 기법

해설

변증법적 토의법은 상반되는 두 가지 의견에 대해서 토론하는 집단의사결정기법이다. 즉 반대가 있어야 발전이 있다는 논리를 바탕으로 하여 의사결정에 참여한 집단 구성원들을 두 편으로 나누어 찬성과 반대의견을 토론한다. 따라서 주어진 보기 중에 변증법적 토의법에 관한 설명으로 옳은 것은 ③번이다. **정답 ③**

27 □□□ 2024년 가맹거래사 수정

브레인스토밍에서 지켜야 할 규칙으로 옳지 않은 것은?

① 타인의 아이디어에 대해 비판해서는 안 된다.
② 자유롭게 아이디어를 제시할 수 있어야 한다.
③ 전문가들에게 독립된 장소에서 서면으로 의견을 제시하도록 한다.
④ 타인의 아이디어를 수정하여 제시하는 것이 허용된다.

해설

브레인스토밍(brainstorming)은 특정한 문제나 주제에 대하여 두뇌에서 폭풍이 몰아치듯 생각나는 아이디어를 가능한 한 많이 산출하도록 하는 방법을 말한다. 즉 구성원의 자유발언을 통한 아이디어의 제시를 요구하여 발상을 찾아내려는 집단토의의 일종으로 오스번(Osborn)에 의해 제안되었다. 브레인스토밍에서는 어떠한 내용의 발언이라도 그에 대한 비판을 금지하며, 여러 사람들이 자유롭게 제시한 창의적인 아이디어를 종합하여 합리적인 해결책을 모색해야 한다. 이를테면, 일종의 자유연상법이라고도 할 수 있다. 그리고 전문가들에게 독립된 장소에서 서면으로 의견을 제시하도록 하는 것은 브레인스토밍이 아니라 델파이법(Delphi method)에 대한 내용이다.　　　　**정답 ③**

28 □□□ 2024년 경영지도사 수정

다음에서 설명하는 집단의사결정 기법은?

> • 상호작용하는 동일 그룹 내의 구성원보다 다른 그룹으로부터 더 많고 좋은 아이디어를 얻을 수 있다는 가정하에 개발된 집단의사결정기법으로 서로 얼굴을 맞대고 하는 방법이다.
> • 익명성이 보장되기 때문에 자유롭게 의견을 제시할 수 있다는 장점이 있다.
> • 비슷한 의견이 제시될 수 있고, 제시된 의견을 수집하고 단순화하는데 시간이 많이 걸린다는 단점이 있다.
> • 주로 창조적이고 혁신적인 대안을 개발하거나, 실행가능하고 일상적인 의사결정에 유용하다.

① 명목집단법(nominal group technique)　　② 델파이기법(delphi technique)
③ 브레인스토밍(brain storming)　　④ 지명반론자법(devil's advocate method)

해설

해당 설명은 명목집단법에 대한 설명이다.　　　　**정답 ①**

29 □□□ 2022년 경영지도사 수정

집단의사결정기법에 관한 설명으로 옳은 것은?

① 브레인스토밍(brainstorming)은 새로운 아이디어에 대하여 무기명 비밀투표로 서열을 정한다.
② 지명반론자법(devil's advocate method)은 구성원들이 여러 이해관계자를 대표하여 토론하는 방법이다.
③ 델파이법(Delphi method)은 전문가들의 면대면 토론을 통해 최적 대안을 선정한다.
④ 명목집단법(nominal group technique)은 대안의 우선순위를 정하기 전에 구두로 지지하는 이유를 설명하는 것을 허용한다.

해설

① 브레인스토밍은 특정한 문제나 주제에 대하여 두뇌에서 폭풍이 몰아치듯 생각나는 아이디어를 가능한 한 많이 산출하도록 하는 방법을 말한다. 즉 구성원의 자유발언을 통한 아이디어의 제시를 요구하여 발상을 찾아내려는 집단토의의 일종이다. 새로운 아이디어에 대하여 무기명 비밀투표로 서열을 정하는 것은 명목집단법이다.
② 지명반론자법은 의사결정에 참여한 구성원들 중 일부를 지명하여 집단의사결정 안에 대한 반론을 제기하도록 하는 방법이다.
③ 델파이법은 전문가들이 직접 대면하지 않는다.   정답 ④

30 □□□

집단의사결정의 장점으로 가장 옳지 않은 것은?

① 한 사람이 얻을 수 있는 지식과 정보보다는 집단이 얻을 수 있는 정보가 더 다양하다.
② 구성원 모두가 의사결정에 참여함으로써 의사소통이 원활해지고 참여자들의 사기도 진작될 수 있다.
③ 각각의 전문가들의 체험과 경험 등이 다르기 때문에 문제의 접근방법도 매우 다를 수 있다.
④ 의견대립을 회피하여 최선안을 알고 있음에도 불구하고 구성원들 간의 타협을 이룰 수 있다.

해설

④는 집단의사결정의 단점에 대한 설명이다.   정답 ④

31 □□□ 2023년 경영지도사 수정

집단의사결정에 관한 설명으로 옳지 않은 것은?

① 집단사고의 위험성이 존재한다.
② 개인의 주관성을 감소시킬 수 있다.
③ 상이한 관점에서 보다 많은 대안을 생성할 수 있다.
④ 명목집단법은 집단 구성원 간 반대논쟁을 활성화하여 문제 해결안을 발견하고자 한다.

해설

명목집단법은 문제와 답에 대한 익명성을 보장하고, 반대논쟁을 극소화하는 방식으로 문제해결을 시도하는 방법이다. 따라서 명목집단법이 집단 구성원 간 반대논쟁을 활성화한다는 설명은 옳지 않은 설명이다.   정답 ④

32 □□□ 2023년 경영지도사 수정

브레인스토밍(brainstorming)에 관한 특징으로 옳지 않은 것은?

① 아이디어의 양보다는 질 우선
② 다른 구성원의 아이디어에 대한 비판 금지
③ 조직구성원의 자유로운 제안
④ 자유분방한 분위기 조성

해설

브레인스토밍(brainstorming)은 특정한 문제나 주제에 대하여 두뇌에서 폭풍이 몰아치듯 생각나는 아이디어를 가능한 한 많이 산출하도록 하는 방법을 말한다. 따라서 아이디어의 질보다는 양을 우선한다.

정답 ①

33 □□□ 2017년 경영지도사 수정

집단의사결정기법에 해당하지 않는 것은?

① 브레인스토밍(brainstorming)
② 명목집단법(nominal group technique)
③ 델파이법(delphi method)
④ 그룹 다이내믹스(group dynamics)

해설

그룹 다이내믹스(group dynamics)는 집단역학을 의미하는데, 집단이 지니고 있는 역학적(dynamic)인 성질을 분명히 하고 이를 통제하여 계획적인 변동을 통해 집단의 생산성을 높이는 기술을 체계화한 것이다. 즉 일정한 사회적 상황에서 집단구성원들 사이에 존재하는 상호작용 또는 힘의 형성 및 관계를 의미한다.

정답 ④

34 □□□ 2019년 경영지도사 수정

델파이법에 관한 설명으로 옳지 않은 것은?

① 모든 토의 구성원에게 문제를 분명히 알린다.
② 전문가들에게 대안을 수집하기 때문에 신속하게 의사결정을 할 수 있다.
③ 전문가들로부터 개진된 의견을 취합하여 다시 모든 구성원과 공유한다.
④ 합의된 의사결정대안의 도출까지 진행과정을 반복한다.

해설

델파이법은 전문가집단의 의견과 판단을 추출하고 종합하기 위해 동일한 전문가집단에게 설문조사를 실시하여 집단의 의견을 종합하고 정리하는 방법으로 순환적 집단의사결정과정이라고 할 수 있다. 따라서 델파이법은 많은 시간이 필요하기 때문에 신속한 의사결정을 필요로 하는 경우에는 적합하지 않다.

정답 ②

35 □□□ 2015년 공인노무사 수정

델파이 기법에 관한 설명으로 옳지 않은 것은?

① 전문가들을 두 그룹으로 나누어 진행한다.
② 미래의 불확실성에 대한 의사결정 및 장기예측에 좋은 방법이다.
③ 의사결정 및 의견개진 과정에서 타인의 압력이 배제된다.
④ 전문가들을 공식적으로 소집하여 한 장소에 모이게 할 필요가 없다.

해설

델파이 기법(Delphi method)은 미국의 랜드연구소에서 개발한 의사결정기법으로, 전문가집단의 의견과 판단을 추출하고 종합하기 위해 동일한 전문가집단에게 설문조사를 실시하여 집단의 의견을 종합하고 정리하는 방법으로 순환적 집단의사결정과정이다. 개인들은 직접 대면하지 않기 때문에 익명을 보장받을 수 있어 쉽게 반성적 사고를 하게 되며, 새로운 의견이나 사상에 대해 솔직해질 수 있다. **정답 ①**

36 □□□ 2013년 경영지도사 수정

예측하고자 하는 특정문제에 대해 전문가들의 의견을 모으고 조직화하여 합의에 기초한 하나의 결정안을 만드는 시스템적 의사결정 방법은?

① 명목집단법
② 델파이법
③ 시뮬레이션
④ 브레인스토밍

해설

예측하고자 하는 특정문제에 대해 전문가들의 의견을 모으고 조직화하여 합의에 기초한 하나의 결정안을 만드는 시스템적 의사결정 방법을 델파이법이라고 한다. **정답 ②**

37 □□□ 2021년 가맹거래사 수정

다음에서 설명하는 현상은?

> • 응집력이 높은 집단에서 나타나기 쉽다.
> • 집단구성원들이 의견일치를 추구하려다가 잘못된 의사결정을 하게 된다.
> • 이에 대처하기 위해서는 자유로운 비판이 가능한 분위기 조성이 필요하다.

① 집단사고(groupthink)   ② 조직시민행동(organizational citizenship behavior)
③ 임파워먼트(empowerment)   ④ 악마의 주장(devil's advocacy)

해설

주어진 내용은 집단사고에 해당하는 내용이다. 집단사고는 지나치게 동질적인 집단이 그 동질성으로 인하여 지나치게 비합리적인 의사결정을 하는 경우를 말한다.
② 조직시민행동은 조직구성원들이 조직 내에서 급여나 상여금 등의 공식적 보상을 받지 않더라도 조직의 발전을 위해서 희생하고 자발적으로 일을 하거나 다른 구성원들을 돕는 행동 및 조직 내의 갈등을 줄이려는 자발적 행동들을 의미한다.
③ 임파워먼트는 조직구성원들에게 자신이 조직을 위해서 많은 일을 할 수 있는 권력, 힘, 능력 등을 가지고 있다는 확신을 심어주는 과정을 의미한다.
④ 악마의 주장(지명반론자법)은 의사결정에 참여한 구성원들 중 일부를 지명하여 집단의사결정 안에 대한 반론을 제기하도록 하는 방법 또는 집단을 둘로 나누어서 한 집단이 제시한 의견에 대하여 상대편 반론 그룹으로 임명된 집단의 비판을 들으면서 본래의 안을 수정하고 보완하는 방법을 의미한다.
정답 ①

38 □□□ 2023년 공인노무사 수정

집단사고(group think)의 증상에 해당하지 않는 것은?

① 자신의 집단은 잘못된 의사결정을 하지 않는다는 환상
② 의사결정이 만장일치로 이루어져야 한다는 환상
③ 반대의견을 스스로 자제하려는 자기검열
④ 개방적인 분위기를 형성해야 한다는 압력

해설

집단사고는 지나치게 동질적인 집단이 그 동질성으로 인해 지나치게 비합리적인 의사결정을 하는 경우를 말한다. 즉 개인의 생각은 사라지고 집단이라는 새로운 의사결정단위가 의사결정을 수행하는 것이다. 따라서 개방적인 분위기를 형성해야 한다는 압력은 집단사고의 증상에 해당하지 않는다.
정답 ④

39 □□□

집단의사결정에서 발생할 수 있는 문제점인 집단사고(group think)를 방지하기 위한 방법으로 가장 옳은 것은?

① 브레인스토밍
② 명목집단법
③ 지명반론자법
④ 델파이법

해설

집단의사결정에서 발생할 수 있는 문제점인 집단사고(group think)를 방지하기 위한 방법은 지명반론자법이다.

정답 ③

40 □□□ 2017년 경영지도사 수정

조직정치에 관한 설명으로 옳지 않은 것은?

① 자원의 희소성이 높을수록 조직정치의 동기가 강해진다.
② 불확실한 상황에서의 의사결정 시 조직정치가 발생할 가능성이 높다.
③ 조직 내 기술이 복잡할수록 조직정치가 발생할 가능성이 높다.
④ 목표가 명확할수록 조직정치가 발생할 가능성이 높다.

해설

조직정치(organization politics)란 개인이나 집단이 원하는 결과를 얻는 데 필요하다고 판단되는 권력을 획득하거나 이를 증가시키기 위해 하는 행동을 의미하고, 이러한 행동은 합법적일 수도 있고 비합법적일 수도 있다. 이러한 조직정치가 발생하는 원인은 자원의 필요성과 희소성, 불확실한 의사결정과정이나 장기적인 의사결정, 목표의 불확실성, 기술의 복잡성, 조직의 변화, 신뢰감의 미형성, 불명확한 조직구성원들의 역할 등이 있다.

정답 ④

41 □□□ 2019년 공인노무사 수정

프렌치와 레이븐(J. French & B. Raven)의 권력원천 분류에 따라 개인적 원천의 권력에 해당하는 것을 모두 고른 것은?

ㄱ. 강압적 권력	ㄴ. 준거적 권력
ㄷ. 전문적 권력	ㄹ. 합법적 권력
ㅁ. 보상적 권력	

① ㄱ, ㄴ
② ㄴ, ㄷ
③ ㄷ, ㄹ
④ ㄹ, ㅁ

해설

프렌치와 레이븐(J. French & B. Raven)의 권력원천 분류에 따라 권력을 강압적 권력, 보상적 권력, 합법적 권력, 준거적 권력, 전문적 권력으로 구분하였으며, 이 중에 강압적 권력, 보상적 권력, 합법적 권력은 조직의 공식적 지위와 관련되어 있지만 준거적 권력과 전문적 권력은 개인이 원래 가지고 있는 특성과 관련되어 있다.

정답 ②

42 □□□ 2019년 경영지도사 수정

프렌치와 레이븐(J. French & B. Raven)이 제시한 조직 내 권력의 원천 5가지가 아닌 것은?

① 구조적 권력(structural power) ② 보상적 권력(reward power)
③ 강압적 권력(coercive power) ④ 합법적 권력(legitimate power)

> **해설**
>
> 프렌치(French)와 레이븐(Raven)은 권력의 원천에 따라 권력을 강압적 권력, 보상적 권력, 합법적 권력, 준거적 권력, 전문적 권력으로 구분하였으며, 이 중에 강압적 권력, 보상적 권력, 합법적 권력은 조직의 공식적 지위와 관련되어 있지만 준거적 권력과 전문적 권력은 개인이 원래 가지고 있는 특성과 관련되어 있다. 따라서 구조적 권력이 프렌치(French)와 레이븐(Raven)이 제시한 조직 내 권력의 원천 5가지에 해당하지 않는다.
>
> 정답 ①

43 □□□ 2021년 경영지도사 수정

조직 내 권력의 원천 중 준거적 권력에 관한 설명으로 옳은 것은?

① 가치 있는 정보를 소유하거나 분석할 수 있는 능력
② 다양한 벌을 통제할 수 있는 능력
③ 조직적 직위로 타인을 통제할 수 있는 능력
④ 가치관 유사, 개인적 호감으로 통제할 수 있는 능력

> **해설**
>
> ① 가치 있는 정보를 소유하거나 분석할 수 있는 능력은 전문적 권력에 해당한다.
> ② 다양한 벌을 통제할 수 있는 능력은 강압적 권력에 해당한다.
> ③ 조직적 직위로 타인을 통제할 수 있는 능력은 합법적 권력에 해당한다.
>
> 정답 ④

44 □□□ 2021년 공인노무사 수정

조직으로부터 나오는 권력을 모두 고른 것은?

ㄱ. 보상적 권력	ㄴ. 전문적 권력
ㄷ. 합법적 권력	ㄹ. 준거적 권력
ㅁ. 강제적 권력	

① ㄱ, ㄴ, ㄷ ② ㄱ, ㄷ, ㅁ
③ ㄴ, ㄹ, ㅁ ④ ㄷ, ㄹ, ㅁ

> **해설**
>
> 프렌치(French)와 레이븐(Raven)은 다양한 원천에 따라 권력을 강압적(강제적) 권력, 보상적 권력, 합법적 권력, 준거적 권력, 전문적 권력으로 구분하였으며, 이 중에 강압적(강제적) 권력, 보상적 권력, 합법적 권력은 조직의 공식적 지위와 관련되어 있지만 준거적 권력과 전문적 권력은 개인이 원래 가지고 있는 특성과 관련되어 있다.
>
> 정답 ②

45 ☐☐☐ 2023년 가맹거래사 수정

프렌치(J. French)와 레이븐(B. Raven)이 제시한 권력의 원천 중 개인의 특성에 기반한 권력은?

① 강제적 권력, 합법적 권력
② 강제적 권력, 보상적 권력
③ 준거적 권력, 합법적 권력
④ 준거적 권력, 전문적 권력

> **해설**
> --
> 강압적(강제적) 권력, 보상적 권력, 합법적 권력은 조직의 공식적 지위와 관련되어 있지만 준거적 권력과 전문적 권력은 개인이 원래 가지고 있는 특성과 관련되어 있다.
> **정답 ④**

46 ☐☐☐

리더십 연구의 발전과정을 순서대로 설명한 것으로 가장 옳은 것은?

① 특성이론 – 상황이론 – 행동이론
② 특성이론 – 행동이론 – 상황이론
③ 행동이론 – 특성이론 – 상황이론
④ 상황이론 – 행동이론 – 특성이론

> **해설**
> --
> 리더십 연구는 특성이론 – 행동이론 – 상황이론으로 발전하였다.
> **정답 ②**

47 ☐☐☐ 2012년 공인노무사 수정

오하이오 주립대학 모형의 리더십 유형구분은?

① 구조주도형 리더 – 배려형 리더
② 직무 중심적 리더 – 종업원 중심적 리더
③ 독재적 리더 – 민주적 리더
④ 이상형 리더 – 과업지향형 리더

> **해설**
> --
> 오하이오 주립대학 모형의 리더십 유형구분은 구조주도형 리더와 배려형 리더이다.
> **정답 ①**

48 □□□ 2018년 경영지도사 수정

블레이크(R. R. Blake)와 모튼(J. S. Mouton)의 리더십 관리격자모델의 리더 유형에 관한 설명으로 옳지 않은 것은?

① (1, 1)형은 조직구성원으로서 자리를 유지하는데 필요한 최소한의 노력만을 투입하는 방관형(무관심형) 리더이다.
② (1, 9)형은 구조주도행동을 보이는 컨트리클럽형(인기형) 리더이다.
③ (9, 1)형은 과업상의 능력을 우선적으로 생각하는 과업형 리더이다.
④ (5, 5)형은 과업의 능률과 인간적 요소를 절충하여 적당한 수준에서 성과를 추구하는 절충형(타협형) 리더이다.

> **해설**
>
> (1, 9)형은 인간에 대한 관심은 매우 높으나 생산에 대한 관심은 매우 낮은 컨트리클럽형(인기형) 리더이다.　　　**정답 ②**

49 □□□ 2023년 경영지도사 수정

블레이크(R. Blake)와 모튼(J. Mouton)의 리더십 관리격자 모델과 리더 유형의 연결이 옳은 것은?

① 1 · 1형 – 친화형　　　　　　　② 1 · 9형 – 과업형
③ 5 · 5형 – 무능력형　　　　　　④ 9 · 9형 – 이상형

> **해설**
>
> ① 1 · 1형 – 무능력형
> ② 1 · 9형 – 친화형
> ③ 5 · 5형 – 절충형　　　　　　　　　　　　　　　　　　　**정답 ④**

50 □□□

리더십 이론 중 PM이론의 내용으로 가장 옳게 연결한 것은?

① P: 인간관계, M: 업무　　　　　② P: 관계, M: 구조
③ P: 과업, M: 인간관계　　　　　④ P: 상황, M: 업무

> **해설**
>
> PM이론은 리더의 구조주도행동과 배려행동을 각각 성과(Performance: P)와 관계(Maintenance: M)행동으로 보고 각 행동의 높고 낮음에 따라 PM, Pm, pM, pm의 4가지 행동으로 구분하였다. P행동은 직무성과가 강조되고, M행동은 인간관계 유지가 강조된다.　　**정답 ③**

51 □□□

리더십의 행동이론에 대한 다음 설명 중 가장 옳지 않은 것은?

① 탄넨바움(Tannenbaum)은 구조주도(initiating structure)와 배려(consideration)에 따라 리더십의 유형을 구분하였다.

② 오하이오 대학의 연구에서는 리더십의 측정도구로 리더행동기술설문서(leader behavior description questionnaire)와 리더의견설문서(leader opinion questionnaire)를 사용하였다.

③ 블레이크(Blake)와 모튼(Mouton)은 리더십의 유형을 구분하기 위한 기준으로 생산에 대한 관심(production concern)과 인간에 대한 관심(people concern)을 사용하였다.

④ 미스미(Misumi)는 리더의 구조주도행동과 배려행동을 각각 성과(performance)와 관계(maintenance)로 보았다.

해설

탄넨바움(Tannenbaum)은 의사결정과정에서 리더의 권한영역과 부하의 자유재량영역이 어느 정도인가에 따라 리더십의 유형을 구분하였다.

정답 ①

52 □□□ 2020년 공인노무사 수정

하우스(R. House)가 제시한 경로 - 목표이론의 리더십 유형에 해당하지 않는 것은?

① 권한위임적 리더십   ② 지시적 리더십
③ 후원적 리더십   ④ 참여적 리더십

해설

하우스(R. House)가 제시한 경로 - 목표이론은 오하이오 대학의 리더십 연구를 활용하여 리더의 유형을 지시적 리더십(instrumental leader), 후원적 리더십(supportive leader), 참여적 리더십(participative leader), 성취지향적 리더십(achievement oriented leader)으로 구분하였다.

정답 ①

53 □□□ 2019년 경영지도사 수정

하우스(R. House)의 경로-목표 이론에서 정의한 리더십 행동 유형이 아닌 것은?

① 혁신적(innovational) 리더   ② 성취지향적(achievement oriented) 리더
③ 지시적(instrumental) 리더   ④ 지원적(supportive) 리더

해설

하우스(House)는 오하이로 대학의 리더십 연구를 활용하여 리더십의 유형을 지시적 리더, 후원적(지원적) 리더, 참여적 리더, 성취지향적 리더로 구분하였다.

정답 ①

54 ☐☐☐ 2024년 가맹거래사 수정

하우스(R. House)의 경로-목표 이론에서 제시하는 리더십 유형으로 옳지 않은 것은?

① 지시적 리더십
② 서번트 리더십
③ 지원적 리더십
④ 참여적 리더십

해설

하우스(R. House)의 경로-목표 이론에서 제시하는 리더십 유형은 지시적 리더십, 지원적(후원적) 리더십, 참여적 리더십, 성취지향적 리더십이다.

정답 ②

55 ☐☐☐

리더십 상황이론에 대한 다음 설명 중 가장 옳지 않은 것은?

① 허시(Hersey)와 블랜차드(Blanchard)의 이론에 의하면 부하의 성숙도가 낮을 때 지시형의 리더십 유형이 효과적이다.
② 허시(Hersey)와 블랜차드(Blanchard) 모형의 참여형 리더십은 관리격자이론의 (9,9)형에 해당한다.
③ 하우스(House)의 경로목표이론에서 사용된 상황변수는 종업원의 특성과 작업 환경의 특성이다.
④ 하우스(House)의 경로목표이론은 브룸의 기대이론에 기초를 둔 이론이다.

해설

허시(Hersey)와 블랜차드(Blanchard)의 참여형 리더십은 관리격자이론의 (1,9)형에 해당된다.

정답 ②

56 ☐☐☐ 2023년 공인노무사 수정

피들러(F. Fiedler)의 상황적합 리더십 이론에 관한 설명으로 옳지 않은 것은?

① LPC 척도는 가장 선호하지 않는 동료작업자를 평가하는 것이다.
② LPC 점수를 이용하여 리더십 유형을 파악한다.
③ 상황요인 3가지는 리더-부하관계, 과업구조, 부하의 성숙도이다.
④ 상황의 호의성이 중간 정도인 경우에는 관계지향적 리더십이 효과적이다.

해설

피들러(F. Fiedler)의 상황적합 리더십 이론에서는 리더십 상황을 상황의 호의성이라는 관점에서 설명하기 위해 리더-구성원(부하) 관계, 과업구조, 리더의 직위권력이라는 변수를 사용하여 총 8가지의 상황을 도출하였다. 따라서 주어진 보기 중에 부하의 성숙도는 상황요인 3가지에 해당하지 않는다. 부하의 성숙도는 허쉬(Hersey)와 블랜차드(Blanchard)의 수명주기이론에서 활용된 상황변수이다.

정답 ③

57 ☐☐☐ 2024년 경영지도사 수정

피들러(F. Fiedler)의 리더십 상황이론에서 제시된 상황변수를 모두 고른 것은?

ㄱ. 리더와 구성원의 관계	ㄴ. 과업 행동과 관계 행동
ㄷ. 과업구조	ㄹ. 리더의 직위 권한

① ㄱ, ㄴ   ② ㄱ, ㄷ

③ ㄱ, ㄴ, ㄹ   ④ ㄱ, ㄷ, ㄹ

해설

피들러(F. Fiedler)의 상황적합 리더십이론에서는 리더십 상황을 상황의 호의성이라는 관점에서 설명하기 위해 리더-구성원(부하) 관계, 과업구조, 리더의 직위권력(권한)이라는 변수를 사용하여 총 8가지의 상황을 도출하였다. **정답 ④**

---

58 ☐☐☐ 2016년 경영지도사 수정

리더십 이론에 관한 설명으로 옳지 않은 것은?

① 블레이크(R. Blake)와 모튼(J. Mouton)의 관리격자이론에 의하면 (9.9)형이 이상적인 리더십 유형이다.
② 허시(R. Hersey)와 블랜차드(K. Blanchard)는 부하들의 성숙도에 따른 효과적인 리더십행동을 분석하였다.
③ 피들러(F. Fiedler)는 상황변수로서 리더와 구성원의 관계, 과업구조, 리더의 지휘권한 정도를 고려하였다.
④ 하우스(R. House)의 경로 - 목표이론에 의하면 상황이 리더에게 아주 유리하거나 불리할 때는 과업지향적인 리더십이 효과적이다.

해설

상황이 리더에게 아주 유리하거나 불리할 때는 과업지향적인 리더십이 효과적이라고 주장하는 이론은 피들러(Fiedler)의 이론이다. 하우스(House)의 경로 - 목표이론에 의하면 구조적인 상황에서는 후원적 리더가 적합하고, 비구조적인 상황에서는 지시적 리더가 적합하다. **정답 ④**

59 □□□ 2013년 경영지도사 수정

리더십 이론에 관한 설명으로 옳지 않은 것은?

① 오하이오 주립대 연구에 의하면 구조주도(initiating structure)와 배려(consideration)가 모두 높은 수준인 리더가 한 요인 혹은 두 요인이 모두 낮은 수준을 보인 리더보다 높은 과업성과와 만족을 보이는 것으로 나타났다.
② 하우스(R. House)의 경로-목표 이론에 의하면 내부적 통제위치를 지닌 부하의 경우에는 참여적 리더십이 적합하다.
③ 피들러(F. Fiedler)의 상황적합 모형에 의하면 개인의 리더십 유형은 상황에 따라 변화한다고 한다.
④ 허시(P. Hersey)와 블랜차드(K. Blanchard)의 상황적 리더십 이론에서는 부하들의 성숙도를 중요한 요소로 고려하고 있다.

해설

개인의 리더십 유형은 상황에 따라 변화한다고 주장한 이론은 하우스(House)의 경로-목표이론과 허시(Hersey)와 블랜차드(Blanchard)의 수명주기이론이다. **정답 ③**

60 □□□ 2017년 경영지도사 수정

허시와 블랜차드(Hersey & Blanchard)의 리더십 유형 중 낮은 지시행동과 낮은 지원행동을 보이는 유형은?

① 지시형 리더   ② 설득형 리더
③ 참여형 리더   ④ 위임형 리더

해설

허시와 블랜차드(Hersey & Blanchard)는 과업지향적 행동(지시행동)과 관계지향적 행동(지원행동)을 기준으로 리더의 유형을 지시형, 설득형, 참여형, 위임형으로 구분하였는데, 낮은 과업지향적 행동(지시행동)과 낮은 관계지향적 행동(지원행동)을 보이는 유형은 위임형이다. **정답 ④**

61 □□□ 2012년 공인노무사 수정

허시와 블랜차드(Hersey & Blanchard)의 상황적 리더십 이론에 관한 설명으로 옳은 것은?

① 부하의 성과에 따른 리더의 보상에 초점을 맞춘다.
② 리더는 부하의 성숙도에 맞는 리더십을 행사함으로써 리더십 유효성을 높일 수 있다.
③ 리더십에 영향을 줄 수 있는 상황적 요소는 과업구조, 리더의 지위권력 등이다.
④ 리더십 유형은 지시형, 설득형, 거래형, 희생형의 4가지로 구분된다.

해설

① 부하의 성숙도에 따른 리더의 유형변화에 초점을 맞춘다.
③ 리더십에 영향을 줄 수 있는 상황적 요소는 부하의 성숙도이다.
④ 리더십 유형은 지시형, 설득형, 참여형, 위임형의 4가지로 구분된다. **정답 ②**

62 □□□ 2015년 경영지도사 수정

베스(B. M. Bass)의 변혁적 리더십에 포함되는 4가지 특성이 아닌 것은?

① 카리스마(이상적 영향력)
② 영감적 동기부여
③ 지적인 자극
④ 성과에 대한 보상

해설

거래적 리더십은 조건적 보상과 예외에 의한 관리(management by exception)가 대표적인 구성요소가 되고, 변혁적 리더십은 카리스마(charisma), 개별적 배려(individualized consideration), 지적 자극(intellectual stimulation), 영감적 동기(inspiration motivation) 등이 대표적인 구성요소가 된다.

정답 ④

63 □□□ 2024년 공인노무사 수정

변혁적 리더십의 구성요소 중 다음 내용에 해당하는 것은?

- 높은 기대치를 전달하고, 노력에 집중할 수 있도록 상징을 사용
- 미래에 대한 매력적인 비전 제시, 업무의 의미감 부여, 낙관주의와 열정을 표출

① 개인화된 배려
② 영감적 동기부여
③ 지적 자극
④ 이상적 영향력

해설

주어진 내용에 해당하는 변혁적 리더십의 구성요소는 영감적 동기부여이다.

정답 ②

64 □□□

변혁적 리더십(transformation leadership)과 거래적 리더십(transactional leadership)을 비교한 다음 설명 중 가장 옳지 않은 것은?

	변혁적 리더십	거래적 리더십
①	현상을 변화시키고자 노력함	현상을 유지하기 위해 노력함
②	현상과 너무 괴리되지 않은 목표지향	현상보다 매우 높은 이상적인 목표지향
③	부하들에게 자아실현과 같은 높은 수준의 목표를 동경하도록 동기부여	부하들에게 즉각적이고 가시적인 보상으로 동기부여
④	변화적이고 새로운 시도에 도전하도록 부하를 격려함	부하들은 규칙과 관례를 따르는 것을 좋아함

해설

변혁적 리더십은 현상보다 매우 높은 이상적인 목표를 지향하고, 거래적 리더십은 현상과 너무 괴리되지 않은 목표를 지향한다.

정답 ②

65 □□□ 2017년 공인노무사 수정

리더십에 관한 설명으로 옳지 않은 것은?

① 거래적 리더십은 리더와 종업원 사이의 교환이나 거래관계를 통해 발휘된다.
② 서번트 리더십은 목표달성이라는 결과보다 구성원에 대한 서비스에 초점을 둔다.
③ 카리스마적 리더십은 비전달성을 위해 위험감수 등 비범한 행동을 보인다.
④ 수퍼 리더십은 리더가 종업원들을 관리하고 통제할 수 있는 힘과 기술을 가지도록 하는데 초점을 둔다.

해설

수퍼 리더십(super leadership)은 지시와 통제에 의해서가 아니라 부하가 자발적으로 리더십을 발휘하도록 여건을 조성하는 리더십을 의미한다. 즉, 부하를 셀프리더(self leader)로 만들어 주는 리더십으로 부하의 주체적 존재를 인정하고 그 역량발휘를 지원하는 리더십이다. **정답 ④**

66 □□□

리더십 이론에 대한 다음 설명 중 가장 옳지 않은 것은?

① 허시(Hersy)와 블랜차드(Blanchard)의 상황적 리더십 이론에 따르면 참여적 리더(S3)는 낮은 과업지향과 높은 관계지향을 추구하는 리더를 뜻한다.
② 피들러(Fiedler)의 상황이론에 따르면 상황이 매우 호의적일 경우와 매우 비호의적일 경우 과업 지향적 리더십이 유효하다고 한다.
③ 하우스(House)의 경로-목표이론에 따르면 리더십의 유형을 전제형, 협의형, 집단형의 3가지로 구분했다.
④ 수퍼 리더십이란 지시, 통제에 의해서가 아니라 부하를 셀프리더로 만드는 리더로서 부하의 주체적 존재를 인정하고 그 역량 발휘를 지원하는 리더십이다.

해설

하우스(House)의 경로-목표이론에 따르면, 리더십의 유형은 후원적, 지시적, 참여적, 성취지향적의 4가지로 구분된다. 전제형, 협의형, 집단형의 3가지로 구분한 것은 리더참여모형에 해당한다. **정답 ③**

67 □□□ 2023년 경영지도사 수정

변혁적 리더십에 관한 설명으로 옳지 않은 것은?

① 비전과 사명감을 부여하고, 자긍심을 높여준다.
② 뛰어난 성과에 대한 보상을 약속하고, 성취를 인정한다.
③ 개인적 관심을 보이고, 잠재력 개발을 위해 개별적 코치와 조언을 한다.
④ 이해력과 합리성을 장려하고, 기존의 틀을 벗어나 창의적 관점에서 문제를 해결하도록 촉진한다.

해설

뛰어난 성과에 대한 보상을 약속하고, 성취를 인정하는 것은 거래적 리더십에 관한 설명이다. **정답 ②**

68 □□□ 2021년 경영지도사 수정

거래적 리더십의 구성요소에 해당하는 것을 모두 고른 것은?

ㄱ. 자유방임	ㄴ. 개별화된 배려
ㄷ. 예외에 의한 관리	ㄹ. 보상연계

① ㄱ, ㄴ   ② ㄷ, ㄹ

③ ㄱ, ㄷ, ㄹ   ④ ㄴ, ㄷ, ㄹ

해설

거래적 리더십은 조건적 보상과 예외에 의한 관리를 구성요소로 한다. 또한, 예외에 의한 관리는 평소에는 리더가 부하에 대해서 크게 관심을 가지지 않기 때문에 자유방임도 거래적 리더십의 구성요소로 볼 수 있다. **정답 ③**

69 □□□ 2020년 경영지도사 수정

조직 구성원이 리더의 새로운 이상에 의하여 태도와 동기가 변화하고 자발적으로 자신과 조직의 변화를 이끌어 낼 수 있도록 하는 리더십은?

① 진성 리더십(authentic leadership)   ② 수퍼리더십(super-leadership)

③ 변혁적 리더십(transformational leadership)   ④ 서번트 리더십(servant leadership)

해설

① 진성 리더십은 평소에 자신이 가지고 있는 핵심가치, 정체성, 감정 등에서 벗어나지 않고 이를 근거로 하여 타인과 상호작용하는 리더십을 말한다.

② 수퍼리더십은 지시와 통제에 의해서가 아니라 부하가 자발적으로 리더십을 발휘하도록 여건을 조성하는 리더십을 의미한다. 즉 부하를 셀프리더(self leader)로 만들어 주는 리더십으로 부하의 주체적 존재를 인정하고 그 역량발휘를 지원하는 리더십이다.

④ 서번트 리더십은 타인을 위한 봉사에 초점을 두고, 부하와 고객을 우선으로 그들의 욕구를 만족시키기 위해 헌신하는 리더십을 말한다.

정답 ③

70 □□□ 2022년 가맹거래사 수정

진성 리더십(authentic leadership)에 포함되는 것을 모두 고른 것은?

ㄱ. 자아인식	ㄴ. 정서적 치유
ㄷ. 관계적 투명성	ㄹ. 균형잡힌 정보처리
ㅁ. 내면화된 도덕적 신념	

① ㄱ, ㄴ, ㄷ, ㄹ ② ㄱ, ㄴ, ㄷ, ㅁ
③ ㄱ, ㄴ, ㄹ, ㅁ ④ ㄱ, ㄷ, ㄹ, ㅁ

해설

진성 리더십은 평소에 자신이 가지고 있는 핵심가치, 정체성, 감정 등에서 벗어나지 않고 이를 근거로 하여 타인과 상호작용하는 리더십을 말한다. 여기서 진성은 순수하고, 투명하고, 믿을 수 있고, 가치 있고, 가식이 없으며 무엇보다도 진실한 것이다. 진성 리더십은 개인차원의 긍정심리자본(자기효능감, 희망, 낙관주의, 복원력)과 조직차원의 긍정적 조직맥락(참여적 조직문화 등)으로부터 자아인식이 형성되고 이것이 리더의 자기규제적 행동으로 이어진 결과로 나타난다. 진성 리더십에서 주목할 만한 사실은 이러한 리더십을 발휘하는 리더의 특성이 주어진 것이라기보다는 개발가능하다는 것이다. 따라서 주어진 보기들 중에서 진성 리더십에 포함되는 것은 정서적 치유를 제외한 자아인식, 관계적 투명성, 균형잡힌 정보처리, 내면화된 도덕적 신념 등이 된다.　　**정답 ④**

71 □□□ 2020년 가맹거래사 수정

리더십 이론에 관한 설명으로 옳지 않은 것은?

① 경로 – 목표이론: 리더는 구성원이 목표를 달성할 수 있도록 명확한 길을 제시해야 한다.
② 리더십 상황이론: 리더의 행위가 주어진 상황에 적합하면 리더십의 효과가 증가한다.
③ 리더 – 구성원 교환이론: 리더는 내집단 – 외집단을 구분하지 않고 동일한 리더십을 발휘한다.
④ 리더십 특성이론: 리더가 지닌 신체적, 심리적, 성격적 특성 등에 따라 리더십의 효과가 달라진다.

해설

리더 – 구성원 교환이론에서는 리더가 자신의 부하와 가지는 교환관계의 유형에 따라 내집단(in-group)과 외집단(out-group)으로 구분하고, 두 집단에 대하여 각기 다른 관계를 발전시켜 나간다.　　**정답 ③**

72 □□□ 2018년 공인노무사 수정

서번트(servant) 리더십의 특성으로 옳지 않은 것은?

① 부하의 성장을 위해 헌신한다.
② 부하의 감정에 공감하고 이해하려고 노력한다.
③ 권력이나 지시보다는 설득으로 부하를 대한다.
④ 비전 달성을 위해 위험감수 등 비범한 행동을 보인다.

해설

서번트 리더십(servant leadership)이란 타인을 위한 봉사에 초점을 두고, 부하와 고객을 우선으로 그들의 욕구를 만족시키기 위해 헌신하는 리더십을 말한다. 즉 인간존중을 바탕으로 부하들이 잠재력을 발휘할 수 있도록 앞에서 이끌어주는 리더십이라 할 수 있으며, 그린리프(Greenleaf)가 정립한 리더십이다. ④번은 카리스마 리더십에 해당하는 내용이다. **정답 ④**

CHAPTER 04 조직수준에서의 행동

제1절 조직설계

1 의의

1. 개념

조직설계란 조직의 목표를 달성하기 위하여 조직이 처한 내·외적인 상황에 적합한 조직의 구조를 갖추는 것을 의미한다. 조직설계는 여러 부서 간의 상호협력체계의 구축을 통해 이루어지며 조직의 틀(frame)을 형성해 가는 과정이다. 조직설계의 기본변수로는 복잡성, 공식화, 집권화/분권화 등이 있다.

(1) 복잡성

복잡성(complexity)이란 과업의 분화정도에 관한 것으로 과업을 분할하고 통합시키는 정도를 의미한다. 조직을 효과적으로 통제하고 조정하기 위해서는 경영자의 통제권한이 미치는 범위의 조정과 업무프로세스가 원활하게 이루어져야 한다. 복잡성은 이런 시스템이 잘 작동될 수 있도록 과업을 조합하고 배치함을 의미한다.

(2) 공식화

공식화(formalization)란 조직 내의 직무가 표준화되어 있는 정도로 정책, 규칙 및 절차가 명문화된 형태로 존재하는 정도를 의미한다. 공식화가 높은 조직일수록 정해진 규칙에 따라 업무를 수행하기 때문에 업무가 표준화되는 장점이 있지만, 자율성이 떨어지고 상관의 업무지시에 의해서만 업무를 수행해야 하는 문제점이 있다. 공식화가 낮은 조직은 정해진 규칙이 없거나 무의미하기 때문에 개인의 자율적인 업무수행이 가능하지만, 단순하고 반복적인 업무와 같은 경우에는 오히려 효율성이 떨어질 수 있다.

(3) 집권화와 분권화

집권화(centralization)와 분권화(decentralization)란 조직계층 내의 의사결정권이 어디에 존재하느냐에 관한 것을 의미한다. 이는 의사결정권의 배분 정도를 의미하게 되는데, 집권화는 의사결정권이 조직 내의 한 지점에 집중되어 있는 정도를 나타내는 것을 의미하고, 분권화는 권한위양이 이루어진 상태를 의미한다. 조직의 규모가 확대되면 조직의 업무는 복잡하게 되고 이러한 복잡성은 전문화를 필요로 하면서 점차 분권화가 촉진되게 된다. 따라서 집권화와 복잡성 사이에는 역의 관계가 존재한다.

2. 조직구조의 분화

조직구조의 분화(differentiation)란 조직 내에서 업무 또는 직급이 나누어진 정도를 의미한다. 분화는 수평적 분화와 수직적 분화로 구분할 수 있다.

(1) 수평적 분화

수평적 분화란 조직이 수평적으로 몇 개의 업무단위로 나누어져 있는가를 의미한다. 수평적 분화는 조직 내에서 분업이 이루어진 정도를 나타내며, 조직 내에서 기능이 많이 필요할수록 수평적 분화의 수준이 높아진다.

(2) 수직적 분화

수직적 분화란 조직의 계층구조가 몇 개의 직급으로 나누어져 있는가를 의미한다. 수직적 분화의 정도는 한 사람이 통제할 수 있는 인원수를 의미하는 통제의 범위(span of control)에 의하여 영향을 받는데, 수직적 분화의 수준이 높아질수록 통제의 범위는 감소하게 된다.

2 조직이론

1. 민쯔버그의 조직설계

민쯔버그(H. Minzberg)는 조직구조를 조직의 어느 부분이 강조되느냐에 따라 기술지원부문(기계적 관료제), 일반지원부문(애드호크라시), 전략경영부문(단순구조), 중간관리부문(사업부제), 생산핵심부문(전문적 관료제)으로 구분하였다.

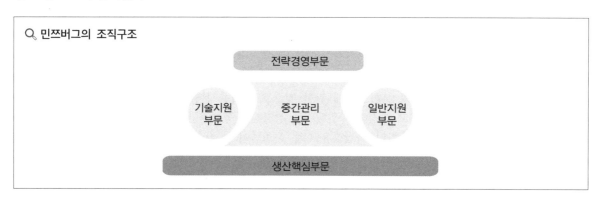

🔍 민쯔버그의 조직구조

조직부문	조직유형	특성	예
기술지원부문	기계적 관료제	수직적 집권화와 제한된 수평적 분권화	자동차 조립공장, 철강회사 등
일반지원부문	애드호크라시	선택적 분권화	프로젝트 조직, 팀제 등
전략경영부문	단순구조	집권화된 유기적 조직	수퍼마켓, 소규모 서비스업 등
중간관리부문	사업부제	제한된 수직적 분권화	제품별·시장별 사업부 등
생산핵심부문	전문적 관료제	수평·수직적 분권화	병원, 대학 등

(1) 기술지원부문

기술지원부문은 과업의 흐름을 통제하고 계획 또는 기획을 담당하는 부문으로 기술전문가로 구성된다. 기술지원부문은 기계적 관료제의 형태를 보이고 있으며, 생산공장이나 우체국과 같은 단순반복적이고 수직적인 업무가 분담된 조직에 적합한 조직유형이다.

(2) 일반지원부문

일반지원부문은 연구개발, 법률자문, 급여담당, 홍보 등 기본적 과업흐름 이외에 발생하는 조직문제에 대하여 지원기능을 맡은 전문가로 구성된다. 일반지원부문은 애드호크라시(adhocracy)의 형태를 보이고 있으며, 프로젝트 조직과 같이 과업에 따라 선택적으로 조직을 구성해 운영하는 조직유형이다.

(3) 전략경영부문

전략경영부문은 조직 외부와의 연결담당 역할과 전체 조직의 목표달성 관점에서 조직관리와 전략계획을 수립하는 부문으로 최고경영층이 중심이 된다. 전략경영부문은 단순구조의 형태를 보이고 있으며, 소규모 업종의 형태를 지닌 조직에 적합한 조직유형이다.

(4) 중간관리부문

중간관리부문은 조직의 중간경영층이 핵심적인 역할을 하는 부문을 말한다. 중간관리부문은 사업부제의 형태를 보이고 있으며, 제품별이나 시장별로 구분된 다수의 사업부를 가지고 있는 조직에 적합한 조직유형이다.

(5) 생산핵심부문

생산핵심부문은 조직목표에 직결되는 업무를 담당하는 실무 작업자들이 있는 부문을 말한다. 여기에는 재화와 서비스를 생산하는 기본과업을 수행하는 부문들도 포함된다. 생산핵심부문은 전문적 관료제의 형태를 보이고 있으며, 병원이나 대학과 같은 담당분야의 전문가에 의하여 운영되는 조직에서 강조되는 조직유형이다.

2. 조직수명주기이론

조직수명주기이론이란 조직의 설립부터 성장, 성숙, 쇠퇴 및 소멸의 과정을 설명한 이론을 말한다. 퀸과 카메론(Quinn & Cameron)은 조직의 수명주기를 창업단계(entrepreneurial stage), 공동체단계(collectivity stage), 공식화단계(formalization stage), 정교화단계(elaboration stage)로 구분하고 각 단계별 특징을 규명함으로써 조직의 성장과정에 따른 조직설계의 방향을 제시하였다.

(1) 창업단계

새로운 조직이 설립되는 단계로 해당 산업에서의 생존을 가장 중요시하는 단계이다. 이 단계에서는 소유와 경영이 일치되어 있는 단계이기 때문에 소유경영자가 모든 노력을 제품개발과 마케팅활동에 집중하며, 조직의 규모가 소규모이고 비공식적으로 운영된다. 창업단계의 후반부에는 조직의 성장을 위해 관리지향적이고 강력한 리더십이 요구된다.

(2) 공동체단계

전문경영자가 조직 내에 유입되어 강력한 리더십을 발휘하여 조직의 관리체계가 명확해지는 단계이다. 조직구성원들은 조직의 성공과 사명을 달성하는데 몰입하여 조직은 급속도로 성장하고, 조직구성원을 강력하게 통제하기 때문에 의사결정은 보다 집권적이다. 공식화나 표준화된 규칙과 절차가 많아지고 구성원들의 통제와 감시가 많아지기 때문에 자율성은 오히려 낮아진다.

(3) 공식화단계

최고경영자가 의사결정권한을 하부로 위임함과 동시에 보다 정교한 통제를 바탕으로 조직의 안정과 내부효율성을 추구하는 단계이다. 경영자는 전략과 기업전반에 관련된 문제만 다루기 시작하고 세부적인 문제에 관한 의사결정은 하위경영층에 위임한다.

(4) 정교화단계

사업부제 조직이나 매트릭스 조직과 같은 정교한 구조로 조직을 재설계하여 조직의 유연성을 제고하는 단계이다. 이 단계에서는 관료제를 통한 성장은 이미 한계에 다다르게 되고, 조직구성원은 전반적으로 자율성을 원하며 가급적이면 공식적인 통제를 회피하려고 한다. 따라서 조직에서의 공식적인 시스템이 단순화되고 수평적 조정관계, 구조의 유연성, 분권화 등을 강조하게 되며, 이로 인하여 응집된 조직문화가 조직 내에서 중요한 관리요소로 등장하게 되면서 결국 관료주의적 특성을 보완하고 완화할 수 있는 인적 관계와 팀 육성에 강조점을 두게 된다.

3. 거시조직이론

(1) 조직군생태학이론

조직군생태학이론(population ecology theory)은 비교적 동질적인 조직들의 집합인 조직군의 생성과 소멸과정에 초점을 두고, 적자생존(survival of the fittest)의 원리를 강조하여 조직구조는 환경과의 적합도 수준에 따라 도태되거나 선택된다는 이론을 말한다. 이 이론은 조직환경의 절대성을 강조하고 생물학의 자연도태이론(natural selection theory)을 적용해 분석수준을 개별조직에서 조직군으로 바꾸어 놓게 되는데, 조직군(population)이란 특정 환경 속에서 생존을 유지하는 유사한 조직구조를 갖는 조직들을 말한다. 조직군의 형태와 그 존재 및 소멸 이유를 외부환경의 선택이라는 관점에서 설명하고자 하는 조직군생태학이론은 조직구조에 일단 변이(variation)가 발생하면, 환경과의 적합도 수준에 따라 환경적소로부터 도태되거나 선택(selection)되며, 그 환경 속에서 제도화되어 보존(retention)된다고 설명한다. 즉 조직군의 변화과정은 변이, 선택, 보존의 순서대로 이루어진다.

(2) 제도화이론

제도화이론(institutionalization theory)은 조직이 다른 조직과의 구조적인 유사성(제도적 동형화)을 통하여 생존을 모색한다는 이론이다. 이런 점에서 조직군생태학이론이 적자생존(survival of the fittest)의 원리를 강조한다면 제도화이론은 유자생존(survival of the similar)의 원리를 강조한다.

(3) 자원의존이론

자원의존이론(resource dependency theory)은 조직이 일방적으로 적응해야 한다는 상황적합이론을 부정하고 환경을 자원과 불확실성의 원천으로 개념화하여 조직이 당면한 환경불확실성을 극복하기 위해 적절한 의사결정을 통해서 필요한 자원을 획득하여야 한다는 이론이다. 자원의존이론은 조직과 환경과의 상호관계를 강조하고 있지만 그렇다고 해서 환경이 조직의 모든 것을 결정한다는 환경결정론을 따르는 것은 아니다. 오히려 조직의 존속과 발전을 위해 환경의 영향력을 인정함과 동시에 조직도 스스로의 생존력을 높이기 위해 환경을 조작할 수 있다는 점을 강조한다. 즉 조직의 능동성 및 자율성을 부각하면서 조직과 환경 사이의 관계에서 조직이 환경에 적응하여 능동적으로 전략을 세우고 결정한다는 점을 강조한다. 또한, 자원의존이론은 조직생존의 핵심요인이 자원을 획득하고 유지할 수 있는 능력이며, 이러한 자원은 외부환경으로부터 획득되므로 환경에 의존해야 하며 환경과의 거래가 필요하다고 한다. 즉 조직은 생존을 위해서 환경과의 거래가 필수적이며 이에 따라 환경의 여러 요인과 상호의존적인 관계를 맺어야 한다는 것이다.

제2절 ┃ 조직문화와 조직개발

1 조직문화

1. 의의

조직문화(organizational culture)란 조직구성원들이 공유하고 있으며 조직구성원들의 행동과 전체 조직행동에 기본전제로 작용하고 있는 조직의 가치관, 규범, 관습, 행동유형 등을 포함하는 종합적인 개념이다. 조직문화는 조직구성원과 조직의 행동에 영향을 줄 뿐만 아니라 조직에 대한 소속감과 직무몰입의 정도를 보여 준다. 일반적으로 조직문화는 다음과 같은 특징(순기능/역기능)을 가진다.

(1) 정체성

조직문화는 조직구성원들이 조직에 소속되어 있다는 정체성을 느끼게 해준다. 또한, 조직내부에서 구성원들이 공유하는 가치관을 통해 조직에 대한 애착이 높아진다.

(2) 행동지침

조직문화는 조직구성원들의 행동이나 사고방식을 바람직한 방향으로 이끌어 준다.

(3) 변화에 대한 저항

조직문화는 조직구성원들에게 조직의 틀에서 벗어나는 행동을 허용하지 않는다. 따라서 창조적인 사고나 환경의 변화에 유연하게 대처하지 못하고 다양한 조직구성원들의 가치와 스타일을 수용하지 못할 수 있다.

(4) 획일성

창조적인 신입사원이 들어왔을 때 그가 조직문화와는 다른 특성을 가지고 있다면 적응하기도 어려울 것이며 그가 가진 장점은 숨겨진다. 그뿐 아니라 창조와 변화의 시대에는 새로운 도전과 갈등 속에서 창의적 아이디어가 속출해야 하는데, 강한 문화가 모든 사람에게 똑같이 침투되어 있다면 다양한 아이디어가 나올 수 없다.

2. 구성요소

(1) 샤인의 견해

샤인(Schein)은 조직문화에 대한 조직구성원의 일반적인 의식수준을 중심으로 조직문화의 구성요소를 제시하고 있다. 조직문화를 조직 전체의 행동에서 나타나는 거시적인 행동으로 간주할 때 조직문화는 가시적 수준, 인식적 수준, 잠재적 수준의 세 가지 수준에서 의식체계가 작용하는 것이다. 그리고 각 조직문화의 수준에 따라 조직문화는 가공물과 창조물(artifacts & creations), 가치(value), 기본전제(basic assumptions)의 구성요소를 가진다.

① **가공물과 창조물**: 기술, 예술적 작품, 행동패턴과 같이 표면적으로 나타나고 눈으로 볼 수 있는 물질적, 상징적, 행동적 인공창조물을 의미한다. 조직에 대한 전반적인 인상과 이미지 등 외적인 문화특성에 직접적인 영향을 준다.

② **가치**: 조직구성원들이 일반적으로 인식하고 있는 행동의 지침이다. 조직구성원들이 소중히 여기고 그들의 의식적인 행동지침으로 작용하는 요소들이다.

③ **기본전제**: 가치와 밀접한 관계에 있는 개념으로 조직구성원들이 인식하고 있지 않는 선의식적 가치관(preconscious value)을 의미한다. 기본전제는 조직구성원들이 자연스럽게 자신의 행동지침으로 받아들인다.

(2) 7S 모형

파스칼과 피터스(Pascale & Peters)는 조직문화의 구성요소로 7S를 강조하며 조직문화는 공유가치가 가장 중요한 역할을 한다고 주장하였다. 7S는 80년대 일본기업들의 특유한 조직관행을 대상으로 연구하였기 때문에 기업문화를 이해하는 데 있어 가장 실질적인 도움을 주는 이론이라고 할 수 있다. 조직문화의 7가지 구성요소들은 밀접한 관련성과 상호의존성하에서 전체적으로 기업의 독특한 특성을 나타내면서 조직문화를 형성한다. 이들 요소 간의 상호연결성과 상호의존성이 높을수록 강하고 뚜렷한 조직문화가 형성되고, 상호연결성과 상호의존성이 결여될수록 약하고 애매한 조직문화가 형성된다. 따라서 우수한 조직문화의 개발은 이들 요소를 바람직한 방향으로 개발함으로써 이루어질 수 있다.

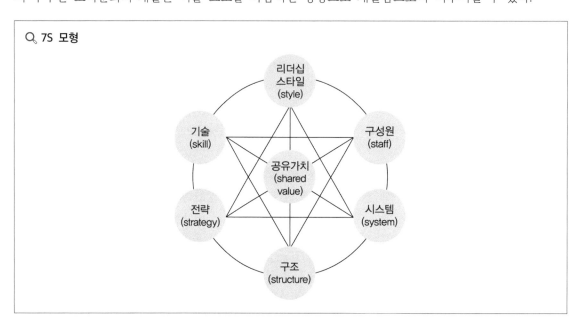

🔍 7S 모형

① **공유가치**: 조직구성원들이 공동으로 가지고 있는 가치관이다. 이념, 전통가치, 기본목적 등을 포함한다. 공유가치는 다른 조직문화의 구성요소에 지배적인 영향을 줌으로써 기업문화 형성에 가장 중요한 위치를 차지하고 있다.
② **전략**: 조직의 방향과 조직의 기본성격을 지배하는 요소로 조직의 목적달성을 위한 조직의 장기계획과 조직의 자원배분형태를 포함한다.
③ **구조**: 조직의 전략수행에 필요한 틀이다. 직무설계, 권한관계, 규정 등을 포함한다.
④ **시스템**: 조직경영의 의사결정과 일상운영과 관련된 모든 제도이다. 주어진 조직구조하에서 조직목적과 전략을 실제로 달성하는데 적용되는 의사소통제도, 의사결정제도, 경영정보시스템, 보상제도 등과 같은 모든 제도와 시스템을 포함한다.
⑤ **구성원**: 조직의 인력구성이다. 구성원들의 능력, 전문성, 신념, 욕구와 동기, 지각, 태도, 행동패턴 등을 포함한다.
⑥ **기술**: 조직구성원들이 지니고 있고 조직운영에 실제로 적용하고 있는 방법이다. 동기부여, 강화, 통제, 통합 및 조정, 갈등관리, 변화관리 등을 포함한다.
⑦ **스타일**: 조직구성원의 행동방향과 행동패턴을 포함한 리더십 스타일이다. 구성원들의 행동조성은 물론 구성원들 간의 상호관계와 조직분위기에 직접적인 영향을 주는 중요요소이다.

3. 유형

(1) 딜(Deal)과 케네디(Kennedy)의 조직문화유형

기업활동과 관련된 위험의 정도와 의사결정 전략의 성공여부에 관한 피드백의 속도라는 2가지 차원에서 조직문화를 4가지 유형으로 분류하였다.

📋 **딜(Deal)과 케네디(Kennedy)의 조직문화유형**

위험 \ 피드백의 속도	빠름	느림
높음	거친 남성문화	사운을 거는 문화
낮음	일 잘하고 잘 노는 문화	과정문화

(2) 해리슨(Harrison)의 조직문화유형

조직구조의 중요한 두 변수인 공식화와 집권화의 2가지 차원에 의해서 조직문화를 관료조직문화, 권력조직문화, 행렬조직문화, 핵화조직문화의 4가지 유형으로 구분하였다.

📋 **해리슨(Harrison)의 조직문화유형**

공식화 \ 집권화	높음	낮음
높음	관료조직문화	행렬조직문화
낮음	권력조직문화	핵화조직문화

(3) 퀸(Quinn)의 조직문화유형

조직유효성에서 제시된 경쟁가치모형에 의거한 조직문화모형을 제시하였다. 즉 유연성(분권화와 분화를 강조)/통제성(집권화와 통합을 강조)과 내부지향성/외부지향성의 2가지 차원에 의해서 조직문화를 집단문화(group culture) 또는 관계지향문화(clan culture), 발전문화(development culture) 또는 혁신지향문화(adhocracy culture), 위계(계층)문화(hierarchy culture), 합리문화(rational culture) 또는 시장지향적 문화(market culture)의 4가지 유형으로 구분하였다.

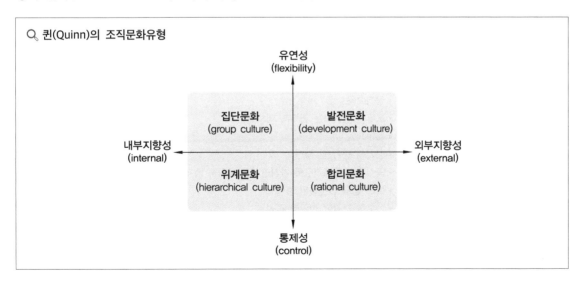

🔍 **퀸(Quinn)의 조직문화유형**

(4) 홉스테드(G. Hofstede)의 국가별 조직문화 비교

조직구성원들의 기본가치와 행동경향에 대한 연구를 위해 50개국의 기업체 구성원 116,000명을 대상으로 한 설문조사를 통해 직무와 관련된 가치관과 행동경향에 대한 자료를 수집하여 국가별로 조직구성원들의 문화가치적 특성을 비교하였다. 그는 개인-집단 중심성(individualism-collectivism), 권력 중심성(power distance), 불확실성 회피성(uncertainty avoidance), 남성-여성 중심성(masculinity-femininity), 유교적 역동성(Confucian dynamism, 장기-단기 지향성)과 같은 다섯 가지의 가치와 행동 측면을 대상으로 세계 각국의 사회문화특성과 조직문화를 비교하였다.

(5) 홀(Hall)의 조직문화

고맥락 문화는 말보다는 말을 하는 맥락 또는 상황을 중요하게 여겨 상대방의 뜻을 미루어 짐작해야 할 필요성이 큰 문화이고, 저맥락 문화는 생각을 말그대로 표현하기 때문에 맥락 또는 상황이 덜 중요한 문화이다. 일반적으로 동양권의 문화가 고맥락 문화에 해당하고, 서양권의 문화가 저맥락 문화에 해당한다.

4. 조직문화이론

(1) Z조직이론

오우치(Ouchi)는 Z조직이론을 통해 미국식 경영방식(A type)에 일본식 조직문화(J type)를 접목하여 둘의 장점을 모두 가진 기업조직(Z조직)을 제시하였다. Z조직이론은 상호신뢰와 협력을 주축으로 한 집단적 경영(collective enterprise)이다.

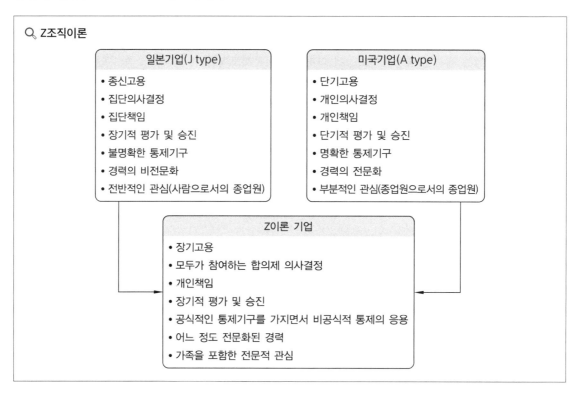

(2) 시스템 4 이론

리커트(Likert)에 의하면 조직분위기와 성과는 매우 밀접한 관련을 가지고 있기 때문에 조직분위기를 결정하는 경영과정을 통해 조직의 성과를 향상시킬 수 있다. 따라서 시스템 유형이 시스템 4형의 경향을 보일수록 유기적이고 개방적인 조직분위기로 인해 높은 성과가 나타나지만, 시스템 유형이 시스템 1형의 경향을 보일수록 강압적인 조직분위기로 인해 낮은 성과가 나타난다.

① **시스템 1형(authoritarian-exploitative)**: 전제적-착취적 시스템으로 상하 간의 불신적 관계 하에 집권적 권한, 통제적 경영관리, 상부의 지시에 의한 관리가 특징이다.

② **시스템 2형(authoritarian-benevolent)**: 전제적-온정적 시스템으로 상하관계에 입각하여 의사결정이 집권적이고 경영관리의 통제정도가 크며 하위계층의 의사결정참여가 극히 제한되어 있는 것이 특징이다. 상사와 부하와의 상호관계에서 상사는 큰 은혜라도 베푸는 것과 같은 태도를 보이고 부하는 상사에 대한 공포와 경계심을 보인다.

③ **시스템 3형(consultative)**: 조언적 시스템으로 상하 간의 신뢰적 분위기가 어느 정도 성립되고 하위계층에 권한위양이 제한된 범위에서 이루어짐에 따라 조직구성원의 의사결정참여가 허용되고 공식조직과 비공식조직 간의 통합이 생겨나는 것이 특징이다.

④ **시스템 4형(participative)**: 참여적 시스템으로 상하 간의 신뢰적 분위기 속에서 의사결정과 통제과정이 조직의 각 계층에 분산되어 있고 공식조직과 비공식조직 간의 통합이 비교적 완전히 이루어져 있는 것이 특징이다.

② 조직개발

1. 의의

조직개발(organizational development)이란 환경변화에 따른 조직의 적응능력을 기르기 위한 조직의 변화와 구성원의 행동개선을 의미한다. 즉 조직개발은 조직이 행동과학기법을 사용하여 조직문화, 조직구조, 조직유연성 등의 변화를 추구하기 위한 지속적이고 계획적인 조직변화의 과정이다. 조직개발의 최종적인 목표는 조직의 성과와 구성원의 만족도를 향상시키는 것이다.

2. 조직변화

(1) 코터(Kotter)의 조직변화 8단계

① **위기감(긴박감) 조성(1단계)**: 조직이 처해 있는 시장상황이나 경쟁상황의 파악을 통해 잠재되어 있거나 이미 발생한 위기나 기회 등에 대해서 인식하고 토론하면서 조직 내에 위기감(긴박감)을 조성한다. 이를 위해서 개인이나 집단은 발생가능한 상황에 대해서 솔직하게 토론할 수 있는 여건이 마련되어야 하는데, 그렇지 못하여 위기감(긴박감)을 조성하지 못하게 되면 변화과정은 성공할 수 없다. 즉 조직변화를 구성원들이 단순히 변화의 필요성을 인식하는 데에서 그치지 않고 변화 없이는 살아남을 수 없다는 극심한 위기감(긴박감)을 가질 때, 비로소 변화에 대한 적극적인 태도가 형성될 수 있다.

② **강력한 변화추진팀(주도세력) 구축(2단계)**: 위기감(긴박감)이 조성되면 조직변화를 추진할 강력한 변화추진팀(guiding coalition)을 구축하여야 한다. 이를 위해서 최고경영자로부터의 적극적인 지원 이상의 강력한 내부결집이 필요하며, 성공적인 변화추진팀은 처음에는 소규모로 구성되지만, 조직변화가 본격적으로 진전되기 전까지는 규모를 확대해 나가게 되고 변화추진팀의 핵심은 항상 최고경영자가 되어야 한다. 만약, 강력한 변화추진팀을 구축하지 못하게 되면 단기적인 성과는 가능할지 모르지만 변화에 대한 저항세력의 결집이 발생하여 조직변화는 바로 중단되게 된다.

③ **비전과 변화전략의 개발(3단계):** 비전(vision)은 경영혁신의 궁극적인 목표와 그 당위성을 위하여 구성원들이 희생까지 해야 할 이유를 명백히 함으로써 그들의 동기를 자극한다. 따라서 강력한 변화추진팀이 구축되면 변화추진팀은 고객, 주주, 구성원 등 모든 이해관계자들에게 쉽게 전달할 수 있고 호소력이 있는 비전과 변화전략을 개발하여야 한다. 그러나 수립된 비전과 변화전략이 너무 복잡하고 명확하지 않거나 현실적이지 못한 경우에는 이해관계자들의 동의를 구할 수 없기 때문에 조직변화를 위한 노력이 조직을 잘못된 방향으로 유도할 수 있다.

④ **비전 전파와 지속적인 의사소통(4단계):** 비전과 변화전략이 수립되면 해당 내용을 이해관계자들에게 가능한 모든 수단을 동원하여 전달하여야 한다. 조직변화는 이해관계자들이 어느 정도의 희생을 감수하여야 하는데, 비전과 변화전략의 전달이 신뢰를 기반으로 하지 않게 되면 이해관계자들은 전달된 비전과 변화전략에 대한 수용도가 높지 않아 희생을 감수하려고 하지 않을 것이다. 따라서 변화추진팀은 가능한 모든 의사소통 채널을 동원하여 최대한 이해관계자들의 동의와 수용을 끌어내야 한다.

⑤ **조직구성원에게 권한부여(5단계):** 조직변화를 위해 중요한 것은 조직변화의 장애물(시스템, 구조 등)을 제거하는 것이다. 이를 위해서는 조직변화 노력의 신뢰성을 확보하여야 하며, 조직구성원들이 비전과 변화전략에 따라 행동할 수 있도록 권한을 부여(empowerment)하여야 한다.

⑥ **단기적인 성과의 축적(6단계):** 가시적이고 단기적인 성과를 위한 계획을 수립하고 그 계획을 충실히 이행하여 성과향상을 실현하여야 한다. 아울러, 성과향상에 기여한 조직구성원들에 대해서는 보상이 지급되어야 한다. 일반적으로 조직변화는 시간이 걸리기 때문에 중간에 단기적 성과를 달성하지 않으면 조직구성원들의 이탈 등으로 인하여 조직변화노력의 추진력을 상실할 수 있다.

⑦ **지속적인 변화의 창출(7단계):** 비전과 변화전략에 부합되지 않는 시스템, 구조, 정책 등을 변경하고 비전과 변화전략을 수행할 수 있는 인력의 조달, 승진, 개발을 위한 지속적인 변화의 기반을 다진다. 아울러, 새로운 프로젝트 등을 통해 조직변화를 지속화시켜야 한다.

⑧ **조직변화의 정착(8단계):** 일하는 방식이 변화되고 그것이 조직 내에 정착되는 단계이다. 이를 위해 조직은 조직변화가 성과개선에 어떠한 도움을 주었는지를 조직구성원들에게 알리고 조직의 성과와 조직변화 간의 연관성을 명문화하게 된다. 또한, 리더십의 개발과 조직변화를 정착시키기 위한 수단도 개발되어야 한다.

(2) 레빈(Lewin)의 조직변화 3단계

① **해빙:** 변화를 추진하는 세력과 변화에 저항하는 세력이 힘겨루기를 하게 된다. 즉 현재의 위치와 혜택을 영구화하려는 현상유지세력이 변화의 필요성을 인식하고 조직변화를 시도하려는 세력에 제동을 걸게 됨으로써 갈등이 발생하게 되는 단계로, 구성원들에게 위기감(긴박감)을 조성하고 변화를 주도할 내부세력과 팀을 구축하며 변화에 대한 비전과 이를 달성할 변화전략을 구상하여 구성원들에게 변화에 대한 공감과 동기를 불러일으키는 과정이다. 따라서 해빙은 코터(Kotter)의 조직변화 8단계 중 1단계부터 4단계까지 해당한다고 볼 수 있다.

② **변화:** 여러 가지 기법들을 사용하여 계획된 변화를 실천에 옮기는 단계이다. 이러한 변화는 순응(복종), 동일화, 내면화의 단계로 나눌 수 있으며, 코터(Kotter)의 조직변화 8단계 중 5단계부터 7단계까지 해당한다고 볼 수 있다.

③ **재동결:** 바람직한 상태로 변화된 조직의 새로운 국면을 안정화시키는 단계이다. 변화된 상태는 본래의 상태로 회귀하려는 성향을 가지기 때문에 보다 강력한 재동결 노력이 요청된다. 또한, 해빙과 변화를 통하여 달성한 모든 변화를 구성원들의 행동규범과 공유가치로 연결시켜 새로운 조직문화로 정착시키는 것이다. 새로운 조직문화는 어떤 일시적이고, 인위적이며, 조작적인 방법으로는 개발될 수 없기 때문에 조직문화개발은 조직변화의 마지막 단계에 추진되는 것이 바람직하다. 재동결은 코터(Kotter)의 조직변화 8단계 중 마지막 8단계에 해당한다고 볼 수 있다.

3. 조직개발기법

(1) 개인행동 개발기법

① **감수성훈련(sensitivity training)**: 자신의 행동이 타인에게 어떤 영향을 주는지를 파악하는 훈련이다. 감수성훈련을 통해 자신에 대한 인식을 높이며 집단의 각 구성원들 간의 원활한 상호작용을 도모한다.

② **상호교류분석(transactional analysis)**: 개인의 특성이나 인간관계의 유형을 다양하게 분석하여 개인이나 집단의 성숙을 목표로 하는 기법이다. 에릭 번(Eric Berne)은 인간관계의 유형에 따라 개인을 부모(parents)의 자아, 어린아이(child)의 자아, 성인(adult)의 자아로 구분할 수 있으며, 가장 이상적인 자아는 성인의 자아라고 주장하였다. 자아인식과 의사소통 개선을 통해 다른 사람이 자신에 대하여 올바른 평가를 하게 되고 밀접한 관계도 형성된다.

③ **경력개발(career development)**: 개인이 원하는 경력과 진로, 조직에서 필요로 하는 인력수요 등을 통합시켜 조직상황에 맞는 범위 내에서 그들의 능력을 체계적으로 개발하고 몰입수준을 높이는 것이다.

(2) 조직(집단)행동 개발기법

① **팀 구축(team building)**: 조직 내의 여러 작업집단을 개선하고 그 집단의 효과성을 높이려는 기법이다. 다양한 구성원으로 이루어진 소규모 팀이 일정기간 합숙을 하면서 자신들의 문제를 확인하고 개선할 점을 발견하여 구성원들에게 다시 피드백하는 과정을 거친다.

② **설문조사 피드백(survey feedback)**: 집단이나 조직문제에 대해 구성원들에게 설문조사를 받아 결과를 도출하는 방법이다. 결과를 구성원들에게 제공하여 구성원들로 하여금 스스로 자신의 문제를 해결하도록 한다. 설문내용은 사기조사, 보상제도, 리더십, 의사소통, 갈등 등에 관한 것이 될 수 있다. 또한, 설문조사의 결과는 경영자에게도 전달되어 경영자는 조직구성원들이 조직에 대하여 가지는 만족도를 파악할 수도 있다.

③ **과정자문(process consultation)**: 변화담당자나 컨설턴트가 조직구성원이나 집단구성원을 대상으로 개인행동이나 인간관계 등 조직경영과정에서 당면하는 문제에 대한 그들의 분석능력과 해결능력을 향상시켜 주는 기법이다.

④ **그리드 조직개발(grid organization development)**: (9, 9)의 리더를 목표로 하는 관리격자이론에 근거한 가장 포괄적이고 체계적인 조직개발기법이다.

4. 학습조직이론

(1) 의의

학습조직(learning organization)이란 급변하는 경영환경 속에서 승자로 살아남기 위해서 조직구성원이 학습할 수 있도록 기업이 모든 기회와 자원을 제공하고, 학습결과에 따라 지속적 변화를 이루는 조직을 의미한다. 학습조직은 벤치마킹(benchmarking)에서 한 단계 발전된 개념인데, 벤치마킹이 다른 기업의 장점을 수용하려는 자세를 강조한 것이라면 학습조직은 벤치마킹을 전사적으로 확대할 수 있는 방법을 집중적으로 다루고 있다.

(2) 구성요소

센게(Senge)는 학습조직의 구성요소로 개인적 수련(personal mastery), 정신모형(mental model), 공유비전(shared vision), 팀학습(team learning), 시스템 사고(system thinking)의 5가지를 제시하였다.

① **개인적 수련**: 개인의 비전과 현실에 대한 명확한 인식을 동시에 유지하도록 학습하는 것이다. 원하는 결과를 창출할 수 있는 개인적 역량을 확장하는 방법을 학습하고 조직구성원들이 선택한 목표나 목적을 향해 각자 자신을 개발할 수 있는 조직의 여건을 조성하는 훈련이다.

② **정신모형**: 세상에 대한 조직구성원들의 생각과 관점들을 끊임없이 성찰하고 다듬는 훈련이다.

③ **공유비전**: 조직 내의 공감대(공생의식)를 구축하는 훈련이다. 조직구성원들이 만들고자 하는 미래의 이미지를 창조하고 목표에 도달하기 위한 원칙과 관행들에 대한 공감대 확대를 통해 이루어진다.

④ **팀학습**: 대화와 집단적인 사고방법으로 전환하는 훈련으로 구성원들이 바람직한 결과를 얻기 위해 의도적·체계적으로 지속하는 학습행위이다. 조직구성원들이 개개인이 가지고 있는 능력의 단순함을 뛰어넘는 지혜와 능력을 구축할 수 있도록 해준다.

⑤ **시스템 사고**: 전체와 부분을 동시에 볼 수 있는 기술을 향상시킬 수 있는 훈련이다. 시스템의 동태성을 결정짓는 요인들과 그들 간의 관계를 기술하고 이해할 수 있는 언어와 사고방식을 체득한다.

01 □□□ 2021년 군무원 5급

민쯔버그(H. Mintzberg)가 제시한 조직구조 설계에 있어서의 기본 부문(basic parts)에 해당하지 않는 것은?

① 전략경영부문(strategic apex)
② 기술지원부문(techno structure)
③ 협력네트워크부문(cooperative network)
④ 생산핵심부문(operation core)

해설

민쯔버그(H. Mintzberg)는 조직구조를 조직의 어느 부분이 강조되느냐에 따라 생산핵심부문(전문적 관료제), 일반지원부문(애드호크라시), 전략경영부문(단순구조), 중간관리부문(사업부제), 기술지원부문(기계적 관료제)으로 구분하였다. **정답 ③**

02 □□□ 2018년 서울시

퀸(Quinn)과 카메론(Cameron)이 제안한 조직수명주기 모형의 각 단계를 순서대로 나열한 것으로 가장 옳은 것은?

① 창업 단계 – 집단공동체 단계 – 정교화 단계 – 공식화 단계
② 창업 단계 – 집단공동체 단계 – 공식화 단계 – 정교화 단계
③ 집단공동체 단계 – 창업 단계 – 정교화 단계 – 공식화 단계
④ 집단공동체 단계 – 창업 단계 – 공식화 단계 – 정교화 단계

해설

퀸과 카메론(Quinn & Cameron)은 조직의 수명주기를 창업 단계(entrepreneurial stage), 집단공동체 단계(collectivity stage), 공식화 단계(formalization stage), 정교화 단계(elaboration stage)의 순서로 구분하고 각 단계별 특징을 규명함으로써 조직의 성장과정에 따른 조직설계의 방향을 제시하였다. **정답 ②**

조직을 구축할 때 분업을 하는 이유로 가장 옳지 않은 것은?

① 업무몰입의 지원
② 숙련화의 제고
③ 관찰 및 평가 용이성
④ 전문화의 촉진

해설

조직을 구축할 때 분업을 한다는 것은 전문화와 관련되어 있으며, 전문화는 한 작업자가 수행하는 과업의 수를 줄이는 것이기 때문에 이로 인해 학습 (경험)효과가 발생하여 숙련화가 높아지고 관찰 및 평가 용이성이 증가하게 된다. 또한, 직무몰입은 전문화와 구분되는 개념으로 Y관점과 관련된 개념이다.
정답 ①

조직구조와 조직설계에 관한 연구를 설명한 것으로 옳지 않은 것은?

① 민쯔버그(Mintzberg)의 연구에 의하면 조직 구성원의 기능을 5가지의 기본적 부문으로 구분하고, 조직의 상황별로 다르게 나타나는 기본적 부문의 우세함에 따라 조직구조를 5가지 유형으로 분류한다.
② 톰슨(Thompson)의 연구에 의하면 과업 수행을 위하여 다른 부서와의 의존적 관계에 따라 상호의존성을 3가지로 분류하였는데, 이 중에서 가장 낮은 상호의존성을 중개형이라고 한다.
③ 번즈와 스타커(Burns and Stalker)의 연구에 의하면 조직의 환경이 안정적일수록 기계적 구조가 형성되고 가변적일수록 유기적 구조가 형성되는데, 기계적 구조가 유기적 구조보다 낮은 분화와 높은 분권화의 특성을 보인다.
④ 페로우(Perrow)의 연구에 의하면 비일상적 기술은 과업의 다양성이 높고 분석가능성이 낮은 업무에 적합하고, 분권화와 자율화가 요구된다.

해설

번즈와 스타커(Burns and Stalker)의 연구에 의하면 조직의 환경이 안정적일수록 기계적 구조가 형성되고 가변적일수록 유기적 구조가 형성되는데, 기계적 구조가 유기적 구조보다 낮은 분권화의 특성을 보인다.
정답 ③

05 ☐☐☐ 2021년 군무원 7급

조직이론에서의 동형화(isomorphism)에 대한 설명으로 옳은 것은?

① 조직이 중요한 자원을 공급받기 위해 자원을 공급하는 조직과 유사하게 변화하는 것
② 조직이 주어진 환경에서 생존하기 위해 해당 환경 내의 다른 조직들과 유사하게 변화하는 것
③ 조직 내 구성원들이 응집력을 갖기 위해 유사하게 변화하는 것
④ 조직 내 상위계층과 하위계층의 구성원들이 유사한 전략적 방향을 갖게 되는 것

해설

동형화는 환경이 동일하거나 유사한 조직들의 형태가 유사해지는 경향을 말한다. 즉 조직의 환경이 다르면 각자의 기대가 다르기 때문에 각 조직은 다르겠지만, 조직의 환경이 동일하거나 유사하면 각 조직은 유사할 수밖에 없다. 결국 동형화는 한 조직군 내에 있는 개별 조직이 다른 조직들을 닮아가는 것을 말한다.

정답 ②

06 ☐☐☐ 2020년 국가직

혁신에 대한 설명으로 옳은 것만을 모두 고르면?

> ㄱ. 존속적 혁신(sustaining innovation)은 기존의 기술을 지속해서 개선하되 기존의 시장에는 큰 영향을 주지 않는다.
> ㄴ. 선도기업은 존속적 혁신에 자원 대부분을 사용하기 때문에 파괴적 혁신(disruptive innovation)에 사용할 여유자원이 부족하다.
> ㄷ. 클레이튼 크리스텐슨(Clayton Christensen)은 혁신이 경제성장의 원동력인 동시에 경기순환을 발생시킨다고 처음으로 주장하였다.
> ㄹ. 보통 혁신의 산물인 독점적 이윤은 오래 지속되기 어렵다.

① ㄱ, ㄴ, ㄷ
② ㄱ, ㄴ, ㄹ
③ ㄱ, ㄷ, ㄹ
④ ㄴ, ㄷ, ㄹ

해설

혁신이 경제성장의 원동력인 동시에 경기순환을 발생시킨다고 처음으로 주장한 사람은 슘페터(Schumpeter)이다. 클레이튼 크리스텐슨(Clayton Christensen)에 따르면 혁신에는 존속적 혁신과 파괴적 혁신이 있다. 존속적 혁신은 기존 제품과 서비스를 점진적으로 개선해 더 나은 성능을 원하는 고객을 대상으로 높은 가격에 제공하는 전략이다. 반면 파괴적 혁신은 단순하고 저렴한 제품 또는 서비스로 시장 밑바닥을 공략해 기존 시장을 파괴하고 시장을 장악하는 전략이다. 이 개념에 따르면 경영이 잘 이루어지고 평판이 좋은 기존 기업들은 재화와 서비스를 점진적으로 개선하는 방식으로 존속적 혁신을 거듭하다가 고객의 필요를 지나치게 앞서 나가게 된다. 이때 기존 기업이 간과했던 시장 밑바닥의 수요를 노려 파괴적 혁신 기업이 시장에 진입하고, 적당한 수준의 기능을 저렴하게 공급하며 발판을 확보한다. 이에 성공한 진입기업은 점차 기존 기업의 주류 고객층의 요구에 부합하는 제품도 제공함으로써 주류 고객층이 진입기업 제품으로 전향하게 하여 시장을 장악한다.

정답 ②

07 □□□ 2021년 군무원 7급

조직문화의 구성요소에 대한 7S 모형은 맥킨지(Mckinsey)가 개발한 모형으로 조직문화에 영향을 주는 조직내부요소를 7가지 요인으로 나타낸 것이다. 이 7가지 요인에 해당하지 않는 것은?

① 조직구조(structure)
② 학습(study)
③ 관리기술(skill)
④ 공유가치(shared value)

해설

7S 모형에서 조직문화의 구성요소는 shared value, strategy, structure, system, staff, skill, style이다.

정답 ②

08 □□□ 2019년 군무원

다음 중 파스칼(R. Pascale)의 7S모형에 해당하지 않는 것은?

① 공유가치
② 소프트웨어
③ 전략
④ 구성원

해설

파스칼(Pascale)의 7S모형은 공유가치(shared value), 전략(strategy), 구조(structure), 시스템(system), 구성원(staff), 기술(skill), 스타일(style)로 구성되어 있다.

정답 ②

09 □□□ 2024년 군무원 7급

조직문화의 유형을 구분하는 데 유용한 기법 중 하나로, 카메론(K. S. Cameron)과 퀸(R. E. Quinn)의 경쟁가치 프레임워크(competing value framework, CVF)를 기반으로 하는 방법이 있다. 다음 중 이 기법에 의한 조직문화의 유형으로 가장 적절하지 않은 것은?

① 공식화(formalized) 조직문화
② 계층적(hierarchy) 조직문화
③ 애드호크라시(adhocracy) 조직문화
④ 시장지향적(market) 조직문화

해설

퀸(Quinn)은 조직유효성에서 제시된 경쟁가치모형에 의거한 조직문화모형을 제시하였다. 즉 유연성(분권화와 분화를 강조)/통제성(집권화와 통합을 강조)과 내부지향성/외부지향성의 2가지 차원에 의해서 조직문화를 집단조직문화(관계지향조직문화), 발전조직문화(혁신지향조직문화 또는 애드호크라시 조직문화), 위계조직문화(계층적 조직문화), 합리조직문화(시장지향적 조직문화)의 4가지 유형으로 구분하였다. 따라서 주어진 선지들 중에 해당하지 않는 것은 공식화(formalized) 조직문화이다.

정답 ①

10 □□□ 2022년 군무원 5급

다음 중 홉스테드(Hofstede)가 제시한 국가 간 문화분류 차원에 해당되지 않은 것은?

① 불확실성 기피 성향(uncertainty avoidance)
② 개인주의(individualism) 대 집단주의(collectivism)
③ 편협성(parochialism) 대 진취성(progressiveness)
④ 남성성(masculinity) 대 여성성(femininity

해설

홉스테드(Hofstede)는 조직구성원들의 기본가치와 행동경향에 대한 연구를 위해 50개국의 기업체 구성원 116,000명을 대상으로 한 설문조사를 통해 직무와 관련된 가치관과 행동경향에 대한 자료를 수집하여 국가별로 조직구성원들의 문화가치적 특성을 비교하였다. 그는 개인–집단 중심성 (individualism–collectivism), 권력 중심성(power distance), 불확실성 회피성(uncertainty avoidance), 남성–여성 중심성 (masculinity–femininity), 유교적 역동성(Confucian dynamism, 장기–단기 지향성)과 같은 다섯 가지의 가치와 행동 측면을 대상으로 세계 각국의 사회문화특성과 조직문화를 비교하였다. 따라서 편협성(parochialism) 대 진취성(progressiveness)은 홉스테드(Hofstede)가 제시한 국가 간 문화분류 차원에 해당되지 않는다. **정답 ③**

11 □□□ 2024년 군무원 7급

다음 중 호프스테드(G. Hofstede)가 제시한 국가적 문화 유형의 차이를 구분하는 기준에 해당하는 것으로 가장 알맞게 짝지어진 것은?

> ㄱ. 권력 격차(power distance)
> ㄴ. 개인주의/집단주의(individualism/collectivism)
> ㄷ. 개방성/배타성(openness/exclusiveness)
> ㄹ. 단기지향성/장기지향성(short-term/long-term)
> ㅁ. 불확실성 회피(uncertainty avoidance)
> ㅂ. 수직적 계층성/수평적 계층성(vertical hierarchy/horizontal hierarchy)

① ㄱ, ㄴ, ㄷ, ㄹ
② ㄱ, ㄴ, ㄹ, ㅁ
③ ㄱ, ㄴ, ㅁ, ㅂ
④ ㄷ, ㄹ, ㅁ, ㅂ

해설

호프스테드(G. Hofstede)가 제시한 국가적 문화 유형의 차이를 구분하는 기준은 권력 격차, 개인주의/집단주의, 단기지향성/장기지향성, 불확실성 회피, 남성–여성 지향성이다. **정답 ②**

12 ☐☐☐ 2013년 국가직

국가 간 문화적 차이를 이해하기 위해 홉스테드(G. Hofstede)가 제시한 모형에 대한 설명으로 옳지 않은 것은?

① 개인주의 문화권에서는 개인의 성취도와 자유도가 높게 평가되고, 집단주의 문화권에서는 내부집단에 대한 충성이 중요시된다.

② 의사소통 시 고맥락(high context) 문화권에서는 배경과 상황을 중시하고, 저맥락(low context) 문화권에서는 언어나 문서를 중시한다.

③ 남성다움이 강한 문화권에서는 남녀의 사회적 역할 구분이 명확하다.

④ 불확실성 회피 성향이 높은 문화권에서는 직업의 안정성과 명확한 업무지시 등을 선호하고, 불확실성 회피 성향이 낮은 문화권에서는 변화를 두려워하지 않는다.

해설

홉스테드(G. Hofstede)는 개인-집단 중심성, 권력 중심성, 불확실성 회피성, 남성-여성 중심성, 유교적 역동성(장기-단기 지향성)과 같은 다섯 가지의 가치와 행동 측면을 대상으로 세계 각국의 사회문화특성과 조직문화를 비교하였다. 문화를 고맥락 문화와 저맥락 문화로 구분한 사람은 홀(Hall)이다.

정답 ②

13 ☐☐☐ 2022년 국가직

홉스테드(G. Hofstede)의 문화적 차이에 대한 설명으로 옳지 않은 것은?

① 권력거리는 사회 내에서 부와 권력의 불평등에 대한 수용 정도이다.

② 여성중심적인 문화에서는 관계를 중요시하며 구성원을 배려하는 경향이 있다.

③ 불확실성 회피성향이 낮은 문화에서는 변화를 두려워하지 않으며 위험을 극복하려는 경향이 높다.

④ 사회주의의 몰락 이후, 문화적 차이가 세계적인 갈등의 가장 큰 원인이 될 것으로 예측하였다.

해설

홉스테드(Hofstede)는 조직구성원들의 기본가치와 행동경향에 대한 연구를 위해 50개국의 기업체 구성원 116,000명을 대상으로 한 설문조사를 통해 직무와 관련된 가치관과 행동경향에 대한 자료를 수집하여 국가별로 조직구성원들의 문화가치적 특성을 비교하였다. 그는 개인-집단 중심성(individualism-collectivism), 권력 중심성(power distance), 불확실성 회피성(uncertainty avoidance), 남성-여성 중심성(masculinity-femininity), 유교적 역동성(Confucian dynamism, 장기-단기 지향성)과 같은 다섯 가지의 가치와 행동 측면을 대상으로 세계 각국의 사회문화특성과 조직문화를 비교하였다.

정답 ④

14 　□□□　2021년 군무원 5급

현대조직은 학습하지 않으면 생존하기 어렵다. 다음 중 학습조직에 대한 설명으로 옳은 것을 모두 고른 것은?

> ㄱ. 학습조직은 문제해결활동을 통해 구축될 수 있다.
> ㄴ. 과거의 경험에 대한 성찰이 학습조직 구축에 매우 중요하다.
> ㄷ. 다른 기업을 모방하는 것도 학습조직 구축의 한 방법이다.
> ㄹ. 학습조직은 폐기학습(unlearning)을 필요로 한다.

① ㄱ, ㄴ
② ㄴ, ㄷ
③ ㄱ, ㄷ, ㄹ
④ ㄱ, ㄴ, ㄷ, ㄹ

해설

모두 학습조직에 대한 설명으로 옳은 설명이다. 여기서 폐기학습은 잘못되거나 낡고 불필요한 기존 지식을 버리고 새로운 지식습득을 용이하게 하기 위한 학습방법을 말한다.　　　　　　　　　　　　　　　　　　　　　　　　　　　**정답 ④**

15 　□□□　2022년 군무원 5급

지속적으로 학습하고 적응하며, 변화하는 역량을 개발하는 조직을 학습조직(learning organization)이라 한다. 다음은 학습조직의 중요한 특징을 조직설계, 정보공유, 조직문화 및 리더십 측면에서 설명한 것들이다. 이 중 가장 옳지 않은 것은?

① 조직구조 측면에서 학습조직은 무경계의 팀 조직 형태를 그 특징으로 하며, 관리자와 팀원 사이에는 명확한 권한 – 지시 관계가 존재한다.
② 정보공유 측면에서 학습조직은 구조적, 물리적 장벽이 거의 존재하지 않기 때문에, 공개적인 의사소통과 광범위한 정보공유를 그 특징으로 한다.
③ 조직문화 측면에서 학습조직은 구성원들 사이에 공유된 비전이 존재하며, 강한 공동체 의식, 상호존중 의식, 상호신뢰의 풍토가 조성되어 있다.
④ 리더십 측면에서 학습조직은 리더가 구성원 사이에 공유할 비전을 적극적으로 제시하며, 협동적 분위기를 유도하고 강화시키려고 노력하는 특징을 갖는다.

해설

조직구조 측면에서 학습조직은 무경계의 팀 조직 형태를 그 특징으로 하며, 관리자와 팀원 사이에는 명확한 권한–지시 관계가 존재하지 않는다.　　　　　　　　　　　　　　　　　　　　　　　　**정답 ①**

01 ☐☐☐

조직설계에 대한 다음 설명 중 가장 옳지 않은 것은?

① 복잡성(complexity)은 과업의 분화정도에 관한 것이다.
② 공식화(formalization)는 조직 내의 직무가 표준화되어 있는 정도를 말한다.
③ 집권화(centralization)는 조직 계층 내에서 의사결정권이 어디에 존재하느냐에 관한 것이다.
④ 수평적 세분화(horizontal differentiation)는 통제의 범위(span of control)에 의하여 영향을 받는다.

해설

수직적 세분화(vertical differentiation)는 통제의 범위(span of control)에 의하여 영향을 받는다.　　　**정답 ④**

02 ☐☐☐ 2020년 경영지도사 수정

분권적 권한(decentralized authority)에 관한 설명으로 옳지 않은 것은?

① 종업원들에게 더 많은 권한위임이 발생한다.
② 의사결정이 신속하다.
③ 소비자에 대한 반응이 늦다.
④ 분배과정이 복잡하다.

해설

분권적 권한은 소비자에 대한 반응이 빠르다.　　　**정답 ③**

03 ☐☐☐

조직관련 이론에 대한 다음 설명 중 가장 옳지 않은 것은?

① 민쯔버그(Minzberg)는 조직의 어떠한 부분이 강조되느냐에 따라 생산핵심부문, 전략경영부문, 중간관리부문, 기술지원부문, 일반지원부문으로 구분하였다.
② 사이먼(Simon)은 조직의 존속 및 발전을 위해서 조직은 대내적 균형을 유지하여야 한다고 주장하였다.
③ 버나드(Barnard)는 조직유지의 기본요소로 공통목적(common purpose), 의사소통(communication), 공헌의지(willingness to serve)를 제시하였다.
④ 오우치(Ouchi)는 일본기업과 미국기업의 특징을 분석하여 둘의 장점을 모두 가진 기업조직을 제시하였다.

해설

버나드(Barnard)는 조직의 존속 및 발전을 위해서 조직은 대내적 균형을 유지하여야 한다고 주장하였다.　　　**정답 ②**

04 ☐☐☐ 2013년 경영지도사 수정

조직을 설계할 때 영향을 미치는 요인에 해당하지 않는 것은?

① 조직의 연혁과 규모 ② 직무전문화와 공식화
③ 전략 ④ 경영환경

> **해설**
>
> 직무전문화와 공식화는 조직을 설계할 때 영향을 미치는 요인이 아니라 조직설계의 기본변수에 해당한다. **정답 ②**

05 ☐☐☐ 2015년 경영지도사 수정

조직구조를 설계할 때 고려하는 상황변수가 아닌 것은?

① 전략(strategy) ② 제품(product)
③ 기술(technology) ④ 환경(environment)

> **해설**
>
> 조직구조를 설계할 때 고려하는 대표적인 상황변수에는 환경, 조직기술, 조직규모, 조직성숙도, 조직목표(전략) 등이 있다. **정답 ②**

06 ☐☐☐ 2023년 공인노무사 수정

민쯔버그(H. Mintzberg)의 5가지 조직유형에 해당하지 않는 것은?

① 매트릭스 조직 ② 기계적 관료제
③ 전문적 관료제 ④ 애드호크라시

> **해설**
>
> 민쯔버그(H. Mintzberg)는 조직구조를 조직의 어느 부분이 강조되느냐에 따라 기술지원부문(기계적 관료제), 일반지원부문(애드호크라시), 전략경영부문(단순구조), 중간관리부문(사업부제), 생산핵심부문(전문적 관료제)으로 구분하였다. 따라서 매트릭스 조직은 민쯔버그(H. Mintzberg)의 5가지 조직유형에 해당하지 않는다. **정답 ①**

07 □□□ 2015년 경영지도사 수정

민쯔버그(H. Mintzberg)가 제시한 조직의 5가지 부문이 아닌 것은?

① 최고경영층·전략경영 부문(strategic apex)
② 일반지원 부문(supporting staff)
③ 중간계층 부문(middle line)
④ 사회적 네트워크 부문(social network)

해설

민쯔버그(Minzberg)는 조직구조를 조직의 어느 부분이 강조되느냐에 따라 생산핵심부문(전문적 관료제), 일반지원부문(애드호크라시), 전략경영부문(단순구조), 중간관리부문(사업부제), 기술지원부문(기계적 관료제)으로 구분하였다.　　　**정답 ④**

08 □□□ 2023년 공인노무사 수정

퀸과 카메론(R. Quinn & K. Cameron)이 제시한 조직수명주기 단계의 순서로 옳은 것은?

ㄱ. 창업 단계	ㄴ. 공식화 단계
ㄷ. 집단공동체 단계	ㄹ. 정교화 단계

① ㄱ → ㄴ → ㄷ → ㄹ
② ㄱ → ㄴ → ㄹ → ㄷ
③ ㄱ → ㄷ → ㄴ → ㄹ
④ ㄱ → ㄷ → ㄹ → ㄴ

해설

퀸과 카메론(R. Quinn & K. Cameron)이은 조직의 수명주기를 창업단계, (집단)공동체단계, 공식화단계, 정교화단계로 구분하고 각 단계별 특징을 규명함으로써 조직의 성장과정에 따른 조직설계의 방향을 제시하였다.　　　**정답 ③**

09 ☐☐☐ 2022년 공인노무사 수정

다음에서 설명하는 조직이론은?

- 조직형태는 환경에 의하여 선택되거나 도태될 수 있다.
- 기존 대규모 조직들은 급격한 환경변화에 적응하기 어려워 공룡신세가 되기 쉽다.
- 변화과정은 변이(variation), 선택(selection), 보존(retention)의 단계를 거친다.

① 자원의존 이론　　　　　　　　　② 제도화 이론
③ 학습조직 이론　　　　　　　　　④ 조직군 생태학 이론

> **해설**
>
> 해당 내용은 조직군 생태학 이론에 대한 설명이다. 조직군 생태학 이론은 비교적 동질적인 조직들의 집합인 조직군의 생성과 소멸과정에 초점을 두고, 적자생존의 원리를 강조하여 조직구조는 환경과의 적합도 수준에 따라 도태되거나 선택된다는 이론을 말한다. 조직군의 형태와 그 존재 및 소멸 이유를 외부환경의 선택이라는 관점에서 설명하고자 하는 조직군 생태학 이론은 조직구조에 일단 변이가 발생하면, 환경과의 적합도 수준에 따라 환경적소로부터 도태되거나 선택되며, 그 환경 속에서 제도화되어 보존된다고 설명한다. 즉, 조직군의 변화과정은 변이, 선택, 보존의 순서대로 이루어진다.
>
> ① 자원의존 이론은 조직이 일방적으로 적응해야 한다는 상황적합 이론을 부정하고 환경을 자원과 불확실성의 원천으로 개념화하여 조직이 당면한 환경불확실성을 극복하기 위해 적절한 의사결정을 통해서 필요한 자원을 획득하여야 한다는 이론이다.
> ② 제도화 이론은 조직이 제도들의 총집합이라는 것이다. 즉, 조직구성원의 행동을 지시하고 통제하는 것은 제도들이지 조직구조의 형태가 아니라는 것이며, 조직구조의 본질은 제도들이라는 것이다. 결국 조직의 생존을 위해서는 제도화가 필요하며 제도화란 조직의 지속성을 부여하는 것이다. 조직이 생존하기 위해서는 효율적인 생산을 하는 것 이상으로 이해관계자로부터 정당성을 획득하는 것이 중요하다고 주장한다.
> ③ 학습조직 이론은 급변하는 경영환경 속에서 승자로 살아남기 위해서 조직구성원이 학습할 수 있도록 기업이 모든 기회와 자원을 제공하고, 학습 결과에 따라 지속적 변화를 이루는 조직인 학습조직을 강조한 이론을 의미한다.　　　　　　　　　　**정답 ④**

10 ☐☐☐ 2020년 경영지도사 수정

맥킨지(McKinsey)가 제시한 조직문화 7S요소에 해당하지 않는 것은?

① 공유가치(shared value)　　　　　② 정신(spirit)
③ 구조(structure)　　　　　　　　　④ 전략(strategy)

> **해설**
>
> 조직문화의 구성요소인 7S는 공유가치(shared value), 전략(strategy), 구조(structure), 시스템(system), 구성원(staff), 기술(skill), 스타일(style)이다.　　　　　　　　　　**정답 ②**

11 □□□ 2020년 공인노무사 수정

파스칼(R. Pascale)과 피터스(T. Peters)의 조직문화 7S 중 다른 요소들을 연결시켜 주는 핵심적인 요소는?

① 전략(strategy)
② 관리기술(skill)
③ 공유가치(shared value)
④ 관리시스템(system)

해설

파스칼과 피터스(Pascale & Peters)는 조직문화의 구성요소로 7S를 강조하며 조직문화는 공유가치가 가장 중요한 역할을 한다고 주장하였다. 7S는 공유가치(shared value), 전략(strategy), 구조(structure), 시스템(system), 구성원(staff), 기술(skill), 스타일(style)이다. **정답 ③**

12 □□□

파스칼(R. Pascale)과 피터스(T. Peters)는 조직문화의 구성요소로서 7S를 제시하였다. 다음 중 7S에 해당하지 않는 것은?

① 구성원(staff)
② 기술(skill)
③ 탐구(search)
④ 전략(strategy)

해설

7S는 공유가치(shared value), 전략(strategy), 구조(structure), 시스템(system), 구성원(staff), 기술(skill), 스타일(style)이다. **정답 ③**

13 □□□ 2017년 가맹거래사 수정

국가 간 문화차이와 관련하여 홉스테드(G. Hofstede)가 제시한 문화차원(cultural dimension)에 해당하지 않는 것은?

① 권력거리(power distance)
② 불확실성 회피(uncertainty avoidance)
③ 남성성 – 여성성(masculinity-femininity)
④ 민주주의 – 독재주의(democracy-autocracy)

해설

그는 개인 – 집단 중심성(individualism-collectivism), 권력 중심성(power distance), 불확실성 회피성(uncertainty avoidance), 남성 – 여성 중심성(masculinity-femininity), 유교적 역동성(Confucian dynamism, 장기 – 단기 지향성)과 같은 다섯 가지의 가치와 행동 측면을 대상으로 세계 각국의 사회문화특성과 조직문화를 비교하였다. **정답 ④**

14 ☐☐☐

시스템4 이론에 대한 다음 설명 중 가장 옳지 않은 것은?

① 드럭커(Drucker)가 주장한 이론이다.
② 조직분위기와 성과는 매우 밀접한 관련을 가지고 있다.
③ 시스템 4형의 경향을 보일수록 유기적이고 개방적인 조직분위기를 보인다.
④ 시스템 1형의 경향을 보일수록 조직의 성과는 낮게 나타난다.

해설

리커트(Likert)가 주장한 이론으로 조직분위기와 성과는 매우 밀접한 관련을 가지고 있다는 것이다. **정답 ①**

15 ☐☐☐

조직개발에 대한 다음 설명 중 가장 옳지 않은 것은?

① 조직을 몇 개의 하부집단으로 분류하여 과업중심으로 변화를 유도하는 것이다.
② 조직이 의도적으로 주도하는 계획된 변화이다.
③ 조직유효성을 높이는 데 초점을 둔다.
④ 행동과학의 지식에 바탕을 두고 있다.

해설

조직개발이란 조직환경에 적응시키기 위해 신축성이 있는 조직구조, 개방적 조직풍토, 상호신뢰하는 태도 등을 통해 유기적 조직으로 변경하려는 것이다. **정답 ①**

16 ☐☐☐

다음 중 학습조직(learning organization)의 구성요소로 가장 옳지 않은 것은?

① 시스템 사고(system thinking)
② 개인적 수련(personal mastery)
③ 상징 모형(symbolic model)
④ 공유 비전(shared vision)

해설

학습조직의 구성요소는 시스템 사고, 개인적 수련, 정신 모형, 공유 비전, 팀 학습이다. **정답 ③**

PART 03

인적자원관리

CHAPTER 01 인적자원관리의 기초개념

제1절 인적자원관리의 의의와 구성

1 의의

1. 개념

인적자원관리(human resource management)란 여러 자원 중에서 기업의 종업원이라는 인적자원을 효율적이고 효과적으로 관리하고자 하는 분야를 의미한다. 즉, 인적자원관리는 조직의 목표달성에 필요한 인적자원을 확보, 개발, 평가, 유지함으로 인해 인적자원의 만족도와 효율성을 극대화하는 과정이라고 할 수 있다. 인적자원관리의 핵심은 조직구성원의 효율성을 향상시켜 조직의 경쟁우위를 달성하는 데 있다.

2. 목표

인적자원관리의 목표는 개인의 목표와 조직의 목표 사이의 균형을 유지하고 기업에서 인적자원관리활동이 얼마나 효율적인가를 판단하는 것이다. 인적자원관리는 경영활동 중의 한 기능분야로서 경영활동의 목표를 달성하기 위한 수단이기 때문에 인적자원관리의 목표 또한 기업조직의 목표달성에 공헌해야 하는 본질적 특성을 가지게 된다. 인적자원관리의 목표는 경제적 효율성의 추구와 사회적 효율성의 추구로 나누어 볼 수 있는데, 경제적 효율성과 사회적 효율성은 상호보완적 관계뿐만 아니라 상호경쟁적 관계(갈등관계)도 존재한다.

(1) 경제적 효율성의 추구

인적자원관리는 기업을 경제 및 기술시스템으로 간주하고 기업의 경영활동에 필요한 다양한 직무에 대해 양적, 질적, 시간적 및 공간적 요구에 따라 인적자원을 제공함으로써 노동에 대한 성과를 극대화시키는 것을 목표로 한다.

(2) 사회적 효율성의 추구

인적자원관리는 기업을 개인이 모여 협동함으로써 존속 및 발전하는 사회시스템으로 간주하고 기업을 구성하고 있는 인적자원의 만족을 극대화시키는 것을 목표로 한다. 사회적 효율성을 추구하기 위해서는 종업원들의 다양한 욕구를 만족시켜야 한다.

3. 구성

(1) 인적자원의 조달

기업이 인적자원을 조달하는 이유는 인적자원을 활용하여 기업의 목적을 달성하기 위해서이다. 기업은 목적을 달성하기 위해 다양한 직무를 수행하여야 하는데 그 역할을 인적자원이 담당하게 되는 것이다. 따라서 인적자원의 조달과 관련된 내용으로는 직무관리, 확보관리(인적자원계획, 모집과 선발) 등이 있다.

(2) 인적자원의 개발

기업은 시간이 지남에 따라 성장을 하여야 한다. 이러한 기업의 성장에 원동력이 되는 것이 바로 인적자원이다. 따라서 기업은 인적자원의 개발을 통해 성장을 꾀할 수 있으며, 확보된 인적자원의 능력을 최대한 개발함으로써 조직의 목표달성의 정도인 유효성 또는 효과성을 높일 수 있다. 인적자원의 개발과 관련된 내용으로는 교육훈련과 경력개발, 전환배치와 승진 등이 있다.

(3) 인적자원의 평가와 보상

기업이 인적자원을 조달하게 되면 그 인적자원은 기업에게 노동력을 제공한다. 따라서 기업은 기업의 목표달성에 공헌한 정도를 기준으로 인적자원을 평가하여 보상을 제공하게 된다. 인적자원의 평가와 보상에 관련된 내용으로는 인사평가, 보상관리 등이 있다.

(4) 인적자원의 유지

기업이 인적자원의 성과창출 의지 및 능력을 계속 유지하는 것은 매우 중요하다. 성과창출 의지는 동기부여(motivation)라고도 하며, 성과창출 능력에는 인적자원이 가지고 있는 지식, 기술, 태도(knowledge, skill, attitude → KSA) 등이 포함된다. 인적자원의 성과창출 의지는 개인수준에서는 직무의 내용, 상사의 리더십, 조직목표에의 동의, 보상에 대한 만족 등에 의해 결정되고, 집단수준에서는 기업과 노조와의 관계에 의해 결정적인 영향을 받는다. 인적자원의 유지와 관련된 내용으로는 동기부여, 산업안전, 노사관계 등이 있다.

(5) 인적자원의 방출

인적자원은 소속된 기업을 떠나 다른 기업으로 이동하는 경우가 있는데 이러한 이동을 조직 외 이동 또는 이직이라고 한다. 인적자원의 방출과 관련된 내용으로는 자발적 이직, 비자발적 이직 등이 있다.

2 인사감사

1. 의의

인사감사는 조직에서 수행된 인사활동을 평가하는 것으로 인사활동을 조직적으로 조사 및 분석하고 경영상의 효과를 평가하여 인적자원관리정책의 방향을 제시함으로써 그 정책을 합리적으로 수행하도록 하려는 것이다. 이러한 인사감사는 다음과 같은 기능을 수행한다.

(1) 인적자원관리나 노사관리정책이 범하기 쉬운 오류를 시정하거나 개선점을 모색할 수 있다.

(2) 새로운 인적자원관리 시행을 위해 필요한 자료나 정보를 제공해 준다.

(3) 인적자원관리정책의 경직화를 방지할 수 있다.

(4) 최고경영층의 독단적인 의사결정을 억제하여 합리적인 대안을 마련할 수 있도록 해 준다.

2. 유형

(1) 감사대상에 의한 분류

① **전사감사**: 전사감사의 범위에는 본사 및 각 사업소 인사부문의 기능적인 지휘명령관계, 의사소통 등의 실태 등이 포함된다.

② **본사감사**: 본사감사의 범위에는 인사정책과 그 시행이 해당된다. 즉, 인사정책의 성격 및 제도화, 정책의 종합조정, 인적자원관리 부문의 조직, 노사관계, 조사연구활동 등의 문제가 포함된다.

③ **사업소감사**: 사업소감사의 범위에는 인적자원관리의 각종 기술이 해당된다. 즉, 고용·배치·훈련·복리후생시설 등 인적자원관리의 기술 및 그 효과로서의 사기 등이 이에 포함된다.

(2) 감사주체에 의한 분류

① **내부감사**: 조직 내부의 경영층이 실시하는 감사유형으로 실제로는 인사스탭을 중심으로 실시된다. 이러한 내부감사는 자료 및 정보의 수집이 용이하기 때문에 감사대상의 실태파악이 용이하다는 장점을 가지지만, 독립성이 약하기 때문에 기업 내의 관행이나 전통에 대해서 새로운 감각을 가지고 비판할 수 없고 조직 내 이해관계자의 영향을 받을 가능성이 높다는 단점을 가진다.

② **외부감사**: 컨설턴트, 대학 및 연구기관 등의 기업 외부전문가가 실시하는 감사유형이다. 이러한 외부감사는 신기술이나 다른 기업과의 비교 등 객관적인 평가를 할 수 있다는 장점을 가지지만, 내부 사정에 익숙하지 못한 이유로 정확한 정보를 얻기가 어렵고 시간과 비용이 많이 소요된다는 단점을 가진다.

③ **합동감사**: 기업의 내부스탭과 외부전문가가 합동으로 실시하는 감사유형이다. 이러한 합동감사는 내부감사와 외부감사의 결점을 보완할 수 있다는 장점을 가지지만, 상호책임 전가가 발생할 수 있고 감사의 특성이 결여될 위험성이 있다는 단점을 가진다.

3. ABC감사

ABC감사는 미국의 미네소타식 3중 감사방법을 일본 노동연구회의 노무감사위원회에서 발전시킨 형태로, A감사에서 관리적 측면(administrative phase)의 적합성이 판정되어 그 개선점이 명백해지고, B감사는 예산적 측면(budget phase)에서 예산적 뒷받침에 의한 적부가 판단되며, C감사는 인적자원관리의 기여도 및 효과측면(contribution phase)에서 그 효과가 검토된다. 일반적으로 ABC감사는 'C → A → B → C'의 순서로 이루어진다.

(1) A감사

A감사(administrative audit)는 인사정책의 경영면을 대상으로 하여 실시하는 감사이다. 따라서 경영 전체적 입장에서 전반적 인사정책에 관한 사실을 조사하고 정책의 기능과 운용 등에 관하여 정기적으로 평가하며, 타당성을 검토하여 인적자원관리의 실태를 분석하여 문제점을 도출하는 것을 목적으로 한다. 주요 평정항목에는 인사정책, 이를 시행하기 위한 조직, 노사관계, 채용배치, 이동, 복무, 노동시간관리 등 인사정책의 전반이 포함된다.

(2) B감사

B감사(budget audit)는 인사정책의 경제면을 대상으로 하여 실시하는 감사이다. 따라서 인사관련 정책들의 실시에 있어서 예산의 적정성 평가, 인건비 및 인사담당요원의 적정성을 분석하고 평가하여 인사관련 정책의 전반적 규모, 직능별 구성의 적부 등을 해석 및 평가한다. 또한 인사정책의 조정, 인사계획의 적부 등을 검토하는 것을 목적으로 한다. 주요 평정항목에는 노무관리비 분석, 노무요원 비율 분석, 노무비 분석 등이 포함된다.

(3) C감사

C감사(contribution audit)는 인사정책의 실제 효과를 대상으로 하여 실시하는 감사이다. 따라서 인사정책의 실제 효과를 측정하고 검토하여 당해 연도에 있어서 조직의 상태뿐만 아니라 인사정책을 재해석하고 이를 종합적으로 판단하여 새로운 정책을 수립하는 데 유용한 자료를 제공하는 것을 목적으로 한다. 주요 평정항목에는 경영측정(매출액 지수, 생산지수, 매출액 이익률 등), 요원측정(간접요원 비율, 인적자원관리요원 비율 등), 복무측정(결근율, 징계율 등), 급여측정(급여 지수, 복리비 지수, 퇴직금 지수 등), 손실측정(불량률, 분쟁률 등) 등이 포함된다.

1 인적자원관리의 변화

1. 역사적 변화

인적자원관리의 접근법은 시간이 흐름에 따라 기계적 접근, 인간관계적 접근, 전략적(인적자원적) 접근으로 변화되어 왔다. 이러한 변화는 인적자원을 바라보는 관점이 X관점에서 Y관점으로 변화되어 가는 과정과 관련되어 있다.

(1) 기계적 접근

기계적 접근에 의하면 직무는 가능한 한 전문화(분업)되어야 하고, 인간(노동)은 하나의 생산요소로 간주되었다. 또한, 인간의 노동을 '경제적 동물'이라는 관점에서 이해하고자 하였기 때문에 인간은 본능적으로 경제적 이득이 극대화되는 방향으로 행동한다고 보았다. 이러한 논리를 적용시킨 가장 대표적인 예가 테일러(Taylor)의 차별적 성과급제이다.

(2) 인간관계적 접근

인간관계적 접근에 의하면 인간을 '사회적 동물'이라는 관점에서 이해하고자 하였기 때문에 작업장에서의 작업능률은 작업자들 간의 사회적 관계에 의해서 대부분 결정된다고 보았다. 작업자의 개별행동은 작업집단의 규범에 의해 상당한 영향을 받으며 작업집단 내에는 종종 비공식집단이 자연발생적으로 형성되기도 한다.

(3) 전략적(인적자원적) 접근

전략적(인적자원적) 접근은 인간과 노동을 기업의 의사결정과 통합하고자 하는 접근이다. 즉, 인적자원을 기업경쟁력의 주요 요소로 인식하고 인적자원을 동기부여하고 개발해야 한다는 것이다. 이러한 관점은 인적자원을 수많은 잠재력을 지닌 자원으로 간주하고 기업경쟁력 확보에 있어서 가장 중요한 요소로 인식한다. 따라서 인적자원이 기업경쟁력 향상을 위한 중요한 요소가 되기 위해서는 교육훈련을 통해 인적자원을 개발시켜야 한다.

2. 관점적 변화

인적자원관리는 인적자원을 그 대상으로 하고 있으며, 인적자원에 대한 가정은 시간이 흘러감에 따라 X관점에서 Y관점으로 변화되어 왔다. 이러한 변화는 인적자원관리를 이해하는 관점에서의 변화를 가져 왔으며, 그 내용은 다음과 같다.

(1) 반응적 관리와 선행적 관리

전통적 관점에서는 문제가 발생하면 그 문제를 해결하기 위한 조치를 내리거나 단편적 처방을 시행하였으며, 이러한 관리를 반응적 관리라고 한다. 현대적 관점에서는 문제발생을 사전에 예방하고 문제가 발생했을 때를 대비해 대응책을 미리 준비하여 지속적이고 장기적인 관점에서 문제를 풀어나가게 되며, 이러한 관리를 선행적 관리라고 한다.

(2) 일원관리와 다원관리

전통적 관점에서는 조직전체 관점에서 세워진 일정한 규칙에 따라 인적자원을 획일적으로 관리하였다. 그러나 현대적 관점에서는 전체 종업원을 여러 차원으로 분류하고 분류된 특성에 맞게 부문별 인적자원관리를 병행하면서 관리해 나가고 있다.

(3) 비용중심과 수익(투자)중심

전통적 관점에서는 인적자원관리와 관련된 인건비 등은 기업의 성과에 기여하지 못한다는 생각에 줄이려고만 하였다. 그러나 현대적 관점에서는 인적자원관리와 관련된 인건비 등을 비용이 아닌 수익창출을 위한 투자라는 관점에서 해석하고 있다.

(4) 연공중심과 능력중심

전통적 관점에서는 근속기간에 따라 보상이 주어지는 연공중심의 보상제도가 일반적이었다. 그러나 현대적 관점에서는 인적자원의 능력중심의 다양한 보상제도가 도입되고 있다.

(5) 표준형 인재관과 이질적 인재관

전통적 관점에서는 기업이 원하는 인재들은 어느 정도의 유사점을 가지고 있었으며, 이러한 인재관을 표준형 인재관이라고 한다. 그러나 현대적 관점에서는 기업이 처해 있는 환경들이 다양하기 때문에 기업마다 원하는 인재가 다양하게 되었으며, 이러한 인재관을 이질적 인재관이라고 한다.

(6) 전자적 인적자원관리의 대두

전자적 인적자원관리(electric human resource management)란 인터넷과 정보기술을 활용하여 인적자원관리를 하는 것을 의미한다. 정보기술의 발달로 인해 정보처리의 신속성, 시스템의 자동화 등이 가능해졌으며, 이를 통해 시간과 비용이 절감되고 인적자원의 채용과 교육에 있어서 체계적인 정보의 정리와 활용이 가능하게 되었다. 전자적 인적자원관리로 인한 구체적인 효과에는 인사기능 개선을 통한 비용 절감, 종업원에 대한 서비스 개선을 통한 종업원 만족도 제고, 인적자원관리의 전략기능 강화, 기업문화 변혁 등이 있다.

2 전략적 인적자원관리

1. 개념

전략적 인적자원관리(strategic human resource management)란 경영전략과 인적자원관리를 통합하여 함께 수행하는 것으로 인적자원관리를 염두에 두고 경영전략을 형성하고, 경영전략을 염두에 두고 인적자원관리를 계획하고 실행하는 것을 의미한다. 즉, 인적자원관리가 경영전략의 목적을 반영해 경영전략과 잘 연계되고, 인적자원관리 방식 간에도 조화를 이루어 경영전략의 목적을 효율적으로 달성시키는 과정이라고 할 수 있다.

2. 경영전략과의 연결관계

기업의 성과는 기업이 당면한 환경에 얼마나 잘 적응해 나가느냐에 달려 있다. 따라서 기업은 대체로 환경에 적합한 경영전략을 추구하고 기업의 전략목적을 효율적으로 달성할 수 있는 조직구조와 관리체계 및 경영행동올 형성하게 된다. 그리하여 한경, 전략, 인적자원관리 간에 적합성 관계가 얼마나 잘 형성되느냐에 따라 기업의 성과가 결정된다. 전략적 인적자원관리는 여러 가지 기능과 활동이 상호 간에 균형과 조화를 이루고 일관성 있게 전개됨으로써 인적자원관리의 효율성은 물론 시너지효과를 달성하게 된다. 경영전략과 인적자원관리 간의 밀접한 연결관계는 기업의 성과에 영향을 미친다. 따라서 전략적 인적자원관리는 경영전략과의 통합을 통하여 이해관계자들의 욕구를 충족시키는 동시에 기능 간의 균형과 조화를 통해 인적자원관리의 효율성을 높인다. 경영전략과 인적자원관리 간의 연결관계는 행정적 연결관계, 일방적 연결관계, 쌍방적 연결관계, 통합적 연결관계의 수준으로 분류될 수 있다.

(1) 행정적 연결관계(administrative linkage)

경영전략과 인적자원관리 간의 연결관계 수준이 가장 낮은 것으로 전략수립과 인적자원관리가 별개로 이루어진다.

(2) 일방적 연결관계(one-way linkage)

기업이 전략을 수립하고 이를 인적자원관리 부서에 알린다. 이에 따라 인적자원관리 부서에서는 전략실행을 지원하는 시스템 및 프로그램을 개발한다. 일방적 연결관계에서는 전략실행에 있어 인적자원관리의 중요성을 고려하고 있지만, 전략수립이 인적자원 이슈에 대한 고려가 배제되어 있다. 그 결과 일방적 연결관계의 수준에서는 성공적으로 실행될 수 없는 전략이 수립되는 경우가 종종 있다.

(3) 쌍방적 연결관계(two-way linkage)

전략수립에 있어서 인적자원 이슈가 고려되며, 전략수립 기능과 인적자원관리 기능이 쌍방적으로 연결되어 상호 영향을 미치게 된다.

(4) 통합적 연결관계(integrative linkage)

가장 높은 수준의 연결관계로 매우 역동적이고 다양한 측면을 가지고 있다. 쌍방적 연결관계에서는 인적자원관리와 전략이 순차적으로 상호작용하지만, 통합적 연결관계에서는 동시적이고 계속적으로 상호작용이 일어난다. 통합적 연결관계는 전략적 인적자원관리의 취지에 가장 부합한다고 할 수 있다.

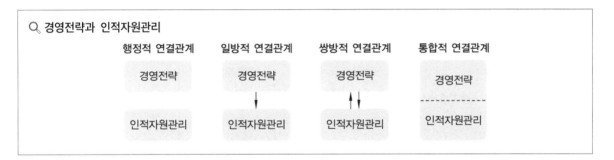

3. 인사부서의 역할 – 울리히(Ulrich) 모형

(1) 의의

인사부서가 과거에는 업무적인 측면, 즉 반복되는 인사기능을 차질없이 수행하여 현상유지를 하는 관리 측면에 초점을 두었다면, 오늘날 인사부서는 전략적인 측면, 즉 환경변화에 적응하고 조직의 핵심역량을 키우는 데 관심의 초점이 맞춰져 있다. 즉, 인사부서는 성장, 자율경영, 인간존중 등 경영전략과 기본가치를 직무설계에 반영하고 이를 강화하기 위하여 교육훈련과 보상시스템 등 관련 인적자원관리기능을 연계시키는 전략적 동반자 역할을 수행해야 한다. 이에 울리히(Ulrich)는 인적자원관리부서에는 네 가지 역할, 즉 행정전문가(administrative expert) 역할, 근로자의 대변인(employee spokesman) 역할, 최고경영자의 전략적 파트너(strategic partner) 역할, 조직의 변화를 선도하는 변화담당자(change agent)의 역할이 있다고 하였으며, 현대적 인적자원관리를 수행하는 인사부서의 역할은 전략적 파트너 역할 또는 변화담당자의 역할이 중요해지고 있으며, 이에 따라 인사부서의 위상도 높아지고 있다. 그리고 전통적으로 인사부서의 역할이 시스템 지향성을 띠고 있었으나, 오늘날에는 사람(개인) 지향적인 역할이 강조되고 있다.

(2) 유형

　① **행정전문가**: 단기적(업무적) - 시스템(프로세스) 관점
　　　인사부서의 역할은 직무 프로세스와 관련하여 리엔지니어링 및 서비스 공유 등과 같은 기업 내 효율적인 인적자원관리 시스템을 구축해야 한다. 이러한 역할은 인적자원관리의 전통적인 역할로서 인력확보부터 시작하여 인력방출까지의 전 과정을 효율적으로 관리하는 것이다.

　② **근로자의 대변인**: 단기적(업무적) - 사람(개인) 관점
　　　인사부서의 역할은 인사부서가 종업원의 기업에 대한 공헌도(업적)를 높이는 데 초점을 맞추고 있다. 즉, 종업원의 역량을 높일 수 있도록 지원하는 것과 높은 역량을 가진 종업원이 열심히 일할 수 있도록 정신적 에너지를 극대화시키는 것이 인사부서의 역할이 된다.

　③ **전략적 파트너**: 장기적(전략적) - 시스템(프로세스) 관점
　　　인사부서의 역할은 기업의 경영전략이 성공을 거둘 수 있도록 지원하는 것이다. 즉, 경영전략을 수립할 수 있는 인력의 양성과 이를 집행할 역량을 개발해야 한다.

　④ **변화담당자**: 장기적(전략적) - 사람(개인) 관점
　　　인사부서의 역할은 조직의 쇄신, 조직문화의 변화와 같이 장기적 관점에서 종업원을 변화시키는 데 초점을 둔다. 이러한 변화관리의 핵심은 조직 내 신뢰관계의 구축 및 문제해결이다.

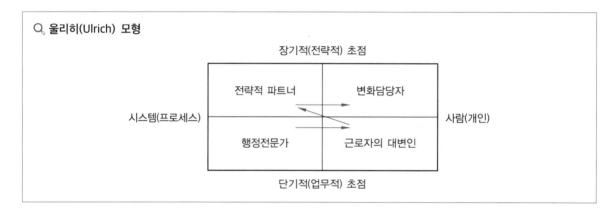

🔍 **울리히(Ulrich) 모형**

01 □□□ 2016년 국가직

지식기반사회의 인적자원에 대한 설명으로 옳지 않은 것은?

① 타인과 협력하는 태도도 중요하다.
② 암묵적 지식보다 명시적 지식이 중요하다.
③ 경험이나 지혜도 인적자원의 구성요소에 포함된다.
④ 논리적 지식(Know-Why)과 정보적 지식(Know-Who)이 중요하다.

해설

지식기반사회의 인적자원은 명시적 지식보다 암묵적 지식이 중요하다.   정답 ②

01 ☐☐☐

인적자원관리의 기능으로 가장 옳지 않은 것은?

① 조직설계의 기본이 된다.
② 인적자원을 개발 및 보존할 수 있다.
③ 조직개발에 큰 도움을 준다.
④ 노사관계는 인적자원관리의 기능에 해당하지 않는다.

해설

노사 간의 단체교섭, 교섭사항의 실천 및 노사 간의 고충처리 등과 같은 노사관계도 인적자원관리의 기능에 포함된다.　　　**정답 ④**

02 ☐☐☐

인적자원관리의 역사가 올바르게 나열된 것으로 가장 옳은 것은?

① 기계적 접근 → 인간관계적 접근 → 인적자원적 접근
② 기계적 접근 → 인적자원적 접근 → 인간관계적 접근
③ 인간관계적 접근 → 기계적 접근 → 인적자원적 접근
④ 인간관계적 접근 → 인적자원적 접근 → 기계적 접근

해설

인적자원관리의 접근법은 시간이 흐름에 따라 기계적 접근 → 인간관계적 접근 → 인적자원적 접근으로 변화되어 왔다.　　　**정답 ①**

03 ☐☐☐

인적자원관리 패러다임의 변화에 대한 다음 내용 중 가장 옳지 않은 것은?

① 반응적 관리 → 선행적 관리
② 일원관리 → 다원관리
③ 비용중심 → 수익중심
④ 이질적 인재관 → 표준형 인재관

해설

인적자원관리 초기 개념에서는 표준적인 인재관을 강요했지만, 현대의 인적자원관리 개념에서는 구성원들에게 각자 나름대로의 아이디어와 특성을 살려나가도록 터전을 마련해 주어야 한다.　　　**정답 ④**

04 ☐☐☐

현대 인적자원관리에서 강조하고 있는 내용으로 가장 옳지 않은 것은?

① 개인의 자발성과 자율성   ② 개인목표와 조직목표와의 조화
③ 새로운 능력의 개발   ④ 인적자원의 유지 및 활용

해설
인적자원의 유지 및 활용은 전통적 인사관리에서 강조하는 내용이며, 현대적 인사관리에서는 인적자원의 육성 및 개발이라는 측면을 강조하고 있다.

정답 ④

05 ☐☐☐

전략적 인적자원관리(strategic human resource management)에 대한 다음 설명 중 가장 옳지 않은 것은?

① 전략적 인적자원관리란 경영전략과 인적자원관리를 통합하여 함께 수행하는 것이다.
② 인적자원관리가 경영전략의 목적을 반영해야 한다.
③ 전략적 인적자원관리는 여러 가지 기능과 활동의 균형과 조화가 중요하다.
④ 경영전략과 인적자원관리 간의 밀접한 연결관계는 기업의 성과에 영향을 미치지는 못한다.

해설
경영전략과 인적자원관리 간의 밀접한 연결관계는 기업의 성과에 영향을 미친다.

정답 ④

---

1 직무분석

1. 의의

직무분석(job analysis)이란 분석대상 직무에 대해서 그 직무와 관련된 중요한 정보를 수집하는 것을 목적으로 하는 체계적인 프로세스를 의미한다. 즉, 직무분석은 직무를 구성하는 구체적인 과업을 설정하고 직무에서 요구되는 기술과 지식 및 책임 등 직무수행에 관한 기본정보를 수집·분석·정리하는 과정이다. 따라서 직무분석은 모든 인사활동의 기본자료를 제공하는 매우 중요한 활동이다. 직무분석의 절차는 '배경정보의 수집 → 분석대상 직무의 선정 → 직무정보의 획득(이 단계를 보통 직무분석이라고 한다) → 직무기술서 작성 → 직무명세서 작성'의 순서로 이루어진다. 직무분석에 있어서 먼저 직무 및 관련 개념들에 대한 이해가 필요하며, 직무와 관련된 개념들은 다음과 같다.

(1) 요소동작(element motion)

관련된 동작, 정신적 과정을 분리시켰을 때 가장 작은 단위의 일을 말한다. 요소동작은 과업이 보다 세분화된 것으로, 동작연구나 시간연구의 분석단위가 된다.

(2) 과업(task)

독립된 목적으로 수행되는 하나의 명확한 작업활동으로, 조직활동에 필요한 기능과 역할을 가진 일을 말한다. 과업은 직무분석에 있어서 분석단위가 된다.

(3) 직무(job)

유사한 과업들이 모여 일의 한 범위를 형성하는 것을 말한다. 직무와 종종 혼돈되는 개념으로 직위(position)가 있다. 직위는 한 개인에게 할당된 과업의 집합을 말한다. 즉, 한 사람이 맡고 있는 여러 과업이 합쳐져서 하나의 직위가 이루어지기 때문에 종업원의 수가 직위의 수가 된다.

2. 직무분석방법(직무정보의 수집방법)

직무에 대한 정보를 수집하기 위한 직무분석은 직무분석의 범위, 정보의 내용, 정보수집방법 등에 따라 그 목적이 달라진다. 직무에 관한 정보를 수집하는 데에는 그 의미나 정확성에 따라서 다양한 방법이 있으며, 직무정보수집의 대표적인 방법들은 다음과 같다.[53]

(1) 경험법(experiential method)

직무분석자가 실제로 직무를 체험함으로써 직무에 대한 정보를 수집하는 방법이다. 그 효과가 가장 좋은 방법이기는 하지만, 기술발전과 지식의 증가로 실질적인 직무체험에 의해 연구될 수 있는 직무가 많지 않기 때문에 보통 다른 직무분석방법을 보완하는 목적으로 사용하거나 직무분석자의 양성 및 훈련을 위한 방법으로 사용되는 경우가 많다.

---

[53] 직무정보가 수집되면 이를 분류하게 되는데, 이러한 직무정보를 분류하는 대표적인 방법에는 기능적 직무분석법, 직위분석 질문지법, 관리직 직무분석법, 과업목록법 등이 있다.

(2) 관찰법(observation method)

직무분석에서 가장 오래된 정보수집방법으로 해당 직무수행자를 직접 관찰하여 직무에 대한 정보를 수집하는 방법이다. 직무담당자나 상황, 시간의 흐름 등에 따라 직무가 크게 바뀌지 않는 것을 전제로 하기 때문에 일반적으로 작업주기가 짧은 반복적 육체노동에 자주 활용되지만, 정신적인 직무에 대해서는 관찰시간도 길고 작업자가 의식적으로 행동할 수 있다는 문제점을 가지고 있다. 따라서 정신적 작업 및 집중을 요구하는 직무보다 생산직이나 기능직 직무에 더 적합한 방법이다.

(3) 질문지법(questionnaire method)

질문지를 배포하여 자신이 맡은 직무에 대해 응답하도록 하여 직무에 대한 정보를 수집하는 방법이다. 이러한 질문지법은 직무가 요구하는 과업, 숙련도, 지식 및 능력에 대한 서술을 대부분 직무수행자에게 의존하고 있다는 특징이 있다.

(4) 면접법(interview method)

직무분석을 실시하는 담당자가 해당 직무수행자에게 면접을 실시하여 직무에 대한 정보를 수집하는 방법이다. 면접법은 직무수행이 오래 걸리는 경우에는 직무수행자가 이를 요약하여 설명해줄 수 있으며, 직무수행자의 정신적·육체적 활동을 모두 파악할 수 있다는 장점을 가진다. 그러나 직무분석자와 직무수행자 간에 친밀한 관계를 유지해야 하고, 직무수행자들이 직무분석과정을 호의적이고 유용한 것으로 받아들일 수 있어야 한다. 또한, 피면접자가 직무분석의 결과로 인해 자신이 피해를 입을지도 모른다고 판단하는 경우 직무에 대해 정확한 정보를 제공하는 것을 기피하는 경우가 종종 발생할 수 있다.

(5) 작업기록법(employee recording method)

직무수행자가 작성하는 작업일지나 메모사항을 활용하여 직무에 대한 정보를 수집하는 방법이다. 지속적으로 작성된 작업일지는 그 내용에 대한 신뢰도를 충분히 확보할 수 있지만, 작업일지를 작성할 때 필요한 정보를 누락시켰을 경우에는 직무분석을 할 수 없다. 따라서 작업기록법은 엔지니어, 과학자, 고급관리자가 수행하는 직무와 같이 관찰하기 매우 어려운 직무를 분석할 때 많이 활용된다.

(6) 중요사건기록법(critical incident method)

직무수행에 결정적인 역할을 한 사건이나 사례를 중심으로 직무에 대한 정보를 수집하는 방법이다. 즉, 직무수행자의 직무행동 가운데 성과와 관련하여 효과적인 행동과 비효과적인 행동을 구분하여 그 사례들을 수집하고, 이러한 사례들로부터 직무성과에 효과적인 행동패턴을 추출하여 분류하는 방법이다. 중요사건기록법은 직무성과를 효과적으로 수행한 행동양식을 추출하여 분류하는 방식으로서 직무행동과 직무성과 간의 관계를 직접적으로 파악할 수 있다는 장점을 가지지만, 수집된 직무행동을 분석하는 데 많은 시간과 노력이 필요하고 직무분석에서 필요로 하는 포괄적인 정보를 획득하는 데에는 한계가 있다는 단점을 가진다.

3. 직무기술서와 직무명세서

직무분석의 결과로 직무기술서와 직무명세서가 작성된다. 직무기술서는 하나의 직무가 지니고 있는 특징을 서술한 것이고, 직무명세서는 그 직무를 수행할 사람의 자질에 대하여 서술한 것이다.

(1) 직무기술서

직무기술서(job description)는 직무의 내용, 직무수행에 필요한 원재료 및 설비, 작업도구, 작업조건, 직무수행방법 및 절차 등이 직무특성분석에 의한 과업요건에 중점을 두고 기록된다. 일반적으로 직무기술서는 간략하게 기술되어야 하며, 직무기술서의 작성내용을 토대로 직무의 내용이 재검토될 수 있다.

(2) 직무명세서

직무명세서(job specification)는 하나의 직무를 수행하기 위해 필요한 최소한의 인적자원에 대한 설명이라고 할 수 있다. 따라서 직무명세서는 해당 직무를 수행할 직무수행자가 갖추어야 하는 자격요건(인적 특성)을 그 내용으로 한다.

2 직무평가

1. 의의

직무평가(job evaluation)란 직무분석에 의한 직무기술서와 직무명세서를 기초로 하여 개별적인 직무를 전체 조직 내의 다른 직무와 연관시키는 종합적인 방법을 말한다. 조직 내의 직무가 지닌 책임도, 중요성, 난이도, 위험성 등을 비교 및 평가하여 각각의 직무에 대한 상대적 가치를 결정하게 된다. 따라서 직무평가는 직무분석의 연장이며 이를 통해 합리적인 임금격차를 결정하는 데 그 목적이 있다. 직무평가는 단지 직무 자체의 가치를 판단하기 위한 것이지 개개인을 평가하는 것이 아니다.

📋 직무평가방법의 분류

비교대상＼성격	계량적 방법	비계량적 방법
직무 대 기준	점수법	분류법
직무 대 직무	요소비교법	서열법

2. 방법

(1) 서열법

서열법(ranking method)이란 직무의 상대적 가치에 기초를 두고 직무의 중요도, 직무수행상의 난이도, 작업환경 등을 포괄적으로 고려하여 그 가치에 따라 서열을 매기는 방법을 의미한다. 서열법은 간단하고 신속하게 등급을 매길 수 있다는 장점이 있지만, 평가자마다 등급을 매기는 기준이 다르고 비슷한 명칭을 가진 직무 간에 혼란을 가져올 수 있기 때문에 주관적이라는 단점이 있다. 이처럼 서열법이 가지는 주관성을 완화시키기 위해 개발된 발전된 형태의 서열법이 있는데, 가장 대표적인 방법으로는 교대서열법(alternative ranking method)과 쌍대비교법(paired comparison method), 위원회방법(committee method) 등이 있다.

① **교대서열법**: 평가대상 직무들 전체를 놓고 가장 가치가 높다고 판단되는 직무와 가장 가치가 낮다고 판단되는 직무를 선정하고, 그 다음 나머지 직무들에 대해 동일한 방법을 계속적으로 적용하여 전체 직무들의 서열을 매기는 방법이다.

② **쌍대비교법**: 포괄적인 관점에서 직무매트릭스(job matrix)를 만들어 각 직무를 2개씩 짝지어 상호비교하는 것을 되풀이하여 서열을 결정하는 방법이다. 이 방법은 평가대상 직무의 수가 많은 경우 쌍대(짝)의 수가 증가하여 평가의 일관성에 모순이 발생할 가능성이 있다.

③ **위원회방법**: 평가위원회를 설치하여 서열을 매기는 방법인데, 이 방법은 서열매김의 방법이라기보다 여러 명이 서열매김에 참여함으로써 평가에서의 주관성을 줄이는 데 의미가 있다.

(2) 분류법

분류법(job-classification method)이란 미리 등급정의를 위한 직무등급명세표를 만들어 놓고 해당 직무를 해당 등급으로 분류하는 방법을 의미하는데, 등급법(job grading method)이라고도 한다. 여기서 직무등급명세표는 직무의 중요성, 난이도, 직무환경 등을 고려하여 개별 등급에 대해 포괄적으로 기술되어야 한다. 이 방법은 등급에 대한 분류만 정확하게 이루어지면 다른 직무평가방법보다 간단하고 이해하기 쉽다는 장점이 있지만, 개별 등급에 대한 정의를 내리는 것이 쉽지 않고 주관적인 판단이 개입될 수 있다는 단점이 있다.

(3) 점수법

점수법(point rating method)이란 모든 직무에 공통적으로 적용될 수 있는 평가요소들을 몇 개의 항목으로 선정하고 각 항목별로 점수를 부여하여 각 항목의 점수합계를 통해 직무의 상대적 가치를 결정하는 방법을 의미한다. 일반적으로 점수법은 '평가요소의 선정 → 평가요소별 가중치 설정 → 평가요소별 점수부여'의 과정으로 이루어진다. 이 방법은 주관적 요소의 개입이 최소화되어 신뢰도가 높고 간단하다는 장점을 가지지만, 실제로 각 직무에 공통되는 평가요소를 선정하는 것이 쉽지 않고 가중치의 결정이나 점수부여의 과정에 주관이 개입될 수 있다는 단점을 가진다.

(4) 요소비교법

요소비교법(factor comparison method)이란 조직의 핵심이 되는 기준직무(key job) 몇 개를 우선 선정한 후에 평가대상 직무를 기준직무와 상호비교함으로써 각 직무들 간의 상대적 가치를 결정하는 방법을 의미한다. 요소비교법은 서열법에서 발전된 기법으로서 서열법이 포괄적으로 여러 직무들의 가치를 평가하여 서열을 매기는 반면, 요소비교법은 여러 직무들을 전체로 비교하지 않고 직무가 갖고 있는 요소별 직무들 간의 서열을 매기는 데에서 출발한다. 요소비교법은 서열법보다 훨씬 복잡하고 요소별 서열을 가지고 임금과 직접 연결시키는 점이 다르다. 이 방법은 평가의 기준이 구체적이고 명확하기 때문에 비교가 용이하다는 장점을 가지지만, 기준직무를 선정하는 것이 쉽지 않다는 단점을 가진다.

▤ 직무평가방법의 특성 비교

구분	서열법	분류법	점수법	요소비교법
비교유형	직무 대 직무	직무 대 등급정의	직무 대 점수표	직무 대 직무
요소의 수	없음	없음	10 ~ 15개	7개 미만
표준척도	없음	직무등급을 분류한 단일척도	직무요소별 점수척도	직무요소별 서열척도 및 임금
다른 기법과의 유사성	요소비교법의 초기 형태	점수법의 초기 형태	분류법의 세분화된 형태	서열법의 발전된 형태[54]

---

54) 요소비교법은 점수법을 개선한 방법으로 볼 수도 있는데, 점수법이 각 평가요소의 가치에 따라서 점수를 부여하는 데 반하여, 요소비교법은 각 평가요소별로 직무를 등급화하게 된다.

3 직무설계

1. 의의

직무설계(job design)란 조직을 구성하고 있는 개인이나 집단이 수행하는 직무 또는 과업의 수를 결정하는 과정을 의미한다. 따라서 직무설계는 개인수준에서뿐만 아니라 집단수준에서도 일어난다. 직무설계는 조직의 생산성을 강조하는 조직목표와 조직구성원의 이익과 만족을 달성하려는 개인적 목표가 원만하게 융합되도록 직무설계가 이루어져야 한다. 직무설계의 주요 요인으로는 직무의 내용, 직무의 요건, 요구되는 대인관계 및 성과 등이 있다.

2. 직무구조 설계

직무구조 설계는 직무전문화와 직무확대화로 구분할 수 있다. 직무전문화는 수평적 직무전문화와 수직적 직무전문화로 구분할 수 있고, 직무확대화는 수평적 직무확대화와 수직적 직무확대화로 구분할 수 있다. 수평적 직무확대화는 양적 직무확대화라고도 하고, 수직적 직무확대화는 질적 직무확대화라고도 한다.

🖹 수평적 직무확대화와 수직적 직무확대화

구분	개인 대상	집단 대상
수평적 직무확대화	직무확대 (job enlargement)	직무교차 (overlapped workplace)
		직무순환(job rotation)
수직적 직무확대화	직무충실 (job enrichment)	준자율적 작업집단 (semi-autonomous workgroup)

(1) 직무전문화

한 작업자가 수행하는 다양한 종류의 과업을 숫자 면에서 감소시키는 것으로 수평적 직무전문화와 수직적 직무전문화가 있다. 수평적 직무전문화는 동일 수준의 책임이 따르는 단순반복적인 작업공정을 여러 일로 분업화시키는 것을 의미하고, 수직적 직무전문화는 책임의 위계구조를 가지는 공정을 쪼개어 하위자에게 일을 맡김으로써 분업화하는 것을 의미한다.

(2) 직무확대

한 작업자가 수행하는 기존 과업의 숫자를 늘리되 의사결정과 관련된 권한이나 책임의 정도는 별로 증가되지 않는 수평적 직무확대이다. 즉, 개인의 직무에서 기본작업의 수를 증가시키거나 기존에 세분화되어 여러 작업자에 의해 수행되던 작업들을 통합하여 소수 인원의 작업이 되도록 직무내용을 재편성하는 것이다. 과업의 수를 늘리는 이유는 작업자가 일련의 완성감을 가지고 작업자의 직무에 대한 몰입과 만족을 향상시킬 수 있기 때문이다. 또한, 이로 인해 작업자는 과업에 대한 단조로움과 싫증이 감소되어 과업완성에 대한 도전감이 증가되고 동기부여수준이 향상된다.

(3) 직무충실

한 작업자가 수행하고 있는 직무에 의사결정의 권한과 책임이 추가로 부여되는 과업을 더 할당하는 수직적 직무확대이다. 직무충실은 허쯔버그(F. Herzberg)의 2요인이론에 근거를 두고 있으며, 작업자에게 의미 있는 직무는 책임감, 성취감, 통제, 피드백, 개인적 성장 및 발전, 작업속도 등의 요소에 의해 평가된다. 직무충실에서 강조되고 있는 점은 전통적으로 관리자의 고유기능에 속하였던 계획(planning)과 통제(controlling)를 작업자에게 위양하는 것이다. 전통적으로 관리자는 부하의 작업을 계획하고 조직하며 통제하는 역할을 수행해 왔고, 작업자는 단지 작업의 실행(doing)만을 담당해 왔다. 그러나 직무충실은 작업자로 하여금 작업의 실행뿐만 아니라 계획과 통제도 어느 정도 담당하도록 하여 구성원들에게 일의 보람과 자아성취감을 느낄 수 있게 하여 동기유발과 생산성향상을 이루고자 하는 것이다.

(4) 직무교차

집단 내 작업자가 수행하는 직무의 일부분을 다른 작업자의 직무와 중복되게 하여 직무의 중복된 부분을 다른 작업자와 공동으로 수행하게 하는 직무설계이며, 집단을 대상으로 도입할 수 있는 수평적 직무확대에 해당한다. 직무교차는 본질적으로 개인수준의 직무확대와 크게 다르지 않지만, 중요한 차이는 직무확대가 한 명의 작업자를 대상으로 개별적으로 설계할 수 있는 데 반해, 직무교차는 반드시 직무의 일부분을 다른 작업자와 공동으로 수행해야 한다는 것이다. 직무교차는 작업자들 간의 상호협력을 통한 능률향상과 직무수행에 따른 싫증 감소를 목적으로 하고 있지만, 교차된 직무를 작업자가 서로 미루고 소홀히 할 경우 생산성에 문제가 야기될 수 있다는 단점을 가지고 있다.

(5) 직무순환

집단을 대상으로 하는 직무확대화를 위한 수평적 및 수직적 측면을 동시에 가지고 있는 직무설계의 형태로 여러 직무를 여러 작업자가 순환하여 수행하는 경우이다. 직무순환은 작업자가 수행하는 여러 가지 과업이 호환성을 가지며, 작업자는 작업흐름에 큰 지장 없이 이동이 가능하다는 사실을 전제로 하고 있다. 직무순환의 단점은 특정 직무에 대해 작업자를 자주 교체함으로써 생산성 저하 등의 문제점이 발생할 수 있으며, 작업집단에 이미 형성되어 있던 긴밀한 인간관계를 통한 협동시스템을 훼손시킬 수 있다는 점이다.

(6) 준자율적 작업집단

몇 개의 직무들이 하나의 작업집단을 형성하게 하여 이를 수행하는 작업자들에게 어느 정도의 자율성 (autonomy)을 허용해 주는 것이다. 이렇게 함으로써 집단구성원들은 자신들이 수립한 집단규범에 따라 직무를 스스로 통제 및 조정할 수 있게 된다. 그러나 기업과 준자율적 작업집단 간이나 작업집단 내 구성원 간에 갈등이 발생할 가능성이 존재한다. 준자율적 작업집단은 작업집단 내 직무들 간의 상호의존성이 높을 때, 직무들이 심리적 스트레스를 많이 야기시킬 때 그 효과가 보다 높게 나타난다.

3. 직무특성이론

(1) 의의

핵크만(R. Hackman)과 올드햄(G. Oldham)의 직무특성이론은 직무특성이 작업자의 성장욕구수준 (growth need strength)에 부합될 때 긍정적인 동기유발효과를 초래하게 된다는 이론이다. 따라서 모든 작업자들의 직무를 맹목적으로 확대하거나 충실화하는 것은 의미가 없으며, 직무설계에 있어서 작업자의 각자 개인차의 영향도 고려해야 한다는 것이다. 모든 직무는 그 구조면에서 핵심직무특성차원을 가지고 있으며 차원의 정도에 따라 작업자의 심리상태가 형성되고 이 심리상태가 성과에 영향을 미친다. 또한, 직무구조와 직무성과 간의 인과관계에서 작업자의 성장욕구수준(growth need strength)도 영향을 미치는데, 작업자의 성장욕구수준이 높을수록 인과관계의 정도가 강하게 나타나는 반면에 성장욕구수준이 낮을수록 인과관계가 매우 약하거나 나타나지 않을 수도 있다는 것이다. 즉, 직무가 충실화될 때 높은 성장욕구수준을 가진 작업자들은 낮은 성장욕구수준을 가진 작업자들보다 중요심리상태를 경험할 가능성이 더 높기 때문에 이에 따라 바람직한 결과 또는 성과를 가져올 가능성도 높다는 것이다. 여기에서 성장욕구수준은 작업자가 존경(자존)욕구(esteem needs)와 자아실현욕구(self-actualization needs)에 대해서 가지는 열망의 정도를 의미한다.

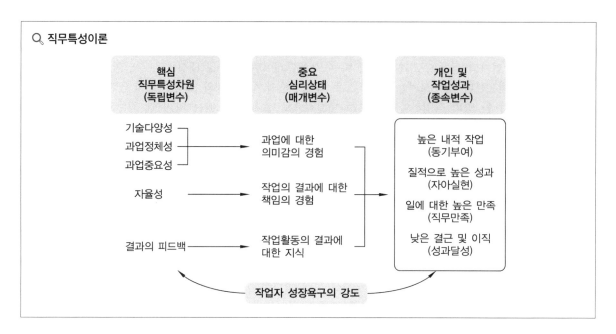

(2) 핵심직무특성차원

개인이 특정 직무에 대해서 가지는 잠재적 동기지수(motivating potential score, MPS)[55]는 기술다양성(skill variety), 과업정체성(task identity), 과업중요성(task significance), 자율성(autonomy), 결과의 피드백(feedback)이라는 다섯 가지 핵심직무차원의 영향을 받는다.

① **기술다양성**: 특정 직무를 수행하는 데 요구되는 기술의 종류를 의미한다. 기술다양성이 높은 직무는 한 개인이 수행하는 직무의 폭이 넓어지게 된다.

② **과업정체성**: 작업자가 현재 수행하는 직무와 생산되는 제품(완제품)과의 관계를 인식할 수 있는 정도를 의미한다. 즉, 직무의 내용이 하나의 제품을 처음부터 끝까지 완성시킬 수 있도록 구성되어 있는가, 아니면 제품의 어느 구체적인 부분만을 만들도록 되어 있는가를 의미한다.

③ **과업중요성**: 작업자가 현재 수행하고 있는 직무가 제품의 완성에 얼마나 중요한 역할을 하고 있는가를 인식하는 정도를 의미한다. 일반적으로 성장욕구가 큰 작업자에게 보다 중요한 직무를 맡기는 것이 효과적이다.

④ **자율성**: 작업자들이 직무수행에 필요한 작업의 일정계획, 작업방법, 작업절차를 결정하고 선택하는 데 있어서 작업자 개인에게 부여된 의사결정권한의 정도를 의미한다. 이는 직무충실(job enrichment)과 관련이 깊다.

⑤ **결과의 피드백**: 작업자에게 그들의 과업수행결과에 대해서 정보를 전달하는 정도를 의미한다. 일반적으로 직무를 수행하는 과정에서 직무수행자가 자신이 얼마나 잘 하고 있는지를 실시간으로 알려주면 그로 인한 효과를 기대할 수 있다.

---

55) MPS = (기술다양성 + 과업정체성 + 과업중요성) / 3 × 자율성 × 피드백. 이 공식에서 중요한 것은 자율성과 피드백의 차원을 강조하고 있다는 점이다. 이 두 차원을 곱의 관계로 추가한 것은 그들 중 어느 하나가 0에 가까워지면 다른 차원들이 아무리 높은 점수를 갖는다고 하더라도 전체 MPS가 낮아진다는 것을 의미한다. 또한, MPS가 높은 직무는 성장욕구가 높은 작업자에게 배정하고 MPS가 낮은 직무는 성장욕구가 낮은 작업자에게 배정하는 것이 바람직하며, 직무특성이론에 의한 직무재설계는 생산성과 같은 양적 성과에 미치는 영향은 미비하나 질적 성과에 미치는 영향은 크다.

(3) 중요심리상태

핵심직무특성차원은 각각 의미감(meaningfulness), 책임(responsibility), 지식(knowledge)이라는 특정한 중요심리상태를 형성하는 경우에만 개인 및 작업성과에 긍정적인 영향을 미치게 된다.

① **의미감**: 특정 직무가 직무수행자에게 보람과 긍지를 느끼게 해야 한다는 것이다. 핵심직무특성차원 중 기술다양성, 과업정체성, 과업중요성과 관련되어 있다.

② **책임**: 직무수행자가 자신의 행동에 따라서 직무의 성과가 달라질 수 있다는 것을 인식할 수 있는 정도이다. 핵심직무특성차원 중 자율성과 관련되어 있다.

③ **지식**: 직무수행자가 수행한 성과가 얼마나 유효한가를 알고 있는 정도이다. 핵심직무특성차원 중 결과의 피드백과 관련되어 있다.

4. 근무시간 설계

(1) 압축근무시간제(compressed work hours)

근무일수를 압축하는 개념으로 주당 40시간 근무를 기준으로 할 경우에 근무시간을 압축하여 주 4일 근무, 하루 10시간 근무하는 형태의 근로시간 설계이다.

(2) 선택적 근로시간제(flexible worktime)

하루 8시간 근무를 지키면서 핵심시간이라고 하는 공통근무시간대를 정해 놓고 그 시간 이외의 시간은 자유롭게 출퇴근을 하도록 하는 제도이다.

(3) 부분시간근로제(part-time work)

정규근무시간보다 적게 근무하면서 이에 상응하는 낮은 급여가 지급되는 경우이다.

(4) 교대근무제(shift work)

제품의 생산을 늘릴 필요가 있는 경우에 1일 근무시간의 연장을 위해 교대근무제를 도입할 수 있다. 이는 생산시설의 확장과 관계없이 생산장비를 1일 24시간 가동해야 하는 자동화공장이나 연속공정산업, 병원 등에서 주로 활용되고 있다.

(5) 직무공유제(job sharing)

비교적 최근에 등장한 개념으로 둘 또는 그 이상의 근로자가 주당 40시간의 근무시간을 나누어 담당하는 것이다. 예를 들어, 한 사람이 오전 9시에서 정오까지 근무하고 오후 1시부터 6시까지 다른 사람이 일을 하거나 두 사람이 교대로 하루씩 일을 할 수도 있다. 이러한 근무제도는 기업이 불황 등으로 종업원의 일부를 감축하거나 일시 해고시켜야 하는 경우에 이를 대체하는 방안으로 활용될 수 있다.

(6) 재택근무(telecommuting)

사무실에 직접 출근하지 않고 컴퓨터통신으로 연결된 집에서 일주일에 적어도 이틀 이상 근무하는 형태를 말한다. 재택근무는 대규모의 노동력 풀(pool) 활용이 가능하고 참여직원들의 높은 사기와 낮은 이직률, 사무실 공간비용 절감 등의 장점이 있다. 그러나 근로자의 작업수행과정을 직접 확인하거나 감독할 수 없으며, 오늘날 빈번히 요구되는 팀 중심 작업환경에서 팀워크 형성과 조정을 어렵게 하는 단점도 있다.

1 인적자원계획

1. 의의

인적자원계획(human resource planning)이란 기업에서 필요로 하는 인적자원을 적시에 확보하기 위한 인적자원관리 기능을 의미한다. 즉, 현재 및 미래의 각 시점에서 기업이 필요로 하는 인원의 수를 예측하고, 이에 대한 사내외 인력공급을 계획해서 인력의 수급을 조정하는 계획활동이다. 따라서 인적자원의 관리를 위한 노력을 조직의 목표와 연결시키는 과정으로 각 직무상의 종업원 수와 유형을 예측하는 것과 소요인력을 공급할 방법을 판단하는 것도 인적자원계획의 범주에 포함된다.

2. 구성

인적자원계획은 인적자원의 수요예측, 인적자원의 공급예측, 인적자원의 조치 등으로 구성되어 있다.

(1) 인적자원의 수요예측

외부환경과 내부환경에 기초하여 미래에 필요로 하는 인적자원의 양이나 질의 예측을 통해 계획을 수립하는 것이다. 수요예측기법에는 자격요건분석기법, 시나리오기법, 명목집단법, 델파이법 등과 같은 정성적 방법과 추세분석, 회귀분석, 생산성 비율분석, 작업연구기법(노동과학적 기법), 마코브체인(Markov chain)분석 등과 같은 정량적(계량적) 방법이 있다.

(2) 인적자원의 공급예측

기업에서 요구하는 특정 자질을 갖춘 인적자원의 이용가능한 공급에 대한 예측이다. 인사기록카드, 생산성 수준, 이직률, 결근율, 직무 간 이동 등을 통해 공급인원을 예측한다. 인적자원의 공급을 예측하기 위해서는 인적자원의 유형별 규모를 파악하기 위해 기술목록(skill inventory)[56]분석이나 대체도(replacement chart)[57]분석이 활용될 수 있으며, 인력변동추이 분석에 마코브체인(Markov chain)분석이 활용될 수 있다.

(3) 인적자원의 조치

예상되는 인적자원의 수요를 이용가능한 인적자원의 공급과 맞추는 것이다. 즉, 기업은 공급이 특정 시점에서 수요와 같게 되도록 하는 다양한 조치를 시행하게 된다. 인적자원의 수요예측과 공급예측의 결과로 인해 발생하는 활동인 조치활동은 정리해고, 무급휴가, 작업공유, 조기퇴직, 자연감축, 고용, 훈련, 경력관리, 생산성 프로그램(productivity programs) 등의 방법이 있다. 여기서 생산성 프로그램이란 노동력의 생산성을 극대화시키기 위하여 특별한 프로그램을 신설하는 방법으로, 고용의 증가 없이 이용가능한 인적자원의 공급을 증가시키는 방법이 된다.

---

56) 기술목록(skill inventory)은 개인의 직무적합성에 대한 정보를 정확하게 찾아내기 위한 도구이며, 일반적으로 종업원 개인의 학력, 직무경험, 기능, 자격증, 교육훈련 경험 등이 포함된다.

57) 조직 내 특정 직무가 공석이 된다고 가정할 경우 누가 여기에 투입될 수 있을 것인가를 파악할 수 있게 작성된 표이다. 대체도는 구성원들의 연령, 성과수준, 승진가능성 등에 초점을 두어 이를 시각적으로 표시한 것으로 이를 통해 현재의 조직구성원들로서 충원될 수 있는 직무가 어떠한 것들이 있는가를 살펴볼 수 있으므로 특히 구성원들의 장기근속을 전제로 하는 기업에 있어서 매우 중요하다.

인력부족에 대한 대응전략	인력과잉에 대한 대응전략
• 초과근무확대 • 훈련을 통한 능력개발 • 신규채용 • 임시직 및 계약직원 고용 • 퇴직자 재고용 • 해외생산거점 이전 • 외국인 근로자 채용 • 휴일근무 • 적은 인원이 필요한 직무재설계	• 다른 직무의 수행이 가능하도록 교육훈련 제공 • 자연 감소 및 신규채용 동결 • 조기퇴직 또는 명예퇴직 유도 • 임시직 및 계약직 축소 • 전출 • 근로시간 단축 • 초과근무단축 • 정리해고 또는 일시해고 • 직무공유제

2 모집

1. 의의

모집(recruitment)이란 인력선발을 전제로 양질의 지원자를 확보하기 위한 활동을 말한다. 따라서 모집은 조직의 유능한 인재를 선발하는 것이며 선발을 전제로 하여 실질적인 인적자원을 조직으로 유인하는 과정이라고 할 수 있다. 이러한 모집과정에서 중요한 것은 지원자들에게 모집대상이 되는 직위나 직책에 대한 정확한 정보(realistic job preview, 현실적 직무소개)가 주어져야 한다는 것이다. 인적자원계획에 의해 인력을 확보하고자 할 때에는 조직내부에서 충원하는 방법과 조직외부에서 충원하는 방법이 고려될 수 있으며, 내부에서 지원자를 확보하는 것이 쉽지 않은 경우에는 기업이 필요로 하는 인력선발의 계획을 외부에 알려서 지원자를 모을 수 있다. 따라서 모집은 그 원천에 따라 내부모집과 외부모집으로 구분할 수 있다.

2. 유형과 주요 지표

(1) 유형

① 내부모집: 조직 내의 현직 종업원을 대상으로 수행되는 모집활동을 의미한다. 내부모집에는 기술목록(skill inventory)을 활용한 방법과 사내공개모집 등이 있다. 기술목록을 활용하는 방법은 종업원들에게 비공개로 진행되는데, 공개적으로 이루어진다면 충분한 자격을 가진 사람이 다른 기업으로 스카우트되어 빠져나갈 수 있다는 위험이 있다. 사내공개모집은 직무에 공석이 생겼을 때 회사가 외부모집을 하기 전 사내 직원들에게 사보나 사내게시판을 통해 공지하여 관심 있는 사람들이 지원하게 만드는 방법으로 대기업에서 주로 사용한다.

② 외부모집: 조직 외에 있는 인적자원을 대상으로 수행되는 모집활동을 의미한다. 외부모집의 방법으로는 광고, 고용 에이전시(employment agencies), 인턴제도(internship), 기존 종업원의 추천, 교육기관의 추천, 자발적 지원, 웹기반 모집(web-based recruitment) 등의 방법이 있다.

🗐 내부모집과 외부모집의 장단점

구분	내부모집	외부모집
장점	• 지원자에 대한 정확한 평가 가능 • 내부인력의 조직 및 직무지식 활용 가능 • 외부인력 채용에 따르는 위험(조직적응 실패 등)의 제거 • 재직자의 개발동기부여와 장기근속유인 제공 • 적응시간 단축 • 신속한 충원과 충원비용 절감 • 하급직 신규채용 수요 발생	• 인재 선택의 폭이 넓어짐 • 조직분위기의 쇄신 • 이미 자격을 갖춘 자의 선발로 인한 직무훈련 비용 절감 • 인력수요에 대한 양적 충족 가능 • 새로운 지식 및 경험의 축적 가능
단점	• 과다경쟁 유발 가능 • 인재선택의 폭이 좁아짐 • 조직의 폐쇄성 강화 • 조직 내 위험요소 존재(불합격자의 불만 등) • 인력수요를 양적으로 충족시키지 못할 가능성이 높음(내부승진으로 인해 전체 인원이 증가하지 않으므로 항상 일정수의 인력부족 발생 가능)	• 기존 종업원과의 마찰 발생 가능 • 많은 적응시간 발생 • 많은 충원시간과 충원비용이 발생 • 내부인력의 승진기회 축소

(2) 주요 지표

① **산출비율**: 지원자들이 모집과 선발의 각 단계에서 어떻게 인원이 선택되고 축소되는지를 보여주는 비율이다. 모집평가를 위해서 산출비율(yield ratio)을 측정하는 이유는 각 선발단계에서 선발이 효과적으로 되기 위해서 필요한 적정한 지원자의 풀(pool)이 형성되고 있는지를 점검하려고 하는 것이다. 산출비율은 각 단계별로 모집과 선발과정에서 지원자 중에서 선택되는 인원을 비교하여 측정한다.

② **선발비율**: 지원자 가운데 최종 선발된 인원의 비율을 말한다. 선발비율은 특정 집단의 인적자원 중에서 실제로 선발되는 인적자원이 얼마인지를 보여준다.

③ **수용비율**: 선발에 최종합격하고 회사로부터 채용제의(job offer)를 받은 지원자가 실제로 채용제의를 받아들여 입사하는지를 나타내는 지표인데, 최종합격자 가운데 입사자의 비율로 측정한다. 따라서 수용비율은 해당 조직이 채용하기를 원하는 지원자를 성공적으로 유치할 수 있는 능력을 나타낸다.

④ **기초비율 또는 기초성공률**: 모집의 질적 성공을 측정하는 지표이다. 기초비율 또는 기초성공률은 지원자들 가운데 선발과정을 거치지 않고 무작위로 선택하여 채용했을 때 일정기간이 경과한 후 업무수행에 성공적인 사람이 얼마나 있는지를 보여주는 비율이다. 즉, 지원자 가운데 채용될 경우 성공적으로 회사업무를 수행하고 이직하지 않은 지원자가 얼마나 되는지를 측정하는 지표이다. 기초비율 또는 기초성공률이 높다는 의미는 총 지원자 가운데 자격을 갖춘 지원자의 수가 많다는 의미이다.

3 선발

1. 의의

(1) 개념

선발(selection)이란 공석이 된 직무를 어떤 지원자가 가장 성공적으로 수행할 수 있는지를 판단하여 지원자들 중에서 우수한 지원자를 선별하는 과정을 의미한다. 선발의 과정에서 고려되어야 하는 원칙은 다음과 같다.

① **효율성의 원칙**: 선발에 있어서 채용자에게 제공할 비용보다 훨씬 큰 수익을 가져다 줄 사람을 선발해야 한다는 원칙이다.

② **형평성의 원칙**: 선발에 있어서 지원자의 조건이 동일하다면 지원자를 차별해서는 안 된다는 원칙이다.

③ **적합성의 원칙**: 기업의 목표와 분위기에 알맞은 사람을 선발해야 하지만, 지나치게 직무적합성만을 따지거나 시험성적 위주로 합격자를 선정하면 입사 후에 조직과 맞지 않아 이직할 확률이 높아지게 된다.

(2) 적합성의 판단기준

① **직무중심적 접근**: 충원해야 할 직무의 직무명세서(job specification)를 기준으로 직무를 가장 만족스럽게 수행할 수 있는 적격자를 선발하는 방법이다. 즉, 지원자의 배경이나 다른 측면은 보지 않고 공석이 된 직무의 자격요건을 지원자가 얼마나 충실히 갖추고 있느냐를 보는 것이다. 이러한 접근법은 잠재능력보다는 실제 경험에 중점을 두며, 장기적인 개발가능성보다는 현재의 실적가능성을 더 강조한다.

② **경력중심적 접근**: 직무명세서의 자격요건보다 지원자의 전체적인 능력을 중심으로 기업에 기여할 수 있는 잠재적인 공헌도를 예측하여 적격자를 선발하는 방법이다. 이 접근법은 지원자의 지능이나 자질, 잠재능력, 장기적인 능력개발가능성을 더욱 강조한다. 즉, 지원자가 채용되었을 때 조직에서 경력을 쌓아가는 과정에 중장기적으로 발휘하는 능력을 중시하는 것이다.

③ **기업문화중심적 접근**: 인적자원이 기업의 문화에 적합한지를 선발의 주요 기준으로 삼아 선발하는 방법이다. 즉, 인적자원이 해당 기업 내에서 직무를 수행해야 하기 때문에 기업문화에 인적자원이 적합하지 않으면 원활한 직무수행이 쉽지 않을 수 있다.

인력선발의 기준

신뢰성	성과측정이 확률적 오차로부터 자유로운 정도
타당성	선발도구로부터의 성과가 직무로부터의 성과를 반영하는 정도
일반화	한 상황에서 확립된 선발도구의 타당성을 다른 상황에도 적용할 수 있는 정도
유용성	선발방법에 의한 정보가 조직의 최종적인 효과성을 높이는 정도
합법성	선발방법이 기존의 법률과 관례에 부합해야 한다는 것

▶ 합법성을 제외하고는 서로 관련성이 있다.

2. 선발도구

(1) 유형

선발에 사용되는 선발도구(instrument)에는 다양한 유형이 있는데, 가장 대표적인 유형에는 바이오데이터 분석, 프로파일링(profiling), 선발시험, 선발면접, 평가센터법(assessment center method) 등이 있다.

① **바이오데이터 분석**: 선발에 있어서 개인의 신상에 대한 모든 정보를 활용하는 방법으로 활용되는 정보에는 검증가능한 정보와 검증불가능한 정보를 모두 포함한다.

② **프로파일링**: 성과가 높은 종업원의 표준적인 자질을 데이터화하여 개발된 이상적인 프로파일(ideal profile)과 지원자를 비교하여 유사한 자질을 가진 지원자를 선발하는 방법이다. 일반적으로 이상적인 프로파일과 개별 지원자의 프로파일 간의 유사성을 검증하는 기준에는 수준(level)과 형태(shape)가 있다.

③ **선발시험**: 지원자들이 가지고 있는 능력이나 지식 등을 측정하기 위해 실시하는 시험으로 가장 널리 사용되는 선발도구 중의 하나이다. 대표적인 선발시험에는 능력검사(ability test), 성격 및 흥미도 검사(personality and interest test), 실무능력 검사(work sample test) 등이 있다.

④ **선발면접**: 면접자와 지원자가 서로 정보를 교환하는 쌍방향 의사소통의 선발도구로 선발시험과 함께 가장 널리 사용되는 선발도구 중의 하나이다. 선발면접은 후광효과, 일관성의 결여, 중심화경향 등의 한계를 가지고 있기 때문에 면접만으로 선발하는 것은 문제가 있다. 선발면접은 질문의 내용을 기준(질문내용의 공개여부)으로 구조적 면접[58]과 비구조적 면접[59]으로 분류할 수 있으며, 피면접자의 수에 따라 집단면접[60]과 위원회면접[61]으로 분류할 수 있다. 이 외에도 상황면접과 스트레스(압박)면접도 선발면접의 방법으로 활용될 수 있다. 선발면접은 첫인상에 입각한 오류, 면접자가 면접시간을 주도하는 행동, 질문의 일관성 문제, 후광효과, 대비효과, 면접자의 편견, 비언어적 행동 등 다양한 오류가 발생할 수 있다.

---

58) 구조적 면접은 직무명세서를 기초로 질문항목을 미리 준비하여 면접자가 피면접자에게 질문하는 것이다. 이 방법은 면접관 개인의 편견과 상동적 태도(stereotyping)를 어느 정도 배제할 수 있어 선발의 신뢰성과 타당성을 높일 수 있고, 돌발적이고 즉흥적인 질문으로 지원자 간 비교가능성을 저해하거나 법적인 문제를 발생시킬 가능성이 적다는 장점을 가진다. 그러나 구조화된 면접질문들은 대체로 보편적이고 상식적인 질문이 대부분이기 때문에 지원자들이 사전에 질문에 대비하여 면접에 임하게 되어 지원자의 본심을 파악하는 것이 어렵고, 질문항목의 개발이 직무분석을 전제로 하고 있다는 단점이 있다.

59) 비구조적 면접은 특정한 질문서목록 없이 면접자가 중요하다고 생각하는 내용을 질문하는 면접형태이다. 이 방법은 지원자에 따라 자연스러운 질문을 던지고 지원자는 자신에게만 해당하는 질문에 자연스럽게 답할 수 있고, 지원자마다 받게 되는 질문이 다를 수 있기 때문에 질문의 보안도 유지되고 사전에 질문에 대한 연습이 불가능하여 지원자의 본심을 잘 파악할 수 있다는 장점을 가진다. 그러나 질문에 일관성이 없고 모든 지원자에게 동일한 질문이 수어지지 않기 때문에 비교가능성이 저해되어 지원자의 면접점수를 상호비교하는 것이 어렵다는 단점이 있다. 또한, 면접관 자신의 편견이나 상동적 태도(stereotyping)와 면접상황 등이 면접과정에 영향을 줄 수 있다는 단점도 있다.

60) 다수의 피면접자를 한 집단으로 편성하여 공동의 주제를 주어 토론하게 하고 면접관들이 이들의 팀 활동을 평가하거나 여러 명의 피면접자를 상대로 질문하는 방법이다. 이 방법은 여러 명의 지원자를 동시에 관찰할 수 있기 때문에 비교가 용이하며 우수한 지원자를 쉽게 파악할 수 있다는 장점이 있다. 그러나 개별지원자가 가지고 있는 특수한 면을 파악하기에는 제한적이기 때문에 지원자 입장에서 집단면접은 자신이 아는 지식을 과시하는 것도 중요하지만 집단 전체가 주어진 주제에 적절한 솔루션에 도달하는 방향으로 행동하는 것이 중요하며, 집단토론에서 별로 발언을 하지 않는 소극적 자세를 보이는 지원자는 좋은 성적을 거두기 어렵다는 단점이 있다.

61) 다수의 면접자가 한 명의 피면접자를 평가하는 방법이다. 한 명에 대해 여러 사람이 동시에 관찰하므로 평가에 있어 신뢰도가 높은 장점을 가지는 반면에 다수의 면접자 앞에서 피면접자가 심리적으로 위축될 경우에는 평가의 신뢰도가 저하될 수 있고, 집단면접보다 시간이 많이 소요된다는 단점이 있다.

⑤ **평가센터법**: 다수의 지원자를 특정 장소에 며칠간 합숙시켜 여러 종류의 선발도구를 동시에 적용하여 지원자를 평가하는 방법이다. 관리직 인적자원을 선발할 때 주로 사용하는 선발도구이며 지원자의 능력 및 개인적 특성을 파악하는 데 다른 선발도구보다 우수하다고 알려져 있다. 그러나 선발비용이 많이 발생한다는 단점이 있다.

(2) 적용방법

일반적으로 직무수행의 다양성으로 인해 하나의 선발도구로 지원자를 선발하는 경우는 거의 없다. 대부분의 직무는 단순직무가 아니기 때문에 다수의 선발도구를 활용하는 방법으로 보다 완벽한 정보를 얻을 수 있고 상황에 따라 유연하게 운용할 수 있다. 다수의 선발도구를 적용하는 방법에는 종합적 평가법과 단계적 제거법이 있다.

① **종합적 평가법**: 모든 지원자들은 다수의 선발도구를 모두 경험하고 그 결과에 따라 합격자가 결정되는 방법이다. 이 방법은 하나의 선발도구에서의 실수를 다른 선발도구를 통해 만회할 수 있기 때문에 보완적 방식(compensatory rule)이라고 하며, 최소 자격요건이 없는 경우에 주로 사용된다. 모든 지원자가 모든 선발도구를 경험하기 때문에 시간과 비용이 많이 드는 단점이 있지만, 모든 정보를 선발과정에서 활용할 수 있고 우수한 지원자를 놓칠 위험성이 낮다는 장점이 있다.

② **단계적 제거법**: 선발과정에 있어 다음 단계로 진행하기 위해서는 그 전 단계를 통과해야 하는 방법이다. 이 방법은 하나의 선발도구에서의 실수를 다른 선발도구를 통해 만회할 수 없기 때문에 비보완적 방식(noncompensatory rule)이라고 한다. 일부 지원자들만 다수의 모든 선발도구를 경험하기 때문에 시간과 비용이 저렴하다는 장점이 있지만, 우수한 지원자를 탈락시킬 위험성이 크다는 단점이 있다.

(3) 선발도구의 평가 – 신뢰도분석

신뢰도분석(reliability analysis)이란 해당 선발도구가 어떠한 상황에서도 동일한 결과를 나타내는 일관성을 가지는지를 측정하는 분석을 의미한다. 장소나 시간에 따라 선발도구의 결과가 영향을 받거나 선발도구의 해석에 따라 결과가 다르다면 선발도구의 안정성이 저해되는 것이고 이로 인해 신뢰도의 손상을 초래하게 된다. 즉, 어떤 선발도구로 한 사람을 반복하여 측정하였을 때 결과가 항상 일정하다면 그 선발도구는 신뢰도가 높은 것이고, 시간과 장소에 따라 또는 평가자에 따라 다르게 나온다면 일관성이 없어 신뢰도가 낮은 것이다. 선발도구의 신뢰도는 선발도구의 타당도를 높이기 위한 필수조건이기도 하며, 특정 선발도구가 선발에 사용되려면 일반적으로 신뢰도가 0.8 이상이 되어야 한다. 신뢰도를 측정하는 대표적인 방법은 다음과 같다.

① **시험 – 재시험법**: 선발도구의 측정결과가 안정적인지를 알아보기 위해서 동일한 집단에게 동일한 시험을 시간적 간격을 두고 재실시하여 두 측정치의 일치 정도를 측정하는 방법이다. 즉, 두 시점에서 시험을 실시한 후에 이 시험결과들 간의 상관관계를 구하여 특정 시험의 신뢰도 정도를 판단한다. 단, 첫 번째 시험의 기억이 두 번째 시험의 시행에 아무런 영향을 미치지 않아야 한다.

② **대체형식법**: 필기시험 문제처럼 동일한 문제를 사용하여 재시험을 보게 되면 피평가자가 이미 첫 번째 시험을 통해 지식을 습득하였으므로 재실시하는 것이 의미가 없게 된다. 이러한 경우에는 동일한 유형의 난이도가 유사한 시험을 재실시하여 신뢰성을 검증한다.

③ **평가자 간 신뢰도 측정**: 복수의 평가자가 동일 시점에 동일한 평가대상을 평가할 때 평가자들이 얼마나 동일하게 평가하는지를 검증하는 것을 말한다. 평가자들의 1차 평가결과 가장 높은 점수와 가장 낮은 점수를 제외하고 나머지 점수를 평균해서 평가값을 결정하는 방법은 예외적인 평가(outliers)를 배제하고 평가자 간 신뢰도를 높이기 위한 노력이라고 할 수 있다.

④ **내적 일관성에 의한 신뢰도 측정**: 내적 일관성은 특정 피평가집단에 대해서 하나의 평가표로 측정한 결과만 있을 때 평가항목 점수들 간의 일관성(consistency)을 말한다. 예를 들어, 지원자의 성격이 외향적인지 또는 내향적인지를 측정하기 위해 5개의 질문이 주어졌을 때 이 질문들에 대한 대답을 일부는 외향적인 요소에 대답하고 일부는 내향적인 요소에 대답한다면 이는 내적 일관성이 결여된 것이다.

(4) 선발도구의 평가 – 타당도분석

타당도분석(validation)이란 측정도구가 측정하고자 하는 대상을 올바르게 측정하고 그 측정결과가 측정하고자 하는 대상이 갖는 사실 상태를 그대로 나타내고 있는가를 분석하는 것을 의미한다. 일반적으로 타당도분석에는 직무성과(job success), 예측값(predictors), 선발도구(instrument) 등의 요소들이 포함된다.

① **기준타당도(criterion validity)**: 선발도구의 결과와 실제성과와의 상관계수이다. 따라서 기준타당도는 통계적인 방법을 통해 측정된다. 기준타당도는 다시 현직 종업원을 대상으로 측정되는 동시(현재)타당도(concurrent validity)와 지원자를 대상으로 측정되는 예측(미래)타당도(predictive validity)로 구분할 수 있다.

📋 **동시타당도와 예측타당도의 장단점**

구분	동시타당도	예측타당도
장점	• 관리적 측면에서 볼 때, 시간이 적게 소요되고 편리 • 예측수단과 기준에 대한 점수를 획득하는 것과 동시에 타당도 검증의 결과를 알 수 있음	• 예측수단에 대한 점수를 지원자로부터 얻기 때문에 동시타당도 검증의 단점을 극복할 수 있음 • 지원자들은 타당도 검증의 대상이 되는 예측수단에 대해서 동일하게 열성적으로 응시
단점	• 현직 종업원은 지원자와 마찬가지로 열성적으로 시험에 응하지 않음 • 현직 종업원은 여러 가지 측면(교육수준, 연령 등)에서 지원자와 다를 수 있기 때문에 현직 종업원을 대상으로 하는 타당도 검증이 미래의 지원자에게도 일반화될 수 있을지에 대한 의문이 존재	• 예측타당도 검증은 관리적 측면에서 볼 때 편리하지도 않고 신속하지도 않음 • 기준에 대한 점수는 시간이 경과한 후에 얻어지므로 타당도 검증의 결과를 즉시 알 수 없음

② **내용타당도(content validity)**: 선발도구의 내용이 얼마나 실제업무와 유사한가를 측정하는 타당도이다. 내용타당도는 측정대상의 취지를 얼마나 선발도구에 담고 있는가를 측정하는 것인데, 해당 직무에 대해 풍부한 지식을 가지고 있는 전문가들의 주관적인 판단에 의해 측정된다. 일반적으로 선발도구의 내용이 실제업무에 유사할수록 내용타당도는 커진다.

③ **구성타당도(construct validity)**: 선발도구의 측정치가 가지고 있는 이론적 구성과 가정을 측정하는 타당도이다. 즉, 선발도구의 측정항목들이 얼마나 이론적 속성에 부합되고 논리적인지를 표시하는 지표로 해당 선발도구가 측정도구로서의 적격성을 갖고 있는지를 나타낸다. 일반적으로 구성타당도는 요인분석(factor analysis)과 같은 통계적인 방법을 통해 측정된다.

(5) 선발오류

선발오류는 예측값의 잘못으로 발생한다. 선발도구에 의해 지원자를 평가한다면 선발도구의 타당도가 1이 아닌 이상 1종오류(type 1 error)와 2종오류(type 2 error)가 발생하게 되지만 타당도나 신뢰도를 증가시킴으로써 선발오류를 감소시킬 수 있다.

① **1종오류**: 만약 선발되었더라면 만족스러운 성과를 올릴 수 있었던 지원자를 선발도구의 결과가 합격선에 미달하여 실제로 탈락시키는 데에서 발생하는 오류이다. 일반적으로 1종오류는 종합적 평가법을 적용하면 감소시킬 수 있다.

② **2종오류**: 선발도구의 결과는 합격선을 초과하였지만 실제성과는 만족스럽지 못한 지원자를 선발하는 데서 발생하는 오류이다. 2종오류로 인해 선발된 선발자는 조직내부에 남아 있게 되기 때문에 기업의 관점에서는 2종오류에 더 큰 관심을 가지게 된다. 따라서 기업은 2종오류를 줄이기 위한 노력을 하게 되고, 선발비율(selection ratio, 합격자수 / 지원자수)의 감소를 통해 2종오류를 감소시킬 수 있다.

01 ☐☐☐ 2024년 군무원 7급

다음 중 직무(job)의 특성에 대한 설명으로 가장 적절하지 않은 것은?

① 기업조직의 목표달성을 위해 필요한 일들이 완성되어야 하는데 이를 관리할 목적으로 직무가 만들어진다.

② 직무를 관리자 주관에 따라 마음대로 정하는 것은 아니고 기업 전체의 조직차원에서 정의되고 통용되어야 한다.

③ 직무는 그 수행자가 누구인가에 관계없이 독립적으로 정해지고 기술되어 있다.

④ 직무의 내용과 범위 등은 기업 내외부의 요구에 따라 수시로 변경된다.

해설

직무의 내용과 범위 등은 기업 내외부의 요구에 따라 변경될 수는 있지만, 수시로 변경되는 것은 아니다.

정답 ④

02 ☐☐☐ 2023년 군무원 9급

직무 수행에 필요한 기술, 지식, 능력 등의 자격요인을 정리한 문서에 해당하는 것은?

① 직무기술서

② 직무명세서

③ 직무행위서

④ 직무분석서

해설

직무 수행에 필요한 기술, 지식, 능력 등의 자격요인을 정리한 문서는 직무명세서이다.

정답 ②

03 ☐☐☐ 2023년 군무원 7급

직무(job)에 대한 설명으로 가장 적절하지 않은 것은?

① 직무분석(job analysis)의 결과는 직원의 선발, 배치, 교육, 평가의 기초 자료로 사용된다.

② 직무기술서(job description)에는 직무의 명칭, 내용, 수행 절차, 작업조건 등이 기록된다.

③ 직무명세서(job specification)에는 해당 직무를 수행하는 사람이 갖추어야 할 자격 요건이 기록된다.

④ 직무기술서와 직무명세서를 토대로 직무분석을 실시한다.

해설

직무기술서와 직무명세서를 토대로 직무평가를 실시한다. 직무기술서와 직무명세서는 직무분석의 결과로 작성되는 문서이다.

정답 ④

04 ☐☐☐ 2023년 서울시

직무분석과 직무평가에 대한 설명으로 가장 옳은 것은?

① 직무분석방법에는 분류법과 요소비교법 등이 있다.
② 직무평가방법에는 점수법과 서열법 등이 있다.
③ 직무기술서(job description)는 해당 직무를 수행하기 위해 필요한 인적요건과 관련한 지식, 기술, 능력 등을 서술한다.
④ 핵크만(Hackman)과 올드햄(Oldham)의 직무특성이론에서 핵심 직무차원은 과업정체성, 과업중요성, 과업효율성이다.

해설

----

① 분류법과 요소비교법 등은 직무평가방법에 해당한다.
③ 직무기술서(job description)는 직무의 내용, 직무수행에 필요한 원재료 및 설비, 작업도구, 작업조건, 직무수행방법 및 절차 등이 직무특성분석에 의한 과업요건에 중점을 두고 기록된다. 해당 직무를 수행하기 위해 필요한 인적요건과 관련한 지식, 기술, 능력 등을 서술하는 것은 직무명세서(job specification)이다.
④ 핵크만(Hackman)과 올드햄(Oldham)의 직무특성이론에서 핵심 직무차원은 기술다양성, 과업정체성, 과업중요성, 자율성, 결과의 피드백이다.

정답 ②

05 ☐☐☐ 2021년 국가직

직무평가에 대한 설명으로 옳지 않은 것은?

① 요소비교법은 기준직무를 적절하게 선정하면 임금 산정이 용이하고 상이한 직무에서도 활용될 수 있다.
② 점수법은 평가요소 선정이 어렵고 요소별 가중치 부여 시 주관적으로 판단한다는 것이 단점이다.
③ 분류법은 간단하고 이해하기 쉽지만 부서가 다르면 공통의 분류기준을 적용하기 어렵다는 단점이 있다.
④ 서열법은 직무등급을 빠르게 매길 수 있고 직무의 어떤 요소에 의해 높게 혹은 낮게 평가되는지를 알 수 있다.

해설

서열법은 직무의 상대적 가치에 기초를 두고 직무의 중요도, 직무수행상의 난이도, 작업환경 등을 포괄적으로 고려하여 그 가치에 따라 서열을 매기는 방법이다. 직무등급을 빠르게 매길 수 있고 직무의 어떤 요소에 의해 높게 혹은 낮게 평가되는지를 알 수 있는 직무평가방법은 분류법(등급법)이다.

정답 ④

06 □□□ 2022년 군무원 7급

다음 직무평가(job evaluation)의 방법 중에서 점수법에 대한 설명으로 가장 옳은 것은?

① 평가자가 포괄적인 지식을 사용하여 직무 전체를 서로 비교해서 순위를 결정한다.

② 직무를 여러 평가요소로 분리하여 그 평가요소에 가중치(중요도) 및 일정 점수를 배분한 뒤, 각 직무의 가치를 점수로 환산하여 상대적 가치를 평가하는 방법이다.

③ 사전에 직무에 대한 등급을 미리 정해 놓고 각 등급을 설명하는 서술을 준비한 다음, 각 직무가 어느 등급에 속하는지 분류하는 방법이다.

④ 여러 직무들을 전체적으로 비교하여 직무들 간의 서열을 결정하고, 기준직무의 내용이 변하면 전체 직무를 다시 재평가한다.

해설

① 평가자가 포괄적인 지식을 사용하여 직무 전체를 서로 비교해서 순위를 결정하는 방법은 서열법이다.

③ 사전에 직무에 대한 등급을 미리 정해 놓고 각 등급을 설명하는 서술을 준비한 다음, 각 직무가 어느 등급에 속하는지 분류하는 방법은 분류법(등급법)이다.

④ 여러 직무들을 전체적으로 비교하여 직무들 간의 서열을 결정하고, 기준직무의 내용이 변하면 전체 직무를 다시 재평가하는 방법은 요소비교법이다.

정답 ②

07 □□□ 2021년 서울시

직무평가(job evaluation) 기법이 아닌 것은?

① 점수법   ② 분류법

③ 요소비교법   ④ 체크리스트법

해설

체크리스트법은 인사평가 기법에 해당한다.

정답 ④

08 □□□ 2019년 군무원

직무충실화(Job enrichment)의 내용에 해당하는 것은?

① 직원이 담당하는 과업량을 늘리고 그의 권한은 그대로 유지한다.

② 직원이 담당하는 과업량을 늘리고 그에 따른 권한과 책임 및 자율성을 추가한다.

③ 직원이 담당하는 과업을 주기적으로 변경함으로써 과업의 단조로움을 극복한다.

④ 직원들 간에 담당하는 직무의 교환을 통하여 다른 직무를 경험하게 한다.

해설

① 직원이 담당하는 과업량을 늘리고 그의 권한은 그대로 유지하는 것은 직무확대화(job enlargement)이다.

③ 직원이 담당하는 과업을 주기적으로 변경함으로써 과업의 단조로움을 극복할 수 있는 방법은 직무순환(job rotation)이다.

④ 직원들 간에 담당하는 직무의 교환을 통하여 다른 직무를 경험하게 하는 것은 직무순환(job rotation)이다.

정답 ②

09 ☐☐☐ 2020년 서울시

동기부여를 강조하는 직무설계에 대한 설명으로 가장 옳지 않은 것은?

① 직무 수행에 많은 기술이 필요할수록 높은 동기부여가 된다.
② 자신의 직무가 조직 내에서 중요할수록 높은 동기부여가 된다.
③ 업무 수행 방법에 대해 자율적으로 의사결정을 내릴 수 있는 권한이 많을수록 높은 동기부여가 된다.
④ 직무 성과에 대한 피드백이 불명확할수록 높은 동기부여가 된다.

해설

직무 성과에 대한 피드백이 명확할수록 높은 동기부여가 된다.

정답 ④

10 ☐☐☐ 2020년 서울시

개인의 직무를 수직적으로 확장시키는 것에 해당하는 것은?

① 직무충실(job enrichment)
② 직무확장(job enlargement)
③ 직무순환(job rotation)
④ 준자율적 작업집단(semi-autonomous workgroup)

해설

직무구조설계는 직무전문화와 직무확대화로 구분할 수 있는데, 직무확대화는 다음과 같이 구분할 수 있다.

구분	개인 대상	집단 대상
수평적 직무확대화	직무확대 (job enlargement)	직무교차 (overlapped workplace)
		직무순환 (job rotation)
수직적 직무확대화	직무충실 (job enrichment)	준자율적 작업집단 (semi-autonomous workgroup)

정답 ①

11 □□□ 2021년 국가직

직무설계에 대한 설명으로 옳지 않은 것은?

① 직무설계는 업무를 수행하기 위해 요구되는 과업들을 연결시키는 것이다.
② 직무순환은 직무수행의 지루함을 줄이고 직무의 다양성을 높여 인력배치의 융통성을 높여 준다.
③ 직무확대는 직무범위를 넓혀 과업의 수와 다양성을 증가시킨다는 점에서 직무의 재설계과정이 있다.
④ 직무충실화는 작업자에게 직무의 계획, 실행, 평가 의무를 부여하여 성장욕구가 낮은 작업자의 만족도 향상에 효과적이다.

해설

직무충실화는 한 작업자가 수행하고 있는 직무에 의사결정의 권한과 책임이 추가로 부여되는 과업을 더 할당하는 수직적 직무확대화에 해당하며, 성장욕구가 높은 작업자의 만족도 향상에 효과적이다.

정답 ④

12 □□□ 2020년 국가직

직무설계에 대한 설명으로 옳지 않은 것은?

① 비즈니스 리스트럭처링은 기존의 업무수행 프로세스에 대한 가장 기본적인 가정을 의심하고 재검토하는 것에서 시작하여 근본부터 전혀 다른 새로운 업무처리 방법을 설계하는 것이다.
② 직무충실은 현재 수행하고 있는 직무에 의사결정의 자유 재량권과 책임이 추가로 부과되는 과업을 더 할당하는 것이다.
③ 준자율적 작업집단은 몇 개의 직무들이 하나의 작업집단을 형성하게 하여 이를 수행하는 작업자들에게 어느 정도의 자율성을 허용해 주는 것이다.
④ 직무전문화는 한 작업자가 하는 여러 종류의 과업(task)을 숫자 면에서 줄이는 것이다.

해설

기존의 업무수행 프로세스에 대한 가장 기본적인 가정을 의심하고 재검토하는 것에서 시작하여 근본부터 전혀 다른 새로운 업무처리 방법을 설계하는 것은 리엔지니어링(reengineering)이다. 비즈니스 리스트럭처링(restructuring)은 기업이 장기적으로 치열한 경쟁에서 살아남아 경쟁우위를 확보하기 위해 제품이나 사업의 편성을 변경하고, 사업의 생산·판매·개발시스템을 구조적으로 변화시키고 재편성하는 등 의도적이고 계획적으로 사업구조를 재구성하는 것을 의미한다.

정답 ①

13 □□□ 2018년 군무원

근무시간설계에 대한 다음 설명 중 가장 옳지 않은 것은?

① 탄력근무제는 회사측의 요구로 시행될 수 있기 때문에 회사의 상황이 급할 때 유용하다.
② 교대근무제는 생활패턴이 망가질 수 있다.
③ 압축근무시간제는 근무일수를 압축하는 개념이다.
④ 선택적 근로시간제는 워크숍, 회의시간 등의 일정을 잡기가 용이하다.

해설

선택적 근로시간제는 하루 8시간 근무를 지키면서 핵심시간이라고 하는 공통근무시간대를 정해 놓고 그 시간 이외의 시간은 자유롭게 출퇴근을 하도록 하는 제도이다. 따라서 워크숍, 회의시간 등의 일정을 잡기가 용이하지 않을 수 있다.

① 탄력적 근로시간제(근무제)는 「근로기준법」에 의거하여 특정일의 노동시간을 연장하는 대신 다른 날의 노동시간을 단축해 일정기간 평균 노동시간을 법정노동시간에 맞추는 방식이다.
② 교대근무제는 생산시설의 확장과 관계없이 생산장비를 1일 24시간 가동해야 하는 자동화공장이나 연속공정산업, 병원 등에서 주로 활용되고 있다. **정답 ④**

14 □□□ 2020년 군무원

직무특성이론 중 직무특성에 해당하지 않는 것은?

① 과업중요성
② 과업정체성
③ 기술다양성
④ 동기부여

해설

직무특성이론에서 직무특성(핵심직무특성차원)은 기술다양성, 과업중요성, 과업정체성, 자율성, 결과의 피드백이다. 동기부여는 성과를 나타내는 종속변수에 해당한다. **정답 ④**

15 □□□ 2019년 서울시

해크만(Hackmann)과 올드햄(Oldham)이 제시한 직무특성모형에 포함되지 않는 직무특성은?

① 피드백
② 자율성
③ 과업정체성
④ 과업적합성

해설

해크만(Hackmann)과 올드햄(Oldham)이 제시한 직무특성모형에 포함되는 직무특성은 기술다양성(skill variety), 과업정체성(task identity), 과업중요성(task significance), 자율성(autonomy), 결과의 피드백(feedback)이다. **정답 ④**

16 □□□ 2018년 군무원

핵크만(Hackman)과 올드햄(Oldham)이 주장한 직무특성이론의 중요심리상태 중 의미감(meaningfulness)과 관련이 있는 것으로 가장 옳지 않은 것은?

① 과업정체성(task identity)
② 과업중요성(task significance)
③ 자율성(autonomy)
④ 기술다양성(skill variety)

해설

핵심직무특성차원은 각각 의미감(meaningfulness), 책임(responsibility), 지식(knowledge)이라는 특정한 중요심리상태를 형성하는 경우에만 개인 및 작업성과에 긍정적인 영향을 미치게 된다. 여기서 의미감은 핵심직무특성차원 중 기술다양성, 과업정체성, 과업중요성과 관련되어 있고, 책임은 핵심직무특성차원 중 자율성과 관련되어 있으며, 지식은 핵심직무특성차원 중 결과의 피드백과 관련되어 있다.　　**정답 ③**

17 □□□ 2017년 국가직

핵크맨(Hackman)과 올드햄(Oldham)이 제시한 직무특성모형에서 핵심직무차원에 해당하는 것만을 모두 고른 것은?

ㄱ. 기술다양성	ㄴ. 과업표준성
ㄷ. 과업정체성	ㄹ. 과업중요성
ㅁ. 과업교차성	ㅂ. 자율성 · 피드백

① ㄱ, ㄴ, ㄷ, ㄹ
② ㄱ, ㄷ, ㄹ, ㅂ
③ ㄴ, ㄷ, ㄹ, ㅁ
④ ㄴ, ㄹ, ㅁ, ㅂ

해설

직무특성모형에서 핵심직무차원에는 기술다양성, 과업정체성, 과업중요성, 자율성, 결과의 피드백이 있다.　　**정답 ②**

18 □□□ 2013년 국가직

직무특성이론에서 주장하는 핵심직무특성에 대한 내용으로 옳지 않은 것은?

① 기술다양성: 직무를 수행하는 데 요구되는 기술의 종류가 얼마나 다양한가를 의미한다.
② 과업정체성: 직무가 독립적으로 완결되는 것을 확인할 수 있는 정도를 의미한다.
③ 직무혁신성: 개인이 수행하는 직무가 조직 혁신에 어느 정도 기여할 수 있는가를 의미한다.
④ 피드백: 직무 수행 도중에 직무의 성과와 효과성에 대해 직접적이고 명확한 정보를 획득할 수 있는 정도를 의미한다.

해설

핵크만(Hackman)과 올드햄(Oldham)이 주장한 직무특성이론에서 핵심직무특성차원은 기술다양성, 과업정체성, 과업중요성, 자율성, 결과의 피드백이다. ③번에서 제시한 개인이 수행하는 직무가 조직 혁신에 어느 정도 기여할 수 있는가는 과업중요성을 의미한다.　　**정답 ③**

19 □□□ 2018년 군무원

인적자원의 예측기법에 대한 다음 설명 중 가장 옳지 않은 것은?

① 하향적 접근법은 주로 인력수요를 예측하는 데 있어 상위계층의 주도하에 수요를 예측하는 것이다.
② 인적자원의 조절은 인력의 수급이 일치하지 않을 때 수요 및 공급이 시행된다.
③ 델파이법(Delphi method)은 회귀식을 만들어낸다.
④ 공급예측기법에는 마코브분석(Markov analysis)과 기술목록(skill inventory)이 있다.

해설

델파이법(Delphi method)은 특정 문제에 있어서 다수 전문가들의 의견을 종합하여 미래의 상황을 예측하고자 하는 방법이다. 회귀식을 만들어
내는 방법은 회귀분석법이다. **정답 ③**

20 □□□ 2014년 국가직

인력 채용 시에 외부 모집의 유리한 점으로 옳은 것은?

① 승진 기회 확대로 종업원 동기부여 향상　　② 조직 분위기 쇄신 가능
③ 모집에 소요되는 시간, 비용 단축　　④ 채용된 기업의 문화에 대한 적응이 쉬움

해설

②번은 외부 모집의 유리한 점에 해당하고, 나머지는 내부 모집의 유리한 점에 해당한다. **정답 ②**

21 □□□ 2021년 서울시

인력 선발 과정에 적용되는 일반적인 기준에 대한 설명으로 가장 옳지 않은 것은?

① 신뢰성은 성과측정이 확률적 오차로부터 자유로운 정도를 의미한다.
② 일반화는 선발도구로부터의 성과가 직무로부터의 성과를 반영하는 정도를 나타낸다.
③ 유용성은 선발방법에 의한 정보가 조직의 최종적인 효과성을 높이는 정도를 뜻한다.
④ 합법성은 선발방법이 기존의 법률과 관례에 부합해야 한다는 것을 의미한다.

해설

인력 선발 과정에는 신뢰성, 타당성, 일반화, 유용성, 합법성의 5가지 기준이 존재하고 이 중 합법성을 제외하고는 서로 관련성을 가지고 있다. 이 중
에 일반화는 한 상황에서 확립된 선발도구의 타당성을 다른 상황에도 적용할 수 있는 정도를 나타낸다. 선발도구로부터의 성과가 직무로부터의 성
과를 반영하는 정도는 타당성에 대한 설명이다. **정답 ②**

22 ☐☐☐ 2018년 군무원

선발면접에서 뒷면접자가 앞면접자의 평가에 의해 영향을 받는 평가오류로 가장 옳은 것은?

① 후광효과(halo effect)
② 투사효과(projection)
③ 시간적 오류(time error)
④ 대비오류(contrast error)

해설

대비오류는 지각대상을 평가함에 있어서 다른 대상과 비교해서 평가함으로써 범하게 되는 평가오류이다.
① 후광효과는 어떤 대상이 가지는 개인적 특성으로 인해 대상에 대한 평가에 영향을 주는 평가오류이다.
② 투사효과는 평가대상에 지각자의 감정을 귀속시키는 데서 발생하는 평가오류이다.
③ 시간적 오류는 대상을 평가할 때 받은 지각의 순서에 따라 평가결과가 달라지는 평가오류이다.

정답 ④

23 ☐☐☐ 2018년 군무원

신뢰도 검증방법에 대한 다음 설명 중 가장 옳지 않은 것은?

① 시험 - 재시험법은 동일한 대상에게 동일한 시험을 시간적 간격을 두고 재실시하는 방법이다.
② 양분법은 시험내용이나 문제를 반으로 나누어 검사한 후 비교하는 방법이다.
③ 대체형식법은 동일한 시험을 다시 실시하는 것이다.
④ 신뢰성이란 같은 것을 일관성 있게 측정할 수 있는 선발도구의 능력을 말한다.

해설

대체형식법은 난이도가 유사한 시험으로 대체하여 평가한 후에 결과를 비교하는 방법이고, 동일한 시험을 다시 실시하는 것은 시험 - 재시험법이다.

정답 ③

01 □□□

직무계획에 대한 다음 설명 중 가장 옳지 않은 것은?

① 직무기술서(job description)는 해당 직무를 수행하는 작업자가 갖추어야 하는 자격요건(인적 특성)을 그 내용으로 한다.
② 직무전문화(job specialization)는 동일 작업자가 수행하는 다양한 종류의 과업을 숫자 면에서 감소시키는 것을 의미한다.
③ 직무충실(job enrichment)은 수직적 직무확대를 의미한다.
④ 준자율적 작업집단(semi-autonomous workgroup)은 몇 개의 직무들이 하나의 작업집단을 형성하게 하여 이를 수행하는 작업자들에게 어느 정도의 자율성을 허용해 주는 것이다.

> **해설**
>
> 해당 직무를 수행하는 작업자가 갖추어야 하는 자격요건(인적 특성)을 그 내용으로 하는 것은 직무명세서(job specification)이다. **정답 ①**

02 □□□ 2016년 경영지도사 수정

직무분석의 방법에 해당되지 않는 것은?

① 면접법
② 질문지법
③ 요소비교법
④ 관찰법

> **해설**
>
> 요소비교법은 직무평가의 방법에 해당한다. **정답 ③**

직무분석에 관한 설명으로 옳은 것은?

① 직무의 내용을 체계적으로 정리하여 직무명세서를 작성한다.
② 직무수행자에게 요구되는 자격요건을 정리하여 직무기술서를 작성한다.
③ 직무분석과 인력확보를 연계하는 것은 타당하지 않다.
④ 직무분석은 작업장의 안전사고 예방에 도움이 된다.

해설

① 직무의 내용을 체계적으로 정리하여 직무기술서를 작성한다.
② 직무수행자에게 요구되는 자격요건을 정리하여 직무명세서를 작성한다.
③ 직무분석과 인력확보를 연계하는 것이 타당하다.

정답 ④

직무기술서(job description)에 포함되는 것을 모두 고른 것은?

ㄱ. 직무내용	ㄴ. 필요한 지식
ㄷ. 직무수행방법	ㄹ. 작업조건
ㅁ. 요구되는 능력	

① ㄱ, ㄴ, ㄷ
② ㄱ, ㄷ, ㄹ
③ ㄴ, ㄷ, ㅁ
④ ㄷ, ㄹ, ㅁ

해설

직무기술서에는 직무내용, 직무수행방법, 작업조건 등이 포함되고, 직무명세서에는 필요한 지식, 요구되는 능력 등이 포함된다.

정답 ②

직무기술서에 포함되는 사항이 아닌 것은?

① 요구되는 지식
② 작업조건
③ 직무수행의 절차
④ 수행되는 과업

해설

직무기술서는 직무의 내용, 직무수행에 필요한 원재료 및 설비, 작업도구, 작업조건, 직무수행방법 및 절차 등이 직무특성분석에 의한 과업요건에 중점을 두고 기록되고, 직무명세서는 해당 직무를 수행하는 직무수행자가 갖추어야 하는 자격요건(인적 특성)을 그 내용으로 한다.

정답 ①

06 □□□ 2019년 경영지도사 수정

직무수행에 요구되는 지식, 기능, 행동, 능력 등을 기술한 문서는?

① 역량평가서
② 직무명세서
③ 직무평정서
④ 직무기술서

해설

직무기술서는 직무의 내용, 직무수행에 필요한 원재료 및 설비, 작업도구, 작업조건, 직무수행방법 및 절차 등 직무특성분석에 의한 과업요건에 중점을 두고 기록되고, 직무명세서는 해당 직무를 수행하는 직무수행자가 갖추어야 하는 자격요건(인적 특성)을 중심으로 기록된다. 따라서 직무수행에 요구되는 지식, 기능, 행동, 능력 등을 기술한 문서는 직무명세서가 된다. **정답②**

07 □□□ 2020년 가맹거래사 수정

직무분석 및 직무평가에 관한 설명으로 옳지 않은 것은?

① 직무평가란 공정한 임금구조 마련을 위해 직무의 상대적 가치평가를 하는 과정이다.
② 직무기술서는 직무에 대한 정보를 직무의 특성에 초점을 두고 작성한 문서이다.
③ 직무명세서는 직무를 수행하기 위해 직무담당자가 갖추어야 할 최소한의 인적 요건을 기술한 문서이다.
④ 직무분석 방법에는 서열법, 점수법, 분류법이 있다.

해설

직무분석 방법에는 경험법, 관찰법, 질문지법, 면접법, 중요사건기록법 등이 있다. 서열법, 점수법, 분류법은 직무평가 방법에 해당한다. **정답④**

08 □□□

직무분석(job analysis)과 직무평가(job evaluation)에 대한 설명으로 가장 옳지 않은 것은?

① 직무평가는 직무의 상대적 가치를 평가하는 것이며 담당자의 평가를 위한 것은 아니다.
② 직무평가는 직무의 중요도, 난이도, 위험도 등의 평가요소에 의해 직무 간의 상대적인 가치를 결정하는 과정이다.
③ 직무평가는 직무분석에 의해 작성된 직무기술서나 직무명세서를 기초로 하여 이루어진다.
④ 직무분석은 특정 직무에 적합한 특성을 가진 사람을 선발, 배치, 훈련, 보상 등을 하기 위하여 직무담당자의 자질과 능력을 분석하는 것이다.

해설

직무분석의 범위에 직무수행자(직무담당자)는 포함되지 않는다. **정답④**

09 ☐☐☐

기업이나 어떤 조직에 있어서 각 직무가 지니는 상대적 가치를 결정하는 과정을 직무평가(job evaluation)라고 한다. 다음 중 일반적인 직무평가의 방법에 속하지 않는 것은?

① 서열법(ranking method)
② 요소비교법(factor comparison method)
③ 대조법(contrast method)
④ 분류법(job-classification method)

해설

직무평가는 경영자가 종업원의 성과평가를 위한 것이며, 또한 개인적인 개발을 위한 목적으로 이용이 된다. 직무평가방법에는 서열법, 점수법, 분류법, 요소비교법 등이 있다.
정답 ③

10 ☐☐☐ 2024년 공인노무사 수정

다음 특성에 부합되는 직무평가 방법으로 옳은 것은?

- 비계량적 평가
- 직무 전체를 포괄적으로 평가
- 직무와 직무를 상호 비교하여 평가

① 서열법
② 등급법
③ 점수법
④ 분류법

해설

주어진 특성에 부합되는 직무평가 방법은 서열법이다. 등급법 또는 분류법은 미리 등급정의를 위한 직무등급명세표를 만들어 놓고 해당 직무를 해당 등급으로 분류하는 방법을 말하고, 점수법은 모든 직무에 공통적으로 적용될 수 있는 평가요소들을 몇 개의 항목으로 선정하고 각 항목별로 점수를 부여하여 각 항목의 점수합계를 통해 직무의 상대적 가치를 결정하는 방법을 의미한다. 그리고 요소비교법은 조직의 핵심이 되는 기준직무(key job) 몇 개를 우선 선정한 후에 평가대상 직무를 기준직무와 상호비교함으로써 각 직무들 간의 상대적 가치를 결정하는 방법을 의미한다. **정답 ①**

11 ☐☐☐

직무평가의 방법 중 요소비교법(factor comparison method)에 대한 설명으로 가장 옳은 것은?

① 평가자가 포괄적인 지식을 사용하여 직무의 중요성에 따라서 서열을 매긴다.
② 기준직무(key job)를 선정한 뒤 각 직무의 평가요소를 기준직무의 평가요소와 결부시켜 비교한다.
③ 평가자가 각 직무를 사전에 만들어 놓은 여러 등급에 적절히 판정하여 삽입한다.
④ 직무를 각 구성요소로 분해하여 숫자를 사용함으로써 보다 구체적으로 직무의 가치를 결정한다.

해설

①번은 서열법, ③번은 분류법(등급법), ④번은 점수법에 대한 설명이다.
정답 ②

12 ☐☐☐ 2019년 경영지도사 수정

현대적 직무설계방안이 아닌 것은?

① 직무순환
② 직무확대
③ 직무전문화
④ 직무충실화

해설

직무전문화는 전통적 직무설계방안에 해당하고 직무순환, 직무확대, 직무충실화 등은 현대적 직무설계방안에 해당한다.

정답 ③

13 ☐☐☐ 2021년 공인노무사 수정

전통적 직무설계와 관련 없는 것은?

① 분업
② 직무순환
③ 전문화
④ 표준화

해설

전통적(기계적) 접근방법은 직무의 전문화(specialization), 효율성 또는 능률(efficiency), 합리성, 생산성 등을 우선적으로 강조하는 직무설계의 접근법이다. 따라서 직무순환은 현대적 직무설계에 해당한다.

정답 ②

14 ☐☐☐ 2013년 경영지도사 수정

동기부여적 직무설계 방법에 관한 설명으로 옳지 않은 것은?

① 직무 자체 내용은 그대로 둔 상태에서 구성원들로 하여금 여러 직무를 돌아가면서 번갈아 수행하도록 한다.
② 작업배정, 작업스케줄 결정, 능률향상 등에 대해 스스로 책임을 지는 자율적 작업집단을 운영한다.
③ 직무내용의 수직적 측면을 강화하여 직무의 중요성을 높이고 직무수행으로부터 보람을 증가시킨다.
④ 직무세분화, 전문화, 표준화를 통하여 직무의 능률을 향상시킨다.

해설

동기부여적 직무설계 방법이란 현대적 관점에서의 직무설계 방법을 의미하며, 직무세분화, 전문화, 표준화를 통하여 직무의 능률을 향상시키는 것은 고전적 관점에서의 직무설계 방법에 해당한다.

정답 ④

15 □□□ 2019년 가맹거래사 수정

직무충실화(job enrichment)에 관한 설명으로 옳지 않은 것은?

① 작업자가 수행하는 직무에 자율권과 책임을 부과하는 것이다.
② 허쯔버그(F. Herzberg)의 2요인이론에 근거하고 있다.
③ 여러 직무를 여러 작업자들이 순환하며 수행하는 방식이다.
④ 성장욕구가 낮은 작업자에게는 부담스러울 수 있다.

해설

여러 직무를 여러 작업자들이 순환하며 수행하는 방식은 직무순환(job rotation)이다. **정답 ③**

16 □□□

직무설계(job design)에 대한 다음 설명 중 가장 옳지 않은 것은?

① 직무전문화(job specialization)는 동일 작업자가 수행하는 다양한 종류의 과업을 숫자 면에서 감소시키는 것을 의미한다.
② 직무충실(job enrichment)은 한 작업자가 수행하는 기존 과업의 숫자를 늘리되 의사결정과 관련된 권한 내지 책임의 정도는 별로 증가되지 않는 경우이다.
③ 직무교차(overlapped workplace)는 작업자들 간의 상호협력을 통한 능률향상과 직무수행에 따른 싫증 감소를 목적으로 한다.
④ 직무순환(job rotation)은 수평적 및 수직적 측면을 동시에 가지고 있는 직무설계의 형태이다.

해설

직무확대(job enlargement)는 한 작업자가 수행하는 기존 과업의 숫자를 늘리되 의사결정과 관련된 권한 내지 책임의 정도는 별로 증가되지 않는 경우이다. **정답 ②**

17 □□□ 2020년 경영지도사 수정

직무관리에 관한 설명으로 옳지 않은 것은?

① 직무를 수행하는 데 필요한 지식과 능력, 숙련도, 책임 등과 같은 직무상의 요건을 체계적으로 결정하는 과정을 직무분석(job analysis)이라 한다.
② 직무기술서(job description)는 책임과 의무, 근로조건, 다른 직무와의 관계 등을 정리한 것이다.
③ 직무순환(job rotation)은 여러 기능의 습득을 위해 종업원들에게 다양한 직무를 수행하도록 한다.
④ 직무충실화(job enrichment)에서는 종업원이 수행하는 과업의 숫자는 증가하나, 의사결정 권한이나 책임은 별로 증가하지 않는다.

해설

직무충실화(job enrichment)는 한 작업자가 수행하고 있는 직무에 의사결정의 권한과 책임이 추가로 부여되는 과업을 더 할당하는 수직적 직무확대이다. 종업원이 수행하는 기존 과업의 숫자는 증가하나, 의사결정의 권한이나 책임은 별로 증가하지 않는 것은 직무확대(job enlargement)이다. **정답 ④**

18 □□□ 2017년 공인노무사 수정

다음 설명에 해당하는 직무설계는?

- 직무성과가 경제적 보상보다는 개인의 심리적 만족에 있다고 전제한다.
- 종업원에게 직무의 정체성과 중요성을 높여주고 일의 보람과 성취감을 느끼게 한다.
- 종업원에게 많은 자율성과 책임을 부여하여 직무경험의 기회를 제공한다.

① 직무순환
② 직무전문화
③ 수평적 직무확대
④ 직무충실화

해설

직무충실화에 대한 내용이다. 직무충실화(job enrichment)는 한 작업자가 수행하고 있는 직무에 의사결정의 권한과 책임이 추가로 부여되는 과업을 더 할당하는 수직적 직무확대이다. 직무충실화는 허쯔버그(F. Herzberg)의 2요인이론에 근거를 두고 있으며, 작업자에게 의미 있는 직무는 책임감, 성취감, 통제, 피드백, 개인적 성장 및 발전, 작업속도 등의 6가지 요소에 의해 평가된다. **정답 ④**

19 □□□ 2014년 경영지도사 수정

현대적 직무설계 방안에 해당되지 않는 것은?

① 직무순환(job rotation)
② 직무확대(job enlargement)
③ 직무충실화(job enrichment)
④ 직무전문화(job specialization)

해설

직무전문화(job specialization)는 고전적 직무설계 방안에 해당한다. **정답 ④**

20 □□□

직무설계(job design)와 관련된 다음 설명 중 가장 옳지 않은 것은?

① 직무설계는 조직의 목표를 달성하고 직무를 맡고 있는 개인의 욕구를 만족시키기 위한 직무의 내용, 기능 및 관계를 결정하는 것이다.
② 특정 직무가 직무구조의 개선이 불가능하고 스트레스가 많거나 혐오스러운 직무인 경우 직무순환(job rotation)을 통해 분담할 수 있다.
③ 직무충실(job enrichment)은 허쯔버그(F. Herzberg)의 동기부여에 관한 2요인이론에 근거하여 직무에 대한 동기부여가 가능하도록 직무를 재구성해야 한다는 원리를 따른 것이다.
④ 핵크만(R. Hackman)과 올드햄(G. Oldham)에 의하면, 모든 종업원들의 직무를 확대하거나 충실화하여 종업원의 동기부여를 통한 효율을 추구하고 있다.

> **해설**
>
> 직무특성이론에 의하면, 모든 종업원들의 직무를 맹목적으로 확대하거나 충실화해서는 안 되며, 직무의 특성이 종업원의 중요심리상태를 유발하게 되고 이러한 심리상태는 개인의 동기부여와 직무만족에 영향을 미치게 된다. **정답 ④**

21 □□□ 2021년 공인노무사 수정

직무특성모형(job characteristics model)의 핵심직무차원에 포함되지 않는 것은?

① 성장욕구 강도(growth need strength)
② 과업정체성(task identity)
③ 피드백(feedback)
④ 자율성(autonomy)

> **해설**
>
> 핵심직무특성차원에는 기술다양성(skill variety), 과업정체성(task identity), 과업중요성(task significance), 자율성(autonomy), 결과의 피드백(feedback)이라는 다섯 가지가 있다. **정답 ①**

22 □□□ 2019년 경영지도사 수정

핵크만과 올드햄(R. Hackman & G. Oldham)의 직무특성모형에서 5가지 핵심직무특성이 아닌 것은?

① 기능다양성
② 과업정체성
③ 과업중요성
④ 과업전문성

> **해설**
>
> 직무특성모형에서 5가지 핵심직무특성은 기술(기능)다양성, 과업정체성, 과업중요성, 자율성, 결과의 피드백이다. 따라서 과업전문성은 직무특성모형에서의 5가지 핵심직무특성에 해당하지 않는다. **정답 ④**

23 □□□ 2013년 경영지도사 수정

핵크만(R. Hackman)과 올드햄(G. Oldham)의 직무특성모형에서 직무특성화를 위한 5가지 핵심적 특성이 아닌 것은?

① 기능다양성
② 과업정체성
③ 과업중요성
④ 과업몰입도

해설

핵크만(R. Hackman)과 올드햄(G. Oldham)의 직무특성모형에서 직무특성화를 위한 5가지 핵심적 특성은 기술(기능)다양성, 과업정체성, 과업중요성, 자율성, 결과의 피드백이다.

정답 ④

24 □□□

핵크만(R. Hackman)과 올드햄(G. Oldham)의 직무특성모형에서 중요심리상태를 유발시키는 다음 핵심직무차원 중 그 성격이 동일한 것끼리 짝지어진 것은?

A. 기술다양성	B. 과업정체성
C. 자율성	D. 과업중요성

① A, B, C
② A, B, D
③ A, C, D
④ A, B, C, D

해설

자율성은 책임감을 유발시키고, 나머지는 의미감을 유발시킨다.

정답 ②

25 □□□ 2023년 공인노무사 수정

직무특성모형에서 중요심리상태의 하나인 의미충만(meaningfulness)에 영향을 미치는 핵심직무차원을 모두 고른 것은?

ㄱ. 기술다양성	ㄴ. 과업정체성
ㄷ. 과업중요성	ㄹ. 자율성
ㅁ. 피드백	

① ㄱ, ㄴ, ㄷ
② ㄱ, ㄴ, ㅁ
③ ㄴ, ㄷ, ㄹ
④ ㄷ, ㄹ, ㅁ

해설

직무특성모형에서 중요심리상태의 하나인 의미충만(meaningfulness)은 특정 직무가 직무수행자에게 보람과 긍지를 느끼게 해야 한다는 것이다. 핵심직무특성차원 중 기술다양성, 과업정체성, 과업중요성과 관련되어 있다. 그리고 자율성은 책임(responsibility)이라는 중요심리상태와 관련되어 있고, 피드백은 지식(knowledge)이라는 중요심리상태와 관련되어 있다.

정답 ①

26 □□□ 2024년 가맹거래사 수정

직무특성모형의 결과요인으로 옳지 않은 것은?

① 내적인 동기부여 증대
② 작업성과의 질적 향상
③ 과업 정체성의 증가
④ 작업에 대한 만족도 증대

해설

직무특성모형의 결과요인(종속변수)에는 내적인 동기부여 증대, 작업성과의 질적 향상, 작업에 대한 만족도 증대, 이직률 및 결근율 저하가 있고, 과업 정체성의 증가는 핵심직무특성차원(독립변수)에 해당한다. **정답 ③**

27 □□□ 2017년 공인노무사 수정

질적 인력수요 예측기법에 해당하지 않는 것은?

① 브레인스토밍법
② 명목집단법
③ 시나리오 기법
④ 노동과학적 기법

해설

노동과학적 기법은 시간연구(time study)를 기초로 하여 조직의 하위 개별 작업장별로 필요한 인력을 산출하는 기법이다. 따라서 노동과학적 기법은 양적 인력수요 예측기법에 해당한다. **정답 ④**

28 □□□ 2019년 공인노무사 수정

모집 방법 중 사내공모제(job posting system)의 특징에 관한 설명으로 옳지 않은 것은?

① 종업원의 상위직급 승진 기회가 제한된다.
② 외부 인력의 영입이 차단되어 조직이 정체될 가능성이 있다.
③ 지원자의 소속부서 상사와의 인간관계가 훼손될 수 있다.
④ 특정 부서의 선발 시 연고주의를 고집할 경우 조직 내 파벌이 조성될 수 있다.

해설

사내공모제(사내공개모집제도)는 직무에 공석이 생겼을 때 회사가 외부모집을 하기 전에 사내 구성원들에게 사보나 사내게시판을 통해 공지하여 관심 있는 사람들이 지원하게 만드는 방법이다. 따라서 사내공모제가 종업원의 상위직급 승진 기회를 제한하지 않는다. **정답 ①**

29 □□□ 2019년 가맹거래사 수정

내부노동시장에서 지원자를 모집하는 내부모집에 관한 설명으로 옳지 않은 것은?

① 모집과정에서 탈락한 직원들은 사기가 저하될 수 있다.
② 구성원의 사회화기간을 단축시킬 수 있다.
③ 외부모집에 비해 지원자를 정확하게 평가할 가능성이 높다.
④ 빠르게 변화하는 환경에 적응하는 데 외부모집보다 효과적이다.

해설

빠르게 변화하는 환경에 적응하는 데 효과적인 모집방법은 내부모집보다 외부모집이다.　　　　　정답 ④

30 □□□

인적자원의 조달방법 중 내부모집의 장점에 대한 다음 설명 중 가장 옳지 않은 것은?

① 내부 종업원들의 사기진작에 도움이 된다.
② 정확한 평가가 가능하다.
③ 불합격한 사람들에게 쉽게 이해를 구할 수 있다.
④ 광고비나 채용비용을 줄일 수 있다.

해설

내부모집의 단점으로는 불합격된 사람들의 불만이 쌓이게 되면 조직에 위험한 요소로 남을 수 있다.　　　　　정답 ③

31 □□□ 2024년 공인노무사 수정

외부 모집과 비교한 내부 모집의 장점을 모두 고른 것은?

> ㄱ. 승진기회 확대로 종업원 동기 부여
> ㄴ. 지원자에 대한 평가의 정확성 확보
> ㄷ. 인력수요에 대한 양적 충족 가능

① ㄱ
② ㄱ, ㄴ
③ ㄴ, ㄷ
④ ㄱ, ㄴ, ㄷ

해설

인력수요에 대한 양적 충족이 가능한 것은 외부 모집과 관련되어 있다.　　　　　정답 ②

32 ☐☐☐

모집과 선발에 대한 다음 설명 중 가장 옳지 않은 것은?

① 비구조화된 면접은 지원자에게 의사표시의 자유를 최대한 주고 질문하는 방식이다.
② 일반적으로 내부모집보다는 외부모집이 지원자에 대한 정확한 평가가 가능하다.
③ 선발도구의 타당도가 높으면 신뢰도는 높다.
④ 이력서와 추천서는 지원자에 대한 배경정보를 얻는 수단이 된다.

해설

일반적으로 외부모집보다는 내부모집이 지원자에 대한 정확한 평가가 가능하다. **정답 ②**

33 ☐☐☐ 2018년 경영지도사 수정

관리직 인력을 선발할 때 주로 사용하며, 다수의 지원자를 특정 장소에 모아놓고 여러 종류의 선발도구를 적용하여 지원자를 평가하는 방법은?

① 서열법
② 체크리스트법
③ 중요사건기술법
④ 평가센터법

해설

평가센터법은 다수의 지원자를 특정 장소에 며칠 간 합숙시켜 여러 종류의 선발도구를 동시에 적용하여 지원자를 평가하는 방법이다. 관리직 인적자원을 선발할 때 주로 사용하는 선발도구이며 지원자의 능력 및 개인적 특성을 파악하는 데 다른 선발도구보다 우수하다고 알려져 있다. 그러나 선발비용이 많이 발생한다는 단점이 있다. **정답 ④**

34 ☐☐☐ 2015년 공인노무사 수정

선발시험 합격자들의 시험성적과 입사 후 일정 기간이 지나서 이들이 달성한 직무성과와의 상관관계를 측정하는 지표는?

① 신뢰도
② 예측타당도
③ 현재타당도
④ 내용타당도

해설

선발시험 합격자들의 시험성적과 입사 후 일정 기간이 지나서 이들이 달성한 직무성과와의 상관관계를 측정하는 지표는 예측타당도이다. **정답 ②**

35 ☐☐☐ 2022년 경영지도사 수정

실무에 종사하고 있는 직원들에게 시험문제를 풀게 하여 측정한 결과와 그들이 현재 수행하고 있는 직무와의 상관관계를 나타내는 타당도는?

① 현재타당도(concurrent validity)
② 예측타당도(predictive validity)
③ 구성타당도(construct validity)
④ 내용타당도(content validity)

해설

기준타당도는 선발도구의 결과와 실제성과와의 상관계수이고, 통계적인 방법을 통해 측정된다. 이러한 기준타당도는 다시 현직 종업원을 대상으로 측정되는 동시(현재)타당도와 지원자를 대상으로 측정되는 예측(미래)타당도로 구분할 수 있다. 따라서 실무에 종사하고 있는 직원들에게 시험문제를 풀게 하여 측정한 결과와 그들이 현재 수행하고 있는 직무와의 상관관계를 나타내는 타당도는 현재타당도이다. **정답 ①**

36 ☐☐☐

선발도구에 대한 다음 설명 중 가장 옳지 않은 것은?

① 동시타당도(concurrent validity)는 현직 종업원을 대상으로 기준치와 예측치를 결정하는 것이다.
② 예측타당도(predictive validity)는 선발시험에 합격한 사람의 시험성적과 입사 후의 직무성과를 비교하여 검사하는 것이다.
③ 내용타당도(content validity)는 측정대상의 취지를 얼마나 선발도구에 담고 있는가를 측정하는 것이다.
④ 선발오류 중 1종오류(type 1 error)는 선발비율(합격자수/지원자수)의 감소를 통해 줄일 수 있다.

해설

선발오류 중 2종오류(type 2 error)는 선발비율(합격자수/지원자수)의 감소를 통해 줄일 수 있다. **정답 ④**

CHAPTER 03 인적자원의 개발

제1절 교육훈련과 경력개발

1 교육훈련

1. 의의

교육훈련(education & training)이란 인적자원의 직무에 대한 지식이나 기술을 증진시키고 직무태도나 직무행동을 개선함으로써 개인의 자기개발(사회적 효율성)과 기업의 목표달성(경제적 효율성)에 기여하도록 하는 공식적 절차를 의미한다. 즉, 구성원들이 직무를 수행하는 데 필요한 지식, 기술, 능력 등을 배양시켜 조직의 목적을 달성하도록 돕는 과정이라고 정의할 수 있다. 신규로 인적자원을 선발했다면 기업은 선발된 인적자원들이 수행해야 할 직무에 대한 기술직 지식을 습득하고 능력을 최대한 개발할 수 있도록 도움을 줘야 한다. 또한, 현직 종업원의 자질을 높이고 경쟁력을 제고시키기 위한 체계적·종합적인 교육훈련이 필요하다. 물론 교육(education)과 훈련(training)을 별개의 개념으로 보편적 지식을 학습하는 교육과 특정 기능 및 기술을 학습하는 훈련으로 구분할 수도 있지만, 일반적으로 두 개념을 통합하여 교육훈련이라고 한다.

2. 교육훈련 프로세스

교육훈련은 '교육훈련 필요성(수요)분석 → 교육훈련 설계 → 교육훈련 실시 → 교육훈련 평가'의 프로세스를 통해 이루어진다.

(1) 교육훈련 필요성(수요)분석

교육훈련은 조직의 목표를 달성하는 데 그 목적이 있다. 따라서 교육훈련을 실시하기 위해서 조직의 목표를 정확히 파악하고 그 목표를 달성하기 위해 교육훈련이 도울 수 있는 방안을 모색하는 일이 선행되어야 한다. 즉, 조직목표를 달성하기 위해 조직이 어떤 교육훈련을 필요로 하고 있는지 필요성(수요)분석을 해야 한다는 것이다. 이러한 교육훈련의 필요성(수요)분석을 위한 대표적인 방법에는 자료조사법 (records and reports)[62], 작업표본법(work samples)[63], 질문지법(questionnaires)[64], 전문가 자문법 (key consultations)[65], 면접법(interviews)[66], 델파이법(Delphi method)[67] 등이 있다.

---

[62] 자료조사법은 해당 기업이 보유하고 있는 제 기록들을 검토하여 교육훈련의 필요성을 밝혀내는 기법으로서 자료의 종류는 기업마다 매우 다양하다. 예를 들어 종업원 업적기록, 지각률, 이직률, 불량률, 인사평가, 고충처리 내용, 경력개발계획, 조직개발계획, 인력계획, 퇴직자 면접자료 등이 있다.

[63] 작업표본법은 일선 작업장에서 종업원이 수행한 작업결과의 일부를 검토하여 해당 작업자나 작업집단에 대한 교육훈련의 필요성을 판단하는 기법이다. 이 기법의 핵심은 어떤 작업표본을 선택할 것인가에 대해서 비밀이 유지되어야 한다는 점이다.

[64] 질문지법은 종업원을 대상으로 질문지를 통해 태도조사, 문제점 조사 등을 실시하여 교육훈련의 필요성을 파악하는 것이다.

[65] 전문가 자문법은 기업의 내부 및 외부에서 교육훈련 전문가에게 해당 기업의 교육훈련의 필요성을 파악하도록 의뢰하는 것을 말한다. 기업내부의 경우에는 최고경영자나 관리자로 구성된 위원회 등이 전문가로서 활용될 수 있으며, 기업외부의 경우에는 교육훈련 관련 컨설팅 회사의 도움을 받는 것이다.

[66] 면접법은 교육훈련 담당자가 필요하다고 판단되는 종업원을 개인 또는 집단으로 면접함으로써 교육훈련의 필요성에 관한 정보를 획득하는 기법이다.

[67] 델파이법은 교육훈련에 대한 풍부한 경험을 가진 전문가로 구성된 집단이 일련의 과정을 거치면서 교육훈련의 필요성을 파악하는 기법이다.

(2) 교육훈련 설계

교육훈련 수요조사의 결과 교육의 대상과 목표가 결정되면 구체적으로 교육훈련을 설계하여야 한다. 교육훈련의 설계에는 학습자의 준비정도[68], 학습자의 학습유형[69], 교육훈련의 전이[70] 등이 고려되어야 한다.

(3) 교육훈련 실시

교육훈련이 설계되면 시험과정을 거쳐 교육훈련이 실시된다. 교육훈련이 실시되는 단계에서는 교수방법이 중요해진다. 교수방법에 문제가 발생하면 아무리 잘 설계된 교육훈련도 효과가 저하된다. 따라서 교육훈련의 대상과 주어진 조직환경에 따라 교수방법을 적절히 선택하여야 한다.

(4) 교육훈련 평가: 커크패트릭의 교육평가모형

교육훈련의 효과를 측정하는 것은 매우 중요한 부분이지만, 가장 잘 되지않는 부분이기도 하다. 일반적으로 기업은 교육훈련의 지속여부 결정, 교육훈련의 개선, 실무와 교육훈련과의 연계성 강화, 교육훈련의 가치 극대화 등을 목적으로 교육훈련의 효과를 측정한다. 교육훈련의 효과를 평가하기 위해 가장 많이 활용되는 평가모형이 커크패트릭(Kirkpatrick)의 교육평가모형인데, 반응(reaction), 학습(learning), 행동(behavior), 성과(result)의 4가지 평가수준으로 구성되어 있다. 또한, 평가하고자 하는 영역이 분명하며, 단순한 구조로 인해 설명하고 이해하기 쉽다는 특징을 가지고 있다.

① **반응평가**: 교육참가자들이 그 교육훈련에 대해 어떻게 생각하는지를 측정하는 것으로 학습자의 만족도를 측정하는 것이라고 할 수 있다. 즉, 교육참가자가 교육훈련을 통해 받은 인상을 기준으로 교육훈련을 평가하는 것을 말한다. 주로 교육훈련이 끝난 직후 참가자들을 대상으로 설문조사를 실시하여 교육훈련이 유익하였는지, 배운 내용이 양적이나 질적으로 적절하였는지, 흥미가 있었는지를 측정한다.

② **학습평가**: 교육훈련의 참가결과로 얻어진 참가자들의 태도변화, 지식 및 기술의 향상 정도를 의미한다. 교육훈련을 통해 제시된 원리, 사실, 기술에 대한 이해와 습득 정도를 평가수준으로 삼으며, 교육훈련의 목적에 따라 평가내용이 달라질 수 있다. 평가대상자는 학습자이고 평가자는 강사와 진행자이다. 학교에서 실시하는 시험이나 연수원에서 실시하는 평가가 주로 학습평가에 해당하는 평가방법이다.

③ **행동평가**: 교육훈련에 참가한 참가자들의 행동변화를 측정하는 것으로 교육훈련을 통해 습득한 지식이 참가자들에게 실제로 얼마나 잘 전이되었는지를 평가하는 것이다.

④ **성과평가**: 교육훈련의 참가결과가 조직의 개선에 얼마나 기여했는지를 평가하는 것이다. 특히, 교육훈련 실시결과가 조직의 발전과 개선에 미치는 영향을 중시한다. 성과의 지표로서는 불량률, 매출액, 업무수행시간, 비용, 직원 이직률 등이 있으며, 성과지표를 교육 전과 교육 후의 특정 시점을 비교하여 측정한다.

---

68) 교육훈련의 목적과 프로그램이 아무리 훌륭하여도 그 교육훈련을 받는 학습자의 학습능력이 떨어지거나 동기부여가 결여되면 교육훈련의 성공을 기대할 수 없다. 따라서 학습자의 준비정도에 맞게 교육훈련이 설계되어야 한다.

69) 오디오형 학습자(auditory learner), 촉각형 학습자(tactile learner), 비디오형 학습자(visual learner) 등의 학습자의 학습유형을 교육훈련 설계에 반드시 고려하여야 한다. 기업에서 실시하는 교육훈련은 성인들을 대상으로 하는 교육이기 때문에 이들은 스스로 교육훈련을 리드하기를 원하고 추상적이고 이론적인 내용보다는 실무 지향적이고 자신이 하는 업무와 직접적으로 관련이 있는 교육내용을 잘 받아들이는 특성이 있다. 따라서 성인교육인 기업교육은 학습자가 스스로 문제해결을 할 수 있으며, 업무와 관련성이 높은 내용을 학습할 수 있도록 설계되어야 한다.

70) 교육훈련의 전이(transfer of training)란 교육대상자가 교육훈련을 통해 획득한 지식, 기술, 능력을 자신의 업무에 효과적이고 지속적으로 적용하는 것을 말한다. 교육훈련의 전이가 일어나면 교육훈련 참가자는 자신의 담당업무에 교육훈련받은 내용을 적용하고 업무의 성과를 향상시킬 수 있다. 여기서 전이(transfer)는 업무의 개선을 수반할 경우에는 긍정적 효과를 의미하며, 교육훈련의 전이가 오히려 업무의 성과를 저해할 경우에는 부정적인 효과가 될 것이다.

3. 교육훈련 방법

(1) 교육장소별 교육훈련

교육훈련이 이루어지는 장소에 따라 교육훈련을 구분하면 작업장 안에서 교육훈련이 이루어지는 직장 내 교육훈련(on the job training, OJT)과 작업장 밖에서 교육훈련이 이루어지는 직장 외 교육훈련(off the job training, off JT)으로 구분할 수 있다. 이 외에 최근에는 이러닝(e-learning)을 실시하는 기업이 크게 증가하고 있다.

① **직장 내 훈련**: 직무수행과 교육훈련이 동시에 이루어지는 형태의 교육훈련이다. 일반적으로 1명의 교육실시자별로 소수의 교육대상자가 할당된다.

② **직장 외 훈련**: 직무수행과 교육훈련이 별도로 이루어지는 형태의 교육훈련이다. 따라서 직장 외 훈련은 작업장과는 별도로 연수원이나 교육원 등과 같은 교육훈련을 담당하는 전문교육시스템에 의해서 실시된다. 일반적으로 1명의 교육실시자별로 다수의 교육대상자가 할당된다.

③ **이러닝**: 이러닝은 인터넷이나 사내 인트라넷(intranet)을 사용하여 실시하는 온라인 교육을 의미한다. 오늘날 정보기술의 발전과 이러닝 콘텐츠의 개발로 이러닝을 실시하는 기업이 크게 증가하고 있다. 이러닝은 시간과 장소에 구애받지 않고 교육대상자가 학습의 속도를 조절하면서 교육훈련을 실시할 수 있다는 장점이 있지만, 이러닝을 도입하기 위해서는 직원들의 컴퓨터 사용능력이 어느 정도 갖추어져 있어야 하고 최초 도입기에 많은 비용이 예상되므로 최고경영자의 이해와 후원이 필수적이다.

🗒 교육장소별 교육훈련의 장단점

구분	장점	단점
직장 내 훈련	• 교육훈련이 현실적이고 실제적 • 상급자나 동료 간의 협동정신이 강화됨 • 교육훈련과 생산이 직결되어 경제적 • 종업원이 개인적 능력에 따른 교육훈련이 가능함	• 많은 종업원을 한 번에 훈련시킬 수가 없음 • 작업과 교육훈련 모두 철저하지 못할 가능성이 있음 • 통일된 내용을 가진 교육훈련이 어려움 • 작업수행의 지장을 초래할 수 있음
직장 외 훈련	• 많은 종업원에게 통일적으로 수행할 수 있음 • 전문적 지도자 밑에서 집중적으로 교육훈련 받을 수 있음 • 직무부담에서 벗어나 교육훈련에만 전념할 수 있음 • 계획적인 교육훈련이 가능	• 작업시간의 감소와 교육훈련시설 설치 및 이용에 따른 추가적인 경제적 부담이 발생함 • 교육훈련결과를 현장에서 바로 활용하기가 곤란
이러닝	• 시간과 공간의 제약을 초월하여 동시에 많은 직원을 대상으로 교육을 실시할 수 있음 • 피훈련자는 스스로 학습시간을 조정할 수 있음 • 양방향 교육, 상호작용적 교육이므로 오류를 즉시 수정할 수 있음 • 교육내용이 동일하고 표준화되어 있어 훈련의 일관성이 유지됨 • 교육내용을 언제든지 업데이트할 수 있음 • 훈련자 주도의 교육훈련이 이루어짐	• 피훈련자를 불안하게 할 수 있음 • 모든 피훈련자가 이러닝을 잘 받아들이는 것은 아님 • 컴퓨터(인터넷) 접속이 용이하지 않을 수 있음 • 주제에 따라 이러닝이 적합하지 않을 수 있음 • 이러닝의 도입을 위해 많은 비용이 소요됨 • 학습의 효과가 그리 크지 않을 수 있음 • 최고경영자의 적극적인 후원이 없으면 성공하기 어려움

(2) 종업원 교육훈련

① **신입사원 교육훈련**: 신입사원에게 실시되는 교육훈련으로 교육진행순서에 따라 입직훈련, 기초훈련, 실무훈련의 순서로 진행된다.

② **일선작업자 교육훈련**: 일선작업자를 대상으로 실시되는 교육훈련으로 실습장훈련과 도제제도(apprentice program)가 대표적이다. 실습장훈련은 기업 내 작업장 이외의 별도 공간에 설비를 갖춘 실습장을 마련하여 교육대상자에게 교육훈련을 시키는 방법이고, 도제제도는 직장 내 훈련과 직장 외 훈련을 혼합한 방법으로 교육대상자는 일정기간 동안 작업장 내에서 상급자로부터 기능을 배우고 작업장 이외의 일정한 장소에서는 강의에 참가하는 방식으로 실시되는 교육훈련이다.

(3) 경영자 교육훈련

① **일선감독자 교육훈련**: 일선감독자를 대상으로 하는 가장 대표적인 교육훈련에는 작업지시 교육훈련(job instruction training, JIT)과 산업 내 훈련(training within industry, TWI)이 있다. 작업지시 교육훈련은 제2차 세계대전으로 말미암아 미국산업에서 갑자기 수백만 명의 숙련공이 전쟁터로 나가게 됨에 따라 새로이 취업하게 된 많은 미숙련공들에 대해 단기간에 직무에 대한 훈련을 시킬 필요성을 느끼게 되어 우선 훈련요원을 교육시키기 위해 만들어진 교육훈련이고, 산업 내 훈련은 작업지시(job instruction), 작업개선방법(job method), 부하통솔(job relation) 등의 3개 과정을 통해 일선감독자를 교육훈련시키기 위해 고안된 방법으로 실제 사례를 중심으로 일정한 순서를 되풀이함으로써 훈련을 심화하는 데 역점을 둔다.

② **MTP와 AMP**: MTP(management training program)는 페이욜(Fayol)의 관리과정론을 중심으로 작성된 교육훈련으로 중간경영자를 위한 대표적인 교육훈련방법이고, AMP(advanced management program)는 최고경영자의 자질 함양과 능력개발을 위해 개발된 교육훈련으로 MTP에 방침이나 각종 관리에 대한 전문적인 기술이나 지식까지 포함된다.

③ **인 바스켓 교육훈련(in-basket training)**: 경영자의 의사결정능력(개념적 능력)을 제고시키기 위해 개발된 것이다. 훈련실시자는 훈련참가자에게 가상의 기업에 대한 정보, 즉 생산제품, 조직구조, 종업원 정보 등을 제공한 후 이들에게 특정 경영상황에서의 문제해결을 위한 의사결정을 하게 한다. 예를 들어, 해당 부서에서 일어날 수 있는 돌발적·예외적 사건들을 유형별로 분류하여 섞어 놓고 무작위로 선택하여 하나씩 해결해 나감으로써 실제 사건에 앞서 미리 해결법을 습득할 수 있다.

④ **비즈니스 게임(business game)**: 기업의 경쟁상황에서 올바른 의사결정능력(개념적 능력)을 제고시키기 위해 개발된 기법이다. 교육참가자들을 3~5명 규모 정도의 팀으로 구성하고, 상대방 기업과의 경쟁에서 이길 수 있는 경영의사결정을 하도록 한다. 게임 중 시행착오로 인해 발생한 일들에 대해서 게임이 끝난 후에 교육참가자들끼리 토론하면서 교육훈련의 효과를 기대할 수 있다.

⑤ **사례연구(case study)**: 경영자의 의사결정능력(개념적 능력)을 향상시키기 위해 도입된 기법으로 기업에서 일어난 일련의 사례들을 교육참가자들에게 제시하고 참가자들은 이 사례를 해결하기 위해 노력하거나 사례의 해결과정을 교육받는다. 차후에 유사한 사례가 발생했을 경우 문제점을 파악하고 해결하는 과정에 도움을 얻기 위한 교육훈련방법이다.

⑥ **역할연기법(role playing)**: 경영자뿐만 아니라 일반 종업원을 대상으로 인간관계에 대한 태도 개선 및 인간관계기술을 향상시키기 위한 교육훈련방법이다. 경영자와 하급자가 각각 역할을 바꾸어 수행해 봄으로 인해 서로의 인간관계를 개선할 수 있다.

⑦ **행동모형법(behavior modeling)**: 경영자 및 일반 종업원에게 어떤 상황에 대한 가장 이상적인 행동을 제시하고 교육참가자가 이를 이해하고 따라하면서 모방하도록 하게 하여 행동변화를 유도하는 교육훈련방법이다. 역할연기법은 교육참가자가 주어진 상황에 대한 행동을 본인 스스로 결정하여 연기하지만, 행동모형법에서의 교육참가자는 행동의 종류를 선택할 여지가 없으며 주어진 행동을 반복하여 습득하는 것이다.

⑧ **상호교류분석법(transactional analysis):** 개인으로 하여금 자신의 행동에 대한 인식을 높임으로써 행동개선을 유도하는 교육훈련방법이다. 개인의 행동은 부모(parents), 성인(adult), 어린아이(child) 등 세 가지의 자아형태에서 형성된다고 가정하고 성인으로서의 행동을 조성해 나가는 것이 이 교육훈련의 목적이 된다. 즉, 개인의 특성이나 인간관계의 유형을 다양하게 분석하여 개인이나 집단의 성숙을 목표로 하는 기법이다. 에릭 번(Eric Berne)은 인간관계의 유형에 따라 개인을 부모(parents)의 자아, 어린아이(child)의 자아, 성인(adult)의 자아로 구분할 수 있으며, 가장 이상적인 자아는 성인의 자아라고 주장하였다. 자아인식과 의사소통 개선을 통해 다른 사람이 자신에 대해 올바른 평가를 하게 되고 밀접한 관계도 형성된다.

⑨ **대역법(understudy):** 경영자를 대상으로 직무지식을 획득하기 위한 교육기법이다. 이 기법은 특정 부서의 직속상사 밑에서 미래에 그 자리를 승계할 예정에 있는 자가 같이 일을 하면서 업무에 관한 내용을 교육받는 방법이다. 이 방법은 직장 내 교육훈련(OJT)이 동시에 포함되는데, 우수한 상사가 반드시 우수한 교육자는 아니라는 점을 유념하여야 한다.

⑩ **청년중역회의법(junior board of director):** 중간경영자 또는 하위경영자들에게 조직 전반에 대한 지식을 축적하는 데 도움을 주기 위해 일정기간 동안 중역의 역할을 맡겨 보고 주기적으로 모여 상호 토의하게 하는 교육훈련방법이다. 이를 통해 교육대상자는 보다 넓은 안목을 가질 수 있고 중역으로서의 자질을 키워 나가게 되며, 하급자들의 의견을 실제 중역회의에 전달하는 역할을 수행한다.

🗐 경영자의 능력과 교육훈련방법

개념적 능력(의사결정능력)	인간적 능력(인간관계능력)	기술적 능력(직무나 조직의 지식)
• 인 바스켓 교육훈련 • 비즈니스 게임 • 사례연구	• 역할연기법 • 행동모형법 • 상호교류분석법	• 대역법 • 청년중역회의법

(4) 액션러닝

액션러닝(action learning)은 조직구성원이 팀을 구성하여 동료와 촉진자(facilitator)의 도움을 받아 실제 업무의 문제를 해결함으로써 학습을 하는 훈련방법이다. 즉, 조직 내 시시각각 발생하는 실무적 문제를 해결하는 데 있어서 '행함으로써 배움(learning by doing)'이라는 개인학습의 원리와 협동작업에 의해 문제해결을 보다 효과적으로 추진함으로써 조직의 학습과정을 획기적으로 개선하는 것이다. 따라서 액션러닝은 현장경험(on-the-job experience)을 가장 중시하며, 과제, 학습자집단, 실행전략, 질문과 성찰, 학습에 대한 몰입, 촉진자라는 여섯 가지 요소로 이루어져 있다.

2 경력개발

1. 의의

경력개발(career development)이란 개인측면에서는 한 개인이 일생에 걸쳐 일과 관련하여 얻게 되는 경험을 통해 자신의 직무관련태도, 능력 및 성과를 향상시켜 나가는 과정이고, 조직측면에서는 한 개인이 입사로부터 퇴직에 이르기까지의 경력경로를 개인과 조직이 함께 계획하고 관리하여 개인욕구와 조직목표를 달성해가는 총체적 과정이다. 따라서 경력개발은 조직의 목적과 인적자원의 목적을 통합시켜 인적자원의 경력경로를 체계적으로 계획하고 조정하는 과정을 의미한다. 경력개발을 통해 인적자원은 능력을 최대한 발휘할 수 있으며 조직은 인적자원의 능력을 활용하여 조직의 성과를 높일 수 있다. 일반적으로 경력개발은 경력계획(career planning), 경력경로(career path), 경력목표(career objectives)로 구성된다.

(1) 경력계획

조직의 목표와 인적자원의 목표를 정확히 파악하여 인적자원의 경력목표를 달성할 수 있게 경력경로를 설계하는 과정이다.

(2) 경력경로

인적자원이 조직에서 여러 종류의 직무를 수행함으로써 경력을 쌓게 될 때 수행할 직무들의 배열이다. 경력경로는 전통적 경력경로(traditional career path)[71], 네트워크 경력경로(network career path)[72], 이중 경력경로(dual career path)[73] 등의 형태가 있다[74].

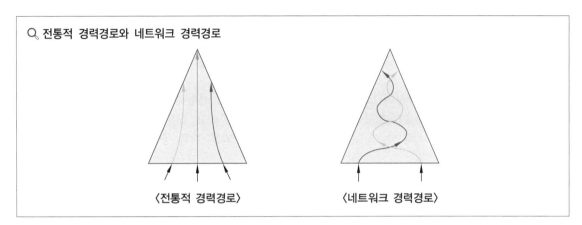

Q **전통적 경력경로와 네트워크 경력경로**

〈전통적 경력경로〉   〈네트워크 경력경로〉

(3) 경력목표

샤인(Schein)에 의하면 개인에 따라 경력목표는 다르게 나타나며, 경력개발의 최종점을 경력의 닻(career anchor)이라고 하였다. 샤인은 이러한 경력의 닻으로 전문역량 닻(전문지식 중심), 관리역량 닻(관리능력 중심), 안전·안정 닻(안정 중심), 기업가적 창의성 닻(창의성 중심), 자율성·독립성 닻(자율과 독립 중심), 봉사 닻(봉사 중심), 도전 닻(호기심, 다양성, 도전 중심), 라이프스타일 닻(균형, 조화 중심) 등을 제시하였다. 따라서 인적자원들은 이러한 경력의 닻 중에서 하나를 선택하여 경력목표를 설정하게 된다.

---

71) 개인이 경험하는 조직 내 직무들이 수직적으로 배열되어 있는 경우이다. 즉, 개인이 특정 직무를 몇 년간 수행한 후에 개인은 유사한 수준의 다른 직무를 수행하는 것이 아니라 상위 수준의 직무를 수행하는 것이다. 해당 직급 내 하나의 직무만 수행한 후 승진하는 경우이다.

72) 개인이 조직에서 경험하는 직무들이 수평적 뿐만 아니라 수직적으로도 배열되어 있는 경우이다. 즉, 해당 직급 내 여러 직무를 개인이 수행한 후 상위직급으로 이동하는 경우이다.

73) 원래 기술직종 종사자들을 대상으로 개발된 것으로서 이들이 어느 정도 직무경험을 쌓았을 때 관리직종으로 보내지 않고 계속 기술직종에 머물게 함으로써 그들의 기술분야 전문성을 높이게 하는 것이다.

74) 과거의 경력경로는 오직 상위직급으로 가기 위한 수직선 모양이었지만, 오늘날에는 부서 간의 경계도 무너지고 개인의 직무도 경계 없이 다양한 경력을 쌓는 것이 중요하기 때문에 경력경로도 수평선 또는 곡선이 많으며, 수직사다리가 아닌 수평사다리 모양으로 변하고 있다. 이러한 경력경로의 새로운 추세로 등장한 것이 프로티안 경력경로(Protean career path) 또는 무경계 경력경로(boundaryless career path)이다. 이는 자신의 경력을 현재 소속한 한 조직으로 제한하지 않고 여러 조직으로 이동하면서 경력을 쌓는 것을 의미한다. 지속적인 학습이나 구체적인 직무에 대한 수행능력보다 전반적인 적응력을 강조하고 고용안정보다는 고용가능성을 강조한다. 이를 통해 직무에 대한 열린 시각과 기업과 종업원의 관계에 대한 새로운 시각을 제공하며, 경력의 공간을 확대할 수 있다.

2. 경력단계

홀(Hall)은 경력단계와 각 단계별 개인이 갖게 되는 경력욕구의 형태를 제시하였다. 경력단계를 거쳐 가면서 인적자원은 수직적인 승진과 강등, 수평적인 직무순환, 중심적 또는 주변적 역할 등을 수행해 나가게 된다. 경력단계는 탐색단계(exploration), 확립단계(establishment), 유지단계(maintenance), 쇠퇴단계(decline)의 순서로 진행된다[75].

(1) 탐색단계

인적자원이 다양한 교육과 경험을 통해 자신에게 적합한 직업을 선정하려고 노력하는 단계이다. 이 단계에서는 직업탐색이 일어나며, 경력 또는 일에 대한 정체성(identity)이 형성된다. 따라서 자신에게 적합한 분야를 탐색하고 이에 따른 직무를 찾아내어 수행하며 전 생애에 걸쳐 걸어갈 경력경로를 설계하는 단계이다.

(2) 확립단계

선택한 직업분야에서 정착하려 노력하고 결국에는 한 직업에 정착하는 단계이다. 이 단계에서는 인적자원이 조직에서 성과를 올리고 승진하면서 경력경로를 수행하고 조직의 경력자로서 조직에게 공헌하게 된다. 또한, 조직에 대해서는 친밀감 및 귀속감을 갖게 되고, 다른 동료들 또는 경쟁자 간에 상당한 경쟁심이 작용하게 된다.

(3) 유지단계

과거에 축적한 경력을 유지해 나가는 단계이다. 이 단계에서 개인의 관심은 오로지 일에 매달리는 것이며 하는 일에 있어 새로운 것은 적으나 일관성이 존재한다. 또한, 개인이 자신을 조직과 동일시하게 되는 경향이 강해지며 자신의 직무를 조직목표와 관련시켜 바라보게 된다.

(4) 쇠퇴단계

인적자원이 자기 자신의 경력에 대해 만족하고 새로운 사생활에 진입하는 단계이다. 즉, 육체적으로나 정신적으로 능력이 쇠퇴하는 단계이며 경력개발에 대한 동기부여가 줄어드는 단계이기도 하다. 이 시기를 통합단계라고도 하는데, 이는 자신의 인생에 대한 의미를 총정리한다는 뜻을 내포하고 있기 때문이다.

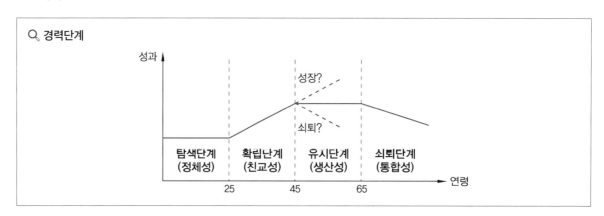

🔍 경력단계

---

75) 홀(Hall)의 경력단계모형에서 단계를 구분하는 연령은 개인마다 문화권마다 다소 차이가 날 수 있겠지만 전체적인 흐름은 본질적으로 유사할 것이다. 이와 같이 개인의 경력욕구는 고정된 것이 아니라 변화를 그 전제로 하고 있다.

3. 멘토링과 조직사회화

(1) 멘토링

멘토링(mentoring)은 다양한 발달기능을 제공하는 부하와 상급자 간 관계 또는 동료 간 관계로 정의된다. 즉 멘토(metor)는 멘티(mentee)에게 역할모델을 제공할 뿐만 아니라 도전적 직무부여, 상담 및 조직에 대한 지식의 제공 등을 통해 그의 대인관계 개발 및 경력관리에 도움을 주는 자로 이해할 수 있다. 멘토의 유형에는 공식적인 멘토와 비공식적인 멘토가 있는데, 공식적인 멘토는 신입사원에게 기존 조직구성원을 특정하여 기업이 공개적으로 정해주는 것을 말하고 비공식적인 멘토는 조직과 상관없이 신입사원과 비공개된 관계를 맺는 것이다.[76]

(2) 조직사회화

조직사회화(organizational socialization)는 개인이 조직에서의 역할을 수행하고 조직구성원으로서 참여하는 데 필요한 가치, 능력, 기대되는 행동, 사회지식 등을 알게 하는 과정을 말한다. 조직은 신입사원이 직무를 수행하고 조직에 적응하는 것을 도와주어야 하고, 신입사원이 조직의 철학을 수용하도록 만들어야 하며 이를 위해 신입사원을 새로운 작업환경에 사회화시켜야 한다. 사회화는 본질적으로 개인의 역할이 새롭게 바뀌는 학습과정이기 때문에 개인의 동기, 직무만족, 조직몰입에 긍정적인 영향을 미치게 되고, 이를 통해 개인과 조직의 성과가 증가하고 종업원의 이직률이 낮아지게 된다. 사회화 과정은 종업원이 조직에 입사하기 전부터 시작되고, 선행사회화(조직진입 전 사회화), 입사(조직과의 대면), 변화와 획득(조직에 정착)의 단계를 거쳐 이루어지게 된다.

4. 인적자원 포트폴리오 분석도

인적자원 포트폴리오 분석도는 개인과 부서의 업무성과와 잠재력이라는 두 가지 차원에서 포트폴리오 분석을 하여 인적자원관리의 방향을 정하였다. 포트폴리오 분석의 결과 가장 바람직한 상태는 '스타'이다. 업무성과도 높고 잠재력도 높기 때문이다. 따라서 업무성과는 높으나 잠재력은 낮은 '일하는 말', 잠재력은 높으나 업무성과는 낮은 '문제아'는 각각 자질과 동기부여를 향상시킴으로써 '스타'로 성장하도록 하는 것이 인적자원개발의 목표가 되어야 한다. 이에 비해서 업무성과 잠재력이 모두 낮은 '죽은 나무'는 현재의 성과도 낮을 뿐만 아니라 미래 성장가능성도 낮기 때문에 인적자원에 대한 투자를 계속하는 것은 의미가 없다고 판단된다. 이들을 위해서는 퇴직관리 프로그램을 가동하여 퇴출될 수 있도록 유도하는 것이 바람직한 관리방향으로 간주된다. 그리고 일단 '스타'로 평가받았으나 경영자로부터 지속적인 관심과 관리가 소홀해지면 '문제아'로 전락할 위험이 항상 도사리고 있다. 그러므로 기업은 핵심인력관리 차원에서 '스타' 인력에 대한 지속적인 관심과 더불어 개인이 만족할만한 수준의 보상관리가 지속될 수 있어야 한다.

---

76) 이 외에도 멘토는 1차적 멘토(primary mentor)와 2차적 멘토(secondary mentor)로 구분할 수도 있다. 1차적 멘토는 어떤 이슈가 발생하였을 때 가장 먼저 도움을 청하는 사람으로 거의 모든 영역에서 일반적인 도움을 줄 수 있는 자로서 선배, 가족 등이 해당된다. 2차적 멘토는 특정 관심영역에 대해 도움을 제공하는 자로서 전문적 지식을 가진 사람이 된다.

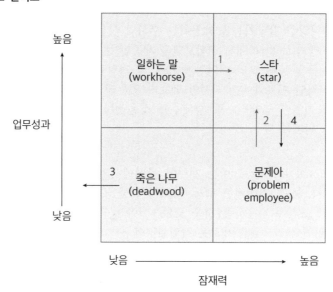

🔍 **인적자원 포트폴리오 분석도**

<범례>
1. '일하는 말'을 교육훈련시켜 자질을 향상시킴으로써 '스타'가 될 수 있도록 관리한다.
2. '문제아'들을 경영자가 리더십을 발휘하여 동기부여 시킴으로써 '스타'가 될 수 있도록 관리한다.
3. '죽은 나무'에 대한 투자를 중단하고 조속한 시일 내에 퇴출될 수 있도록 관리한다.
4. '스타'같은 핵심인력에 대한 관리가 부실하면 '문제아'로 전락할 수 있으므로 동기부여와 보상관리에 만전을 기한다.

제2절 전환배치와 승진

1 전환배치

1. 의의

전환배치(reassignment & transfer)[77]란 동일 수준의 다른 직무로 수평이동[78]하는 것을 의미한다. 전환배치는 임금, 지위, 권한, 책임 등의 수준에 변화가 따르지 않는 이동으로 적재적소적시(right man, right place, right timing)의 원칙, 인재육성의 원칙, 균형의 원칙 등이 존재한다.

---

[77] 전환배치는 기본적으로 개인의 경력개발이라는 차원에서 이루어져야 한다. 그러나 기업실무에서 일어나는 전환배치는 경력개발 차원뿐만 아니라 종업원의 개인적 상황(주거위치, 배우자의 직장위치, 자녀의 교육문제 등) 등을 고려하여 전환배치를 통한 인적자원의 만족을 극대화시키는 방향으로 실시되는 경우가 존재한다.

[78] 인적자원의 조직 내 이동은 수평적 이동과 수직적 이동이 있다. 수평적인 이동은 새로 맡을 직무가 기존의 직무와 비교해 볼 때 권한, 책임, 보상 측면에서 별다른 변화가 없는 경우를 말하는데 이를 전환배치라고 한다. 반면에 수직적인 이동 중 상향적 이동은 승진(promotion)을 말하는데, 새로 배치된 직무가 기존의 직무에 비해 권한, 책임, 보상이 증가하는 경우를 말한다. 반대로 하향적 이동은 강등(demotion)이라고 한다.

(1) 적재적소적시의 원칙

인적자원을 전환배치함에 있어서 해당 인적자원의 '능력(적성) – 직무 – 시간'이라는 세 가지 측면을 모두 고려하여 이들 간의 적합성(fitness)을 극대화시켜야 한다는 원칙이다.

(2) 인재육성의 원칙

인적자원에게 전환배치를 실시함으로써 인적자원의 다양한 능력이 신장될 수 있도록 해야 한다는 원칙이다.

(3) 균형의 원칙

적재적소적시의 원칙과 인재육성의 원칙을 실행함에 있어서 조직전체의 상황을 고려하여 전환배치를 해야 한다는 원칙이다. 즉, 개별 인적자원이 보유하고 있는 능력과 성장욕구들을 현재 존재하는 직무들이 100% 충족시킬 수 없을 때, '능력 – 직무', '성장욕구 – 직무' 간의 적합성 정도를 상대적으로 극대화시켜야 한다는 것이다.

2. 유형

전환배치에는 생산 및 판매변화에 의한 전환배치, 교정적 전환배치(remedial transfer), 교대근무(shift transfer), 순환근무(job rotation) 등이 있다.

(1) 생산 및 판매변화에 의한 전환배치

제품시장의 환경변화로 인해 생산 및 판매상황이 변화되었을 때 인적자원의 수요와 공급을 조절하기 위해 전환배치가 시행될 수 있다.

(2) 교정적 전환배치

다양한 갈등상황을 극복하기 위해 해당 인적자원을 다른 작업집단 또는 직무로 전환배치하는 것이다.

(3) 교대근무

경력개발과 관계없이 수행하는 전환배치의 형태로 업무는 변화하지 않고 근무시간만 바뀌는 것이다.

(4) 순환근무

경력개발의 목적으로 실시되는 전환배치의 형태로 인적자원이 특정 직무에 너무 오래 근무했을 경우에 발생할 수 있는 과도한 전문화 또는 매너리즘(mannerism)에 빠지는 것을 방지하기 위해 도입된다. 뿐만 아니라 경력계획의 일환으로 새로운 직무를 수행하게 함으로써 기술다양성(skill variety) 내지 능력신장을 할 수 있는 기회를 제공하여 해당 인적자원의 경력욕구를 충족시키기 위해 도입된다.

2 승진

1. 의의

승진(promotion)이란 인적자원이 한 직무에서 더 나은 직무로 또는 한 지위에서 더 높은 지위로 이동하는 수직적 이동을 의미한다. 따라서 승진은 임금, 지위, 권한, 책임 등의 수준이 높아지게 된다. 그러나 단지 직위명칭만 상승하는 경우도 있다. 조직은 인적자원의 승진과 관련하여 다양한 정책을 사용할 수 있는데, 대표적인 승진기준에는 연공주의(seniority)와 능력주의(competence orientation)가 있다.

(1) 연공주의

한 조직 또는 해당 직급에서 개인의 근속기간을 의미하는 연공이 높은 인적자원을 우선적으로 승진시켜야 한다는 관점이다.

(2) 능력주의

승진후보자가 보유하고 있는 능력을 기준으로 능력이 높은 인적자원을 우선 승진시켜야 한다는 관점이다.

2. 기본원칙

(1) 적정성의 원칙

해당 기업이 인적자원에게 어느 정도의 승진기회[79]를 부여하느냐와 관련된 원칙이다. 즉, 조직구성원이 일정한 정도의 공헌을 했을 때 어느 정도의 승진기회를 받아야 하는지에 대한 크기의 적정성을 말한다.

(2) 공정성의 원칙

조직이 조직구성원에게 나누어 줄 수 있는 승진기회를 올바른 사람에게 배분했느냐와 관련되는 원칙이다. 이 원칙은 절대적인 것이 아니고 상대적인 것이기 때문에 지켜지지 않을 경우에는 조직 내 구성원들 간의 갈등을 유발시키는 원인이 된다.

(3) 합리성의 원칙

조직구성원이 조직의 목표달성을 위해 공헌한 내용을 정확히 파악하기 위하여 무엇을 공헌으로 간주할 것인가에 관련되는 원칙이다.

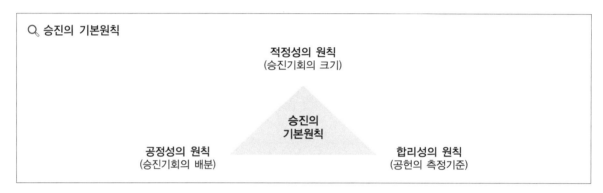

Q 승진의 기본원칙

적정성의 원칙
(승진기회의 크기)

승진의
기본원칙

공정성의 원칙
(승진기회의 배분)

합리성의 원칙
(공헌의 측정기준)

3. 형태

승진의 형태에는 여러 가지가 있는데, 가장 대표적인 승진의 형태에는 직급(역직 또는 직책)승진, 자격승진, 대용승진(surrogate promotion), 조직변화승진(organization change promotion, OC승진), 직계(직위)승진(position promotion) 등이 있다.

(1) 직급승진

연공주의나 능력주의에 입각하여 인적자원을 상위직급으로 이동시키는 것이다. 직급승진을 위해서는 상위직급의 특정 직무 또는 지위가 공석이 되어야 하므로 인적자원 간의 경쟁이 발생하게 되며, 이로 인해 상대평가가 요구된다. 직급승진은 승진이 된 인적자원에게는 권한, 책임, 보상의 증가가 수반되지만, 상위직급이 T/O에 묶여 직급승진이 원활하게 이루어지지 않을 때에는 승진정체인력의 사기저하가 발생할 수 있고 이로 인해 다른 조직으로 이동하는 결과를 초래할 수 있다.

---

79) 승진기회는 승진보상이라고도 한다.

(2) 자격승진

인적자원이 갖추고 있는 직무수행능력(직능)을 기준으로 승진시키는 제도이다. 자격승진은 상위직능등급에 대한 T/O의 개념이 없기 때문에 누구라도 해당 직능을 갖추게 되면 상위직능등급으로 승진이 가능하다. 따라서 인적자원 간 경쟁이 발생하지 않으며, 이들에 대한 직능의 평가는 절대평가가 요구된다. 이러한 제도를 소위 '직능자격제도'라고도 하는데, 기업은 직종별 직급과 직능의 수준을 분리하여 관리하게 된다. 기업이 직능자격제도를 도입하는 이유는 인적자원의 능력신장을 인정하고 인적자원으로 하여금 능력신장을 위해 노력하도록 자극을 주는 데 있다. 뿐만 아니라 승진정체현상으로 인해 유능한 인재가 해당 기업을 떠나지 못하게 하기 위해 도달한 능력의 수준을 공식적으로 인정하는 데 있다. 직능자격제도하에서는 개인의 직능이 상위등급으로 이동할 경우 자격의 상승을 의미하기 때문에 '승격'이라고도 한다.

(3) 대용승진

직무내용이나 보상 등의 실질적인 변동 없이 직급명칭 또는 자격명칭만 변경되는 형식적 승진으로 준승진(quasi-promotion) 또는 건조승진(dry promotion)이라고도 한다. 대용승진은 조직내부 사정상 승진정체로 인해 조직분위기가 정체되었을 경우나 인적자원이 대외업무를 수행하는 경우에 접촉고객의 해당 인적자원에 대한 신뢰감을 높이기 위해 도입하게 된다.

(4) 조직변화승진

승진대상자에 비해 승진대상직위가 부족한 경우에 조직변화를 통해 승진대상직위를 늘림으로써 인적자원들에게 (직급)승진의 기회를 확대하는 방법이다.

(5) 직계(직위)승진

직무주의에 입각하여 직무의 분석·평가·분류가 이루어진 후에 직무의 자격요건에 따라 적격자를 선정하여 승진시키는 방법이다. 직계(직위)승진에서는 구성원의 역량구조와 직계요건이 일치되어야 한다. 승진이 이렇게 이루어지게 되면 자리에 맞는 최적의 승진자를 선발하게 되므로 이론적으로는 최적의 승진제도라고 할 수 있는데, 현실적으로는 구성원 역량구조와 직계요건이 일치하기가 어렵다. 또한, 급격한 환경변화에 따라 직무요건에 변화가 발생하는 경우가 많기 때문에 직계구조가 안정적이지 않은 경우도 적지 않다. 따라서 이 제도는 다른 승진제도와 보완하여 융통성 있게 활용되는 경우가 많다.

01 ☐☐☐ 2018년 국가직

OJT(On the Job Training)에 대한 설명으로 옳지 않은 것은?

① 보통 훈련전문가가 담당하기 때문에 훈련의 효과를 믿을 수 있다.
② 피훈련자는 훈련받은 내용을 즉시 활용하여 업무에 반영할 수 있다.
③ 기존의 관행을 피훈련자가 무비판적으로 답습할 가능성이 있다.
④ 훈련자와 피훈련자의 의사소통이 원활해진다.

해설

훈련전문가가 교육훈련을 담당하는 교육훈련의 유형은 직장 외 교육훈련(off the job training, off JT)이다.   정답 ①

02 ☐☐☐ 2021년 군무원 9급

직장 내 교육훈련(OJT)에 관한 설명으로 가장 옳지 않은 것은?

① 교육훈련 프로그램 설계 시 가장 먼저 해야 할 것은 필요성분석이다.
② 직장상사와의 관계를 돈독하게 만들 수 있다.
③ 교육훈련이 현실적이고 실제적이다.
④ 많은 종업원들에게 통일된 훈련을 시킬 수 있다.

해설

많은 종업원들에게 통일된 훈련을 시킬 수 있는 것은 직장 외 교육훈련이다.   정답 ④

03 ☐☐☐ 2024년 군무원 9급

다음 중 직장 내 교육훈련(OJT)에 관한 설명으로 가장 적절하지 않은 것은?

① 교육훈련 프로그램 설계 시 가장 먼저 해야 할 것은 필요성 분석이다.
② 직장상사와의 친밀감을 제고할 수 있다.
③ 많은 종업원들에게 통일된 훈련을 시킬 수 있다.
④ 교육훈련이 현실적이고 실제적이다.

해설

많은 종업원들에게 통일된 훈련을 시킬 수 있는 것은 직장 외 교육훈련(off JT)이다.   정답 ③

04 ☐☐☐ 2014년 국가직

숙련자가 비숙련자에게 자신의 여러 가지 경영기법을 오랜 기간에 걸쳐 전수해 주는 교육 · 훈련 기법으로서 비공식적으로 진행되는 특징이 있는 것은?

① 코칭
② 멘토링
③ 직무순환
④ 실습장 훈련

해설

숙련자가 비숙련자에게 자신의 여러 가지 경영기법을 오랜 기간에 걸쳐 전수해 주는 교육 · 훈련 기법으로서 비공식적으로 진행되는 특징이 있는 것은 멘토링이다.

정답 ②

05 ☐☐☐ 2017년 서울시

교육훈련의 효과성을 평가하기 위해 커크패트릭(Kirkpatrick)은 4단계 평가 기준을 제안하였다. 평가의 기초를 기준으로 쉬운 것부터 차례대로 나열한 것으로 옳은 것은?

① 학습기준, 반응기준, 결과기준, 행동기준
② 반응기준, 학습기준, 행동기준, 결과기준
③ 행동기준, 결과기준, 반응기준, 학습기준
④ 결과기준, 행동기준, 학습기준, 반응기준

해설

커크패트릭(Kirkpatrick)의 교육평가모형은 평가의 기준을 쉬운 순서대로 반응, 학습, 행동, 성과(결과)의 4가지 평가수준으로 구성되어 있다.

정답 ②

Lepak과 Snell의 인적자본 아키텍처(architecture) 연구에 따라 인적자본의 가치와 독특성을 기준으로 인적자본을 구분할 때, 인적자본의 유형에 대한 설명으로 가장 옳지 않은 것은?

① 인적자본의 가치가 높고, 독특성이 높은 경우 종업원의 몰입을 이끌어 낼 수 있는 인적자원관리가 요구된다.

② 인적자본의 가치가 높고, 독특성이 낮은 경우 조직 내부에서 지속적으로 필요인력을 개발해야 한다.

③ 인적자본의 가치가 낮고, 독특성이 높은 경우 하도급이나 파견인력처럼 제휴의 형태를 취할 수 있다.

④ 인적자본의 가치가 낮고, 독특성이 낮은 경우 인적자원 구성은 조직에 순응하는 모습을 보인다.

해설

Lepak과 Snell의 인적자본 아키텍처(architecture) 연구는 다음과 같다.

		인적자본의 가치	
		높음	**낮음**
인적자원의 독특성	**높음**	지식기반고용 (내부고용형)	제휴-파트너십 (제휴형)
	낮음	직무기반고용 (외부영입형)	계약업무방식 (계약형)

여기서 인적자원의 독특성은 회사의 특유한 지식이나 정보를 가지고 있는 성질을 의미하고, 독특성이 높은 종업원은 제휴-파트너십을 유지하여 지속적으로 활용하는 것이 유리하고 독특성이 낮은 종업원은 계약관계를 형성하는 것이 유리하다. 그리고 인적자본의 가치는 전략적 가치를 의미하는 것으로 가치가 높은 종업원은 내부화하는 것이 유리하고 가치가 낮은 종업원은 외부화하는 것이 유리하다. 따라서 인적자본의 가치가 높고, 독특성이 높은 경우 조직 내부에서 지속적으로 필요인력을 개발해야 한다.　　　　**정답 ②**

01 □□□ 2014년 경영지도사 수정

훈련의 방법을 직장 내 훈련(OJT)과 직장 외 훈련(off JT)으로 구분할 때 직장 외 훈련에 해당되지 않는 것은?

① 강의실 강의 ② 영상과 비디오
③ 연수원교육 ④ 직무순환

해설

직장 내 훈련은 직무수행과 교육훈련이 동시에 이루어지는 형태의 교육훈련이다. 일반적으로 1명의 교육실시자별로 소수의 교육대상자가 할당된다. 직장 외 훈련은 직무수행과 교육훈련이 별도로 이루어지는 형태의 교육훈련이다. 따라서 직장 외 훈련은 작업장과는 별도로 연수원이나 교육원 등과 같은 교육훈련을 담당하는 전문교육시스템에 의해서 실시된다. 일반적으로 1명의 교육실시자별로 다수의 교육대상자가 할당된다. **정답 ④**

02 □□□

다음 중 직장 내 훈련(on-the-job training)의 장점으로 가장 옳지 않은 것은?

① 통일적이고 조직적인 교육이다.
② 교육방법의 개선이 용이하다.
③ 감독자와의 접촉이 원활하다.
④ 종업원의 개인적 능력에 따른 훈련이 가능하다.

해설

통일적이고 조직적인 교육은 직장 외 훈련(off-the-job training)의 장점이다. **정답 ①**

03 □□□ 2021년 공인노무사 수정

교육참가자들이 소규모 집단을 구성하여 팀워크로 경영상의 실제 문제를 해결하도록 하여 문제해결과정에 대한 성찰을 통해 학습하게 하는 교육방식은?

① team learning
② action learning
③ problem based learning
④ blended learning

해설

교육참가자들이 소규모 집단을 구성하여 팀워크로 경영상의 실제 문제를 해결하도록 하여 문제해결과정에 대한 성찰을 통해 학습하게 하는 교육방식은 액션러닝(action learning)이다.

정답 ②

04 □□□ 2021년 경영지도사 수정

고도의 전문기술이 필요한 직종에서 장기간 실무와 이론 교육을 병행하는 교육훈련 형태는?

① 오리엔테이션
② 도제제도
③ 직무순환제도
④ 감수성 훈련

해설

도제제도는 직장 내 훈련과 직장 외 훈련을 혼합한 방법으로 교육대상자는 일정기간 동안 작업장 내에서 상급자로부터 기능을 배우고 작업장 이외의 일정한 장소에서는 강의에 참가하는 방식으로 실시되는 교육훈련이다. 따라서 고도의 전문기술이 필요한 직종에서 장기간 실무와 이론 교육을 병행하는 교육훈련 형태는 도제제도가 된다.

정답 ②

05 □□□

교육훈련방법에 대한 다음 설명 중 가장 옳지 않은 것은?

① 실습장훈련과 도제제도(apprentice program)와 같은 교육훈련방법은 일선작업자를 대상으로 하는 교육훈련방법이다.
② 청년중역회의법(junior board of director)은 중간경영층을 대상으로 하는 교육훈련방법이다.
③ 경영자를 대상으로 하는 교육훈련방법 중 비즈니스 게임(business game)은 경영지의 인간적 능력을 훈련시키는 것을 목적으로 한다.
④ 경영자를 대상으로 하는 교육훈련방법 중 역할연기법(role playing)은 경영자의 인간적 능력을 훈련시키는 것을 목적으로 한다.

해설

경영자를 대상으로 하는 교육훈련방법 중 비즈니스 게임(business game)은 경영자의 의사결정 능력 또는 개념적 능력을 훈련시키는 것을 목적으로 한다.

정답 ③

06 ☐☐☐

커크패트릭(Kirkpatrick)의 교육평가모형에서 고려하고 있는 평가수준으로 가장 옳지 않은 것은?

① 반응(reaction)　　　　　　　　　　② 학습(learning)
③ 행동(behavior)　　　　　　　　　　④ 과정(process)

해설
....

커크패트릭(Kirkpatrick)의 교육평가모형은 반응(reaction), 학습(learning), 행동(behavior), 성과(result)의 4가지 평가수준으로 구성되어 있다.　　　　　　　　　　　　　　　　　　　　　　　　　　　　　　　　　　　　　**정답 ④**

07 ☐☐☐

다음에서 설명하는 개념으로 가장 옳은 것은?

> 기업의 목표와 개인의 목표를 일치시키기 위한 노력의 일환으로 장기적, 계획적으로 인적자원을 개발시키고 효율적으로 승진관리를 위한 합리적인 인사관리제도이다.

① 신분자격 승진제도　　　　　　　　② 능력자격 승진제도
③ 경력개발제도　　　　　　　　　　　④ 감독자 교육훈련제도

해설
....

경력개발제도는 인적자원의 계획적 배치와 활용을 위해 계획적 육성, 자기신고, 인사평가 공개제도 등에 의한 면접지도 등을 일련의 시스템으로 구축한 것이다. 즉, 개별 인적자원에 대한 장기적, 계획적인 인재활용 시스템이라고 할 수 있다.　　　　　　　　　　　**정답 ③**

08 ☐☐☐ 2014년 공인노무사 수정

샤인(Schein)이 제시한 경력 닻의 내용으로 옳지 않은 것은?

① 전문역량 닻: 일의 실제 내용에 주된 관심이 있으며 전문분야에 종사하기를 원한다.
② 관리역량 닻: 특정 전문영역보다 관리직에 주된 관심이 있다.
③ 자율성·독립 닻: 조직의 규칙과 제약조건에서 벗어나려는 데 주된 관심이 있으며 스스로 결정할 수 있는 경력을 선호한다.
④ 기업가 닻: 타인을 돕는 직업에서 일함으로써 타인의 삶을 향상시키고 사회를 위해 봉사하는 데 주된 관심이 있다.

해설
....

기업가 닻은 주요 목표는 장애물을 극복하고 위험을 무릅쓰며 개인적 탁월성을 성취하려는 것 등을 포함하는 새로운 어떤 것의 창조이다. 이러한 닻을 가진 사람은 자기 나름대로 자신의 사업을 설립하고 운영하는 자유를 원한다. 타인을 돕는 직업에서 일함으로써 타인의 삶을 향상시키고 사회를 위해 봉사하는 데 주된 관심이 있는 닻은 봉사 닻이다.　　　　　　　　　　　　　　　　　　　　**정답 ④**

09 □□□

홀(Hall)이 제시한 경력단계모형에 의하면 경력단계를 4단계로 설명하고 있다. 그 4단계의 순서로 가장 옳은 것은?

① 탐색단계 → 유지단계 → 확립단계 → 쇠퇴단계
② 탐색단계 → 확립단계 → 유지단계 → 쇠퇴단계
③ 확립단계 → 탐색단계 → 유지단계 → 쇠퇴단계
④ 확립단계 → 유지단계 → 탐색단계 → 쇠퇴단계

해설

홀(Hall)은 경력단계를 '탐색단계 → 확립단계 → 유지단계 → 쇠퇴단계'의 순서로 설명하였다. **정답 ②**

10 □□□ 2016년 공인노무사 수정

다음 설명에 해당하는 것은?

> 전환배치 시 해당 종업원의 '능력(적성) – 직무 – 시간'이라는 세 가지 측면을 모두 고려하여 이들 간의 적합성을 극대화시켜야 된다는 원칙

① 연공주의
② 균형주의
③ 적재적소적시주의
④ 인재육성주의

해설

적재적소적시의 원칙은 인적자원을 전환배치함에 있어서 해당 인적자원의 '능력 – 직무 – 시간'이라는 세 가지 측면을 모두 고려하여 이들 간의 적합성(fitness)을 극대화시켜야 한다는 원칙이다. **정답 ③**

11 □□□ 2024년 가맹거래사 수정

직무내용의 실질적인 변화 없이 직급명칭이 변경되는 형식적 승진으로 옳은 것은?

① 직급승진
② 대용승진
③ 자격승진
④ 연공승진

해설

직무내용의 실질적인 변화 없이 직급명칭이 변경되는 형식적 승진은 대용승진이다. **정답 ②**

12 ☐☐☐

승진(promotion)에 대한 다음 설명 중 가장 옳지 않은 것은?

① 직급승진은 상대평가를 원칙으로 한다.
② 자격승진은 절대평가를 원칙으로 한다.
③ 조직변화승진은 승진대상은 많지 않으나 승진의 기회가 많을 때 유용하다.
④ 대용승진은 직무내용상의 실질적인 승진이 없는 형식적인 승진이다.

해설

조직변화승진은 승진대상은 많으나 승진의 기회가 많지 않을 때 유용하다.   **정답 ③**

13 ☐☐☐

승진(promotion)에 대한 다음 설명 중 가장 옳지 않은 것은?

① 조직변화승진은 조직변화를 통해 대용승진의 기회를 확대하는 방법이다.
② 직급승진을 위해서는 상위직급의 특정 직무가 공석이 되어야 한다.
③ 직급승진이 된 자에게는 권한, 책임 및 보상의 증가가 동반된다.
④ 자격승진은 누구라도 직능을 갖추게 되면 상위 직능등급으로 자격이 상승된다.

해설

조직변화승진은 조직변화를 통해 직급승진의 기회를 확대하는 방법이다.   **정답 ①**

14 ☐☐☐

직무내용이나 보상의 실질적인 변동 없이 직급 명칭 또는 자격명칭만 변경되는 형식적 승진을 무엇이라 하는가?

① 직급승진   ② 자격승진
③ 조직변화승진   ④ 대용승진

해설

대용승진은 건조승진 또는 준승진이라고 하며 승진은 발생했지만 직무내용이나 보상이 변동되지 않는 명칭만 변경되는 형식적 승진이다. **정답 ④**

CHAPTER 04 인적자원의 평가와 보상

1 의의

1. 개념

인사평가(personnel rating)[80]란 인사고과라고도 하는데, 일정한 기준에 따라 인적자원의 업무성과, 업무수행 능력, 업무태도 등을 종합적으로 평가하는 과정을 의미한다. 즉, 조직 내의 여러 직무에 종사하고 있는 조직원 또는 관리자의 근무성적이나 능력, 업적, 태도 등을 조직에 대한 유효성의 관점에서 정기적으로 검토, 평가하여 이들의 상대적 가치를 조직적으로 결정하고자 하는 과정이다. 또한, 인적자원의 근무성적과 잠재능력을 체계적으로 분석·파악하여 인적자원의 효과적인 활용과 능력의 개발·육성을 위한 인적자원관리의 한 도구인 것이다. 이러한 인사평가는 전통적으로 과거의 실적이나 인적특성에 따라 서열이나 우열을 판정적인 태도로 비교·추정하는 것이 일반적이었으나, 근래에는 각 직무담당자의 성과를 평가함과 동시에 그가 지닌 잠재적 능력 및 개발 가능성에 초점을 둠으로써, 구성원에 대한 동기부여의 수단으로 활용하고 있을 뿐만 아니라 평가결과를 목표달성을 위한 종합적인 통제의 과정으로 활용하고 있음을 볼 수 있다. 일반적으로 인사평가는 정기적이고 객관적으로 수행되어야 하며, 이를 통해 조직은 인적자원의 성과에 대해 타당한 보상을 해 주게 된다. 따라서 인사평가의 가장 중요한 목적은 보상을 결정하는 것이 되며, 이 외에도 다양한 목적을 가지고 수행된다.

(1) 보상결정

보상이란 인적자원이 제공하는 노동에 대한 기업의 대가이기 때문에 노동의 질과 양(성과)은 보상결정의 당연한 기준이 된다. 따라서 인적자원의 가치를 평가하는 가장 중요한 이유는 해당 인적자원에게 적절한 보상을 지급하기 위해서이다.

(2) 성과피드백을 통한 성과향상

인적자원이 얼마나 만족한 성과를 거두고 있고 조직의 기대수준에 얼마나 접근하고 있는지에 대한 정보를 인적자원에게 알려 주는 인적자원의 성과에 대한 피드백은 인적자원의 동기부여뿐만 아니라 성과향상에도 크게 기여한다. 따라서 인사평가는 인적자원의 경력개발에 매우 중요한 역할을 한다.

(3) 적재적소배치를 통한 직무설계

인사평가는 인적자원과 직무를 결합시키는 데 유용한 자료를 제공하기 때문에 직무설계에 중요한 자료가 된다. 따라서 인사평가의 결과가 인적자원이 아니라 직무구조나 환경의 문제에 기인하고 있다면 해당 인적자원에 대한 교육훈련을 통한 생산성 향상을 꾀하기보다는 해당 인적자원을 적재적소에 배치하는 등의 직무재설계를 하는 것이 바람직하다.

---

80) 성과관리(performance management)라고도 한다.

(4) 인적자원의 확보 및 방출을 위한 기준

기업이 인적자원을 확보하기 위해서는 우선 인적자원의 수요 및 공급예측을 실시해야 하는데 인적자원의 능력을 평가하는 인사평가는 해당 기업의 보유인력에 대한 질적 수준을 판단하는 기준이 된다. 뿐만 아니라 이는 인적자원의 선발활동에 투입된 선발도구에 대한 타당도(validity)를 측정하는 기준이 된다. 반대로, 인사평가는 기업이 과잉인력을 보유하고 있어 감축이 불가피할 때에는 누구를 방출시켜야 할 것인가에 대한 의사결정을 하는 데 중요한 기준도 제공해 준다.

2. 평가내용(요소)

평가내용은 무엇을 평가하는가 하는 차원이다. 인사평가는 인적자원의 상대적 가치를 결정하는 과정이기 때문에 해당 인적자원의 가치를 정확하게 평가하는 것이 매우 중요하다. 따라서 인적자원에 대한 다양한 요소들을 평가하게 되는데, 이는 종업원 개인이 가지고 있는 특성(personal characteristics)[81]과 그가 행동을 통해 만들어낸 결과물인 성과(performance)로 구분된다. 또한, 인사평가의 내용은 개인수준과 집단수준에서 다룰 수 있다.

(1) 능력 또는 역량평가

능력 또는 역량(competency)은 우수한 성과를 내는 조직구성원이 가지고 있는 개인의 내적 특성으로서 다양한 상황에서 안정적으로 나타나며 비교적 장기간 지속되는 행동 및 사고방식을 의미한다. 즉, 능력 또는 역량평가는 직무와 직접 관련된 전문능력과 일상적으로 행동할 때 나타나는 일반능력을 측정하는 것이다. 능력 또는 역량의 구체적 예에는 고객지향성, 정보지향성, 조직민첩성(organizational agility), 문제해결능력, 전략적 사고력, 업무추진력 등이 있다. 이러한 능력 또는 역량은 기업이 속한 업종, 부서의 특성, 해당 직무 등 기업이 처한 상황에 따라 다를 수 있다.

(2) 적성 및 태도평가

적성(aptitude)은 기본적으로 채용과정에서 식별되어야 되겠지만 적성평가 테스트가 너무나 일반적인 범주를 포괄하기 때문에 한계가 있다. 적성은 입사 후 시간이 지나 개별 종업원이 특정직무를 수행하고 있는 경우, 해당 직무와 직무수행자 간의 적합성(fitness)을 판단하는 데 중요한 역할을 한다. 태도(attitude)는 특정한 사람, 사물, 이슈, 사건 등에 대한 호의적이거나 비호의적인 느낌을 의미한다. 인사평가에 활용되는 태도와 관련된 요소에는 직무만족, 직무몰입, 애정, 애사심, 신뢰(trust) 등이 있다.

(3) 성과평가

기업은 인적자원이 가진 지식이나 능력보다 성과를 중시하는 이익집단이라고 할 수 있기 때문에 인적자원의 성과에 대한 평가는 중요한 평가요소가 된다. 성과는 업적이라고도 하는데, 개인 및 팀이 조직의 목표달성에 대한 공헌도를 의미하고 매출액, 생산량, 불량률, 사고율, 고객만족도 등이 평가내용을 구성한다.

---

81) 개인적 특성은 능력(또는 역량), 적성 및 태도 등으로 구분된다.

3. 구성요건

기업에서 추구하고 있는 인사평가의 목적을 달성하기 위해서는 몇 가지 사항을 갖추고 있어야 한다. 평가를 통해 측정된 결과가 실제 직무성과와 얼마나 관련성이 높은가(평가내용이 평가목적을 얼마나 잘 반영하고 있느냐)를 의미하는 타당성(validity), 평가결과가 나타내는 일관성 또는 안정성을 의미하는 신뢰성(reliability), 인사평가를 피평가자가 정당하다고 느끼는 정도인 수용성(acceptability), 인사평가를 비용 – 편익(cost – benefit) 측면에서 검토하는 실용성(practicability) 등에 따라 인사평가의 질이 달라진다. 따라서 인사평가는 타당성, 신뢰성, 수용성, 실용성 등을 최대한 갖추고 있는 방향으로 설계되고 운영되어야 한다.[82] 또한, 이러한 구성요건들은 상호 배타적인 것이 아니고 상호 보완적인 측면이 강하기 때문에 복합적인 관점에서 접근하면 할수록 그만큼 평가는 완벽에 가까운 평가가 될 수 있다. 그러나 아무리 완벽한 평가도구라 할지라도 실제로 사용하는 데 있어서 인간적 오류(human error)가 극복되는 것은 아니다.

구성요건의 증대방안

타당성	목적별 평가, 피평가자 집단의 세분화 등
신뢰성	평가결과의 공개, 다면평가, 평가자 교육 등
수용성	피평가자의 평가 참여, 능력개발형 평가, 평가제도 개발 시 종업원대표 참여 등
실용성	비용과 편익의 정확한 측정

2 인사평가방법과 인사평가오류

1. 인사평가방법

(1) 서열법

서열법(ranking method)은 피평가자의 능력 및 업적을 통틀어 그 가치에 따라 서열을 매기는 방법을 의미한다. 서열법은 간단하고 신속하게 등급을 매길 수 있다는 장점이 있지만, 주관적이라는 단점이 있다. 이러한 서열법이 가지는 주관성을 완화시키기 위해 개발된 발전된 형태의 서열법이 있는데, 가장 대표적인 방법으로는 교대서열법(alternative ranking method), 쌍대비교법(paired comparison method), 대인비교법(person-to-person comparison) 등이 있다.

① **교대서열법**: 전체 피평가자들 중 가장 가치가 높다고 판단되는 피평가자와 가장 가치가 낮다고 판단되는 피평가자를 선정하고, 그 다음 나머지 피평가자들에 대해 동일한 방법을 계속적으로 적용하여 전체 피평가자들의 서열을 매기는 방법이다.

② **쌍대비교법**: 각 피평가자들을 2명씩 짝을 지어 상호비교하는 것을 되풀이하여 서열을 결정하는 방법이다. 이 방법은 피평가자의 수가 많은 경우 쌍대(짝)의 수가 증가하여 평가의 일관성에 모순이 발생할 가능성이 있다.

---

82) 타당성, 신뢰성, 수용성, 실용성 이외에도 전략적 수렴성, 구체성, 민감도 등을 추가할 수 있다. 전략적 수렴성(strategic congruence)은 인사평가가 조직의 전략과 목표, 조직문화에 수렴하는 직무성과와 관련된 정도를 의미한다. 즉 성과관리가 조직의 전략, 목표, 문화에 수렴할 때 그 측정기준이 정확하다고 인정할 수 있을 것이다. 성과관리가 전략적 수렴성 관점에서 높은 가치를 유지하려면 항상 변화하는 조직의 전략목표에 유연하게 적응해 나가야 한다. 구체성(specificity)은 피평가자가 평가측정이 기대되는 행동이나 업적, 그리고 그 기대를 충족시키기 위해서 구체적으로 어떻게 해야 할지에 대해 알려주는 정도를 의미한다. 즉, 성과향상을 위한 구체적인 개선방안을 얼마나 구체적으로 잘 제시하느냐를 의미한다. 제대로 된 피드백이 제공되지 않는다면 종업원들은 성과개선을 위한 방법을 알 수 없기 때문에 피드백이 구체적일 때 성과관리는 기업의 전략을 지원하고 종업원 개발의 목표를 달성할 수 있다. 민감도(sensitivity)는 평가도구가 해당 성과에 대해 높은 성과를 내는 사람들과 낮은 성과를 내는 사람들의 측정치 간 차이를 충분히 차별적으로(민감하게) 측정할 수 있어야 한다는 것이다. 평가도구가 충분히 민감하지 못하면 한 쪽으로 치우친 결과를 얻을 수 있다.

③ **대인비교법**: 피평가자에 대해 평가요소별 서열을 매기는 것이다. 이 방법은 기존의 서열법에 평가요소별 서열을 매겼다는 것일 뿐 서열법이 가지고 있는 본질적인 문제를 극복하는 데에는 한계가 있다.

(2) 평정척도법

평정척도법(rating scale method)이란 피평가자의 자질을 직무수행상 과업달성의 정도에 따라 사전에 마련된 평정척도를 근거로 평가자가 평가하는 방법을 의미한다. 즉, 피평가자의 능력, 개인적 특성, 성과 등을 평가하기 위해 평가요소를 제시하고 이에 대해 단계별 차등을 두어 평가하는 방법으로 가장 널리 사용되는 인사평가기법 중의 하나이다. 평정척도법은 대인비교법의 약점을 보완하기 위해 개발된 것이며, 대인비교법에서는 평가요소별 피평가자의 서열을 매기지만 평정척도법에서는 등급을 매기기 때문에 보다 구체적인 평가정보를 제공해 준다. 그러나 평정척도법은 관대화경향, 중심화경향, 가혹화경향, 후광효과 등의 오류가 발생할 가능성이 있다.

(3) 대조표법

대조표법(checklist method)이란 평가내용이 되는 피평가자의 능력(잠재능력), 태도, 작업행동, 성과 등과 관련되는 표준행동을 제시하고 그 중에서 피평가자의 행동이라고 여겨지는 것을 체크하여 인적자원을 평가하는 방법을 의미한다. 대조표법을 사용하는 경우에 일반적으로 평가자는 대조표를 작성하여 보고만 할 뿐 그 평가는 인사부서에서 하게 된다. 이 방법은 직무마다 해당되는 질문이 다르기 때문에 전체적인 평가가 쉽지 않고, 직무마다 별도의 질문들을 설계해야 하므로 많은 시간이 필요하다.

(4) 중요사건기록법

중요사건기록법(critical incident method)이란 평가기간 동안에 발생한 중요사건(특별히 효과적인 또는 비효과적인 행동이나 업적)을 기록해 두었다가 이를 중심으로 피평가자를 평가하는 방법을 의미한다. 사건에 대한 기록을 유지하기에 많은 시간이 요구될 뿐만 아니라 어떤 사건을 기록해야 할지에 대한 개념이 평가자에 따라 상이할 수 있다.

(5) 행동기준평가법

행동기준평가법(behaviorally anchored rating scale, BARS)이란 평정척도법과 중요사건기록법을 혼용하여 보다 정교하게 계량적으로 수정한 방법을 의미한다. 행동기준평가법은 직무를 수행할 때 발생하는 수많은 중요사건을 추출하여 몇 개의 범주로 나눈 후에 각 범주의 중요사건을 척도에 따라 평가한다. 행동기준평가법은 평가요소가 피평가자의 행동을 '우수', '평균', '평균이하'와 같이 규정하도록 하는 설명이 있는 행동기대평가법(behavior expectation scale)과 서술되어 있는 행동기준을 피평가자가 얼마나 자주 보여 주는지 그 빈도를 측정하는 행동관찰평가법(behavior observation scale)으로 나누어진다. 이 방법은 다양하고 구체적인 직무에 적용이 가능하고, 이해가 쉽기 때문에 인사평가에 대한 적극적인 관심과 참여를 유도 할 수 있다. 그러나 많은 시간과 비용이 소요되고 평가자의 편견이 개입될 수 있다. 일반적으로 행동기준평가법은 'BARS 개발 위원회 구성 → 중요사건의 열거 → 중요사건의 범주화 → 중요사건의 재분류 → 중요사건의 등급화(점수화) → 확정 및 시행'의 절차에 의해 개발된다.

(6) 목표관리법

목표관리법(MBO method)이란 측정가능한 특정 성과목표를 상급자와 하급자가 함께 합의하여 설정하고, 그 목표를 달성할 책임부문을 명시하여 이의 진척사항을 정기적으로 점검한 후 이러한 진도에 따라 보상을 배분하는 경영시스템인 목표관리의 개념을 이용한 인사평가방법을 의미한다.

(7) 평가센터법

평가센터법(assessment center method)이란 기업이 주로 관리자계층의 선발을 위하여 사용하는 방법인데, 다수의 피평가자를 특정 장소에 며칠간 합숙시키면서 훈련받은 관찰자들이 이들을 집중적으로 관찰하고 평가함으로써 관리자 선발이나 승진의사결정에 있어서 신뢰성과 타당성을 높이기 위해 시행되는 체계적인 선발방법을 의미한다. 이 방법은 관리자의 신규선발뿐만 아니라 기존 관리자들의 공정한 평가와 인력개발을 위해서도 활용되고 있지만, 비용이 많이 발생한다는 단점이 있다.

(8) 자율서술법

자율서술법(essay method)이란 피평가자 자신이 작성한 자기신고서(self description)를 활용하여 평가하는 방법을 의미한다. 최근에 많은 기업들이 도입하고 있지만 주관적인 특성과 신뢰성에 대한 의문이 제기되고 있는 방법이다. 자기신고서를 활용하여 평가하기 때문에 피평가자를 가장 자세히 설명할 수 있는 방법이기는 하지만 자기신고서의 서술방법에 따라 평가내용이 차이가 날 수 있기 때문에 피평가자 간의 비교가 쉽지 않다.

(9) 강제할당법

강제할당법(forced distribution method)이란 피평가자 집단의 성과에 대한 분포가 정규분포를 이룬다는 가정하에 미리 몇 개의 범위와 평가요소에 따라 피평가자들을 평가하여 범위 또는 등급별로 강제로 할당하는 방법을 의미한다. 이 방법은 관대화경향, 중심화경향, 가혹화경향을 어느 정도 극복할 수 있으나 평가집단이 전체적으로 우수하거나 열등한 경우에는 적합하지 않은 방법이다.

(10) 다면평가제도

다면평가제도(multi-source feedback)란 피평가자를 관찰하고 있는 주변의 많은 사람들(상급자, 동료, 하급자, 고객, 외부전문가 등)이 평가자가 되어 피평가자를 평가하는 방법을 의미하고 360도 성과피드백이라고도 한다. 이 방법은 피평가자의 동료뿐만 아니라 하급자도 평가자로 참여할 수 있기 때문에 피평가자를 다각도로 평가하는 것이 가능하고 이로 인해 주관적인 편견을 개선할 수 있다는 장점을 가진다. 그러나 인사평가과정에서 시간과 비용이 많이 발생하며, 피평가자가 인사평가로 인해 받는 스트레스를 증가시킬 수 있다는 단점을 가진다.

2. 인사평가오류

(1) 연공오류

연공오류(seniority error)란 피평가자가 가지고 있는 연공적 속성인 연령, 학력, 근속연수 등이 평가에 영향을 미치는 경우에 발생하는 오류를 의미한다.

(2) 귀인(귀속)오류

귀인(귀속)오류(error of attribution)란 결과와 원인이 반대로 해석되는 경우이다. 인사평가에서 피평가자의 업적이 낮을 때 그 원인이 외적 귀인에 있음에도 불구하고 내적 귀인에서 찾거나, 피평가자의 업적이 높을 때 그 원인이 내적 귀인에 있음에도 불구하고 외적 귀인에서 찾게 되는 경우이다. 이런 오류가 나타나는 원인은 행위에 대해 자신과 타인이 상이한 정보를 가지고 있을 때 발생한다. 특히, 행위자가 자신의 행동을 귀인할 때와 타인의 행동을 관찰자로서 귀인할 때에 차별적인 경향을 보이는 귀인(귀속)오류를 행위자 - 관찰자 효과(actor-observer effect)라고 한다. 사람들은 자신의 행동에 대한 원인을 찾을 때와 타인의 행동에 대한 원인을 찾을 때 서로 다른 경향을 보인다. 자신의 행동에 대한 원인을 찾을 때에는 주로 외적인 요인에 주목하는 성향이 강하고, 타인의 행동에 대한 원인을 찾을 때에는 주로 그 사람의 내적인 요인에 주목한다. 이러한 행위자 - 관찰자 효과가 발생하는 이유는 자존적 편견과 관련되어 있다. 추가로 근원적 귀인오류(fundamental attribution error)는 사건의 원인에 대해서 외적 요인을 간과하거나 무시하고 행위자의 내적 요인으로 귀인하려는 오류이다.

귀인(귀속)오류

성과 ＼ 행위자	본인	타인
높은 성과	내적 귀인	외적 귀인
낮은 성과	외적 귀인	내적 귀인

(3) 2차 평가자의 오류

2차 평가자의 오류란 2차 평가자가, 1차 평가자가 이미 평가한 내용을 반영하여 적당히 평가하는 경우에 발생하는 오류를 의미한다. 일반적으로 이러한 2차 평가자의 오류를 감소시키는 방법은 1차 평가자와 2차 평가자 사이의 의사소통을 감소시키는 방법이 있다.

인사평가오류

평가자에 의한 오류		피평가자에 의한 오류	제도적 오류
심리적 원인에 의한 오류	결과의 분포도상의 오류		
• 상동적 태도 • 후광효과 • 논리적 오류 • 대비오류 • 근접오류	• 가혹화 경향 • 중심화 경향 • 관대화 경향	• 인사평가에 대한 편견 • 성취동기수준과의 관련성 • 투사(주관의 객관화) • 지각적 방어	• 직무분석의 부족 • 평가결과의 미공개 • 평가기법의 신뢰성 • 연공오류 • 조직분위기 유지경향

제2절 보상관리

1 의의

1. 개념

보상관리(compensation management)란 보상을 합리적으로 계획하고 적용하는 것을 의미한다. 여기서 보상이란 사용자의 입장에서 보면 노동자가 기업에게 제공한 노동에 대한 경제적 대가이며, 노동자의 입장에서 볼 때는 생활의 원천이 되는 소득이 된다. 일반적으로 보상관리는 종업원 생활의 안정성과 보상결정의 공정성을 고려하여야 하며, 공정성은 다시 절차공정성과 배분공정성으로 구분할 수 있다.

(1) 안정성

종업원 개인의 경제적 생활안정과 기업의 경영안정을 달성할 수 있도록 적당한 균형을 유지하여야 하므로 생활보장의 원칙, 노동대가의 원칙, 고정임금과 변동임금의 균형원칙 등을 수립하여야 한다.

(2) 절차공정성

보상이 결정되는 모든 절차(과정)가 공정하게 이루어졌는지를 의미하는 것으로 정보정확성, 수정가능성, 대표성, 도덕성 등이 이에 해당한다.

(3) 배분공정성

개인의 입장에서 자신이 기업에 공헌한 만큼에 해당하는 적정한 보상을 받았다고 지각하는 정도이다. 배분공정성은 내부공정성과 외부공정성이 있는데, 내부공정성은 비교대상이 기업 내에 있어 종업원 간의 보상격차가 적절한가를 비교하는 것으로 임금체계에 반영되고, 외부공정성은 비교대상이 기업 외에 있어 경쟁기업의 임금수준을 비교하는 것으로 임금수준에 반영된다.

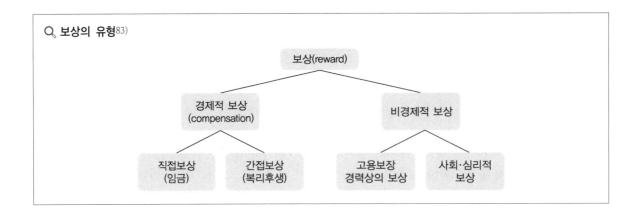

보상의 유형[83]

보상(reward)
- 경제적 보상 (compensation)
  - 직접보상 (임금)
  - 간접보상 (복리후생)
- 비경제적 보상
  - 고용보장 경력상의 보상
  - 사회·심리적 보상

2. 보상수준의 결정요인

보상수준을 결정하는 요인에는 기업 내에서 영향을 미치는 내부요인과 기업 외에서 영향을 미치는 외부요인이 있으며, 그 구체적인 내용은 다음과 같다.

(1) 내부요인

조직의 성숙도, 조직 규모, 생산성, 경영방침, 직무의 가치, 조직구성원의 능력, 성과 등이 있다. 일반적으로 조직의 성숙도가 높아지면 보상수준은 낮아진다.[84]

(2) 외부요인

경제수준, 경제성장률, 취업률, 노동조합, 정부의 법률규제 등이 있다.

2 임금수준

1. 의의

임금수준(wage level)이란 일정기간 동안 기업 내의 모든 종업원에게 지급되는 평균임금의 크기를 의미한다. 임금수준은 임금관리에 중요한 지표이기 때문에 임금수준의 조정을 통해 기업이 필요로 하는 인적자원을 외부조달하는 것이 가능하고 반대로 인적자원의 유출을 방지하는 효과를 기대할 수도 있다. 대표적인 임금수준의 결정요인은 기업의 지불능력, 종업원의 생계비, 최저임금제, 사회적 균형요인 등이 있다.

(1) 기업의 지불능력

기업의 지불능력은 임금수준 결정에 있어서 상한선이 되는데, 기업이 임금으로 지불할 수 있는 최대한의 재정적인 능력이 아니라 기업의 안정적인 성장을 유지할 수 있는 조건하에서 지불할 수 있는 능력을 말한다. 기업의 지불능력을 판단할 수 있는 지표로는 생산성과 수익성이 있으며, 기업이 성장을 추구하는 경우에는 생산성을 기준으로 하고 안정을 추구하는 경우에는 수익성을 기준으로 한다.

---

83) 임금관리의 영역은 크게 임금수준, 임금체계, 임금형태로 나누어지는데, 본서에서는 임금수준과 임금체계를 중심으로 설명하고자 한다. 임금형태는 정해진 임금제도에 의하여 일정한 액수의 임금이 산정되었다면 그 임금을 어떤 방식으로 지급하는지를 의미한다. 이러한 임금형태의 유형에는 상여금, 수당, 연봉제 등이 있다.

84) 일반적으로 새로 부상한 조직은 높은 보상수준을 유지하는 경향을 보이고, 오랜 역사를 가진 조직의 보상수준은 오히려 낮아지는 경향을 보인다. 이는 새로운 조직일수록 어느 정도의 위험(risk)이 뒤따르기 때문에 높은 보상을 지불해야 하고, 오랜 역사와 명성을 가진 조직의 경우에는 보상 이외의 다른 욕구충족요소가 작용하고 있기 때문이다. 즉 조직의 성숙도가 높아지면 일반적으로 보상수준은 낮아진다.

(2) 종업원의 생계비

종업원의 생계비수준은 임금수준 결정에 있어서 하한선이 되는데, 종업원 개인뿐만 아니라 그 가족의 생계비수준까지도 포함한다. 종업원의 생계비는 내용과 산정방식에 따라 실태생계비와 이론생계비로 구분할 수 있는데, 일반적으로 실태생계비는 이론생계비보다 낮게 나타난다. 따라서 기업 입장에서는 실태생계비를 기준으로 노동조합과 임금교섭을 하려는 경향이 강하고, 이론생계비는 노동조합이 근로자의 절대적인 생계비 보장과 생활개선을 위하여 사용자와 임금교섭을 할 때 많이 활용한다.

(3) 최저임금제

국가가 노사 간의 임금결정과정에 개입하여 임금의 최저수준을 정하고 사용자에게 이 수준 이상의 임금을 지급하도록 법으로 강제함으로써 저임금 근로자를 보호하는 제도이다. 따라서 최저임금을 일명 법정임금이라고도 한다. 이러한 최저임금제의 도입목적 및 필요성은 계약자유의 한계, 저임금노동자의 보호, 임금인하 경쟁의 방지, 유효수요의 창출 등이 있다.

(4) 사회적 균형요인

사회적 균형요인은 임금수준 결정에 있어서 상·하한선 간의 조정역할을 하는데, 대표적인 요인에는 경쟁 동종기업의 임금수준, 노동조합의 단체교섭력, 노동력의 수급상황 등이 있다.

2. 조정

임금수준의 조정이란 물가의 변동이나 인사평가의 결과 또는 연공 등에 따라 임금수준을 조정하는 것을 의미한다. 임금수준의 조정에는 승급(pay increase)과 베이스 업(base up)이 있다.

(1) 승급

근속연수에 따라 기본급이 증대되는 임금곡선상의 상향이동을 의미하기 때문에 동태적인 임금수준의 조정이 된다.

(2) 베이스 업

임금곡선 자체가 상향이동하여 임금이 증가되는 것을 의미하기 때문에 정태적인 임금수준의 조정이 된다.

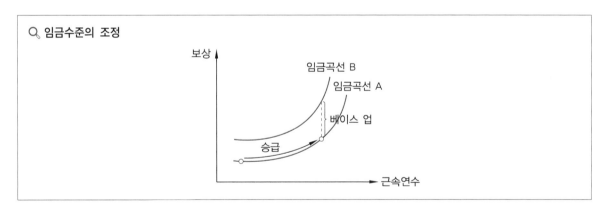

🔍 임금수준의 조정

3. 임금수준관리의 전략적 측면

임금수준관리의 기본적인 목표는 다른 기업에 비하여 경쟁력 있는 임금수준을 유지함으로써 외부공정성을 확보하는 것이다. 그러나 항상 경쟁기업의 임금수준을 상회하는 것이 유일한 임금수준전략은 아니다. 일반적으로 노동시장에서 경쟁력 있는 임금수준을 결정하는 데에는 선도(leading), 동행(match), 추종 또는 지연(lag)의 전략적 대안이 있으며, 최근에는 새로운 전략으로 유연성을 강조하는 혼합전략(hybrid strategy)이 있다.

(1) 선도전략

선도전략은 임금을 종업원의 조직선택 의사결정에 있어서 가장 중요한 요소로 가정하고 노동시장에서 경쟁기업보다 더 높은 수준의 임금을 지급하는 고임금전략을 말한다. 선도전략은 사용자가 유능한 생산적인 종업원을 유인하고 유지하여 그들의 능력을 최대화시키고 종업원의 임금에 대한 불만족을 최소화시켜 준다는 장점이 있다. 또한, 결근율과 이직률을 감소시키며 직무의 비매력적인 특성을 상쇄시킬 수 있다. 만약, 선도전략에 의해 유능한 종업원이 채용되어 훈련기간이 단축되고 생산성이 더 증가한다면 더 높은 노무비가 상쇄될 수 있다. 그리고 임금이 총비용 중에서 비교적 낮은 비율을 차지하거나 소속 산업이 법적으로 크게 규제되어 있을 경우에는 종종 높은 임금을 소비자에게 전가시킬 수도 있다. 그러나 선도전략은 다른 전략에 비해 비용이 많이 소요되고 조직내부의 부조화와 사용자에 대한 종업원의 불평을 회피하기 위하여 사용자로 하여금 임금수준을 증가시키도록 강요할 수 있다는 단점이 있다.

(2) 동행전략

동행전략은 경쟁기업과 동일한 수준의 임금을 지급하는 시장임금전략으로서 가장 일반적으로 사용되고 있는 전략이다. 사용자들은 지금까지 만약 조직의 임률이 경쟁자의 임률에 미치지 못하면 현 종업원들 간에 불만이 야기될 것이고 조직의 신규 종업원의 모집능력을 제한할 것이라는 이유로 동행전략의 실시를 정당화하고 있다. 많은 비노조기업들은 기업의 노조화를 회피하기 위하여 동행전략이나 심지어는 선도전략을 취하는 경향이 있다. 동행전략이 제품시장에서 제품가격 면에서는 경쟁기업과의 불리한 위치를 피할 수 있지만, 노동시장에서 경쟁적인 강점을 제공할 수 있는 것은 아니다. 즉 동행전략은 임금수준을 적절하게 관리하여 상대적으로 과다한 비용을 부담하는 위험을 피할 수 있다는 장점이 있는 반면에 우수한 인적자원을 선점하거나 유지시킬 수 없다는 단점이 있다.

(3) 추종(지연)전략

추종(지연)전략은 경쟁기업보다 낮은 수준의 임금을 지급하는 저임금전략으로 장래성 있는 잠재적 인적자원을 유인하려는 사용자의 능력을 방해할 것이다. 그러나 장래에 높은 보상을 약속하고 낮은 임금을 지불한다면 이러한 약속은 조직구성원의 조직몰입과 팀워크를 강화시켜 생산성증대를 가져올 수 있다. 추종(지연)전략을 사용하는 조직은 종업원들이 단순히 임금 이외에도 다른 많은 보상들을 고려하고 있다고 믿기 때문에 종업원들이 경쟁기업보다 낮은 임금을 수용할 수 있도록 다른 보상들을 제공함에 있어서 종업원들의 생활양식과 인간적인 면에 깊은 통찰력이 요구된다. 저임금을 제외하고는 경쟁기업보다도 앞서는 다른 보상들(승진기회, 양호한 작업환경, 도전적인 직무, 고용안정 등)을 제공함으로써 낮은 임금을 상쇄할 수 있다.

3 임금체계

1. 의의

임금체계(wage structure)란 일정한 임금의 총 재원을 특정 방식에 의해 조직구성원들에게 공정하게 배분하는 기준을 의미한다. 임금체계의 관리는 공정한 배분을 통해 노동의욕을 확대시키는 데 그 목적이 있으며, 가장 대표적인 임금체계에는 직무급, 연공급, 직능급, 성과급 등이 있다.

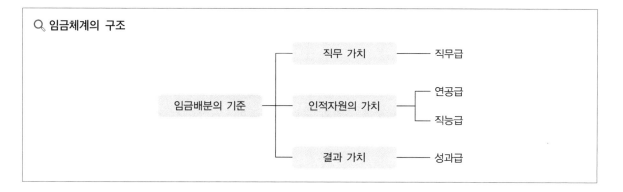

🔍 **임금체계의 구조**

```
                        ┌─── 직무 가치 ──────── 직무급
                        │
임금배분의 기준 ──────────┼─── 인적자원의 가치 ─┬─── 연공급
                        │                    │
                        │                    └─── 직능급
                        │
                        └─── 결과 가치 ──────── 성과급
```

2. 직무급

직무급이란 직무들이 가지는 상대적 가치에 따라 임금을 결정하는 임금제도를 의미한다. 따라서 부가가치를 많이 생산하거나 어려운 직무라면 직무의 가치가 높기 때문에 그 직무를 수행하는 인적자원의 임금은 높게 책정된다. 직무급이 공정하고 합리적으로 적용되기 위해서는 직무분석과 직무평가가 제대로 이루어져 직무마다 정확한 가치가 산정되어야 한다.

(1) 장점

① 각 직무의 상대적 가치를 기준으로 임금을 결정하기 때문에 직무 간의 공정한 임금격차를 유지할 수 있고 노동의 공헌 면에서 임금배분의 공정성을 기할 수 있다.

② 직무를 중심으로 한 합리적인 인적자원관리를 가능하게 함으로써 노동력의 효율적인 이용과 인건비의 효율성 증대에 기여한다. 즉, 노동력의 적재적소배치로 효율적인 이용이 가능하고 연공급에서 발생하는 비합리적인 과다한 인건비 지출을 방지할 수 있다.

③ 동일노동에 동일임금이라는 원칙이 적용되어 부가가치의 상승 없이 임금이 상승하는 불합리성을 제거할 수 있기 때문에 인적자원들은 고부가가치 업무를 담당할 수 있도록 자기능력을 향상시키기 위해 노력하게 된다. 즉, 공정한 임금 지급을 통하여 유능한 인력의 확보와 활용이 가능하다.

④ 인적자원의 입장에서는 인적자원의 자기발전에 도움이 되고, 기업의 입장에서는 특수업무를 처리할 수 있는 인적자원의 확보가 용이해진다.

(2) 단점

① 직무분석 및 직무평가 등의 절차가 복잡하고 객관적인 평가기준의 설정도 곤란하다.

② 직무가 표준화되어 있지 않고 직무구조와 인적능력 구성이 일치하지 않거나, 노동시장이 폐쇄적인 경우 등에는 직무급의 성공적 도입이 어렵다.

③ 연공중심의 기업풍토하에서 장기근속자의 저항감이 강하여 실시상의 어려움이 많고, 노동조합의 반발도 만만치 않다.

3. 연공급

연공급이란 인적자원이 기업 또는 해당 직무에 종사한 기간인 연공을 기준으로 임금을 차별화하는 제도를 의미한다. 연공에 따라 임금이 차별화될 수 있는 이유는 근속연수가 많아짐에 따라 학습에 의해 숙련수준이 높아진다고 가정하기 때문이다.

(1) 장점

① 종업원의 생계비를 보장한다는 측면이 있기 때문에 기업에 대한 귀속의식이 확대되고, 종업원의 고용안정과 생활보장을 이룩할 수 있다.

② 인력수급이 어려운 폐쇄적 노동시장하에서 인력관리가 용이하고, 가장 객관적인 임금체계이다.

(2) 단점

① 동일노동에 대해서 동일임금을 지급하는 것이 쉽지 않으며, 직무에 대한 부분이 무시되어 있어 전문 인력의 확보가 어렵다.

② 근속연수에 의한 차별로 인해 능력 있는 젊은 인적자원의 사기저하 및 소극적인 근무태도를 야기할 수 있다.

③ 조직의 입장에서는 시간이 지날수록 조직의 구조가 피라미드 구조에서 역피라미드 구조로 변화될 수 있기 때문에 인건비 부담이 가중될 수 있다.

(3) 임금피크제

임금피크제(salary peak system)는 동일한 인건비하에서 고용을 중시하는 방안으로 종업원의 계속고용을 위해 노사 간의 합의를 통해 일정 연령을 기준으로 생산성에 맞추어 임금을 하락하도록 조정하는 대신 소정의 기간 동안 고용을 보장해 주는 제도이다. 따라서 임금피크제의 도입이유는 인간의 숙련도나 정신적 또는 육체적 능력이 일정 연령 후에는 감소하기 때문이기도 하지만, 능력이 감퇴한 고령의 종업원을 해고시키지 않고 낮은 임금에 고용을 보장해 주기 위해서이다.

4. 직능급

직능급이란 인적자원이 보유하고 있는 직무수행능력(직능)을 기준으로 임금을 차별화하는 제도를 의미한다. 직능급은 연공급과 직무요소 기준의 직무급을 절충한 임금체계라고 할 수 있다.

(1) 장점

① 종래의 연공기준에서 종업원의 직무수행능력의 발전단계에 따른 직능자격 등급을 기준으로 임금을 지불하고, 자격승진 등과도 밀접히 연계되어 있어 능력에 의한 처우가 가능함으로써 능력주의적인 인적자원관리를 실현할 수 있다.

② 종업원 개인의 직능개발에 대한 노력으로 직능이 신장되면 직능등급의 상승으로 이어져 종업원의 자기개발 의욕을 자극하고 동기를 유발함은 물론 생산성 향상에도 기여할 수 있다.

③ 종업원의 직무수행능력의 정도에 따라 차별적인 임금을 지급하므로 임금의 공정성을 실현할 수 있고 유능한 인재를 유인하고 유지할 수 있다.

(2) 단점

① 직능의 파악과 평가방법의 선정, 평가기준, 임금률 결정 등의 어려움이 있고, 이로 인해 잘못 운영하면 연공급화될 가능성이 있다.

② 인간의 능력개발은 지속적으로 증가하는 것이 아니므로 일정수준 이상이 되면 임금이 동결될 수 있다.

③ 직능이 신장될 수 있는 직종이어야 직능급의 도입이 가능하므로 직능신장을 기대하기 어려운 직종에는 도입이 곤란하다.

④ 직무평가와 마찬가지로 직능평가는 그 평가와 산정절차가 복잡하다.

⑤ 인적자원의 능력에 따른 임금격차는 조직분위기를 저해시킬 수 있다.

5. 성과급

(1) 의의

성과급이란 인적자원이 달성한 성과의 크기를 기준으로 임금액을 결정하는 임금제도이다. 인적자원이 기업의 성과에 직접적으로 기여한 만큼 보상을 받는 것이 공정하다는 논리에 입각한 제도라고 할 수 있으며, 동일한 가치를 가진 직무를 수행한다 하더라도 인적자원들의 임금은 성과에 따라 다르게 책정될 수 있다. 성과급은 그 수준에 따라 개인성과급제도, 집단성과급제도, 기업(조직)성과급제도가 있다.

🖹 개인성과급제도의 형태

임률 결정방법 임률	일정시간당 생산단위	제품단위당 소요시간
임률 고정	단순 성과급	표준시간급
임률 변동	• 테일러식 복률성과급 • 메릭식 복률성과급 • 리틀식 복률성과급	• 간트식 할증급 • 비도우식 할증급 • 할시식 할증급 • 로완식 할증급

(2) 장점

① 종업원의 동기유발을 유도하여 생산성을 높인다.

② 관리자의 감독, 채근, 독촉 등의 관리가 덜 필요하다.

③ 생산량에 따라 임금이 지급되므로 인건비 산정이 정확하다.

④ 결근률과 지각률의 감소와 종업원들의 직무에 대한 창조적인 관심증대 및 비능률적인 작업자의 감소 등의 효과가 있다.

(3) 단점

① 정신노동의 경우에는 개인성과와 공헌의 측정이 쉽지 않다.

② 작업속도의 증가로 인해 종업원의 건강을 해칠 우려가 있고, 개별성과급제도의 경우에 종업원들 간의 협동관계와 신뢰감을 저해할 수도 있다.

③ 성과의 표준설정 및 측정의 어려움, 임금결정의 문제 등으로 노사 간의 마찰이 발생할 수 있고, 성과측정에 많은 비용이 발생한다.

④ 개인의 월소득이 고정되지 않고 미래소득을 예측하기도 어려워 불안정한 경제생활을 할 수 있다.

(4) 개인성과급제도 - 생산량 기준

생산량 기준의 개인성과급제도는 적용되는 임률에 따라 단순성과급(straight piecework plan)과 복률성과급(multiple piece rate plan)으로 구분할 수 있다. 복률성과급에는 테일러식 복률성과급(Taylor differential piece rate plan), 메릭식 복률성과급(Merrick multiple piece rate plan), 리틀식 복률성과급(Lytle multiple piece rate plan), 맨체스터 플랜(Manchester plan) 등이 있다.

① **단순성과급**: 개인이 생산하는 제품의 수량에 고정된 임률인 단위당 임금을 곱해 임금액을 결정하는 제도이다. 생산수량과 임금이 직결되기 때문에 인적자원을 피로하게 만들고 품질이 저하될 수 있으며, 미숙련자는 불안정한 수입으로 인해 생활의 안정을 위협받을 수 있다.

② **테일러식 복률성과급**: 과학적으로 결정된 표준과업량을 기준으로 하여 두 종류의 임률을 제시한다. 정해진 기준에 따라 표준과업량을 달성한 인적자원에게는 훨씬 유리한 임률을 적용한다.

③ **메릭식 복률성과급**: 테일러식 복률성과급의 결점을 보완할 목적으로 세 종류의 임률을 제시한다. 미숙련자에게도 쉽게 달성할 수 있는 중간임률을 두어 인적자원들의 동기부여를 통해 생산성의 증가를 달성하고자 하는 제도라고 할 수 있다.

④ **리틀식 복률성과급**: 메릭식 복률성과급의 결점을 보완할 목적으로 네 종류의 임률을 제시한다. 표준과업을 110% 이상 초과달성한 고도숙련자에게 더 큰 동기부여를 주도록 높은 임률을 제공하는 제도이다.

⑤ **맨체스터 플랜**: 미숙련 노동자들에게 예정된 성과를 올리지 못하더라도 최저생활을 보장해 주기 위하여 작업성과의 일정한 범위까지는 보장된 임금을 지급하는 제도이다. 따라서 고정급과 변동급이 결합된 형태라고 할 수 있다.

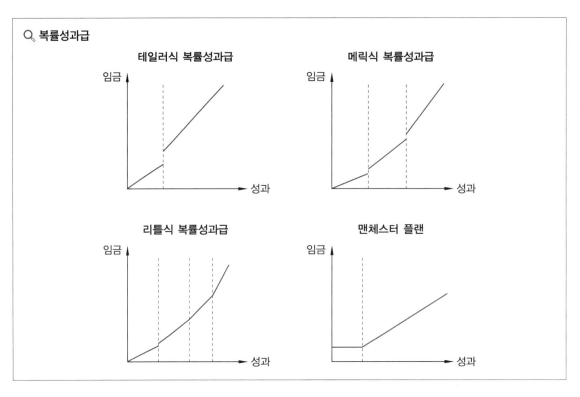

Q 복률성과급

테일러식 복률성과급

메릭식 복률성과급

리틀식 복률성과급

맨체스터 플랜

(5) 개인성과급제도 – 시간 기준

시간 기준의 개인성과급제도는 표준시간급(standard hour plan)과 할증급(premium plan)이 있다. 할증급은 종업원이 표준작업시간 내 표준과업량을 달성하지 못하더라도 일정한 임금을 보장해주고, 표준작업시간 내에 과업을 달성한 종업원에 대해서는 기본 시간급에 일정한 비율의 할증임금을 추가로 지급하는 제도이며, 절약임금 전부를 종업원에게 지급함으로써 가중되는 기업의 임금부담이 결국 임률저하를 초래하는 성과급제도에 대한 종업원의 반발에 대처하기 위해 고안된 제도이다. 할증급의 도입은 생산성 향상으로 인해 이익이 발생하였을 때 그 이익을 기업과 종업원에게 배분함으로써 종업원의 능률을 자극하고 임금의 과도한 증가를 억제하려는 데 목적이 있다. 또한, 할증급은 작업능률의 증대로 절약된 시간에 대한 임금의 일부를 종업원에게 배분한다는 점에서 절약임금 배분제도라고도 하며, 절약임금(절약된 시간에 대한 임금)을 종업원 개인에게 어떤 비율로 분배하느냐에 따라 간트식 할증급(Gantt premium plan), 비도우식 할증급(Bedaux premium plan), 할시식 할증급(Halsey premium plan), 로완식 할증급(Rowan premium plan) 등이 있다.

할증급(4시간 작업에 표준과업량은 4개, 시간당 임금은 3,000원인 경우)

작업자	생산량	임금
A	3개	4시간 × 3,000원 = 12,000원
B	4개	4시간 × 3,000원 = 12,000원
C	5개	4시간 × 3,000원 = 12,000원 12,000원에 추가하여 할증급 지급

① **표준시간급**: 과업단위당 표준시간기준을 설정하고 인적자원이 작업을 완성하면 이미 설정된 표준시간을 기준으로 임률을 적용해 임금액을 지급하는 제도이다. 예를 들어, 어떤 과업을 수행하는 데 표준시간이 4시간이고 시간당 임률이 3,000원이라면 그 과업을 수행하는 데 실제로 소요된 시간에 상관없이 12,000원의 임금을 지급하는 것이다.

② **간트식 할증급**: 절약임금을 인적자원에게 모두 배분하고 추가로 일정비율의 보너스를 지급하는 제도이다. 할증급 중에서 개인에게 가장 많은 임금을 보장하는 제도이다.

③ **비도우식 할증급**: 절약임금의 75%를 인적자원에게 배분하는 제도이다.

④ **할시식 할증급**: 절약임금의 1/3 또는 1/2를 인적자원에게 배분하는 제도이다.

⑤ **로완식 할증급**: 절약임금의 규모에 따라 배분율을 다르게 하는 제도이다. 이 제도는 절약임금의 규모가 커짐에 따라 배분율은 감소한다.

🔍 **연봉제**

과거에는 기본임금을 월급으로 주면서 한 기업에서 많게는 40여 가지씩의 수당을 만들어 현금 또는 현물로 지급하였으나, 이제는 각종 수당을 합하고 현금화하여 일 년에 얼마라는 총액임금 개념인 연봉제를 도입하기 시작하였다. 연봉제의 사전적 의미는 시급제, 일급제, 주급제, 월급제와 같은 임금지급형태의 하나로서, 연간기준으로 임금을 산정하여 지급하는 것을 말한다. 물론, 지급은 여러 번 나누어서 지급할 수 있고, 연봉을 책정할 때 그 사람의 자격과 능력을 감안하여 계약한다. 특히, 우리나라에서는 연공제에 대비되는 개념으로서 능력, 성과, 공헌도에 대한 개인적인 평가결과에 따라 일 년 단위로 보수가 차등지급되는 소위 능력급제라는 의미가 더 강하다. 즉, 연봉제는 임금지급형태의 일종이면서 동시에 능력주의 임금체계인 것이다. 이러한 연봉제는 다음과 같은 특징을 가지고 있다.

① 연봉제는 능력·업적 중심의 전략적인 임금제도로서 변동급의 특징을 가진다는 점에서 연공급과 차이가 있다. 즉, 개인별 급여수준 자체가 연공서열이 아닌 구성원들의 실제 업적이나 능력에 따라 차등지급된다.

② 연봉제는 능력과 업적에 대한 인사평가를 통해서 개별 종업원의 업무성과에 따라 임금이 차별화되는 개별성과급제도이며, 연봉액은 임금협약이 아닌 개별 종업원과 기업 간의 개별계약에 의해 결정된다. 즉, 급여인상이 전 사원들을 대상으로 일방적·자동적·획일적으로 이루어지는 것이 아니라 종업원 각자와 개별적으로 계약의 형식을 통해 결정된다.

③ 연봉제는 임금체계에 있어서 기본급이나 각종 수당, 상여금 등 복잡한 임금항목들을 연봉이라는 항목으로 통합하여 연봉액을 결정하므로 임금체계 및 임금관리를 단순화시킨다.

---

(6) 집단성과급제도

집단성과급제도란 개인성과급이 가지고 있는 단점을 극복하기 위해 설계된 제도로 개인의 임금에 추가적으로 임금을 지급하는 제도를 의미한다. 집단성과급제도의 도입은 공동체의식을 제고시키고 노사 간의 갈등을 줄여주며, 공동으로 수행하거나 직무들 간의 상호관련성이 높은 경우에 성과측정의 객관성을 확보할 수 있도록 해 준다. 대표적인 집단성과급제도는 카이저 플랜(Kaiser plan), 프렌치 시스템 (French system), 스캔론 플랜(Scanlon plan), 럭커 플랜(Rucker plan), 임프로쉐어(improshare) 등이 있다.

① **카이저 플랜**: 능률적인 작업과 낭비제거를 유도하기 위해 재료비와 노무비의 절감액을 분배하는 제도이다.

② **프렌치 시스템**: 총투입에 대한 총산출의 비율이 집단성과급제도의 기초가 되는 제도이다. 스캔론 플랜과 럭커 플랜은 주로 노무비절감에 관심을 두고, 프렌치 시스템은 모든 비용의 절감에 관심을 둔다.

③ **스캔론 플랜**: 노동자의 참여의식을 높이기 위해 미국의 철강노동조합의 간부였던 스캔론(Scanlon)에 의해 제안된 성과배분제도이다. 스캔론 플랜에서는 매출액과 인건비와의 관계에서 배분액을 계산한다. 즉, 스캔론 플랜에서는 판매가치를 기준으로 인건비율을 구하는데, 그 이유는 성과배분의 대상을 생산부문의 종업원에게 한정하지 않고 판매, 사무, 기술 등의 각 부문을 포함하는 전체 종업원을 대상으로 적용하기 때문이다.

④ **럭커 플랜**: 임금분배율을 정해두고 이를 부가가치에 곱하여 임금총액을 계산하는 방식이다. 기업이 달성한 부가가치를 기준으로 임금분배액을 계산함으로써 생산제품의 시장상황을 반영할 수 있다.

⑤ **임프로쉐어**: Improved Productivity Through Sharing의 축약어로 단위당 소요되는 표준노동시간과 실제노동시간을 비교하여 절약된 노동시간을 노사가 각각 50:50의 비율로 분배하는 제도이다.

(7) 기업(조직)성과급제도

기업(조직)성과급제도란 기업 전체적인 관점에서 영업이익과 주식의 가치와 같은 성과를 측정하여 성과의 정도에 따라 보상하는 방법을 의미한다. 가장 대표적인 기업(조직)성과급제도는 이윤분배제도가 있는데 이윤분배제도는 노사 간에 미리 정해진 일정한 계산기준에 따라 기업이 일반 종업원에게 임금 외에 추가로 이윤의 일부를 분배하는 제도이다.

🔍 **새로운 임금제도**

1. 기술급(지식급)

좁은 의미로는 숙련급, 기능급 등으로 불리는데, 환경변화에 신속하게 대처하지 못하는 직무급의 대안으로 종업원이 수행하고 있는 기술이 아니라 보유하고 있는 기술이나 지식의 종류와 수준에 따라 임금이 결정되는 제도이다. 즉, 종업원이 현재 담당하고 있는 직무가 종업원이 보유한 기술이나 지식을 요구하지 않더라도 검정된 모든 기술이나 지식에 대해서 해당 종업원에게 임금을 지급하는 제도이다.

2. 역량급

종업원들이 현재 담당하고 있는 직무와는 상관없이 그들이 보유하고 있는 역량의 범위와 수준에 따라 임금이 결정되는 제도이다. 역량에 대한 통일된 정의는 없지만, 역량이란 성공적인 직무수행을 위해 요구되는 기술·지식·동기·행동 등을 포함한 개인적인 특성을 말한다. 기술급과 마찬가지로 직무급의 대안으로 개발 및 도입되었다. 역량급은 인적인 특성에 기초한 임금제도라는 점에서 기술급과 동일하지만, 기술급을 능가하는 임금제도라고 할 수 있다. 또한, 일반적으로 역량은 가시적 요소인 기술(skill), 지식(knowledge)과 내면적 요소인 자아개념(selfconcepts), 특질(traits), 동기(motives) 등으로 구성된다.

3. 스톡옵션제

원래 최고경영자를 위한 개별 인센티브 보상제도로 실시되어 왔으나, 최근에는 종업원도 그 대상으로 하여 실시되고 있다. 스톡옵션제란 기업이 경영자 및 종업원들에게 장래의 일정한 기간(권리행사기간) 내에 사전에 약정된 가격(권리행사가격)으로 일정 수량의 자사주를 매입할 수 있는 권리를 부여하는 제도로 주식에 근거한 보상에 해당한다.

4. 브로드밴딩(broadbanding)

정보기술의 발달로 인해 조직계층 수의 축소와 수평적 조직의 확산에 따라 이에 적합한 직무등급체계로 등장한 신임금체계인데, 전통적인 다수의 계층적인 임금구조를 통합하여 보다 폭넓은 임금범위를 갖는 소수의 임금등급(pay grade)으로 축소시키는 것을 말한다. 즉, 브로드밴딩은 직무의 중요도나 가치에 따라 유사한 수준의 직무를 묶어 밴드로 설정하고 밴드 내에서 최대임금과 최소임금의 폭을 결정하는 것이다. 따라서 20~30개의 직무를 5~6개 정도의 밴드(band)로 직무등급의 수를 간소화하고 각 직무등급 내 임금의 폭을 확대하는 것이다. 이는 전통적인 직무급에서처럼 높은 직무등급으로 수직 이동하는 승진보다는 개인의 능력과 공헌도를 중요시하고 개인의 역량 발전에 따라 역할의 범위와 중요도가 확대되는 것을 중시한다는 것이다. 그렇기 때문에 직무가 변하지 않더라도 동일 직무 내에서 성과 및 숙련 등에 따른 동기부여의 효과를 얻을 수 있다.

5. 슬라이딩 스케일(sliding scale)

임금의 일부 또는 전부가 물가 지수 등과 연결되어 있어 물가 변동에 따라 자동적으로 임금을 조정하여 지급하는 방식이다. 이를 노사 간의 임금협정 안에 규정한 것을 에스컬레이터 조항이라고 한다.

4 복리후생

1. 의의

복리후생(employee welfare and services)이란 임금 이외에 인적자원들에게 경제적 안정과 생활의 질을 향상시키기 위해 제공되는 간접적 보상을 의미한다. 복리후생의 목적은 다음과 같다.

(1) 경제적 목적

복리후생이 잘된 기업의 인적자원은 직장생활에 만족하며 사기가 올라서 기업에 대한 공헌도가 높아진다.

(2) 사회적 목적

기업은 복리후생을 통해 기업 내에 존재하는 상대적으로 불리한 지위에 있는 인적자원을 보호하고, 기업 내 인적자원에 대한 사회적 통합과 사회복지에 기여한다.

(3) 정치적 목적

기업은 종업원들로부터 환심과 충성을 얻거나 노조의 영향을 줄이기 위해 자발적으로 복리후생을 실시한다.

(4) 윤리적 목적

기업의 복리후생은 인적자원의 최저생활 확보라는 윤리적 목적을 추구한다.

2. 특징

복리후생은 인적자원이 복리후생을 보상으로 인식하는지의 여부에 따라 다양한 특징을 가지게 된다.

(1) 복리후생과 조직성과

일반적으로 인적자원은 복리후생을 직무수행 및 직무성과와 연결시키지 않는다. 따라서 복리후생은 임금만큼 기업의 생산성에 기여하지 못하는 것으로 인식되고 있다.

(2) 복리후생의 선호

일반적으로 인적자원은 복리후생보다 임금을 더 선호한다. 그러나 소득수준, 학력, 나이 등에 따라서는 임금보다 특정 복리후생을 더 선호할 수 있다.

(3) 복리후생의 범위

복리후생이 인적자원의 경제적 안정과 사기진작에 기여하는 것은 사실이지만, 기업의 입장에서 복리후생은 경제적 부담이 된다. 따라서 지나친 복리후생은 기업에게 과도한 부담을 줄 뿐만 아니라 인적자원들로 하여금 기업에 너무 의존하게 만들 수 있다.

3. 복리후생의 유형

복리후생 프로그램은 국가의 강제 여부에 따라 법정 복리후생과 비법정 복리후생으로 구분할 수 있다.

(1) 법정 복리후생

국가가 기업의 인적자원을 보호하는 차원에서 법률을 통해 도입을 강제하고 있는 복리후생이다. 우리나라에서의 법정 복리후생에는 각종 보험료 지원(건강보험·고용보험·연금보험·산업재해보상보험), 퇴직금제도, 유급휴가제도 등이 있다.

(2) 비법정 복리후생

국가에서 법률로 정한 복리후생 이외에 기업이 도입하고 있는 복리후생제도이다. 비법정 복리후생은 기업과 노조와의 교섭을 통해 강제성을 띠고 있는 단체협약상 복리후생과 기업이 임의로 도입하고 있는 자발적인 복리후생으로 구분할 수 있다.

4. 선택적 복리후생제도

선택적 복리후생제도란 인적자원 각자의 욕구에 따라 선호하는 복리후생 프로그램을 선택하도록 하는 신축적인 복리후생제도를 의미하고, 카페테리아 복리후생 프로그램(cafeteria benefit program)이라고도 한다. 전통적인 복리후생제도가 모든 인적자원에게 일률적으로 똑같은 복리후생제도를 적용하는 것이라면, 선택적 복리후생제도의 기본적인 골격은 다양한 복리후생제도의 종류 가운데 인적자원이 원하는 것을 선택할 수 있도록 하는 것이라고 할 수 있다. 이러한 제도는 기업의 입장에서는 인적자원의 개인별 복리후생 한도를 결정함으로써 기업의 총 복리후생비용을 예측하고 효과적으로 운영할 수 있다는 장점이 있고, 인적자원의 입장에서는 자신들이 필요한 복리후생제도를 선택할 수 있다는 장점이 있다. 구체적인 형태에는 선택항목추가형(core plus options plan), 모듈형(modular plans), 선택적 지출계좌형(flexible spending accounts) 등이 있다.

(1) 선택항목추가형

기업이 종업원 전체에게 꼭 필요하다고 판단되는 복리후생항목을 제공한 후, 추가적으로 여러 항목을 제공하여 종업원이 이들 항목 중 자기가 원하는 것을 선택하게 하는 것이다.

(2) 모듈형

몇 개의 복리후생 항목들을 집단화시켜서 종업원에게 제시하는 것이다. 종업원들은 여러 개의 집단화된 복리후생 프로그램 중에서 어느 한 집단을 선택할 수 있다.

(3) 선택적 지출계좌형

종업원 개인에게 주어진 복리후생 예산범위 내에서 종업원 개인이 자유로이 복리후생 항목을 선택할 수 있는 제도이다. 여기서 개인에게 주어진 복리후생 예산을 기업이 모두 부담할 수도 있으며, 기업과 종업원 개인이 분담할 수도 있다.

01 □□□ 2015년 국가직

인사평가제도 중 다면평가에 대한 설명으로 옳지 않은 것은?

① 업무 성격이 고도의 지식과 기술을 요구하는 경우가 많아 다면평가가 더욱 필요하게 되었다.
② 연공 서열 위주에서 팀 성과 위주로 인적자원관리의 형태가 변화하면서 다면평가의 필요성이 증대되었다.
③ 원칙적으로 다면평가의 결과는 본인에게 공개하지 않기 때문에 인사평가 자료로는 제한적으로 사용된다.
④ 직속 상사를 포함한 관련 주변인들이 업무 측면 이외에도 여러가지 능력을 평가하는 것이다.

해설

다면평가제도(multi-source feedback)란 피평가자를 관찰하고 있는 주변의 많은 사람들(상급자, 동료, 하급자, 고객, 외부전문가 등)이 평가자가 되어 피평가자를 평가하는 방법을 의미하고 360도 성과피드백이라고도 한다. 따라서 당연히 그 평가결과는 본인에게 공개된다. **정답 ③**

02 □□□ 2024년 군무원 9급

다음 중 성과 측정에 관한 설명으로 가장 적절하지 않은 것은?

① 성과 측정은 기업의 목표를 뒷받침하고 기업에 중요한 가치를 개선할 수 있도록 도와주어야 한다.
② 성과 측정은 일이 처리되는 방식보다 얼마나 많은 일이 얼마나 자주 처리되는지에 주목해야 한다.
③ 성과 측정은 고객의 요구에 따라 프로세스 성과를 제공할 수 있어야 한다.
④ 성과 측정은 프로세스 전체를 파악해야 한다.

해설

성과 측정은 얼마나 많은 일이 얼마나 자주 처리되는지보다 일이 처리되는 방식에 주목해야 한다. **정답 ②**

03 ☐☐☐ 2024년 군무원 9급

다음 중 성과측정 기준에 대한 설명으로 가장 적절하지 않은 것은?

① 신뢰성이란 측정결과가 실제 성과를 얼마나 제대로 평가했는지의 정도를 말한다.
② 전략적 적합성은 성과관리시스템이 조직의 전략, 목표, 문화와 부합되는 직무성과를 끌어내는 정보를 말한다.
③ 수용성이란 측정결과를 사용하는 사람이 받아들이는 정도를 말한다.
④ 구체성이란 성과측정을 통해 회사가 종업원에게 무엇을 요구하고 있는지의 정도를 말한다.

해설

측정결과가 실제 성과를 얼마나 제대로 평가했는지의 정도는 타당성이다. 신뢰성은 측정결과가 나타내는 일관성 또는 안정성을 의미한다. **정답 ①**

04 ☐☐☐ 2022년 국가직

인사평가방법에 대한 설명으로 옳지 않은 것은?

① 행동관찰척도법(behavioral observation scales; BOS)은 업무수행 및 성과에 직결된 행동을 선별하여 주요 행동유형을 선정하고, 선정된 행동유형별로 우열을 가릴 수 있도록 구분하여 기술하는 방법이다.
② 행동기준평정척도법(behaviorally anchored rating scales; BARS)은 직무와 관련하여 보편적으로 보이는 행동을 선정하고, 선정된 행동의 우열이 나타나도록 기술하여 개발이 용이한 방법이다.
③ 도식평정척도법(graphic rating scales)은 직무 유형에 따라 직무기준을 구분하고, 각각의 직무기준별로 연속적으로 척도화된 평가양식지를 만들어 평가자로 하여금 종업원의 성과를 연속선상에서 표시하는 방법이다.
④ 행동기준평정척도법은 직무행동이 직무성과와 가장 직접적인 관계가 있기 때문에 직무행동을 관찰하는 것이 객관적이라는 가정 하에 개발된 방법이다.

해설

행동기준평정척도법은 평정척도법과 중요사건기록법을 혼용하여 보다 정교하게 계량적으로 수정한 방법을 의미한다. 행동기준평정척도법은 직무를 수행할 때 발생하는 수많은 중요사건을 추출하여 몇 개의 범주로 나눈 후에 각 범주의 중요사건을 척도에 따라 평가한다. 이 방법은 다양하고 구체적인 직무에 적용이 가능하고, 이해가 쉽기 때문에 인사평가에 대한 적극적인 관심과 참여를 유도 할 수 있다. 그러나 많은 시간과 비용이 소요되고 평가자의 편견이 개입될 수 있다. 일반적으로 행동기준평정척도법은 'BARS 개발 위원회 구성 → 중요사건의 열거 → 중요사건의 범주화 → 중요사건의 재분류 → 중요사건의 등급화(점수화) → 확정 및 시행'의 절차에 의해 개발된다. 따라서 행동기준평정척도법은 개발이 용이한 방법은 아니다.

정답 ②

05 ☐☐☐ 2019년 서울시

행동기준고과법(Behaviorally Anchored Rating Scales, BARS)에 대한 설명으로 가장 옳지 않은 것은?

① 인성적인 특질을 중시하는 전통적인 인사고과방법의 비판에 기초하여 피평가자의 실제 행동을 관찰하여 평가하는 방법이다.
② 평가범주마다 제시된 대표적인 행동패턴 가운데 하나를 선택하여 등급을 매기는 방식이다.
③ 평가방법의 개발에 시간 및 비용이 많이 든다는 단점이 있다.
④ 척도를 실제 사용하는 평가자가 개발과정에 참여하지 않는다.

해설

일반적으로 행동기준고과법은 'BARS 개발 위원회 구성 → 중요사건의 열거 → 중요사건의 범주화 → 중요사건의 재분류 → 중요사건의 등급화(점수화) → 확정 및 시행'의 절차에 의해 개발된다. 따라서 척도를 실제 사용하는 평가자가 개발과정에 참여하고, 이로 인해 평가자의 편견이 개입될 수 있다. **정답 ④**

06 ☐☐☐ 2023년 국가직

인사평가에 대한 설명으로 옳은 것은?

① 행동기준고과법(BARS: behavioral anchored rating scale)은 목표대비 달성 정도를 체크리스트법과 중요사건법의 결합 척도로 평가한다.
② 다면평가법에서 평가 참여자로는 상급자, 동료, 하급자 등 내부 구성원은 포함되지만 외부 고객은 고려되지 않는다.
③ 후광효과(halo effect)는 피평가자 개인의 특성보다는 출신학교와 같은 사회적 집단에 근거해 평가할 때 나타나는 오류이다.
④ 평가센터법(assessment center method)은 피평가자의 역량을 정확하게 평가할 수 있지만, 평가비용이 많이 들고 평가시간이 오래 걸린다.

해설

① 행동기준고과법은 평정척도법과 중요사건기록법을 혼용하여 보다 정교하게 계량적으로 수정한 방법이다. 따라서 목표대비 달성 정도를 평정척도법과 중요사건법의 결합 척도로 평가한다.
② 다면평가법에서 평가 참여자로는 상급자, 동료, 하급자 등 내부 구성원뿐만 아니라 외부 고객도 포함된다.
③ 피평가자 개인의 특성보다는 출신학교와 같은 사회적 집단에 근거해 평가할 때 나타나는 오류는 상동적 태도(stereotyping)이다. **정답 ④**

관리자 계층의 선발이나 승진에 사용되는 평가센터법(assessment center method)에 대한 설명으로 옳지 않은 것은?

① 피평가자의 언어능력이 뛰어나면 다른 능력을 평가하는 데 현혹효과(halo effect)가 나타날 가능성이 있다.
② 다른 평가기법에 비해 평가 시간과 비용이 많이 소요된다.
③ 기존 관리자들의 공정한 평가와 인력개발을 위해서도 활용될 수 있다.
④ 전문성을 갖춘 한 명의 평가자가 다수의 피평가자를 동시에 평가한다.

해설

평가센터법은 기업이 주로 관리자계층의 선발이나 승진을 위하여 사용하는 방법으로, 이는 다수의 피평가자를 특정 장소에 며칠간 합숙시키면서 훈련받은 관찰자들이 이들을 집중적으로 관찰하고 평가함으로써 관리자 선발이나 승진의사결정의 신뢰성과 타당성을 높이기 위해 시행되는 체계적인 선발방법을 의미한다. 이러한 평가센터법은 관리자의 신규선발뿐만 아니라 기존 관리자들의 공정한 평가와 인력개발을 위해서도 활용되고 있지만, 비용이 많이 발생하게 된다는 단점이 있다. 따라서 전문성을 갖춘 한 명의 평가자가 평가하는 것은 아니다. **정답 ④**

다음 중 인사평가의 신뢰성을 떨어뜨릴 수 있는 오류에 대한 설명으로 가장 옳지 않은 항목은?

① 연공오류는 피평가자가 가지고 있는 연공적 속성인 연령, 학력, 근속년수가 평가에 영향을 미치는 경우이다.
② 후광효과는 평가자와 피평가자 간의 가치관, 행동패턴 그리고 태도 면에서 유사한 정도에 따라 평가결과가 영향을 받는 경우이다.
③ 대비오류는 평가자가 여러 명을 평가할 때 우수한 피평가자 다음에 평가되는 경우 실제보다 낮게 평가하고 낮은 수준의 피평가자 다음에는 높게 평가하는 경우를 말한다.
④ 자존적 편견은 자신의 자기존중감이 위협받는 상황에 처하면, 자기 존중감을 높이고 유지하려는 경우를 말한다.

해설

후광효과는 피평가자가 가진 또 다른 특성이 평가에 영향을 미치는 오류이다. 평가자와 피평가자 간의 가치관, 행동패턴 그리고 태도 면에서 유사한 정도에 따라 평가결과가 영향을 받는 경우는 유사효과이다. **정답 ②**

09 □□□ 2017년 국가직

인사평가의 오류 중 평가자가 평가측정을 하여 다수의 피평가자에게 점수를 부여할 때 점수의 분포가 특정방향으로 쏠리는 현상으로 인해 발생하는 분배적 오류(Distributional Error) 혹은 항상오류(Constant Error)에 해당하는 것으로만 옳게 짝지은 것은?

① 유사성 오류, 대비 오류, 관대화 오류
② 유사성 오류, 관대화 오류, 중심화 오류
③ 대비 오류, 관대화 오류, 중심화 오류
④ 관대화 오류, 중심화 오류, 가혹화 오류

해설

분배적 오류는 답변이나 평가가 한쪽으로 몰리는 경우를 의미한다. 이러한 오류의 종류에는 관대화 오류, 중심화 오류, 가혹화 오류가 대표적이다.

정답 ④

10 □□□ 2020년 서울시

관리자들은 공정하게 종업원의 성과를 평가해야 하지만, 성과 평가 시에 왜곡의 가능성이 존재한다. 성과 측정 오류에 대한 설명으로 가장 옳지 않은 것은?

① 평가자들의 정치적 성향은 성과 평가에 오류를 가져오지 않는다.
② 평가자들은 자신과 비슷하다고 생각하는 사람을 더 좋게 평가하는 경향이 있다.
③ 평가자들은 개인을 비교할 때 객관적 기준이 아니라 다른 사람과 비교하는 대조 오류를 범할 수 있다.
④ 평가자들은 하나의 특징을 가지고 다른 부분들을 판단하는 경향이 있다.

해설

평가자들의 정치적 성향은 성과 평가에 오류를 가져올 수 있다.

정답 ①

11 ☐☐☐ 2020년 국가직

인사평가와 보상에 대한 설명으로 옳지 않은 것은?

① 집단성과급제도는 근로자 간의 인간관계 훼손, 협동심 저하 등 개인성과급제도의 단점을 극복하기 위해 설계된 것으로 '성과배분제도'라고도 한다.
② 균형성과표(BSC)는 임직원의 성과를 재무적 관점, 고객 관점, 내부 비즈니스 프로세스 관점, 학습과 성장 관점의 측면에서 다면적으로 평가하는 방법이다.
③ 목표에 의한 관리(MBO)는 본인을 포함한 상급자와 하급자, 동료와 외부의 이해관계자(고객, 공급업자 등)에 의해서 이루어지는 평가와 피드백을 총칭한다.
④ 선택적(카페테리아식) 복리후생은 근로자의 욕구를 반영하기 때문에 동기부여에 효과적이지만, 관리가 복잡하고 운영비용이 많이 발생한다.

해설

본인을 포함한 상급자와 하급자, 동료와 외부의 이해관계자(고객, 공급업자 등)에 의해서 이루어지는 평가와 피드백을 총칭하는 것은 목표에 의한 관리(MBO)가 아니라 다면평가제도 또는 360도 성과피드백이다. 목표에 의한 관리(MBO)는 측정가능한 특정 성과목표를 상급자와 하급자가 함께 합의하여 설정하고, 그 목표를 달성할 책임부문을 명시하여 이의 진척사항을 정기적으로 점검한 후 이러한 진도에 따라 보상을 배분하는 경영시스템을 말한다. **정답 ③**

12 ☐☐☐ 2022년 군무원 5급

다음 중 보상과 혜택의 영향으로 보기 가장 옳지 않은 것은?

① 조직에 필요한 사람들을 유인하는 주요 요인이 된다.
② 특정 행동에 뒤따르는 보상은 학습효과로 인해 그 이후 유사한 상황에서 그 행동의 발생 가능성을 억제한다.
③ 직원들에게 재정적 안정성을 제공하여 일하는 동기를 유발한다.
④ 가치 있는 직원들이 경쟁사에 가지 않도록 유지해준다.

해설

특정 행동에 뒤따르는 보상은 학습효과로 인해 그 이후 유사한 상황에서 그 행동의 발생 가능성을 증가시킨다. **정답 ②**

13 ☐☐☐ 2018년 국가직

임금체계에 대한 설명으로 옳지 않은 것은?

① 연공급체계는 고용의 안정성과 직원의 귀속의식을 향상시킨다.
② 직무급체계는 각 직무의 상대적 가치를 기준으로 임금을 결정한다.
③ 직능급체계는 '동일노동 동일임금(Equal Pay for Equal Work)'이 적용된다.
④ 직능급체계는 직원의 자기개발 의욕을 자극한다.

해설

직능급이란 인적자원이 보유하고 있는 직무수행능력(직능)을 기준으로 임금을 차별화하는 제도를 의미한다. 직능급은 연공급과 직무요소 기준의 직무급을 절충한 형태라고 할 수 있다. '동일노동 동일임금'이 적용되는 임금체계는 직무급이다. **정답 ③**

14 ☐☐☐ 2022년 군무원 7급

다음 중 임금배분의 기준에 대한 설명으로 가장 옳은 것은?

① 직무급은 종업원이 달성한 성과의 크기를 기준으로 임금액을 결정하는 제도이다.
② 직능급은 종업원이 보유하고 있는 직무수행능력을 기준으로 임금을 결정하는 제도이다.
③ 연공급은 해당기업에 존재하는 직무들을 평가하여 상대적인 가치에 따라 임금을 결정하는 제도이다.
④ 성과급은 종업원의 근속년수를 기준으로 임금을 차별화하는 제도이다.

해설

① 직무급은 해당기업에 존재하는 직무들을 평가하여 상대적인 가치에 따라 임금을 결정하는 제도이다.
③ 연공급은 종업원의 근속년수를 기준으로 임금을 차별화하는 제도이다.
④ 성과급은 종업원이 달성한 성과의 크기를 기준으로 임금액을 결정하는 제도이다. **정답 ②**

15 ☐☐☐ 2021년 국가직

임금에 대한 설명으로 옳지 않은 것은?

① 연공급은 근속연수에 따라 임금이 인상되며, 소극적인 근무태도를 야기하는 단점이 있다.
② 직무급은 개인별 임금격차에 대한 불만을 해소할 수 있지만 철저한 직무분석이 전제되어야 한다.
③ 직능급은 직무수행자의 역량에 따라 차별 임금을 지급하기 때문에 정확한 직무평가가 어려운 기업에서는 사용할 수 없다.
④ 성과급은 노동생산성 향상의 장점이 있지만 단기간 내 최대 산출을 위해 제품의 질을 희생시킬 수 있다는 단점이 있다.

해설

직능급은 직무수행자의 역량에 따라 차별 임금을 지급하기 때문에 정확한 직무평가가 어려운 기업에서는 사용할 수 없는 것은 아니다. 정확한 직무평가가 어려운 기업에서 사용할 수 없는 임금체계는 직무급이다. **정답 ③**

16 □□□ 2019년 서울시

직무급(job-based payment)에 대한 설명으로 가장 옳지 않은 것은?

① 직무급의 임금체계를 도입하기 위해서 직무평가가 선행적으로 요구된다.
② 직원의 연령, 근속 연수, 학력 등 속인적 요소가 강조된다.
③ 동일노동에 대한 동일임금의 원칙에 입각한 임금체계이다.
④ 조직 내 직무들 간 상대적 가치를 기준으로 임금이 결정된다.

해설

직원의 연령, 근속 연수, 학력 등 속인적 요소가 강조되는 것은 연공급이다.　　　　　　　　**정답 ②**

---

17 □□□ 2019년 군무원

다음 중 성과급에 대한 설명으로 옳지 않은 것은?

① 정확한 작업량의 측정이 어려운 점과 작업량에만 치중하여 품질저하를 초래할 위험이 있다.
② 근로자를 동기부여하게 하고, 생산성을 향상시킬 수 있다.
③ 동일한 가치를 가진 직무를 수행한다 하더라도 인적자원들의 임금은 성과에 따라 다르게 책정될 수 있다.
④ 동일노동에 동일임금이라는 원칙이 적용되어 부가가치의 상승 없이 임금이 상승하는 불합리성을 제거할 수 있다.

해설

동일노동에 동일임금이라는 원칙이 적용되어 부가가치의 상승 없이 임금이 상승하는 불합리성을 제거할 수 있는 것은 직무급이다.　　　　**정답 ④**

---

18 □□□ 2014년 국가직

최근 확산되고 있는 연봉제의 설명으로 옳지 않은 것은?

① 개별 종업원의 능력, 실적, 공헌도를 평가하여 연간 임금을 결정한다.
② 종업원에게 지급하는 임금을 1년분으로 묶어서 결정한다.
③ 기본급이나 수당과 같이 세분화된 임금 항목이 있고 별도로 지급되는 상여금이 있다.
④ 전년도 근무 성과를 기초로 당해 연도의 1년분 임금을 지급하는 방식이 보편적으로 사용된다.

해설

과거에는 기본임금을 월급으로 주면서 한 기업에서 많게는 40여 가지씩의 수당을 만들어 현금 또는 현물로 지급하였으나, 이제는 각종 수당을 합하고 현금화하여 일 년에 얼마라는 총액임금 개념인 연봉제를 도입하기 시작하였다. 따라서 연봉제는 총액임금 개념이기 때문에 기본급이나 수당과 같이 세분화된 임금 항목이 존재하지 않고, 별도의 상여금이 있는 것도 아니다.　　　　**정답 ③**

01 □□□

인사평가(performance evaluation)에 대한 다음 설명 중 가장 옳지 않은 것은?

① 인사평가의 가장 큰 목적은 임금결정과 연관되어 있다.
② 인사평가요소로는 성과평가, 능력평가, 업무태도 등이 있다.
③ 인사평가는 조직구성원과 직무를 결합시키는 데에 유용한 자료를 제공한다.
④ 인사평가의 결과에 의해 결정되는 보상에는 직무급, 직능급, 연공급, 성과급 등이 있다.

해설

인사평가의 결과에 의해 결정되는 보상에는 직능급, 연공급, 성과급 등이 있다. 직무급은 직무평가의 결과에 의해 결정되는 보상이다. **정답 ④**

02 □□□ 2013년 공인노무사 수정

인사평가 측정결과의 검증기준 중 '직무성과와 관련성이 있는 내용을 측정하는 정도'를 의미하는 것은?

① 신뢰성 ② 수용성
③ 타당성 ④ 구체성

해설

인사평가 측정결과의 검증기준 중 '직무성과와 관련성이 있는 내용을 측정하는 정도'를 의미하는 것은 타당성이다. **정답 ③**

03 □□□ 2018년 공인노무사 수정

인사평가방법 중 피평가자의 능력, 태도, 작업, 성과 등에 관련된 표준행동들을 제시하고 평가자가 해당 서술문을 대조하여 평가하는 방법은?

① 서열법 ② 평정척도법
③ 체크리스트법 ④ 중요사건기술법

해설

인사평가방법 중 피평가자의 능력, 태도, 작업, 성과 등에 관련된 표준행동들을 제시하고 평가자가 해당 서술문을 대조하여 평가하는 방법은 대조표법(체크리스트법, checklist method)이다. **정답 ③**

04 ☐☐☐

인사평가(performance evaluation)의 방법에 대한 다음 설명으로 가장 옳은 것은?

> 피평가자의 수가 증가하면 정규분포를 이룬다는 가정하에 미리 마련한 몇 개의 범위와 평가요소에 따라 피평가자를 구별하는 방법이며, 중심화·관대화·가혹화 경향을 어느 정도 극복할 수 있다는 장점을 가지고 있다. 그러나 평가집단이 전체적으로 우수하거나 열등한 집단이라면 커다란 오류를 범할 수 있는 단점이 있다.

① 서열법(ranking method)
② 평정척도법(rating scale method)
③ 강제할당법(forced distribution method)
④ 중요사건기록법(critical incident technique)

해설

강제할당법은 표본집단이 정규분포를 이룬다는 것을 가정하고 있는 인사평가의 방법이다.

정답 ③

05 ☐☐☐

인사평가(performance evaluation)의 방법에 대한 다음 설명으로 가장 옳은 것은?

> 피평가자를 관찰하고 있는 주변의 많은 사람들이 피평가자에 대한 평가를 실시하고 그 결과를 피평가자에게 피드백해 줌으로써 스스로를 개발해 나갈 수 있도록 해주는 평가방법이다.

① 다면평가제도(multi-source feedback)
② 자율서술법(essay method)
③ 평가센터법(assessment center method)
④ 행동기준평가법(behaviorally anchored rating scales)

해설

다면평가제도에 대한 설명이다. 다면평가제도는 피평가자를 관찰하고 있는 주변의 많은 사람들이 평가자가 되어 평가를 하는 방식으로 인사평가 시 발생할 수 있는 편파적이고 주관적인 편견을 개선할 수 있는 장점을 가지는 인사평가 방법이다.

정답 ①

06 ☐☐☐

다음 중 인사평가(performance evaluation)의 방법으로 가장 옳지 않은 것은?

① 서열법(ranking method)
② 평정척도법(rating scale method)
③ 강제할당법(forced distribution method)
④ 요소비교법(factor comparison method)

해설

요소비교법(factor comparison method)은 직무평가(job evaluation)의 방법에 속한다.

정답 ④

07 ☐☐☐ 2016년 공인노무사 수정

다음 설명에 해당하는 인사평가기법은?

평가자가 피평가자의 일상 작업생활에 대한 관찰 등을 통해 특별히 효과적이거나 비효과적인 행동, 업적 등을 기록하고 이를 평가시점에 정리하여 평가하는 기법

① 서열법
② 평정척도법
③ 체크리스트법
④ 중요사건기술법

해설 -

중요사건기술법(critical incident method)이란 평가기간 동안에 발생한 중요사건을 기록해 두었다가 이를 중심으로 피평가자를 평가하는 방법을 의미한다. 사건에 대한 기록을 유지하기에 많은 시간이 요구될 뿐만 아니라 어떤 사건을 기록해야 할지에 대한 개념이 평가자에 따라 상이할 수 있다.
정답 ④

08 ☐☐☐ 2023년 가맹거래사 수정

평정척도법과 중요사건기술법을 결합하여 계량적으로 수정한 인사평가기법은?

① 행동기준평가법(behaviorally anchored rating scales)
② 목표관리법(management by objectives)
③ 평가센터법(assessment center method)
④ 체크리스트법(check list method)

해설 -

평정척도법과 중요사건기술법을 결합하여 계량적으로 수정한 인사평가기법은 행동기준평가법이다. 행동기준평가법은 직무를 수행할 때 발생하는 수많은 중요사건을 추출하여 몇 개의 범주로 나눈 후에 각 범주의 중요사건을 척도에 따라 평가한다.
정답 ①

09 ☐☐☐ 2024년 경영지도사 수정

평가요소별 등급을 정한 후 피고과자의 업무성과를 체크하는 인사고과방법은?

① 목표관리법
② 업무보고법
③ 강제할당법
④ 평가척도법

해설 -

평가요소별 등급을 정한 후 피고과자의 업무성과를 체크하는 인사고과방법은 평가척도법(평정척도법)이다. 평가척도법(평정척도법)은 피평가자의 자질을 직무수행상 과업달성의 정도에 따라 사전에 마련된 평정척도를 근거로 평가자가 평가하는 방법이다. 즉, 피평가자의 능력, 개인적 특성, 성과 등을 평가하기 위해 평가요소를 제시하고 이에 대해 단계별 차등을 두어 평가하는 방법으로 가장 널리 사용되는 인사고과방법 중의 하나이다.
정답 ④

10 □□□ 2013년 공인노무사 수정

인사평가에서 평가문항의 발생빈도를 근거로 피평가자를 평가하는 방법은?

① 직접서열법　　　　　　　　　② 행위관찰평가법
③ 분류법　　　　　　　　　　　④ 요인비교법

해설

인사평가에서 평가문항의 발생빈도를 근거로 피평가자를 평가하는 방법은 행위관찰평가법(행동기준평가법, behaviorally anchored rating scale, BARS)이다.　　　　　　　　　　　　　　　　　　　　　　　　　　　**정답 ②**

11 □□□ 2017년 경영지도사 수정

인사평가의 방법 중 상대평가의 기법에 해당하지 않는 것은?

① 단순서열법(simple ranking method)　　② 교대서열법(alternative ranking method)
③ 평정척도법(rating scale method)　　　④ 강제할당법(forced distribution method)

해설

평정척도법(rating scale method)이란 피평가자의 자질을 직무수행상 과업달성의 정도에 따라 사전에 마련된 평정척도를 근거로 평가자가 평가하는 방법을 의미한다. 따라서 상대평가의 기법으로 보기 어렵다.　　　　　　　　　　　　　**정답 ③**

12 □□□ 2019년 공인노무사 수정

인사고과의 오류 중 피고과자가 속한 사회적 집단에 대한 평가에 기초하여 판단하는 것은?

① 상동적 오류(stereotyping errors)　　② 논리적 오류(logical errors)
③ 대비오류(contrast errors)　　　　　④ 근접오류(proximity errors)

해설

상동적 오류는 피평가자가 속한 집단(종족, 나이, 성별, 출신지역, 출신학교 등)에 대한 지각을 바탕으로 피평가자를 평가하는 오류를 말한다. 따라서 피고과자가 속한 사회적 집단에 대한 평가에 기초하여 판단하는 것은 상동적 오류에 해당한다.
② 논리적 오류 또는 상관편견(correlational bias)은 평가자가 다수의 피평가자 간에 논리적인 상관관계가 높지 않음에도 불구하고 상관관계가 높다고 생각할 때 나타나는 오류를 말한다.
③ 대비오류 또는 대조효과는 피평가자를 평가함에 있어서 다른 대상과 비교해서 평가함으로써 범하게 되는 오류를 말한다.
④ 근접오류는 시간적으로나 공간적으로 평가자와 멀리 있는 피평가자보다 가까이 있는 피평가자에게 후한 평가를 하는 오류를 말한다. **정답 ①**

13 □□□ 2024년 공인노무사 수정

고과자가 평가방법을 잘 이해하지 못하거나 피고과자들 간의 차이를 인식하지 못하는 무능력에서 발생할 수 있는 인사고과의 오류는?

① 중심화 경향
② 논리적 오류
③ 현혹효과
④ 상동적 태도

해설

관대화·중심화·가혹화 경향(분배적 오류)은 지각능력이 부족하거나 지각방법에 대한 이해가 부족한 경우, 지각대상에 대해 정확하게 알지 못하는 경우에 나타나게 된다.   **정답 ①**

14 □□□ 2021년 공인노무사 수정

인사평가의 분배적 오류에 해당하는 것은?

① 후광효과
② 상동적 태도
③ 관대화 경향
④ 확증편향

해설

인사평가의 분배적 오류에는 관대화 경향, 중심화 경향, 가혹화 경향이 있다. 확증편향(confirmation bias)은 자신의 신념과 일치하는 정보는 받아들이고 신념과 일치하지 않는 정보는 무시하는 경향이다.   **정답 ③**

15 □□□ 2012년 공인노무사 수정

인사평가에 관한 설명으로 옳지 않은 것은?

① 인사평가란 종업원의 능력과 업적을 평가하여 그가 보유하고 있는 현재적 및 잠재적 유용성을 조직적으로 파악하는 방법이다.
② 인사평가의 타당성은 평가내용이 평가목적을 얼마나 잘 반영하고 있느냐에 관한 것이다.
③ 현혹효과(halo effect)는 피평가자의 어느 한 면을 기준으로 다른 것까지 함께 평가하는 경향을 말한다.
④ 대비오차(contrast errors)는 피평가자의 능력을 실제보다 높게 평가하는 경향을 말한다.

해설

대비오차(contrast errors)는 지각대상을 평가함에 있어서 다른 대상과 비교해서 평가함으로써 범하게 되는 지각오류를 말한다.   **정답 ④**

16 ☐☐☐

인사평가에 대한 다음 서술 중 가장 옳지 않은 것은?

① 자기평가는 동료평가에 비해 관대화경향이 크게 나타난다.
② 2차 평가자의 오류는 1차 평가자와 2차 평가자의 의사소통을 차단함으로써 줄일 수 있다.
③ 평가대상 집단이 전반적으로 우수한 경우나 열등한 경우에는 강제할당법이 적합하다.
④ 다면평가제도는 피평가자가 인사평가로 인해 받는 스트레스를 증가시킬 수 있다.

해설

강제할당법은 정규분포를 가정하고 있기 때문에 평가대상 집단이 전반적으로 우수한 경우나 열등한 경우에는 적합하지 않다.　　　　**정답 ③**

17 ☐☐☐

보상(compensation)에 대한 다음 설명 중 가장 옳지 않은 것은?

① 보상은 노동자의 입장에서 보면 생활의 원천이 되는 소득이 된다.
② 보상수준의 결정에 영향을 미치는 내부적 요인에는 조직체 규모, 생산성, 경영방침, 직무의 가치, 조직구성원의 능력 및 성과 등이 있다.
③ 보상은 일반적으로 종업원 생활유지의 안정성, 배분의 공정성, 절차의 공정성이라는 기준을 통해 이루어져야 한다.
④ 일반적으로 조직의 성숙도가 증가하면 보상수준은 증가하게 된다.

해설

일반적으로 조직의 성숙도가 증가하면 보상수준은 감소하게 된다.　　　　**정답 ④**

18 ☐☐☐　2016년 공인노무사 수정

임금수준의 관리에 관한 설명으로 옳지 않은 것은?

① 대외적 공정성을 확보하기 위해서는 노동시장의 임금수준 파악이 필요하다.
② 기업의 임금 지불능력을 파악하는 기준으로 생산성과 수익성을 들 수 있다.
③ 임금수준 결정 시 선도전략은 유능한 종업원을 유인하는 효과가 크다.
④ 임금수준의 하한선은 기업의 지불능력에 의하여 결정된다.

해설

임금수준의 상한선은 기업의 지불능력에 의하여 결정되며, 임금수준의 하한선은 종업원의 생계비수준에 의하여 결정된다. 종업원의 생계비수준은 종업원 개인뿐만 아니라 그 가족의 생계비수준까지도 포함한다.　　　　**정답 ④**

19

기업이 종업원에게 지급하는 임금의 계산 및 지불 방법에 해당하는 것은?

① 임금수준
② 임금체계
③ 임금형태
④ 임금구조

> **해설**
>
> 임금형태는 정해진 임금제도에 의하여 일정한 액수의 임금이 산정되었다면 그 임금을 어떤 방식으로 지급하는지를 의미한다. 따라서 기업이 종업원에게 지급하는 임금의 계산 및 지불 방법에 해당하는 것은 임금형태이다. **정답 ③**

20

임금관리에 관한 설명으로 옳지 않은 것은?

① 임금체계는 공정성이 중요한 관심사이다.
② 연공급은 근속연수를 기준으로 임금을 차등화하는 제도이다.
③ 직무급은 직무의 표준화와 전문화가 선행되어야 한다.
④ 직능급은 동일직무를 수행하면 동일임금을 지급한다.

> **해설**
>
> 직능급은 인적자원의 능력을 기준으로 지급되는 임금을 의미하고, 동일직무를 수행하면 동일임금을 지급하는 임금체계는 직무급이다. **정답 ④**

21

□□□

임금수준(wage level)의 조정방법 중 임금곡선 자체의 상향이동을 의미하는 것으로 가장 옳은 것은?

① 할증급(premium plan)
② 베이스업(base up)
③ 승급(pay increase)
④ 차별적 성과급(differential piecework system)

> **해설**
>
> 베이스업(base up)은 임금곡선 자체가 상향이동되는 것을 의미하며, 승급(pay increase)은 임금곡선 내에서의 상승된 변화를 의미한다. **정답 ②**

22 ☐☐☐ 2019년 공인노무사 수정

직무급의 특징에 관한 설명으로 옳지 않은 것은?

① 직무의 상대적 가치에 따라 개별임금이 결정된다.
② 능력주의 인사풍토 조성에 유리하다.
③ 인건비의 효율성이 증대된다.
④ 시행 절차가 간단하고 적용이 용이하다.

> **해설**
>
> 직무급은 직무분석 및 직무평가 등의 절차가 복잡하고 객관적인 평가기준의 설정도 곤란하다.
>
> **정답** ④

23 ☐☐☐ 2020년 경영지도사 수정

직무급(job-based pay)에서 중요하게 고려하는 요소는?

① 직무의 상대적 가치　　　　② 기업의 매출 성과
③ 근속연수　　　　　　　　　④ 최저생계비

> **해설**
>
> 직무급은 직무들이 가지는 상대적 가치에 따라 임금을 결정하는 임금제도이다. 따라서 부가가치를 많이 생산하거나 어려운 직무라면 직무의 가치가 높기 때문에 그 직무를 수행하는 인적자원의 임금은 높게 책정된다. 즉, 직무급에서 중요하게 고려하는 요소는 직무의 상대적 가치가 된다.
>
> **정답** ①

24 ☐☐☐ 2018년 경영지도사 수정

임금체계에 관한 설명으로 옳지 않은 것은?

① 임금체계란 기업의 임금총액을 종업원 수로 나눈 것이다.
② 직무급이란 직무들을 평가하여 직무의 상대적 가치에 따라 임금을 결정하는 것이다.
③ 연공급이란 종업원의 근속연수, 학력 등을 기준으로 임금을 결정하는 것이다.
④ 직능급은 종업원이 보유하고 있는 직무수행능력을 기준으로 임금을 결정히는 것이다.

> **해설**
>
> 기업의 임금총액을 종업원 수로 나눈 것은 임금수준(wage level)이다. 임금체계(wage structure)란 일정한 임금의 총 재원을 특정방식에 의해 조직구성원들에게 공정하게 배분하는 기준을 의미한다.
>
> **정답** ①

25 ☐☐☐ 2021년 경영지도사 수정

다음과 같은 특징이 있는 임금형태는?

- 근로자에게 합리성을 준다.
- 생산성 제고, 원가절감, 근로자의 소득증대에 효과가 있다.
- 근로자의 수입이 불안정하다.

① 연공급   ② 직능급

③ 직무급   ④ 성과급

해설

주어진 특징은 성과급의 특징에 해당한다. 성과급은 인적자원이 달성한 성과의 크기를 기준으로 임금액을 결정하는 임금제도를 의미한다. **정답 ④**

26 ☐☐☐

개인 성과급제도에 대한 설명으로 가장 옳지 않은 것은?

① 단순성과급(straight piecework plan)은 개인이 생산하는 제품의 수량에 고정된 임률인 개당 임금을 곱하여 임금액을 결정하는 제도이다.
② 개인 성과급제도는 종업원이 달성한 성과를 개인별로 계산하여 이를 임금결정의 기준으로 삼는 제도이다.
③ 시간기준 성과급제도로는 표준시간급과 할증급(the premium plan) 등의 방법이 있고, 할증급은 노동능률 향상으로 인해 절약한 임금을 종업원 개인에게 어떤 비율로 배분하느냐에 따라 할시식, 비도우식, 로완식, 간트식으로 구분된다.
④ 테일러식 복률성과급(Taylor differential piece rate system)은 과학적으로 결정된 표준과업량을 기준으로 하여 2종류의 임률을 제시하고 표준과업량을 달성한 종업원에게 훨씬 유리한 임률을 적용시키는 제도로서, 메릭식 복률성과급(Merrick multiple piece rate system)의 결함을 보완한 제도이다.

해설

메릭식 복률성과급(Merrick multiple piece rate system)이 테일러식 복률성과급(Taylor differential piece rate system)의 결함을 보완할 목적으로 개발된 것이다. **정답 ④**

27 ☐☐☐

다음 성과급의 형태 중 그 성격이 다른 하나는?

① 테일러(Taylor)식 성과급   ② 메릭(Merrick)식 성과급

③ 비도우(Bedaux)식 성과급   ④ 리틀식(Lytle)식 성과급

해설

비도우(Bedaux)식 성과급은 절약시간에 근거한 할증성과급의 형태이고, 나머지는 생산량에 근거한 복률성과급의 형태이다. **정답 ③**

28 □□□

절약된 임금의 규모에 따라 배분율을 다르게 하는 할증급제도로 가장 옳은 것은?

① 간트식 할증급(Gantt premium plan)   ② 로완식 할증급(Rowan premium plan)
③ 할시식 할증급(Halsey premium plan)   ④ 비도우식 할증급(Bedaux premium plan)

해설

절약된 임금의 규모에 따라 배분율을 다르게 하는 할증급제도는 로완식 할증급(Rowan premium plan)이다.

정답 ②

29 □□□ 2013년 공인노무사 수정

단위당 소요되는 표준작업시간과 실제작업시간을 비교하여 절약된 작업시간에 대한 생산성 이득을 노사가 각각 50 : 50의 비율로 배분하는 임금제도는?

① 임프로쉐어 플랜   ② 스캔론 플랜
③ 럭커 플랜   ④ 테일러식 복률성과급

해설

단위당 소요되는 표준작업시간과 실제작업시간을 비교하여 절약된 작업시간에 대한 생산성 이득을 노사가 각각 50:50의 비율로 배분하는 임금제도는 임프로쉐어 플랜(improshare plan)이다. 임프로쉐어(improshare)는 improved productivity through sharing의 약어이다.

정답 ①

30 □□□ 2022년 공인노무사 수정

스캔론 플랜(Scanlon plan)에 관한 설명으로 옳지 않은 것은?

① 기업이 창출한 부가가치를 기준으로 성과급을 산정한다.
② 산출된 보너스액 중 일정액을 적립한 후 종업원분과 회사분으로 배분한다.
③ 생산제품의 판매가치와 인건비의 관계에서 배분액을 결정한다.
④ 실제인건비가 표준인건비보다 적을 때 그 차액을 보너스로 배분한다.

해설

기업이 창출한 부가가치를 기준으로 성과급을 산정하는 것은 럭커 플랜(Rucker plan)에 관한 설명이다.

정답 ①

31 □□□ 2018년 공인노무사 수정

다음에서 설명하는 것은?

> • 기업이 주어진 인건비로 평시보다 더 많은 부가가치를 창출하였을 경우, 이 초과된 부가가치를 노사협동의 산물로 보고 기업과 종업원 간에 배분하는 제도
> • 노무비외 원재료 및 기타 비용의 절감액도 인센티브 산정에 반영

① 연봉제 ② 개인성과급제
③ 스캔론 플랜 ④ 럭커 플랜

해설

럭커 플랜은 임금분배율을 정해두고 이를 부가가치에 곱하여 임금총액을 계산하는 방식이다. 기업이 달성한 부가가치를 기준으로 임금분배액을 계산함으로써 생산제품의 시장상황을 반영할 수 있다. **정답 ④**

32 □□□

다음에서 설명하는 개념으로 가장 옳은 것은?

> 근로자의 참여의식을 높이기 위하여 고안된 방법으로 생산물의 판매가치를 기본으로 한 상호결정방식과 제안제도를 중심으로 한 경영참가를 그 내용으로 하고 있다.

① 스캔론 플랜(Scanlon plan) ② 카이저 플랜(Kaiser plan)
③ 럭커 플랜(Rucker plan) ④ 이윤분배제도(profit sharing plan)

해설

스캔론 플랜(Scanlon plan)에 대한 설명이다. **정답 ①**

33 □□□ 2023년 경영지도사 수정

다음과 같은 특징이 있는 보상제도는?

> • 생산의 판매가치에 대한 인건비 절감액을 종업원에게 보너스로 지급
> • 능률개선을 위해 종업원에게 직접적인 인센티브를 제공하는 효과 기대

① 스캔론플랜(Scanlon plan) ② 럭커플랜(Rucker plan)
③ 임프로쉐어(improshare) ④ 성과배분제(profit sharing)

해설

주어진 특징이 있는 보상제도는 스캔론플랜(Scanlon plan)이다. **정답 ①**

34 ☐☐☐ 2013년 경영지도사 수정

기업의 임금지급방법 중 성과급제에 관한 설명으로 옳지 않은 것은?

① 개인성과급제로는 단순성과급제, 차등성과급제, 할증성과급제 등이 있다.
② 성과급제의 성공을 위해서는 표준량과 성과급률이 잘 책정되어 보상 수준이 구성원의 동기를 유인할 수 있어야 한다.
③ 성과급의 성공을 위해서는 성과급제를 설계하고 유지하는 데 있어 경영진의 적극적 참여와 협조가 필요하다.
④ 집단성과급제는 구성원들 사이에 능력과 성과에 큰 차이가 존재할 때에도 공동협조와 집단의 동기부여가 장기적으로 지속될 수 있다는 장점이 있다.

해설

일반적으로 집단구성원들 사이에 능력과 성과에 큰 차이가 존재하면 집단단위로 지급되는 성과급에 대해서 구성원들은 불만을 가질 수 있다.

정답 ④

35 ☐☐☐ 2012년 공인노무사 수정

임금에 관한 설명으로 옳지 않은 것은?

① 직무급은 직무를 평가하여 상대적인 가치에 따라 임금수준을 결정한다.
② 직능급은 종업원의 직무수행능력을 기준으로 임금수준을 결정한다.
③ 메릭식 복률성과급은 임률의 종류를 두 가지로 정하고 있다.
④ 할증급은 종업원에게 작업한 시간에 대하여 성과가 낮다 하더라도 일정한 임금을 보장한다.

해설

메릭식 복률성과급은 임률의 종류를 세 가지로 정하고 있다.

정답 ③

36 ☐☐☐ 2017년 경영지도사 수정

최저임금제도와 관련이 없는 것은?

① 계약자유의 존중
② 저임금 근로자 보호
③ 사회 안정
④ 유효수요 창출

해설

최저임금제도는 국가가 노사 간의 임금결정과정에 개입하여 임금의 최저수준을 정하고, 사용자에게 이 수준 이상의 임금을 지급하도록 법으로 강제함으로써 저임금 근로자를 보호하는 제도를 말한다. 따라서 계약자유의 존중은 최저임금제도와 관련된 내용으로 보기 어렵다.

정답 ①

37 □□□ 2017년 경영지도사 수정

기업이 임금피크제를 도입하는 배경으로 볼 수 있는 것을 모두 고른 것은?

ㄱ. 고령화 사회
ㄴ. 세계화로 인한 무한경쟁체제로의 돌입
ㄷ. 지식집약산업의 확대에 따른 노동력 수요 증가
ㄹ. 단기적 임금인상보다 고용안정을 선호하는 근로자의 요구

① ㄱ, ㄴ, ㄷ
② ㄱ, ㄴ, ㄹ
③ ㄱ, ㄷ, ㄹ
④ ㄴ, ㄷ, ㄹ

해설

임금피크제(salary peak)는 근로자가 일정 연령에 도달한 시점부터 임금을 삭감하는 대신 근로자의 고용을 보장(정년보장 또는 정년연장)하는 제도로, 기본적으로는 정년보장 또는 정년연장과 임금삭감을 맞교환하는 제도라 할 수 있다. 지식집약산업의 확대는 노동력 수요를 증가시키는 것이 아니라 감소시킨다.   **정답②**

38 □□□ 2014년 공인노무사 수정

복리후생에 관한 설명으로 옳지 않은 것은?

① 구성원의 직무만족 및 기업공동체의식 제고를 위해서 임금 이외에 추가적으로 제공하는 보상이다.
② 의무와 자율, 관리복잡성 등의 특성이 있다.
③ 통근차량 지원, 식당 및 탁아소 운영, 체육시설 운영 등의 법정 복리후생이 있다.
④ 경제적·사회적·정치적·윤리적 이유가 있다.

해설

법정 복리후생에는 각종 보험료 지원(건강보험·고용보험·연금보험·산업재해보상보험), 퇴직금제도, 유급휴가제도 등이 있다. 통근차량 지원, 식당 및 탁아소 운영, 체육시설 운영 등은 비법정 복리후생에 해당한다.   **정답③**

39 □□□

복리후생의 필요성에 대한 설명으로 가장 옳지 않은 것은?

① 복리후생이 잘된 회사의 종업원은 더욱 직장생활에 만족하고 사기가 오르게 된다.
② 종업원들에게 환심과 충성을 얻기 위한 것도 포함된다.
③ 노동조합의 영향력을 줄일 수 있다.
④ 복리후생은 기업의 구성원들의 생활만을 윤택하게 하기 위해서 이용된다.

해설

복리후생은 구성원들뿐만 아니라 구성원의 가족 중 근로에 참여하지 못한 사람들을 보호하려는 의도도 포함된다.   **정답④**

40 ☐☐☐

복리후생의 효율적 운영에 대한 다음 설명 중 가장 옳지 않은 것은?

① 최대다수의 종업원들에게 혜택이 가도록 해야 하기 때문에 회사의 경제적 부담을 증가시켜야 한다.
② 회사는 복리후생제도를 종업원들에게 자세히 알려주어야 한다.
③ 국가, 지역사회와 공동으로 프로그램을 운영하는 합리적인 방법을 강구하기도 한다.
④ 국가, 지역사회에서 운영하는 복리후생과 중복되지 않도록 해야 한다.

해설

복리후생은 최대다수의 종업원들에게 혜택이 가면서도 회사 입장에서 지나친 경제적 부담이 없도록 해야 한다.　　　　　　　　**정답** ①

CHAPTER 05 인적자원의 유지 및 방출

제1절 인적자원의 유지 – 유지관리

1 동기부여와 산업안전관리

1. 동기부여

(1) 의의

동기부여(motivation)란 개인으로 하여금 주어진 일을 수행하게 하는 힘을 의미한다. 동기부여는 목표를 추구하는 데 필요한 내적 충동상태라고 할 수 있는데, 일반적으로 개인행동의 동인이 되며 개인의 성과를 결정하는 중요한 요소가 된다.

$$성과(performance) = 능력(ability) \times 동기부여(motivation)$$

(2) 유형

① **내재적(intrinsic) 동기부여**: 자기 자신에게서 우러나오는 동기부여를 의미하고, 성취감, 도전감, 확신 등이 있다.

② **외재적(extrinsic) 동기부여**: 자기 자신이 아닌 외부에 의해 발생된 동기부여를 의미하고, 급여, 승진 정책, 감독 등이 있다.

2. 산업안전관리

(1) 의의

산업안전이란 근로자가 일을 하기에 안전한 작업조건과 상황을 의미한다. 따라서 산업안전관리는 근로자들을 업무수행 중의 사고로 인한 위험이나 상해로부터 보호하기 위하여 산업재해의 원인을 규명하고 사고를 사전에 예방함으로써 근로자의 생명과 신체의 보호는 물론, 기업의 경제적 손실을 보호하는 체계적이고 과학적인 제반활동이다. 조직은 인적자원의 유지와 효율적인 활용을 위하여 안전하고 쾌적한 작업환경을 마련하여야 한다.

(2) 산업재해

산업재해(industrial accident)란 노동과정에서 작업환경 또는 작업행동 등 업무상의 사유로 발생하는 노동자의 신체적·정신적 피해를 말하며, 다음과 같은 다양한 원인에 의해서 발생한다.

① **근로자 입장에서의 발생원인**: 근로자의 피로, 근로자의 작업상 부주의나 실수, 근로자의 작업상 숙련미달 등

② **기업 입장에서의 발생원인**: 안전대책이나 예방대책의 미비 또는 부실 등

2 노사관계

1. 의의

노사관계(union-management relations)란 노동을 공급하는 자(노동자)와 노동을 공급받는 자(사용자)의 관계를 의미한다. 일반적으로 노사관계는 그 본질에 있어서 다음과 같은 이중적인 성격을 가지고 있다.

(1) 협조관계와 대립관계

생산과정에서는 노사가 서로 협조하여 생산성 증대를 이루어야 하지만, 생산의 성과를 배분할 때는 서로 많이 가지려고 대립하는 관계이다.

(2) 개별관계와 집단관계

노동자 개인과 사용자 개인과의 관계라고 할 수 있는 개별관계와 단체협약에 기초한 노동조합과 경영진과의 관계라고 할 수 있는 집단적인 협상관계를 동시에 가진다.

(3) 경제관계와 사회관계

임금 등의 경제적 문제로 협상을 벌이기도 하지만, 노동자의 사회적 지위를 결정하는 신분이나 경영권 참여 등을 놓고 협상을 벌이며 그 과정에서 인간관계를 형성하게 된다.

(4) 종속관계와 대등관계

생산과정에서 노동자는 사용자의 지휘·명령에 복종해야 한다. 그러나 노동자는 노동조합을 통하여 집단적인 근로조건 결정과 운영에 대해 사용자측과 대등한 입장에서 협상을 진행한다.

2. 발전과정

노사관계의 발전과정을 역사적으로 살펴보면 전제적(착취적) 노사관계 → 온정적 노사관계 → 완화적 노사관계 → 민주적 노사관계로 발전되어 왔다.

(1) 전제적(착취적) 노사관계

노동자와 사용자의 관계가 절대명령과 복종이라는 종속적인 관계가 유지되고 노동자의 인간적인 측면이 무시되는 노사관계이다.

(2) 온정적 노사관계

생산방식의 발달과 정착노동의 증대로 전제적 노사관계가 한계에 이르게 됨에 따라 사용자는 온정주의에 입각하여 노동자에게 복리후생시설 등을 제공하는 노사관계이다.

(3) 완화적 노사관계

소유와 경영의 분리에 따라 경영자집단과 노동조합이 형성되고 발전되는 노사관계이다. 그러나 소유와 경영이 완전히 분리되지 않았기 때문에 개별적 자본의 성격이 강하게 남아 있으며, 이로 인해 단지 자본의 일방적 지배를 어느 정도 제약하는 노사관계라고 할 수 있다.

(4) 민주적 노사관계

전문경영자의 영입, 기업규모의 확대, 기계화, 미숙련 노동자의 대거 채용 등에 따라 자연적으로 노동자가 대등한 사회적 지위를 인정받게 되는 산업민주주의의 이념을 형성한 노사관계이다.

3. 노동조합

(1) 의의

노동조합(trade union)이란 임금노동자가 노동생활에 관련된 모든 조건의 유지 또는 개선을 목적으로 조직한 항구적인 단체를 의미한다. 일반적으로 경제적 기능, 공제적 기능, 정치적 기능을 수행한다.

① **경제적 기능**: 노동조합은 노동자의 협상 및 교섭기능을 하면서 임금인상, 근로조건 개선 등을 추구한다.

② **공제적 기능**: 노동조합은 조합원 상호 간의 상호부조 또는 상호공제활동을 수행하게 되는데, 이는 노동조합원 상호 간에 수행되는 대내적 기능이다. 공제조합, 공동구매, 탁아시설 공동운영 등이 해당한다.

③ **정치적 기능**: 노동조합은 노동자와 사용자 사이의 교섭과 분쟁을 노동자에게 유리한 방향으로 해결하기 위해 법률의 제정과 제도개선 등을 목적으로 다양한 활동을 수행한다. 노동자에게 유리한 정부의 지원을 얻어내기 위한 입법화 운동, 정치인 후원 모금활동 등이 이에 해당되며, 정치적 후보를 내어 선거운동에 참여하는 등의 활동도 여기에 포함된다. 이러한 정치적 기능은 경영참여의 형태로 나타나기도 한다.

(2) 조직형태

① **직종별 노동조합(craft union)**: 특정 기업이나 산업에 고용되는 것과 관계없이 직종 또는 직업을 같이하는 노동자들로 조직된 노동조합을 말하며, 가장 먼저 발달한 노동조합의 조직형태이다. 이는 직업별 또는 직능별 노동조합이라고도 불리며, 주로 숙련공들의 기술이 필수적으로 요구되던 종래의 생산방식하에서 숙련노동자가 조직을 통해 노동시장을 배타적으로 독점하여 교섭력을 높이는 것을 주목적으로 하였다.

② **산업별 노동조합(industrial union)**: 직종이나 계층에 관계없이 동일 산업에 종사하는 노동자가 조직하는 노동조합을 말한다. 즉, 하나의 산업 전체 노동자가 일시에 파업을 하여 노동을 중지시키는 것이 교섭상 유리한 방법이 됨에 따라 노동조합도 같은 산업 내의 전체 노동자를 단위로 조직하게 된 것이 산업별 노동조합이다.

③ **기업별 노동조합(company union)**: 동일한 기업에 종사하는 노동자들에 의해 조직되는 노동조합을 말한다. 직종별 노동조합, 산업별 노동조합, 일반 노동조합이 기업을 초월하는 횡단적인 조직이라면 기업별 노동조합은 기업 내 노동자들의 직종 또는 숙련정도와 상관없이 오로지 개별기업을 조직단위로 하는 종단적 조직이다.

④ **일반 노동조합(general union)**: 숙련이나 직종 또는 산업에 상관없이 일반 노동자들을 폭넓게 규합하는 노동조합의 형태이다. 일반 노동조합은 작업의 전문화·단순화·표준화로 인해 등장한 대량의 미숙련노동자들이 노동생활을 영위하기 위한 최저생활의 필요조건을 확보하기 위해서 생성되었다. 주된 요구조건으로는 고용의 안정과 임금 및 근로조건의 최저한도 설정 등을 들 수 있다. 이러한 요구조건들은 산업이나 직종을 초월하여 균일적인 성질을 가지는 것으로 그것의 실현을 위하여 입법규제를 중시하게 된다.

4. 숍제도

숍(shop)제도는 기업이 신규인력 채용 시 지원자의 신분과 관련하여 노동조합과의 관계를 정하는 방식을 의미한다. 이에는 기본 형태인 오픈 숍(open shop), 클로즈드 숍(closed shop), 유니온 숍(union shop)과 변형된 형태인 유지 숍(maintenance shop), 우선 숍(preferential shop), 에이전시 숍(agency shop)이 있다.

(1) 오픈 숍

조합원이나 비조합원이나 모두 고용할 수 있으며 조합가입이 고용조건이 아닌 제도이다. 노동자는 고용을 위해 노동조합에 가입하지 않아도 무방하기 때문에 노동조합의 가입은 노동자의 개인의지에 맡겨져 있다. 또한, 노동조합원이었던 노동자가 노동조합을 탈퇴하거나 제명되어도 고용을 유지할 수 있다.

(2) 클로즈드 숍

사용자가 노동자를 고용함에 있어서 반드시 노동조합원 중에서 선발해야 하는 제도이다. 기업에 속해 있는 노동자 전체가 노동조합에 가입해야 할 의무를 가지게 되는 것으로 노동조합의 가입이 고용의 전제조건이 되는 가장 강력한 제도이다.

(3) 유니온 숍

사용자가 노동자를 고용할 때 자유로운 고용이 허락되지만, 일단 고용된 후에는 노동조합의 가입을 의무화하는 제도이다. 따라서 고용 후에 노동조합을 탈퇴하거나 제명되면 고용을 유지할 수 없다.

(4) 유지 숍

고용이 되면 일정기간 동안 노동조합원의 자격을 유지해야 하는 제도이다.

(5) 우선 숍

고용에 있어서 노동조합원에게 우선권을 부여하는 제도이다.

(6) 에이전시 숍

노동조합원뿐만 아니라 노동조합원이 아닌 노동자에게도 노동조합의 조합회비를 징수하는 제도이다. 일반적으로 노동자에게 일일이 조합회비를 징수하는 것이 쉽지 않기 때문에 조합회비를 급여에서 일괄 공제하는 체크오프 시스템(check-off system)을 활용한다.

5. 단체교섭

(1) 의의

단체교섭(collective bargaining)이란 노사대등의 입장에서 실행되는 노동조건의 집단적 거래관계 또는 집단적 타협의 절차를 의미한다. 일반적으로 단체교섭은 임금, 노동시간 등의 노동조건을 놓고 노동자 단체인 노동조합과 사용자 간에 협상을 벌여 결론을 도출하고, 도출된 결론을 이행해 가는 일련의 과정이다. 단체교섭은 일반적으로 다음과 같은 특징을 가진다.

① 노사 간 교섭력을 중심으로 진행되지만, 그 교섭력이 정당성의 한계를 벗어나지 않아야 하며 협상을 통해 결론에 도달한다는 목적하에서 실행되어야 한다.

② 노사 간 의사소통의 통로라는 점에서 노사협의와 유사하지만, 임금과 근로조건 등과 같은 노사 간의 이해가 상반되는 협상과정이라는 점에서는 노사협의와 다르다.

③ 노사 당사자 간의 문제이기 때문에 교섭형태가 어떻게 진행되든지 간에 최종적으로 책임과 의무를 다하는 노력이 선행되어야 한다.

(2) 유형

① **기업별 교섭**: 특정 기업 또는 사업장 단위로 조직된 독립된 노동조합이 그 상대방인 사용자와 단체교섭을 행하는 방식을 말한다.

② **통일 교섭**: 노동시장을 전국적 또는 지역적으로 지배하고 있는 산업별 또는 직업별 노동조합과 이에 대응하는 전국적 또는 지역적인 사용자 단체 간에 행해지는 단체교섭을 말한다.

③ **대각선 교섭**: 산업별 노동조합이 개별기업의 사용자와 개별적으로 교섭하는 방식을 말한다. 이 방식은 산업별 노동조합에 대응할 만한 사용자 단체가 없거나 또는 사용자 단체가 있는 경우라도 각 기업에 특수한 사정이 있는 경우에 많이 요구되고 있다.

④ **집단 교섭**: 수 개의 단위노동조합이 집단을 구성하여 이에 대응하는 수 개 기업의 사용자대표와 집단적으로 교섭하는 방식을 말한다. 이 방식은 노사양측이 산업별 또는 지역별로 각기 연합전선을 형성하여 교섭하기 때문에 연합교섭이라고도 한다.

⑤ **공동 교섭**: 상부단체인 산업별 또는 직업별 노동조합이 하부단체인 기업별 노조 또는 기업단위의 지부와 공동으로 당해기업의 사용자대표와 교섭하는 방식이다.

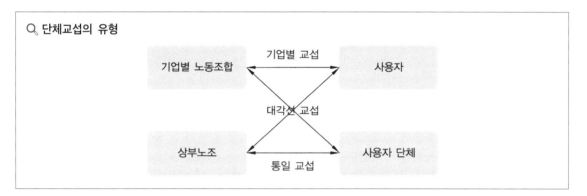

🔍 **단체교섭의 유형**

6. 노동쟁의

(1) 의의

노동쟁의(labor dispute)란 노동조건과 관련된 사항에 대해 노사 간에 의견합의를 도출하지 못해 분쟁에 돌입한 상태를 의미한다. 따라서 노동쟁의는 단체교섭 실시를 전제로 한다. 즉, 단체교섭이 실패하였을 경우에 노사는 분쟁에 돌입하게 되는 것이다. 이러한 분쟁상태가 실력행사로 이어지면 쟁의행위라고 하는데, 일반적으로 노동조합은 다양한 방법으로 쟁의행위를 시행할 수 있으며, 이에 대한 합법적 대항수단인 직장폐쇄(lock-out)를 통해 사용자는 노사 간 교섭력의 균형을 유지할 수 있다.

(2) 노동조합의 쟁의행위

노동조합이 시행할 수 있는 대표적인 쟁의행위에는 파업(strike), 태업(sabotage), 불매운동(boycott), 피켓팅(picketing), 준법투쟁(law-abiding struggle) 등이 있다.

① **파업**: 노동조합의 통제하에서 노동조합원이 집단적으로 노동의 제공을 정지하는 것을 내용으로 하는 쟁의행위이다.

② **태업**: 노동자들이 표면적으로는 작업을 하면서 집단적으로 작업능률을 저하시켜 사용자에게 손해를 주는 쟁의행위이다.

③ **불매운동**: 조합원이나 일반 시민에게 직접 쟁의의 상대가 되어 있는 사용자나 그와 거래관계에 있는 제3자의 상품구매를 거부하도록 호소하는 쟁의행위이다.

④ **피켓팅**: 파업을 효과적으로 수행하기 위하여 파업불참자들의 사업장 또는 공장의 출입을 감시·저지 하거나 파업참여에 협력할 것을 호소하는 쟁의행위이다.

⑤ **준법투쟁**: 노동조합의 통제하에 노동자들이 법규에 규정된 적법한 권리를 행사하는 방법으로 업무의 능률이나 실적을 떨어뜨려 파업이나 태업과 같은 쟁의행위의 효과를 발생시키는 쟁의행위이다. 사 용자를 압박하기 위해 본격적인 쟁의행위 이전에 행하는 것이 일반적이며 그 구체적인 유형으로는 연장근무의 거부, 집단휴가의 실시, 휴식시간 엄수 등이 있다.

(3) 사용자의 쟁의행위 – 직장폐쇄

직장폐쇄(lockout)란 사용자가 노동조합에 대해 생산수단의 접근을 차단하고 노동자의 노동력 발휘를 조직적, 집단적, 일시적으로 거부하는 행위를 의미한다. 또한, 직장폐쇄는 노동조합이 파업에 돌입하였 을 때 사용자가 취할 수 있는 합법적 대항수단이다. 따라서 노사 간의 노동쟁의를 전제로 하지 않는 공 장폐쇄나 폐업과는 구별되며, 쟁의행위가 종료되면 정상적으로 근로관계가 회복된다는 점에서 집단적 해고와도 구별된다.

(4) 노동쟁의의 조정방법

노동쟁의의 조정방법에는 조정(mediation), 중재(arbitration), 긴급조정(emergency adjustment)이 있으 며, 순서대로 그 구속력은 커진다.

① **조정**: 조정위원회를 구성해 분쟁당사자의 의견을 조정하는 방법이다. 조정위원회는 분쟁당사자의 조 정안을 작성한 후 노사의 수락을 권고하게 되는데, 수락 여부는 분쟁당사자의 자율에 맡겨져 있다.

② **중재**: 중재위원회에 의해 노동쟁의가 조정되는 준사법적 절차이다. 중재는 단체협약과 동일한 효력 을 가지며 분쟁당사자를 구속한다.

③ **긴급조정**: 노동쟁의가 국가경제를 해치고, 국민의 일상생활을 위태롭게 할 위험이 있을 때 정부가 행 하는 조정이다. 노동쟁의의 조정방법 중 가장 구속력이 크고 강력한 방법이다.

(5) 부당노동행위

부당노동행위란 노동자의 단결권, 단체교섭권, 단체행동권 행사에 대한 사용자의 방해행위를 의미한 다. 부당노동행위에는 노동자에 대한 불이익 규정, 황견계약, 단체교섭의 거부 등이 있다. 특히, 황견계약 (yellow dog contract)은 노동자가 노동조합에 가입하지 않거나 탈퇴한다는 조건으로 고용계약을 체결 하는 것이다.

7. 경영참여

경영참여(management participation)란 노동자 또는 노동조합이 기업경영과 관련된 제반 사항에 참여하여 영향력을 행사하는 과정을 의미한다. 이러한 경영참여는 노동조합의 기능 중 정치적 기능이 확대된 개념이 라고 할 수 있지만, 경영참여로 인해 오히려 단체교섭기능이 약화되는 경우가 발생할 수 있다. 경영참여는 전통적인 관점에서 노동자 또는 노동조합의 역할이 아니라고 생각되는 부문에 대해 노동자 또는 노동조합 이 참여하는 것이기 때문에 그 유형은 의사결정참여, 이익참여, 자본참여로 구분할 수 있다. 물론, 경영참여 가 긍정적인 측면만 있는 것은 아니며, 경영참여제도의 도입으로 인해 경영권의 침해문제, 노동조합 약체화 의 문제, 근로자의 경영참여능력문제 등이 우려된다.

(1) 의사결정참여

노동자나 노동조합이 의결권을 가지고 이사회에 참여하여 경영진과 공동으로 의사결정을 하는 공동의사결정제도와 중요사항을 사용자들과 함께 합의해 추진하는 노사협의제가 대표적이다. 추가적으로 제안제도[85], 분임조[86], 복수경영제도[87] 등과 같은 제도 역시 의사결정참여의 한 형태에 해당한다.

📋 노사협의제와 단체교섭

구분	노사협의제	단체교섭
목적	노사공동의 이익증진과 평화도모	임금 및 근로조건의 유지 및 개선
배경	노동조합의 성립여부와 상관없으며, 쟁의행위라는 압력수단 없이 진행	노동조합 및 기타 노동단체의 존립을 전제로 하고 자구행위로서의 쟁의를 배경으로 함
당사자	근로자 대표 및 사용자	노동조합의 대표자와 사용자
대상사항	기업경영이나 생산성향상 등과 같이 노사 간의 이해가 공통	임금, 근로시간 및 기타 근로조건에 관한 사항처럼 이해가 대립
결과	법적 구속력 있는 계약체결이 이루어지지 않음	단체교섭이 원만히 이루어진 경우에 단체협약을 체결

(2) 이익참여

노동자로 하여금 기업(조직)성과에 적극적으로 참여하게 함으로써 기업(조직)에 대한 관심과 충성심을 제고하고 노동자들에게 안정된 보상을 제공한다. 이윤분배제도[88]가 대표적인 이익참여의 한 형태에 해당한다.

(3) 자본참여

노동자들이 주주처럼 자기회사 주식의 일부를 보유하는 것으로 종업원지주제도(우리사주조합)[89]가 자본참여의 한 형태에 해당한다.

---

85) 제안제도(suggestion system)란 업무개선이나 비용절감 등 조직의 효율성 제고를 위해 조직구성원들의 아이디어를 체계적으로 수집하고 이를 활용하는 공식적인 절차를 의미한다. 따라서 제안제도는 조직구성원들에게 참여의 기회를 제공할 뿐만 아니라 선택된 아이디어 또는 제안에 대해 적절한 보상을 지불한다는 점에서 동기부여의 역할도 한다.

86) 분임조(circle)란 작업집단을 소규모 인원으로 구성하여 집단구성원들이 그들의 업무를 개선하고 성과를 높이는 데 직접 참여할 수 있도록 하는 제도를 의미한다. 대표적인 예로는 품질분임조(quality circle)가 있다.

87) 복수경영제도(multiple management)란 중간 또는 하위경영자들이 최고경영층의 중역회의와 같은 운영위원회를 형성하여 실무운영에 필요한 의사결정을 하고 정책결정에 관해서도 최고경영층에 건의하는 제도를 의미한다.

88) 이윤분배제도(profit sharing plan)란 조직구성원들이 달성한 이익의 일부를 조직구성원들에게 분배함으로써 조직구성원들이 조직의 경제적 이득에 참여하고 동기유발을 할 수 있도록 하는 제도를 의미한다.

89) 종업원지주제도(employee stock ownership plan)란 종업원이 자사에서 발행하는 주식을 보유하게 하는 제도를 의미한다. 기업은 종업원지주제도를 위해 저가격, 배당우선, 공로주, 의결권 제한, 양도제한 등의 특별한 조건 및 방법을 이용한다.

1 의의

1. 개념

광의의 이직(turnover)은 종업원의 입직(accession)과 이직(separation)을 모두 포함하는 개념이지만, 협의의 이직(separation)은 조직으로부터 금전적 보상을 받는 인적자원이 자발적 또는 비자발적으로 조직에서 구성원 자격을 일시적 또는 영구적으로 종결짓고 조직을 떠나는 것을 의미한다. 이직은 인적자원의 의지에 따라 자발적 이직과 비자발적 이직으로 구분할 수 있다. 자발적 이직에는 전직(turn over), 사직(resign) 등이 있으며, 비자발적 이직에는 해고(dismissal)와 퇴직(retirement) 등이 있다.

2. 기능

(1) 순기능적인 측면

① 적정수준의 이직은 보다 양질의 참신한 인력으로 대체할 수 있는 기회를 제공해 준다.
② 기업에 새로운 아이디어나 기술의 도입을 가능하게 해 주기 때문에 성과의 질과 양이 증가될 수 있다.
③ 새로운 인력의 영입은 정체적인 조직분위기를 쇄신시켜 조직활성화의 계기가 마련될 수 있다.
④ 연공급제하에서 능력이 부족한 고임금자들의 이직에 따른 신규인력의 충원은 인건비 절감효과도 가져다준다.
⑤ 경기침체 시 과잉인력을 보유하고 있는 조직의 경우에 이직은 인력배치의 유연성을 제고시켜 탄력적이고 합리적인 인력운용을 통해 조직의 활성화와 경쟁력 제고에 기여한다.

(2) 역기능적인 측면

① 과도한 자발적 이직은 고용정책의 차질에 따른 생산계획의 혼란을 가져와 경영의 안정과 조직분위기를 저해할 수 있다.
② 자발적 이직은 높은 이직비용을 발생시킨다. 이직이 발생하기 전까지 이직자의 낮은 생산성뿐만 아니라 신규인력을 확보하는 데 드는 모집·선발비용, 교육훈련비용 등이 발생한다.
③ 유능한 인재의 이직은 인적자원 측면에서 경쟁력 약화를 가져다준다.

3. 적정이직률

이직의 순기능적인 측면과 역기능적인 측면을 모두 계량화해서 비교하기는 어렵지만, 기업이 이직을 효율적으로 관리하기 위해서는 이론적으로는 먼저 적정수준의 이직률을 검토하여 이를 유지하여야 한다. 만약 실제이직률이 적정이직률을 초과하는 경우에는 이를 감소시키는 대책을 강구하여야 할 것이다. 이직과 관련하여 기업은 무능한 종업원이 이직하고 유능한 신규인적자원이 영입되기를 원하겠지만 현실은 그렇지 않은 경우가 대부분이다. 사실상 이직률이 너무 낮으면 유능한 인적자원의 유실은 적겠지만 소직은 침체될 것이고, 이직률이 너무 높으면 조직은 보다 높은 이직비용을 감수하지 않으면 안 된다. 따라서 기업의 입장에서 이직관리를 할 때 어느 정도의 이직률이 적당한가는 종업원이 기업을 떠남으로 발생하는 이직비용과 기업이 종업원을 계속 보유하기 위해 투입해야 하는 비용(이직을 막기 위한 매력적인 직무제공, 높은 임금 및 복리후생 제공 등)을 동시에 고려하여야 한다. 그 결과 기업의 적정이직률은 기업이 부담해야 하는 이직비용과 인력보유비용의 합이 최소가 되는 곳에서 존재한다. 즉, 해당 기업의 이직률이 적정이직률을 초과하게 되면 이직관련 총비용이 증가하여 조직의 유효성이 저하되고 이러한 경우에는 이직감소를 위한 대책을 강구하여야 한다.

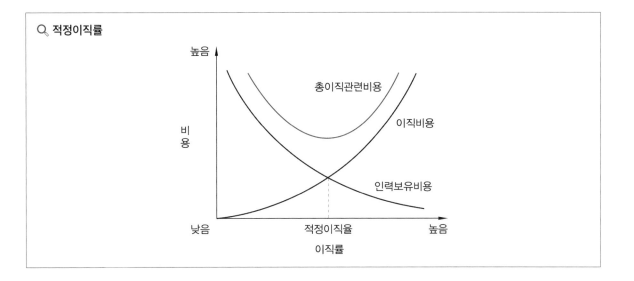

2 자발적 이직의 원인과 방지대책

1. 자발적 이직의 원인

(1) 외부환경요인

종업원 개인이 어떤 이유에서든 기업에 대해 불만을 가지고 있을 때 이 불만이 이직으로 연결되는 데에는 당시 노동시장의 환경이 결정적 역할을 한다. 즉, 이직의도를 가진 종업원이 이직을 결정하는 데에는 그가 선택할 수 있는 조직의 수가 영향을 미치는 것이다.

(2) 조직전체요인

이직에 대한 조직전체요인으로서 기업의 임금 및 복리후생, 승진정책 등을 들 수 있다. 종업원들은 임금 및 복리후생, 승진의 공정성이 결여되었거나 기대감이 충족되지 않은 경우에 실망하여 이직을 결정하게 된다. 임금인상액이나 승진기회는 그 자체로서 중요한 의미를 가지지만, 이것이 종업원의 기대수준, 종업원 자신이 지각하는 공헌수준과 함께 고려되지 않으면 별 의미가 없어지게 된다.

(3) 작업환경요인

작업환경요인으로서 감독자의 리더십스타일, 동료집단과의 상호작용 또는 인간관계, 작업조건 등을 들 수 있다. 감독자가 부하를 보다 많이 배려하고 원만한 인간관계를 촉진시키는 작업집단에서는 이직률이 낮게 나타나며, 동료집단 간의 인간관계가 원만하고 집단응집력이 높은 곳에서의 이직률 역시 낮게 나타난다. 먼지, 소음, 열, 작업장의 위험도 등 작업조건 역시 이직에 영향을 미친다. 즉, 작업조건이 나쁘면 나쁠수록 종업원의 불만족은 증가하며 이것이 이직으로 연결된다.

(4) 직무내용요인

종업원이 현재 수행하고 있는 직무가 어떻게 설계되어 있느냐는 이직과 매우 중요한 관련을 갖게 된다. 특히 지나친 직무전문화로 인한 일상 작업생활에서의 단조로움, 권태감, 작업에 대한 의미상실 등은 작업자에게 직무스트레스나 소외감을 가져다주어 이직으로 연결되는 것이다. 뿐만 아니라 작업량이 많아 정신적·육체적으로 견디기 어렵다든지, 직무수행에 있어서 자율성(autonomy)이 매우 낮거나 역할모호성(role ambiguity)이 높을수록 이직률이 높아지게 된다.

(5) 개인특성요인

이직과 관련되는 개인특성요인은 종업원의 연령, 근속연수, 가족부양책임, 교육정도 등이 있다. 이직과 연령은 매우 높은 부정적 관계가 있는데, 이것은 젊은 종업원의 이직률이 나이가 많은 종업원의 이직률보다 훨씬 높다는 것을 의미한다. 종업원의 근속연수 역시 이직에 대해 연령과 유사한 경향을 보여주고 있다. 또한, 종업원의 부양가족 수가 적을수록, 교육수준이 높을수록 이직률이 높게 나타난다.

2. 자발적 이직의 방지대책

이직률을 줄이기 위해서는 이직원인을 제거하면 된다. 그러나 개인특성과 관련되는 원인과 노동시장 여건(외부환경요인)은 기업으로서는 통제불가능한 변수이다. 따라서 기업이 통제가능한 요인은 조직전체요인, 작업환경요인, 직무내용요인이다.

(1) 조직전체요인은 임금, 복리후생, 승진으로 구분된다. 따라서 기업은 임금과 복리후생에 대한 대내적 및 대외적 공정성 확보를 비롯한 임금 및 복리후생제도를 개선하여 종업원들의 욕구를 충족시켜 줄 수 있도록 해야 할 것이다. 또한, 승진정책을 공정하고 합리적으로 실시하여야 한다.

(2) 작업환경요인은 기업의 통제가능한 요인이다. 즉, 기업은 관리자에 대한 교육훈련, 상사와 부하들의 관계를 고려한 인력배치, 각종 인간관계를 지원하는 제도를 도입함으로써 어느 정도 극복이 가능하다. 또한, 작업조건인 먼지, 소음, 열, 작업장의 위험도 등 열악한 환경을 줄이기 위한 기업의 투자도 필요하다. 작업환경요인의 개선은 임금처럼 직접적인 막대한 비용이 발생하지 않기 때문에 기업이 특히 관심을 기울일 수 있는 전략적인 이직요인 제거분야이다.

(3) 직무내용요인도 기업의 통제가능한 요인이다. 직무내용은 바로 직무설계의 문제이기 때문에 기업이 추가적인 경제적 비용을 지불하지 않고도 개선이 가능하다. 지나친 직무전문화는 이직을 유발할 뿐만 아니라 작업자의 동기부여를 저하시켜 생산성 저하를 가져다주기 때문에 직무확대화를 통한 이직감소 노력이 필요하다.

01 □□□ 2018년 군무원

노동자의 노동조합 가입 여부에 상관없이 임의로 채용이 가능한 숍제도로 가장 옳은 것은?

① 오픈 숍(open shop)
② 클로즈드 숍(closed shop)
③ 유니온 숍(union shop)
④ 에이전시 숍(agency shop)

해설

오픈 숍은 조합원이나 비조합원이나 모두 고용할 수 있으며 조합가입이 고용조건이 아닌 제도이다.
② 클로즈드 숍은 사용자가 노동자를 고용함에 있어서 반드시 노동조합원 중에서 선발해야 하는 제도이다.
③ 유니온 숍은 사용자가 노동자를 고용할 때 자유로운 고용이 허락되지만, 일단 고용된 후에는 노동조합의 가입을 의무화하는 제도이다.
④ 에이전시 숍은 노동조합원뿐만 아니라 노동조합원이 아닌 노동자에게도 노동조합의 조합회비를 징수하는 제도이다. **정답 ①**

02 □□□ 2015년 국가직

노동조합의 가입 및 운영 요건을 정하는 숍제도(shop system) 중 채용된 후 일정한 수습 기간이 지나 정식사원이 되면 조합 가입의무가 있는 방식은?

① 오픈 숍(open shop)
② 유니온 숍(union shop)
③ 클로즈드 숍(closed shop)
④ 에이전시 숍(agency shop)

해설

노동조합의 가입 및 운영 요건을 정하는 숍제도(shop system) 중 채용된 후 일정한 수습 기간이 지나 정식사원이 되면 조합 가입의무가 있는 방식은 유니언 숍(union shop)과 유지 숍(maintenance shop)이다. **정답 ②**

03 ☐☐☐ 2020년 국가직

노동조합과 노사관계에 대한 설명으로 옳지 않은 것은?

① 일반적으로 노동조합은 오픈 숍(open shop) 제도를 확립하려고 노력하고, 사용자는 클로즈드 숍(closed shop)이나 유니언 숍(union shop) 제도를 원한다.

② 노사관계는 생산의 측면에서 보면 협조적이지만, 생산의 성과배분 측면에서 보면 대립적이다.

③ 노동조합의 경제적 기능은 사용자에 대해 직접 발휘하는 노동력의 판매자로서의 교섭기능이다.

④ 노사 간에 대립하는 문제들이 단체교섭을 통해 해결되지 않으면 노사 간에는 분쟁상태가 일어나고, 양 당사자는 자기의 주장을 관철하기 위하여 실력행사에 들어가는데 이것을 '노동쟁의(labor disputes)'라고 한다.

해설

일반적으로 오픈 숍은 사용자에게 유리하고, 클로즈드 숍은 노동조합에게 유리하다.   **정답 ①**

04 ☐☐☐ 2023년 군무원 9급

노동조합 제도에 대한 설명으로 가장 거리가 먼 것은?

① 오픈 숍(open shop)은 조합원 여부와 상관 없이 고용할 수 있으며, 조합 가입이 고용조건이 아니다.

② 클로즈드 숍(closed shop)은 사용자가 조합원만 선발해야 하는 제도이다.

③ 에이전시 숍(agency shop)은 조합원뿐 아니라 비조합원 노동자에게도 조합 회비를 징수하는 제도이다.

④ 유니온 숍(union shop)은 하나의 사업장에 하나의 노동조합만 인정하는 제도이다.

해설

유니온 숍(union shop)은 하나의 사업장에 하나의 노동조합만 인정하는 제도가 아닌, 사용자가 노동자를 고용할 때 자유로운 고용이 허락되지만, 일단 고용된 후에는 노동조합의 가입을 의무화하는 제도이다.   **정답 ④**

노동조합에 대한 설명으로 옳은 것은?

① 산업별 노동조합은 조합원의 수가 많아 압력단체의 지위를 확보할 수 있어 교섭력을 높일 수 있다.
② 산업별 노동조합은 가장 오랜 역사를 가진 노동조합 형태이며, 노동시장의 공급통제를 목적으로 숙련도 여부에 관계 없이 동일 산업의 모든 근로자를 대상으로 조직한다.
③ 프레퍼렌셜 숍(preferential shop)은 노동조합의 조합원 수 확대를 위해 비조합원에 우선순위를 주는 제도이다.
④ 단체교섭권은 근로조건의 유지 및 개선을 위해 근로자가 단결하여 사용자와 교섭할 수 있는 권리이며, 단체교섭권 남용에 대해서 사용자는 직장폐쇄로 맞설 수 있다.

해설 --

② 가장 오랜 역사를 가진 노동조합 형태는 직종별 노동조합이다.
③ 프레퍼렌셜 숍(preferential shop)은 비조합원이 아니라 조합원에 우선순위를 주는 제도이다.
④ 단결권은 근로자가 근로조건의 유지 및 개선을 위해 단결할 수 있는 권리를 말하고, 단체교섭권은 근로자가 노동조합을 통하여 사용자와 근로조건의 유지 및 개선에 관하여 교섭하는 권리를 말한다. 그리고 직장폐쇄는 노동조합 측의 노동쟁의에 대한 사용자의 대응수단에 해당한다.

정답 ①

노동조합이 근로자와 조합원 자격의 관계를 근로협약에 명시하여 조합의 존립을 보장받고자 하는 숍제도(shop system)의 유형 중 근로자가 노동조합에 가입하지 않아도 좋으나 조합비는 납부해야 하며, 노동조합은 조합비를 받는 대가로 비조합원을 위해서도 단체교섭을 맡는 제도로 가장 옳은 것은?

① 유니언숍(union shop)
② 에이전시숍(agency shop)
③ 오픈숍(open shop)
④ 클로즈드숍(closed shop)

해설 --

에이전시숍(agency shop)은 노동조합원뿐만 아니라 노동조합원이 아닌 노동자에게도 노동조합의 조합회비를 징수하는 제도이다. 따라서 문제에서 설명하고 있는 제도는 에이전시숍(agency shop)이다.
① 유니언숍(union shop)은 사용자가 노동자를 고용할 때 자유로운 고용이 허락되지만, 일단 고용된 후에는 노동조합의 가입을 의무화하는 제도이다.
③ 오픈숍(open shop)은 조합원이나 비조합원이나 모두 고용할 수 있으며 조합가입이 고용조건이 아닌 제도이다.
④ 클로즈드숍(closed shop)은 사용자가 노동자를 고용함에 있어서 반드시 노동조합원 중에서 선발해야 하는 제도이다.

정답 ②

07 ☐☐☐ 2021년 군무원 9급

헌법이 보장하고 있는 노동자의 3가지 기본 권리에 해당하지 않는 것은?

① 단결권
② 단체협의권
③ 단체교섭권
④ 단체행동권

해설

헌법이 보장하고 있는 노동자의 3가지 기본 권리는 단결권, 단체교섭권, 단체행동권이다.

정답 ②

08 ☐☐☐ 2019년 국가직

노사협의회에 대한 설명으로 옳은 것은?

① 노사협의회는 근로자 대표와 사용자 대표로 구성되는데, 근로자 대표는 조합원이든 비조합원이든 구분 없이 전 종업원이 선출한다.
② 노사협의회는 경영참가제도의 일종으로 근로자의 지위향상 및 근로조건의 개선유지를 주요 목적으로 한다.
③ 노사협의가 결렬될 경우, 쟁의권에 의하여 쟁의행위가 수반된다.
④ 노사협의회의 주요 협의 대상이 되는 임금, 근로시간, 기타 근로조건 관련 사항에 대해서는 노사 간의 이해가 대립된다.

해설

② 노사협의회는 경영참가제도의 일종으로 보통 단체교섭에서 취급하지 않는 사항에 대하여 노사가 협력하여 협의하는 제도이다. 따라서 근로자의 지위향상 및 근로조건의 개선유지를 주요 목적으로 하는 것은 단체교섭이다.
③ 노사협의가 아니라 단체교섭이 결렬될 경우, 쟁의권에 의하여 쟁의행위가 수반된다.
④ 단체교섭의 주요 협의 대상이 되는 임금, 근로시간, 기타 근로조건 관련 사항에 대해서는 노사 간의 이해가 대립된다.

정답 ①

고성과 작업시스템에 대한 설명으로 옳지 않은 것은?

① 노사 간의 협력과 신뢰에 기반을 두어 구성원들의 자발적인 참여와 헌신을 끌어냄으로써 더욱 높은 성과의 달성을 유도한다.

② 교육훈련 및 인적자원개발에 대한 투자와 다양한 교육훈련 및 인적자원개발 프로그램을 제공하고자 노력한다.

③ 직무는 개인 단위로 설계되고, 시장지향적 고용관계를 지향하며, 세밀하고 명확한 직무규정을 강조한다.

④ 인적자원을 통한 경쟁력 향상을 도모하고, 업무와 조직에 대한 구성원들의 정서적 몰입을 높이는 데 초점을 둔다.

해설

고성과 시스템(high performance system)은 조직목표를 달성하되 자원과 기회를 최대한 활용할 수 있도록 인적자원, 기술, 조직구조를 적합하게 조합한 상태를 말한다. 따라서 고성과 시스템이 되기 위해서는 모든 요소들이 유기적으로 연결되어 전체로서 자연스럽게 작동되어야 하기 때문에 직무는 팀 단위로 설계된다. **정답 ③**

01 □□□ 2014년 공인노무사 수정

산업재해의 원인 중 그 성격이 다른 것은?

① 건물, 기계설비, 장치의 결함
② 안전보호장치, 보호구의 오작동
③ 생산공정의 결함
④ 개인의 부주의, 불안정한 행동

해설

④번은 근로자 입장에서 발생할 수 있는 산업재해의 원인에 해당하고, 나머지는 기업 입장에서 발생할 수 있는 산업재해의 원인에 해당한다.

정답 ④

02 □□□

노사관계(labor relations)의 발전과정을 순서대로 배열한 다음 내용 중 가장 옳은 것은?

① 전제적 노사관계 → 온정적 노사관계 → 완화적 노사관계 → 민주적 노사관계
② 전제적 노사관계 → 완화적 노사관계 → 온정적 노사관계 → 민주적 노사관계
③ 온정적 노사관계 → 전제적 노사관계 → 완화적 노사관계 → 민주적 노사관계
④ 온정적 노사관계 → 완화적 노사관계 → 전제적 노사관계 → 민주적 노사관계

해설

노사관계(labor relations)는 '전제적 노사관계 → 온정적 노사관계 → 완화적 노사관계 → 민주적 노사관계'의 순서로 발전되어 왔다. **정답 ①**

03 □□□ 2017년 공인노무사 수정

노사관계에 관한 설명으로 옳지 않은 것은?

① 좁은 의미의 노사관계는 집단적 노사관계를 의미한다.
② 메인트넌스 숍(maintenance shop)은 조합원이 아닌 종업원에게도 노동조합비를 징수하는 제도이다.
③ 채용 이후 자동적으로 노동조합에 가입하는 제도는 유니온 숍(union shop)이다.
④ 사용자는 노동조합의 파업에 대응하여 직장을 폐쇄할 수 있다.

해설

조합원이 아닌 종업원에게도 노동조합비를 징수하는 제도는 에이전시 숍(agency shop)이다. 메인트넌스 숍(maintenance shop)은 고용이 되면 일정기간 동안 노동조합원의 자격을 유지해야 하는 제도이다. **정답 ②**

04 ☐☐☐ 2019년 공인노무사 수정

노동조합의 조직형태에 관한 설명으로 옳지 않은 것은?

① 직종별 노동조합은 동종 근로자 집단으로 조직되어 단결이 강화되고 단체교섭과 임금협상이 용이하다.
② 일반노동조합은 숙련근로자들의 최저생활조건을 확보하기 위한 조직으로 초기에 발달한 형태이다.
③ 기업별 노동조합은 조합원들이 동일 기업에 종사하고 있으므로 근로조건을 획일적으로 적용하기가 용이하다.
④ 산업별 노동조합은 기업과 직종을 초월한 거대한 조직으로서 정책활동 등에 의해 압력단체로서의 지위를 가진다.

해설

일반노동조합은 숙련이나 직종 또는 산업에 상관없이 일반노동자들을 폭넓게 규합하는 노동조합의 형태이다.　　　　정답 ②

05 ☐☐☐ 2019년 경영지도사 수정

사용자가 노동조합원이 아닌 자도 고용할 수 있지만, 일단 고용된 근로자는 일정 기간 내 노동조합에 가입해야 하는 제도는?

① 유니온 숍(unions shop)
② 우선 숍(preferential shop)
③ 오픈 숍(open shop)
④ 클로즈드 숍(closed shop)

해설

사용자가 노동조합원이 아닌 자도 고용할 수 있지만, 일단 고용된 근로자는 일정기간 내 노동조합에 가입해야 하는 제도는 유니온 숍이다.　　　　정답 ①

06 ☐☐☐

노동조합의 가입과 관련된 다음 설명 중 가장 옳지 않은 것은?

① 오픈 숍(open shop): 종업원으로 고용되면 일정기간 내에 필수적으로 조합원이 되어야 한다.
② 클로즈드 숍(closed shop): 종업원을 채용할 때 반드시 조합원이어야 한다.
③ 에이전시 숍(agency shop): 조합원이 아니더라도 모든 종업원에게 조합회비를 징수한다.
④ 우선 숍(preferential shop): 채용 시 조합원에게 우선권을 주는 제도이다.

해설

오픈 숍(open shop)은 노동조합에 가입 여부에 관계없이 종업원을 고용할 수 있는 제도이며, 유니온 숍(union shop)은 종업원으로 고용되면 일정기간 내에 필수적으로 조합원이 되어야 하는 제도이다.　　　　정답 ①

07 □□□

다음 중 노동조합의 권리와 단결을 가장 강력하게 확보할 수 있는 제도는?

① 클로즈드 숍(closed shop)
② 오픈 숍(open shop)
③ 유니언 숍(union shop)
④ 에이전시 숍(agency shop)

해설

클로즈드 숍(closed shop)에서는 조합원이 아닌 자를 고용할 수 없으며, 또한 조합에서 탈퇴하는 경우에 고용관계가 종식되게 된다. **정답 ①**

08 □□□ 2015년 공인노무사 수정

조합원 및 비조합원 모두에게 조합비를 징수하는 숍(shop) 제도는?

① open shop
② closed shop
③ agency shop
④ preferential shop

해설

조합원 및 비조합원 모두에게 조합비를 징수하는 숍(shop) 제도는 agency shop이다. **정답 ③**

09 □□□ 2024년 공인노무사 수정

산업별 노동조합 또는 교섭권을 위임받은 상급단체와 개별 기업의 사용자 간에 이루어지는 단체교섭 유형은?

① 대각선 교섭
② 통일적 교섭
③ 기업별 교섭
④ 집단교섭

해설

산업별 노동조합 또는 교섭권을 위임받은 상급단체와 개별 기업의 사용자 간에 이루어지는 단체교섭 유형은 대각선 교섭이다.
② 통일적 교섭은 노동시장을 전국적 또는 지역적으로 지배하고 있는 산업별 또는 직업별 노동조합과 이에 대응하는 전국적 또는 지역적인 사용자단체 간에 행해지는 단체교섭을 말한다.
③ 기업별 교섭은 특정 기업 또는 사업장 단위로 조직된 독립된 노동조합이 그 상대방인 사용자와 단체교섭을 행하는 방식을 말한다.
④ 집단교섭은 수 개의 단위노동조합이 집단을 구성하여 이에 대응하는 수개 기업의 사용자대표와 집단적으로 교섭하는 방식을 말한다. **정답 ①**

10 □□□ 2023년 가맹거래사 수정

집단 휴가 실시, 초과근무 거부, 정시 출·퇴근 등과 같은 근로자의 쟁의행위는?

① 파업
② 태업
③ 준법투쟁
④ 직장폐쇄

> **해설**
>
> 집단 휴가 실시, 초과근무 거부, 정시 출·퇴근 등과 같은 근로자의 쟁의행위는 준법투쟁이다.
> ① 파업은 노동조합의 통제하에서 노동조합원이 집단적으로 노동의 제공을 정지하는 것을 내용으로 하는 쟁의행위이다.
> ② 태업은 노동자들이 표면적으로는 작업을 하면서 집단적으로 작업능률을 저하시켜 사용자에게 손해를 주는 쟁의행위이다.
> ④ 직장폐쇄는 사용자가 노동조합에 대해 생산수단의 접근을 차단하고 노동자의 노동력 발휘를 조직적, 집단적, 일시적으로 거부하는 행위이다.
>
> **정답 ③**

11 □□□

다음 쟁의행위의 방법 중 그 실행주체가 다른 하나는?

① 직장폐쇄(lock-out)
② 파업(strike)
③ 피켓팅(picketing)
④ 태업(sabotage)

> **해설**
>
> 직장폐쇄는 실행주체가 사용자인 쟁의행위의 방법이고, 나머지는 노동조합이 실행주체가 되는 쟁의행위의 방법이다.
>
> **정답 ①**

12 □□□ 2022년 가맹거래사 수정

파업을 효과적으로 수행하기 위하여 파업 비참가자들에게 사업장에 들어가지 말 것을 독촉하고 파업참여에 협력할 것을 요구하는 행위는?

① 태업
② 보이콧
③ 피켓팅
④ 준법투쟁

> **해설**
>
> 피켓팅은 파업을 효과적으로 수행하기 위하여 파업불참자들의 사업장 또는 공장의 출입을 감시·저지하거나 파업참여에 협력할 것을 호소하는 쟁의행위이다. 따라서 파업을 효과적으로 수행하기 위하여 파업 비참가자들에게 사업장에 들어가지 말 것을 독촉하고 파업참여에 협력할 것을 요구하는 행위는 피켓팅이다.
> ① 태업은 노동자들이 표면적으로는 작업을 하면서 집단적으로 작업능률을 저하시켜 사용자에게 손해를 주는 쟁의행위이다.
> ② 보이콧은 조합원이나 일반 시민에게 직접 쟁의의 상대가 되어 있는 사용자나 그와 거래관계에 있는 제3자의 상품구매를 거부하도록 호소하는 쟁의행위이다.
> ④ 준법투쟁은 노동조합의 통제하에 노동자들이 법규에 규정된 적법한 권리를 행사하는 방법으로 업무의 능률이나 실적을 떨어뜨려 파업이나 태업과 같은 쟁의행위의 효과를 발생시키는 쟁의행위이다.
>
> **정답 ③**

13 ☐☐☐

노동쟁의의 조정방법 중 그 구속력이 가장 큰 방법에 해당하는 것은?

① 직장폐쇄(lock-out)
② 조정(mediation)
③ 중재(arbitration)
④ 긴급조정(emergency adjustment)

해설

노동쟁의의 조정방법 중에서 구속력이 가장 큰 방법은 긴급조정(emergency adjustment)이고, 가장 작은 방법은 조정(mediation)이다.

정답 ④

14 ☐☐☐ 2020년 공인노무사 수정

사용자가 노동조합의 정당한 활동을 방해하는 것은?

① 태업
② 단체교섭
③ 부당노동행위
④ 노동쟁의

해설

부당노동행위는 노동자의 단결권, 단체교섭권, 단체행동권 행사에 대한 사용자의 방해행위를 의미한다. 부당노동행위에는 노동자에 대한 불이익 규정, 황견계약, 단체교섭의 거부 등이 있다. 특히, 황견계약(yellow dog contract)은 노동자가 노동조합에 가입하지 않거나 탈퇴한다는 조건으로 고용계약을 체결하는 것이다.

정답 ③

15 ☐☐☐

종업원 경영참여제도 중 구성원들의 아이디어를 체계적으로 수집하고 이를 활용하는 공식제도로 가장 옳은 것은?

① 종업원지주제도(employee stock ownership plan)
② 분임조(circle)
③ 복수경영제도(multiple management)
④ 제안제도(suggestion system)

해설

제안제도는 조직구성원들에게 참여의 기회를 제공해 제안에 대해 적절한 보상이 지급된다면 동기부여와 인센티브 역할을 해줄 수 있다. 정답 ④

16 ☐☐☐ 2014년 공인노무사 수정

조직구성원들의 경영참여와 관련이 없는 것은?

① 분임조
② 제안제도
③ 성과배분제도
④ 전문경영인제도

> **해설**
>
> 경영참여는 의사결정참여, 이익참여, 자본참여로 구분할 수 있다. 의사결정참여의 대표적인 예에는 공동의사결정제도, 노사협의제, 제안제도, 분임조, 복수경영제도 등이 있으며, 이익참여의 대표적인 예에는 이윤분배제도가 있다. 자본참여의 대표적인 예에는 종업원지주제도가 해당한다.
>
> **정답 ④**

17 ☐☐☐ 2019년 경영지도사 수정

세계 각국의 근로조건을 국제적으로 표준화할 목적으로 추진되는 다자간 무역협상을 설명하는 용어는?

① Blue Round
② Green Round
③ Technology Round
④ Competition Round

> **해설**
>
> 블루 라운드(Blue Round)는 세계 각국의 근로조건을 국제적으로 표준화할 목적으로 추진되는 다자간 무역협상을 말한다.
> ② 그린 라운드(Green Round)는 환경과 무역의 연계에 관한 다자간 협상을 일컫는 것으로 환경보호를 목적으로 하는 환경정책수단의 효율성을 높이기 위해 환경정책과 무역의 연계를 의미하는 용어이다.
> ③ 기술 라운드(Technology Round)는 지적소유권 보호를 주요 의제로 하여 국제적인 기술규범을 제정하려는 협상을 말한다.
> ④ 경쟁 라운드(Competition Round)는 각국의 서로 다른 경쟁조건을 국제적으로 표준화시키는 협상을 말한다.
>
> **정답 ①**

18 ☐☐☐ 2020년 경영지도사 수정

고성과 작업시스템이 성공적으로 이루어지기 위한 조건이 아닌 것은?

① 분권화된 의사결정을 배제한다.
② 종업원들이 선발에 참여한다.
③ 종업원 보상은 조직의 재무성과와 연동된다.
④ 종업원들이 다양한 기술을 사용할 수 있도록 업무가 설계된다.

> **해설**
>
> 고성과 시스템(high performance system)은 조직목표를 달성하되 자원과 기회를 최대한 활용할 수 있도록 인적자원, 기술, 조직구조를 적합하게 조합한 상태를 말한다. 따라서 고성과 시스템이 되기 위해서는 모든 요소들이 유기적으로 연결되어 전체로서 자연스럽게 작동되어야 한다. 즉, 분권화된 의사결정이 배제되어서는 안 된다.
>
> **정답 ①**

해커스군무원

이인호
경영학 기본서 | 1권

개정 5판 1쇄 발행 2024년 9월 2일

지은이	이인호 편저
펴낸곳	해커스패스
펴낸이	해커스군무원 출판팀

주소	서울특별시 강남구 강남대로 428 해커스군무원
고객센터	1588-4055
교재 관련 문의	gosi@hackerspass.com
	해커스군무원 사이트(army.Hackers.com) 교재 Q&A 게시판
	카카오톡 플러스 친구 [해커스공무원 노량진캠퍼스]
학원 강의 및 동영상강의	army.Hackers.com

ISBN	1권: 979-11-7244-317-7 (14320)
	세트: 979-11-7244-316-0 (14320)
Serial Number	05-01-01

군무원 1위,
해커스군무원 **army.Hackers.com**

해커스군무원

· **해커스군무원 학원 및 인강**(교재 내 인강 할인쿠폰 수록)

· 해커스 스타강사의 **군무원 경영학 무료 특강**

· 정확한 성적 분석으로 약점 극복이 가능한 **합격예측 온라인 모의고사**(교재 내 응시권 및 해설강의 수강권 수록)